DICTIONNAIRE
FRANÇAIS•ANGLAIS
ANGLAIS•FRANÇAIS

	Abbreviations	**Abréviations**
abrev	abbreviation	abréviation
adj	adjective	adjectif
adv	adverb	adverbe
art	article	article
auto	automobile	automobile
aux	auxiliary	auxiliaire
bot	botany	botanique
chem, chim	chemistry	chimie
col	colloquial term	expression familière
com	commerce	commerce
compd	compound	mot composé
comput	computers	informatique
conj	conjunction	conjonction
excl	exclamation	exclamation
f	feminine noun	substantif féminin
fam	colloquial term	expression familière
fig	figurative	figuré
geol	geology	géologie
gr	grammar	grammaire
imp	impersonal	impersonnel
inform	computers	informatique
interj	interjection	interjection
invar	invariable	invariable
irr	irregular	irrégulier
jur	law term	juridique
law	law term	droit
ling	linguistics	linguistique
m	masculine noun	substantif masculin
mar	marine term	vocabulaire marin
mat, math	mathematics	mathématiques
med	medicine	médecine
mil	military term	vocabulaire militaire
mus	music	musique
n	noun	substantif

orn	ornithology	ornithologie
pej	pejorative	péjoratif
pl	plural	pluriel
pn	pronoun	pronom
poet	poetical term	vocabulaire poétique
prep	preposition	préposition
rad	radio	radio
rail	railway	chemin de fer
sl	slang	argot
thea	theatre	théâtre
tec	technology	technologie
TV	television	télévision
vi	intransitive verb	verbe intransitif
vr	reflexive verb	verbe réfléchi
vt	transitive verb	verbe transitif
zool	zoology	zoologie

A

à *prép* (in) to; at; on; by, per; **aller ~ l'école** to go to school; **~ neuf heures** at nine o'clock; **c'est ~ toi** it's yours; it's your turn.

abaissement *m* fall, drop.

abaisser *vt* to lower; **s'~ à faire qch** to stoop to doing sth.

abandon *m* abandonment, desertion.

abandonné *adj* deserted.

abandonner *vt to* abandon, leave.

abasourdi *adj* stunned.

abasourdir *vt* to stun.

abats *mpl* giblets.

abat-jour *m* lampshade.

abattement *m* despondency; exhaustion.

abattoir *m* abattoir, slaughterhouse.

abattre *vt* to shoot; slaughter.

abattu *adj* despondent; exhausted.

abbaye *f* abbey.

abbé *m* abbot.

abbesse *f* abbess.

abcès *m* abscess.

abdiquer *vt vi* to abdicate.

abdomen *m* abdomen.

abdominal *adj* abdominal.

abeille *f* bee.

aberrant *adj* aberrant; absurd.

aberration *f* aberration.

abêtissant *adj* mindless.

abêtissement *m* mindlessness.

abîme *m* chasm.

abîmer *vt* spoil, damage; *** s'~** *vr* to get spoiled *ou* damaged.

abject *adj* abject.

abjection *f* abjectness.

abjurer *vt* to abjure.

ablatif *m* ablative.

ablation *f (med)* removal.

abnégation *f* abnegation.

aboiement *m* bark.

abolir *vt* to abolish.

abolition *f* abolition.

abominable *adj* abominable;

~ment *adv* abominably.

abondamment *adv* abundantly.

abondance *f* abundance.

abondant *adj* abundant, plentiful.

abonder *vi* to be abundant *ou* plentiful.

abonné *m* **-ée** *f* subscriber.

abonnement *m* subscription.

abonner *vt* **~ qn** to subscribe, take out a subscription (à to); *** s'~** *vr* to subscribe, take out a subscription *(à to).*

abord *m*: **d'~** first (of all).

abordable *adj* affordable.

aborder *vt* to approach.

aborigène *mf* aborigine; ***** *adj* aboriginal.

aboutir *vi* to succeed.

aboutissement *m* outcome; success.

abrasif *adj* abrasive.

abrégé *m* summary; **en ~** briefly.

abréger *vt* to shorten; abridge.

abreuver *vt* to water.

abreuvoir *m* drinking trough.

abréviation *f* abbreviation.

abri *m* shelter.

abricot *m* apricot.

abriter *vt* to shelter; *** s'~** *vr* to shelter.

abroger *vt* to repeal.

abrupt *adj* abrupt; **~ement** *adv* abruptly.

abruti *m* **-e** *f* idiot; ***** *adj* idiotic.

abrutir *vt* to make stupid.

abrutissant *adj* stunning; mindnumbing.

abscisse *f (math)* abscissa.

absence *f* absence.

absent *adj* absent.

absenter (s') *vr* to leave, go out.

abside *f* apse.

absolu *adj* absolute; **~ment** *adv* absolutely; ***** *m* absolute.

absolution *f* absolution.

absolutisme *m* absolutism.

absorbant *adj* absorbent.

absorber *vt* to absorb.

absorption *f* absorption.

absoudre *vt* to absolve.

abstenir (s') *vr* to abstain (from).

abstention *f* abstention.

abstentionniste *mf* abstainer.

abstinence *f* abstinence.

abstraction *f* abstraction.

abstrait *adj* abstract; **~ement** *adv* in the abstract; * *m* abstract; abstract art.

absurde *adj* absurd; **~ment** *adv* absurdly.

absurdité *f* absurdity.

abus *m* abuse.

abuser *vt* **~ de** to exploit; abuse.

abusif *adj* improper.

académicien *m* **-ne** *f* academician.

académie *f* academy; learned society.

académique *adj* academic.

acajou *m* mahogany.

acariâtre *adj* cantankerous.

accablant *adj* overwhelming.

accabler *vt* to overwhelm.

accalmie *f* lull, calm.

accéder *vi*: **~ à** to reach.

accélérateur *m* accelerator.

accélération *f* acceleration.

accélérer *vi* to speed up, accelerate.

accent *m* accent.

accentuation *f* accentuation.

accentué *adj* pronounced.

accentuer *vt* to accentuate.

acceptable *adj* acceptable.

accepter *vt* to accept.

accès *m* access.

accessible *adj* accessible.

accessoire *adj* secondary; **~ment** *adv* secondarily; if need be; * *m* accessory.

accident *m* accident.

accidentel *adj* accidental; **~lement** *adv* accidentally.

acclamations *fpl* cheers; acclamation.

acclamer *vt* to acclaim, cheer.

acclimater *vt* to acclimatise; **s'~** *vr* to become acclimatised.

accolade *f* embrace.

accommodant *adj* accommodating.

accommoder *vt* to prepare; adapt.

accompagnateur *m* **-trice** *f* (*mus*) accompanist;guide.

accompagnement *m* accompaniment.

accompagner *vt* to accompany.

accomplir *vt* to achieve, accomplish.

accomplissement *m* accomplishment.

accord *m* agreement; **d'~!** okay!, all right!; **être d'~** to agree.

accordéon *m* accordion.

accorder *vt* to grant; **s'~** *vr* to agree.

accoster *vt* to accost.

accouchement *m* (*med*) delivery.

accoucher *vi* to give birth.

accoudoir *m* armrest.

accouplement *m* coupling; joining.

accourir *vi* to run up (*à, vers* to).

accoutrement *m* (*pej*) outfit, dress.

accréditer *vt* to accredit.

accroc *m* tear, breach.

accrocher *vt* to hang up (*à* on).

accroissement *m* increase.

accroître *vt* to increase.

accroupir (s') *vr* to crouch.

accueil *m* welcome, reception.

accueillant *adj* welcoming.

accueillir *vt* to welcome.

accumulateur *m* battery.

accumulation *f* accumulation.

accumuler *vt* to accumulate.

accusateur *m* **-trice** *f* accuser; * *adj* accusing.

accusatif *m* accusative (case).

accusation *f* accusation.

accusé *m* **-e** *f* (*jur*) accused, defendant.

accuser *vt* to accuse.

acerbe *adj* harsh; acrid.

acétate *m* acetate.

acétone *f* acetone.

acharné *adj* bitter, fierce; unrelenting.

acharnement *m* relentlessness; determination.

acharner (s') *vr* ~ **à faire qch** to try desperately to do sth; ~ **contre qn** to hound sb.

achat *m* purchase.

acheminer *vt* to convey.

acheter *vt* to buy.

acheteur *m* **-euse** *f* buyer, purchaser.

achèvement *m* completion.

achever *vt* to finish; complete.

acide *adj* acid, sour; * *m* acid.

acidité *f* acidity.

acidulé *adj* acid, acidulous.

acier *m* steel.

aciérie *f* steelworks.

acné *f* acne.

acompte *m* deposit, downpayment.

à-côté *m* side issue.

à-coup *m* jolt.

acoustique *adj* acoustic; * *f* acoustics.

acquéreur *m* buyer, purchaser.

acquérir *vt* to buy, purchase.

acquiescer *vi* to agree; acquiesce.

acquis *adj* acquired; * *m* experience.

acquisition *f* acquisition; purchase.

acquittement *m* payment; (*jur*) acquittal.

acquitter *vt* to acquit; pay.

acre *f* acre.

âcre *adj* acrid.

acrobate *mf* acrobat.

acrobatie *f* acrobatics.

acrobatique *adj* acrobatic.

acrylique *m, adj* acrylic.

acte *m* act; deed.

acteur *m*, **actrice** *f* actor.

actif *adj* active; * *m* (*ling*) active (voice).

action *f* act, action; share.

actionnaire *mf* shareholder.

actionner *vt* to activate; drive.

activement *adv* actively.

activer *vt* to speed up; **s'~** *vr* to bustle about.

activité *f* activity; hustle and bustle.

actualité *f*: **l'actualité** current events.

actuel *adj* current, present; **~lement** *adv* currently, at present.

acuité *f* acuteness; shrillness.

acuponcture *f* acupuncture.

adaptable *adj* adaptable.

adaptateur *m* adaptor.

adaptation *f* adaptation.

adapter *vt* to adapt (*à* to); **s'~** *vr* to adapt o.s. (*à* to).

additif *m* additive.

addition *f* addition; bill.

additionnel *adj* additional.

additionner *vt* to add up.

adepte *mf* follower; enthusiast.

adéquat *adj* suitable, appropriate.

adhérence *f* adhesion.

adhérent *m* **-e** *f* member, adherent; * *adj* : ~ **à** which adheres *ou* sticks to.

adhérer *vi* to adhere, stick.

adhésif *adj* adhesive.

adhésion *f* adherence; membership.

adjacent *adj* adjacent (*à* to).

adjectif *m* adjective.

adjoint *m* **-e** *f* assistant, deputy.

adjudant *m* warrant officer.

adjudication *f* sale by auction.

adjuger *vt* to auction.

admettre *vt* to admit; accept; assume.

administrateur *m* **-trice** *f* administrator.

administratif *adj* administrative.

administration *f* management; administration.

administrer *vt* to run; administer.

admirable *adj* admirable; **-ment** *adv* admirably, brilliantly.

admiratif *adj* admiring.

admiration *f* admiration.
admirativement *adv* admiringly.
admirer *vt* to admire.
admissible *adj* allowable.
admission *f* admission.
adolescence *f* adolescence.
adolescent *m* -**e** *f* adolescent.
adopter *vt* to adopt; pass.
adoption *f* adoption; passing.
adorable *adj* adorable; ~**ment** *adv* delightfully.
adorer *vt* to adore, worship.
adoucir *vt* to soften.
adrénaline *f* adrenalin.
adresse *f* address; skill.
adresser *vt* to address; send; **s'~** *vr* **s'~ à** to apply to; to speak to.
adroit *adj* deft, skilful; ~**ement** *adv* deftly, skilfully.
aduler *vt* to flatter.
adulte *mf* adult, grown-up; *adj* adult, full-grown.
adultère *m* adultery.
adverbe *m* adverb.
adverbial *adj*, *f* -**e** adverbial; ~**ment** *adv* adverbially.
adversaire *mf* adversary, opponent.
adversité *f* adversity.
aération *f* ventilation.
aérer *vt* to air.
aérien *adj*, *f* -**ne** air, airy; aerial.
aérodrome *m* aerodrome, airfield.
aérodynamique *adj* aerodynamic; * *f* aerodynamics.
aérogare *f* (air) terminal.
aéroglisseur *m* hovercraft.
aéronautique *adj* aeronautic; * *f* aeronautics.
aéronaval *adj* air and sea.
aéroport *m* airport.
aérospatial *adj* aerospace.
affable *adj* affable.
affaiblir *vt* to weaken; **s'~** *vr* to weaken, grow weaker.
affaiblissement *m* weakening.
affaire *f* matter.
affaissement *m* subsidence.

affaisser *vt* to cause to subside *ou* cave in; **s'~** *vr* to subside; to cave in.
affamé *adj* starving.
affamer *vt* to starve.
affectation *f* allocation *(à* to*)*; affectation.
affecté *adj* affected.
affecter *vt* to affect.
affectif *adj* emotional.
affection *f* affection.
affectueux *adj* affectionate.
affectueusement *adv* affectionately.
affermir *vt* to strengthen; to make firm.
affermissement *m* strengthening.
affichage *m* bill posting.
affiche *f* poster.
afficher *vt* to post *ou* put up.
affiner *vt* to refine.
affinité *f* affinity.
affirmatif *adj* affirmative.
affirmation *f* assertion.
affirmativement *adv* in the affirmative.
affirmer *vt* to assert.
affluent *m* tributary.
affluer *vi* to rush *(à* to*)*.
afflux *m* influx, rush.
affolant *adj* alarming.
affolement *m* panic.
affoler *vt* to throw into a panic; **s'~** *vr* to get into a panic.
affranchir *vt* to frank, stamp; free.
affranchissement *m* stamping, franking; freeing.
affréter *vt* to charter.
affreux *adj* horrible; awful.
affreusement *adv* horribly, dreadfully.
affrontement *m* confrontation.
affronter *vt* to confront; **s'~** *vr* to confront one another.
afin *prép*: ~ **de** (in order) to; ~ **que** in order that, so that.
africain *adj*, *mf* African.
Afrique *f* Africa.

agaçant *adj* annoying.

agacer *vt* to annoy, irritate.

âge *m* age; **quel ~ as-tu?** how old are you?

âgé *adj* old; **~ de 10 ans** 10 years old.

agence *f* agency; branch; offices.

agencement *m* organisation, arrangement; equipment.

agencer *vt* to arrange; equip.

agenda *m* diary.

agenouiller (s') *vr* to kneel (down).

agent *m* agent; policeman.

agglomération *f* town, urban area.

aggravant *adj* aggravating.

aggravation *f* worsening, aggravation; increase.

aggraver *vt* to make worse; increase; **s'~** *vr* to get worse, worsen; increase.

agile *adj* agile, nimble; **~ment** *adv* nimbly.

agilité *f* agility.

agir *vi* to act.

agitateur *m* **-trice** *f* agitator.

agitation *f* agitation.

agiter *vt* to shake; wave; **s'~** *vr* to move about; fidget.

agneau *m* lamb.

agonie *f* death throes.

agrafe *f* staple; hook.

agrafer *vt* to staple (together); fasten up.

agrafeuse *f* stapler.

agraire *adj* agrarian; land.

agrandir *vt* to make bigger; widen; expand; **s'~** *vr* to get bigger; widen; expand.

agrandissement *m* enlargement.

agréable *adj* agreeable, pleasant; **~ment** *adv* agreeably, pleasantly.

agresser *vt* to attack.

agresseur *m* attacker.

agressif *adj* aggressive.

agression *f* attack.

agressivement *adv* aggressively.

agressivité *f* aggressiveness.

agricole *adj* agricultural.

agriculteur *m* farmer.

agriculture *f* agriculture, farming.

agripper *vt* to grab (hold of); **s'~ à** *vr* to grab on to.

agronome *m* agronomist.

agronomie *f* agronomy.

agrumes *mpl* citrus fruits.

ahuri *adj* stunned; stupefied.

ahurissant *adj* staggering.

aide *f* help; aid.

aider *vt* to help.

aigle *m* eagle.

aigre *adj* sour, bitter; **~ment** *adv* sourly.

aigreur *f* sourness; acidity.

aigri *adj* bitter, embittered.

aigu *adj*, *f* **aiguë** shrill; acute; sharp.

aiguillage *m* shunting.

aiguille *f* needle.

aiguiller *vt* to direct; shunt.

aiguiser *vt* to sharpen.

ail *m* garlic.

ailé *adj* winged.

aileron *m* fin; aileron.

ailleurs *adv* elsewhere; **partout ~** everywhere else; **nulle part ~** nowhere else; **d'~** moreover; by the way.

aimable *adj* kind; **~ment** *adv* kindly.

aimant *m* magnet.

aimanter *vt* to magnetise.

aimer *vt* to love.

aîné *m*, **aînée** *f* eldest *ou* oldest child; ** adj* elder, older; eldest, oldest.

ainsi *adv* so, thus; **puisque c'est ~** since this is the way it is *ou* things are.

air *m* air; **avoir l'~ content** to look happy; **d'un ~ moqueur** in a mocking fashion.

aire *f* area.

aise *f* ease, comfort.

aisé *adj* easy; well-off; **~ment** *adv* easily.

aisselle *f* armpit.

ajournement *m* adjournment; postponement.

ajourner *vt* to adjourn; defer, postpone.

ajout *m* addition.

ajouter *vt* to add.

ajuster *vt* to adjust.

alarmant *adj* alarming.

alarme *f* alarm.

alarmer *vt* to alarm; **s'~** *vr* to get alarmed *(de* at, about*)*.

albâtre *m* alabaster.

album *m* album.

albumine *f* albumen.

alcalin *adj* alkaline.

alcaloïde *m* alkaloid.

alchimie *f* alchemy.

alchimiste *m* alchemist.

alcool *m* alcohol.

alcoolique *adj* alcoholic; * *mf* drunkard.

alcoolisme *m* alcoholism.

aléatoire *adj* uncertain; risky.

alentours *mpl* surroundings, neighbourhood.

alerte *adj* alert; agile; * *f* alarm, alert.

alerter *vt* to alert; notify; warn.

algèbre *f* algebra.

algébrique *adj* algebraic; **~ment** *adv* algebraically.

algorithme *m* algorithm.

algue *f* seaweed.

alibi *m* alibi.

aliénation *f* alienation.

aliéner *vt* to alienate.

alignement *m* alignment; aligning.

aligner *vt* to align, line up.

aliment *m* food.

alimentaire *adj* alimentary, food.

alimentation *f* feeding; diet; food industry.

alimenter *vt* to feed; **s'~** *vr* to eat.

alinéa *m* paragraph.

allée *f* avenue; path.

alléger *vt* to make lighter; alleviate.

allégorie *f* allegory.

allégresse *f* cheerfulness.

alléguer *vt* to allege, put forward.

aller *vi* to go; **comment allez-vous?** how are you?; **allons-y** let's go; **s'en aller** to go away, leave; * *m* outward journey; single ticket.

allergie *f* allergy.

allergique *adj* allergic *(à* to*)*.

alliage *m* alloy.

alliance *f* alliance; marriage; wedding ring.

allié *m* -**e** *f* ally; * *adj* allied.

allier *vt* to combine.

allô *excl* hello!

allocation *f* allocation; allowance.

allongé *adj* **être allongé** to be lying (down).

allonger *vt* to lengthen; **s'~** *vr* to lengthen; lie down.

allouer *vt* to allocate.

allumage *m* ignition.

allumer *vt* to light; turn *ou* switch on.

allumette *f* match.

allure *f* speed; look.

allusion *f* allusion *(à* to*)*.

alluvions *fpl* alluvium, alluvial deposits.

alors *adv* then; **~ que** while; whereas.

alouette *f* lark.

alourdir *vt* to make heavy; increase.

alphabet *m* alphabet.

alphabétique *adj* alphabetical; **~ment** *adv* alphabetically.

alpinisme *m* mountaineering.

alpiniste *mf* mountaineer.

altération *f* alteration, change.

altercation *f* altercation.

altérer *vt* to change, alter.

alternance *f* alternation.

alternatif *adj* alternate.

alternative *f* alternative.

alternativement *adv* in turn, alternately.

alterner *vt* *vi* to alternate.*(avec* with*)*.

altitude *f* altitude, height.

altruisme *m* altruism.
aluminium *m* aluminium.
alvéole *f* cell.
amabilité *f* kindness.
amaigrir *vt* to make thin(ner).
amaigrissant *adj* slimming.
amalgame *m* mixture, amalgam.
amalgamer *vt* to combine.
amande *f* almond.
amant *m* lover.
amarrer *vt* to moor.
amas *m* pile, heap.
amasser *vt* to amass, pile up.
amateur *m* amateur; connaisseur.
ambassade *f* embassy.
ambassadeur *m* -**drice** *f* ambassador.
ambiance *f* atmosphere.
ambigu *adj*, *f* **ambiguë** ambiguous.
ambiguïté *f* ambiguity.
ambitieux *adj* ambitious.
ambition *f* ambition.
ambivalence *f* ambivalence.
ambre *m* amber.
ambulance *f* ambulance.
ambulant *adj* travelling, mobile.
âme *f* soul.
amélioration *f* improvement.
améliorer *vt* to improve; **s'~** *vr* to improve.
aménagement *m* fitting out; adjustment; development.
aménager *vt* to fit out; adjust; develop.
amende *f* fine.
amendement *m* amendment.
amener *vt* to bring.
amer *adj* bitter.
amèrement *adv* bitterly.
Américain *m* -**e** *f* American.
américain *adj* American.
Amérique *f* America.
amertume *f* bitterness.
ameublement *m* furniture.
ami *m* -**e** *f* friend.
amiante *m* asbestos.
amibe *f* amoeba.

amical *adj* friendly; **~ement** *adv* in a friendly manner.
amincir *vt* to thin (down).
amiral *m* admiral.
amitié *f* friendship.
ammoniac *m* ammonia.
amnésie *f* amnesia.
amnistie *f* amnesty.
amnistier *vt* to grant an amnesty to.
amoindrir *vt* to weaken; reduce.
amoindrissement *m* weakening; reduction.
amoncellement *m* pile; accumulation.
amorcer *vt* to bait; begin.
amorphe *adj* apathetic.
amortir *vt* to soften; deaden.
amortissement *m* paying off.
amour *m* love.
amoureux *adj* in love *(de* with*)*.
amovible *adj* detachable.
ampère *m* ampere, amp.
amphibie *adj* amphibious.
amphithéâtre *m* amphitheatre.
ample *adj* roomy; wide; **~ment** *adv* amply, fully.
ampleur *f* fullness; range.
amplifier *vt* to increase; amplify.
amplitude *f* amplitude; magnitude.
ampoule *f* bulb; phial; blister.
amputation *f* amputation.
amputer *vt* to amputate.
amusant *adj* amusing.
amuser *vt* to amuse.
an *m* year; **avoir vingt ~s** to be 20 (years old).
anabolisant *m* anabolic steroid.
anachronisme *m* anachronism.
anagramme *m* anagram.
analgésique *adj* analgesic.
analogie *f* analogy.
analogique *adj* analogical.
analogue *adj* analogous *(à* to*)*.
analphabète *adj* illiterate.
analyse *f* analysis; test.
analyser *vt* to analyse.
analyste *mf* analyst; psychoanalyst.

analytique *adj* analytical;
~**ment** *adv* analytically.
ananas *m* pineapple.
anarchie *f* anarchy.
anarchiste *mf* anarchist.
anathème *m* anathema.
anatomie *f* anatomy.
anatomique *adj* anatomical;
~**ment** *adv* anatomically.
ancestral *adj* ancestral.
ancêtre *m* ancestor.
anchois *m* anchovy.
ancien *adj* old; former; ~**nement**
adv formerly.
ancienneté *f* (years of) service; seniority; age.
ancrage *m* anchorage.
ancre *f* anchor.
ancrer *vt* to anchor.
âne *m* ass, donkey.
anéantir *vt* to annihilate.
anéantissement *m* annihilation.
anecdote *f* anecdote.
anémie *f* anemia.
anémone *f* anemone.
anesthésie *f* anaesthetic; anaesthesia.
anesthésique *m* anaesthetic.
ange *m* angel.
angélique *adj* angelic; * *f* angelica.
angine *f* tonsillitis.
Anglais *m* -e *f* Englishman; Englishwoman.
anglais *adj* English; * *m (ling)*
English.
angle *m* angle; corner.
Angleterre *f* England.
anglophone *adj* English-speaking; *mf* English speaker.
angoissant *adj* agonising.
angoisse *f* anguish.
angoisser *vt* to cause anguish.
animal *m* animal.
animateur *m* -**trice** *f* host,
compère; leader.
animation *f* animation; hustle
and bustle.
animé *adj* busy; lively.

animer *vt* to lead; host; liven up;
s'~ *vr* to liven up.
animisme *m* animism.
animosité *f* animosity.
annales *fpl* annals.
anneau *m* ring.
année *f* year; **les** ~**s soixante** the
Sixties.
annexe *f* annexe; * *adj* subsidiary.
annexer *vt* to annex; append.
annihiler *vt* to annihilate.
anniversaire *m* birthday; **joyeux** ~**!** happy birthday!
annonce *f* advertisement; announcement.
annoncer *vt* to announce *(à* to).
annoter *vt* to annotate.
annuaire *m* telephone directory,
phone book.
annuel *adj* annual; ~**lement** *adv*
annually.
annulation *f* cancellation; nullification.
annuler *vt* to cancel; nullify.
anode *f* anode.
anodin *adj* insignificant.
anomalie *f* anomaly.
anonyme *adj* anonymous; impersonal; ~**ment** *adv* anonymously.
anorexie *f* anorexia.
anorexique *adj, mf* anorexic.
anormal *adj* abnormal; ~**ement**
adv abnormally.
anse *f* handle.
antagonisme *m* antagonism.
antagoniste *adj* antagonistic.
antécédent *m* antecedent.
antenne *f (rad, TV)* aerial; (zool)
feeler.
antérieur *adj* earlier, previous;
~**ement** *adv* earlier, previously.
anthologie *f* anthology.
anthracite *m* anthracite.
anthropologie *f* anthropology.
anthropologue *m* anthropologist.
antiaérien *adj* antiaircraft.
anticancéreux *adj* cancer.

antichambre *f* antechamber.

anticipation *f* anticipation.

anticonceptionnel *adj* contraceptive.

anticonformiste *adj, mf* nonconformist.

anticorps *m* antibody.

anticyclone *m* anticyclone.

antidater *vt* to backdate.

antidépresseur *adj, m* antidepressant.

antidote *m* antidote.

antigel *m* antifreeze.

antimilitariste *adj, mf* antimilitarist.

antinucléaire *adj, mf* antinuclear.

antipathie *f* antipathy.

antipathique *adj* unpleasant.

antipode *m* antipodes; **aux ~s de** the polar opposite of.

antiquaire *mf* antique dealer.

antique *adj* ancient.

antiquité *f* antiquity; antique.

antirouille *adj invar* rustproof.

antisémite *mf* anti-semite; *adj* anti-semitic.

antiseptique *adj* antiseptic.

antisocial *adj* antisocial.

antitétanique *adj* (anti-)tetanus.

antithèse *f* antithesis.

antitoxine *f* antitoxin.

antivol *m invar* anti-theft ou security device; lock; * *adj invar* anti-theft.

antonyme *m* antonym.

antre *m* den.

anus *m* anus.

anxiété *f* anxiety.

anxieux *adj* anxious.

aorte *f* aorta.

août *m* August.

apaisant *adj* soothing.

apaisement *m* calm(ing down); relief.

apaiser *vt* to calm (down); relieve.

apathie *f* apathy.

apathique *adj* apathetic.

apercevoir *vt* to see; catch a glimpse of.

aperçu *m* (overall *ou* general) idea.

apéritif *m* aperitif.

apesanteur *f* weightlessness.

apeuré *adj* frightened.

aphone *adj* voiceless, hoarse.

aphrodisiaque *adj, m* aphrodisiac.

apiculteur *m* beekeeper.

apitoyer *vt* to move to pity; **s'~** *vr* to feel pity (*sur* for).

aplanir *vt* to level (out); smooth away.

aplati *adj* flat.

aplatir *vt* to flatten (out).

apocalypse *f* apocalypse.

apocalyptique *adj* apocalyptic.

apogée *m* apogee, peak.

apolitique *adj* apolitical; nonpolitical.

apologie *f* apology.

apoplexie *f* apoplexy.

apostrophe *f* apostrophe.

apothéose *f* apotheosis.

apôtre *m* apostle.

apparaître *vi* to appear.

appareil *m* device; appliance; (tele)phone; **~-photo** camera.

appareillage *m* casting off; equipment.

appareiller *vi* (*mar*) to cast off.

apparemment *adv* apparently.

apparence *f* appearance.

apparent *adj* apparent.

apparition *f* appearance; apparition.

appartement *m* flat, appartment.

appartenance *f* membership.

appartenir *vi*: ~ à to belong to.

appât *m* bait.

appâter *vt* to lure; bait.

appauvrir *vt* to impoverish; **s'~** *vr* to grow poorer.

appauvrissement *m* impoverishment.

appel *m* call; appeal.

appeler *vt* to call; call out; **s'~** *vr* **je m'appelle Léon** my name is Leon.

appellation *f* appelation; name.

appendicite *f* appendicitis.

appesantir *vt* to weigh down; strengthen; **s'~** *vr* to grow heavier; grow stronger.

appétissant *adj* appetizing.

appétit *m* appetite (*de* for).

applaudir *vt vi* to applaude.

applaudissements *mpl* applause.

applicable *adj* applicable (*à* to).

application *f* application; use.

appliqué *adj* thorough, industrious.

appliquer *vt* to apply (*à* to); **s'~** *vr* to apply o.s.

apport *m* supply.

apporter *vt* to bring.

apposer *vt* to append; affix.

appréciable *adj* appreciable.

appréciatif *adj* evaluative; appreciative.

appréciation *f* estimation, assessment

apprécier *vt* to appreciate; to assess

appréhender *vt* to apprehend; dread.

appréhension *f* apprehension.

apprendre *vt* to learn; **~ à lire** to learn to read; **~ à lire à un enfant** to teach a child to read.

apprenti *m* **-e** *f* apprentice.

apprentissage *m* apprenticeship.

apprêter *vt* to dress; to size; **s'~** *vr* to get ready.

apprivoiser *vt* to tame.

approbateur *adj*, *f* **-trice** approving.

approbation *f* approval.

approche *f* approach.

approcher *vt* to move near; approach; **s'~** *vr* to approach.

approfondir *vt* to deepen.

approfondissement *m* deepening.

approprier (s') *vr* to appropriate.

approuver *vt* to approve of.

approvisionnement *m* supplying.

approvisionner *vt* to supply; **s'~** *vr* to stock up (*de, en* with).

approximatif *adj* approximate.

approximation *f* approximation.

approximativement *adv* approximately.

appui *m* support.

appuie-tête *m invar* headrest.

appuyer *vt* to press; lean; support *vi* to press; *vr* **s'~** to lean against; *vr* **s'~ sur** to lean on; rely on.

âpre *adj* bitter, harsh; **~ment** *adv* bitterly.

après *prép* after; **après tout** after all; **d'~ elle** according to her; **collé ~ la vitre** stuck on the window; * *adv* after(wards); **tout de suite ~** immediately after *ou* afterwards.

après-demain *adv* the day after tomorrow.

après-midi *m* / *f invar* afternoon.

âpreté *f* bitterness.

a priori *m* apriorism; * *adv* a priori.

apte *adj* capable (*à* of).

aptitude *f* aptitude; ability.

aquarium *m* aquarium.

aquatique *adj* aquatic.

aqueduc *m* aqueduct.

aqueux *adj* aqueous, watery.

arabesque *f* arabesque.

arable *adj* arable.

arachide *f* peanut, groundnut.

araignée *f* spider.

arbalète *f* crossbow.

arbitrage *m* arbitration.

arbitraire *adj* arbitrary; **~ment** *adv* arbitrarily.

arbitre *m* arbiter; referee.

arbitrer *vt* to arbitrate; referee.

arborer *vt* to wear; bear.

arborescence *f* arborescence.

arboriculture *f* arboriculture, tree cultivation.

arbre *m* tree.

arbrisseau *m* shrub.

arbuste *m* bush.

arc *m* bow; arc; arch.

arcade *f* arcade.

arc-bouter (s') *vr* to lean.

arc-en-ciel *m*, *pl* **arcs-en-ciel** rainbow.

archaïque *adj* archaic.

archange *m* archangel.

arche *f* arch.

archéologie *f* archaeology.

archéologue *mf* archaeologist.

archétype *m* archetype.

archevêque *m* archbishop.

archipel *m* archipelago.

architecte *mf* architect.

architectonique *adj* architectonic

architectural *adj* architectural.

architecture *f* architecture.

archiver *vt* to file, archive.

archives *fpl* archives, records.

archiviste *mf* archivist.

ardemment *adv* ardently.

ardent *adj* ardent, burning.

ardeur *f* ardour.

ardoise *f* slate.

ardu *adj* difficult.

are *f* are, a hundred square metres.

arène *f* arena.

arête *f* (fish)bone.

argent *m* silver; money.

argenté *adj* silver; silver-plated.

argenterie *f* silverware.

argile *f* clay.

argot *m* slang.

argument *m* argument.

argumentation *f* argumentation.

argumenter *vi* to argue *(sur* about*)*.

aride *adj* arid.

aridité *f* aridity.

aristocrate *mf* aristocrat.

aristocratie *f* aristocracy.

aristocratique *adj* aristocratic.

arithmétique *f* arithmetic; * *adj* arithmetical; **~ment** *adv* arithmetically.

armature *f* (frame)work.

arme *f* arm, weapon.

armée *f* army.

armement *m* ' arms, weapons; armaments.

armer *vt* to arm; **s'~** *vr* to arm o.s.

armistice *m* armistice.

armoire *f* cupboard; wardrobe.

armure *f* armour.

aromate *m* herb; spice.

aromatique *adj* aromatic.

aromatiser *vt* to flavour.

arôme *m* aroma; flavour.

arpenteur *m* (land) surveyor.

arqué *adj* curved, arched.

arquebuse *f* arquebus.

arrachement *m* wrench; pulling *ou* tearing off.

arracher *vt* to pull (out); tear off.

arrangeant *adj* obliging.

arrangement *m* arrangement.

arranger *vt* to arrange; fix; **cela m'arrangerait** that would suit me; **s'~** *vr* to come to an arrangement; manage; get better.

arrestation *f* arrest.

arrêt *m* stopping; stop (button).

arrêté *m* order.

arrêter *vt* to stop; **s'~** *vr* to stop.

arrhes *fpl* deposit.

arrière *m invar* back; **en ~** back(wards); **à l'~** at the back; * *adj invar* back, rear.

arriéré *adj* backward.

arrière-goût *m* aftertaste.

arrière-grand-mère *f* great-grandmother.

arrière-grand-père *m* great-grandfather.

arrière-pays *m* hinterland.

arrière-pensée *f* ulterior motive.

arrière-petits-enfants *mpl* great grandchildren.

arrière-plan *m* background.

arrimer *vt* to stow.

arrivage *m* delivery.

arrivant *m* **-e** *f* newcomer.

arrivée *f* arrival, coming.

arriver *vi* to arrive, come.

arriviste *mf* careerist; social climber.

arrogance *f* arrogance.

arrogant *adj* arrogant.

arroger (s') *vr* to assume (without rights to).

arrondi *adj* round(ed).

arrondir *vt* to make round; round off.

arrondissement *m* district.

arrosage *m* watering.

arroser *vt* to water.

arsenal *m* arsenal.

arsenic *m* arsenic.

art *m* art.

artère *f* artery; road.

artériel *adj* arterial.

arthrite *f* arthritis.

artichaut *m* artichoke.

article *m* article.

articulation *f* joint; knuckle.

articuler *vt* to articulate.

artifice *m* trick.

artificiel *adj* artificial; **~lement** *adv* artificially.

artillerie *f* artillery.

artisan *m* artisan, craftsman.

artisanal *adj* craft.

artisanat *m* craft industry.

artiste *mf* artist.

artistique *adj* artistic; **~ment** *adv* artistically.

as *m* ace.

ascendance *f* ancestry.

ascendant *adj* upward, rising; * *m* (strong) influence, ascendancy *(sur* over).

ascenseur *m* lift, elevator.

ascension *f* ascent.

ascète *mf* ascetic.

ascétique *adj* ascetic.

aseptiser *vt* to sterilise; disinfect.

asexué *adj* asexual.

asiatique *adj* Asian.

asile *m* refuge; asylum.

aspect *m* appearance, look.

asperge *f* asparagus.

asperger *vt* to splash *(de* with).

aspérité *f* bump.

asphalte *m* asphalt.

asphyxie *f* asphyxiation, suffocation.

asphyxier *vt* to asphyxiate, suffocate.

aspirateur *m* vacuum cleaner.

aspiration *f* inhalation.

aspirer *vt* to inhale.

aspirine *f* aspirin.

assagir *vt* to quieten (down); **s'~** *vr* to quieten (down).

assaillant *m* assailant.

assaillir *vt* to assail.

assainir *vt* to clean up; purify.

assainissement *m* cleaning up.

assaisonnement *m* seasoning.

assaisonner *vt* to season.

assassin *m* murderer; assassin.

assassinat *m* murder; assassination.

assassiner *vt* to assassinate.

assaut *m* assault, attack *(de* on).

assécher *vt* to drain; **s'~** *vr* to dry (up *ou* out).

assemblage *m* assembly; assembling.

assemblée *f* meeting.

assembler *vt* to assemble; **s'~** *vr* to assemble.

assentiment *m* assent.

asseoir (s') *vr* to sit down.

assermenté *adj* on oath.

assertion *f* assertion.

asservissement *m* enslavement; slavery.

assez *adv* enough; quite, rather; **avoir ~ d'argent** to have enough money; **~ bien** quite well; **j'en ai ~!** I've had enough!; I'm fed up.

assidu *adj* assiduous; regular.

assiduité *f* assiduity; regularity.

assiéger *vt* to besiege.

assiette *f* plate.

assigner *vt* to assign.

assimilation *f* assimilation; comparison; classification.

assimiler *vt* to assimilate.

assis *adj* seated, sitting (down).

assistance *f* audience; assistance.

assistant *m* -e *f* assistant.
assister *vt* to attend; assist.
association *f* association.
associé *m* -e *f* associate, partner.
associer *vt* to associate (à with); **s'~** *vr* to join together.
assombrir *vt* to darken; **s'~** to darken.
assommer *vt* to stun.
Assomption *f* : **l'~** *the Assumption*.
assortiment *m* assortment.
assortir *vt* to match; **s'~** *vr* to go well together.
assoupir (s') *vr* to doze off.
assoupissement *m* doze.
assouplir *vt* to make supple; relax.
assouplissement *m* softening; relaxing.
assourdir *vt* to deafen; muffle.
assourdissant *adj* deafening.
assouvir *vt* to satisfy.
assouvissement *m* satisfying, satisfaction.
assujettir *vt* to subjugate.
assumer *vt* to assume.
assurance *f* (self-)assurance; assurance; insurance (policy).
assuré *m* -e *f* assured; * *adj* confident.
assurer *vt* to assure; **s'~** *vr* to insure o.s.
assureur *m* (insurance) agent; insurer(s), insurance company.
astérisque *m* asterisk.
asthmatique *adj, mf* asthmatic.
asthme *m* asthma.
asticot *m* maggot.
astigmate *adj* astigmatic.
astiquer *vt* to polish.
astre *m* star.
astreignant *adj* demanding.
astreindre *vt* to force, compel; **s'~** *vr* **s'~ à faire** to force *ou* compel o.s. to do.
astrologie *f* astrology.
astrologique *adj* astrological.
astrologue *m* astrologer.
astronaute *m* astronaut.

astronome *m* astronomer.
astronomie *f* astronomy.
astronomique *adj* astronomical.
astuce *f* shrewdness; (clever) trick; pun.
astucieux *adj* astute.
asymétrique *adj* asymmetric(al).
atelier *m* workshop; studio.
atermoyer *vi* to procrastinate.
athée *mf* atheist; *adj* atheistic.
athéisme *m* atheism.
athlète *mf* athlete.
athlétique *adj* athletic.
athlétisme *m* athletics.
atlas *m* atlas.
atmosphère *f* atmosphere.
atmosphérique *adj* atmospheric.
atome *m* atom.
atomique *adj* atomic.
atomiseur *m* spray; atomiser.
atout *m* trump; advantage, asset.
âtre *m* hearth.
atroce *adj* atrocious; dreadful; **~ment** *adv* atrociously; dreadfully.
atrocité *f* atrocity.
atrophié *adj* atrophied.
attachant *adj* endearing.
attache *f* fastener.
attaché *m* -e *f* attaché; assistant.
attachement *m* attachment (à to).
attacher *vt* to tie together; tie up; fasten; attach (à to).
attaque *f* attack.
attaquer *vt* to attack; tackle.
attarder (s') *vr* to linger.
atteindre *vt* to reach; affect; contact.
atteinte *f* attack (à on); **hors d'~** beyond *ou* out of reach.
attenant *adj* adjoining.
attendre *vt* to wait; **en attendant** meanwhile, in the meantime; **s'~** *vr* : **s'~ à qch** to expect sth.
attendrir *vt* to fill with pity; move; tenderise; **s'~** *vr* to be moved (*sur* by).

attendrissant *adj* touching, moving.

attendrissement *m* emotion.

attendu *adj* expected; long-awaited.

attentat *m* attack *(contre* on); murder attempt.

attente *f* wait; expectation.

attentif *adj* attentive; careful.

attention *f* attention; care.

attentionné *adj* considerate, thoughtful *(pour* towards).

attentivement *adv* attentively; carefully.

atténuation *f* alleviation; easing.

atténuer *vt* to alleviate; ease.

atterrir *vi* to land, touch down.

atterrissage *m* landing, touch down.

attester *vt* to testify to.

attirail *m* gear.

attirant *adj* attractive.

attirer *vt* to attract; **~ des ennuis à qn** to cause sb trouble.

attiser *vt* to stir up.

attitude *f* attitude; bearing.

attraction *f* attraction.

attrait *m* attraction, appeal.

attraper *vt* to catch.

attrayant *adj* attractive.

attribuer *vt* to attribute; award.

attribut *m* attribute.

attribution *f* attribution.

attrister *vt* to sadden.

attroupement *m* crowd, gathering.

au = à le.

aube *f* dawn, daybreak.

auberge *f* inn; **~ de jeunesse** youth hostel.

aubergine *f* aubergine.

aucun *adj* no; not any; any; **sans ~ doute** without (any) doubt; **~ement** *adv* in no way; not in the least; * *pn* none; not any; any (one); **~ d'entre eux** none of them.

audace *f* audacity; daring.

audacieux *adj* audacious, bold; daring.

audience *f* audience; hearing.

audiovisuel *adj* audio-visual.

auditeur *m* **-trice** *f* listener; auditor.

auditoire *m* audience.

augmentation *f* increase, rise *(de* in); increasing, raising *(de* of).

augmenter *vt* to increase, raise.

augure *f* omen; oracle.

aujourd'hui *adv* today.

aumône *f* alms; **demander/faire l'~** to beg for/give alms.

auparavant *adv* before, previously; before, first.

auprès *prép* ~ **de** next to; (compared) with.

auquel = à lequel.

auréole *f* halo, aureole; ring (mark).

auriculaire *adj* auricular; * *m* little finger.

aurore *f* dawn, first light.

ausculter *vt* to auscultate.

aussi *adv* too, also; so; **nous ~** us too; **une ~ belle journée** such a beautiful day; **il est ~ petit qu'elle** he is as small as she is.

aussitôt *adv* immediately; **~ dit, ~ fait** no sooner said than done; **~ que** as soon as.

austère *adj* austere; **~ment** *adv* austerely.

austérité *f* austerity.

autant *adv* as much; as many; so much; such; so many; such a lot of; the same; **~ que je sache** as far as I know; **~ que possible** as much as possible; **elle n'est pas plus heureuse pour ~** she's not any happier for it *ou* for all that.

autel *m* altar.

auteur *m* author.

authenticité *f* authenticity.

authentifier *vt* to authenticate.

authentique *adj* authentic; **~ment** *adv* authentically.

autobiographie *f* autobiography.

autobiographique *adj* autobiographical.

autocar *m* coach.

autocollant *adj* self-adhesive.

autocuiseur *m* pressure cooker.

autodéfense *f* self-defence.

autodestruction *f* self-destruction.

autodidacte *mf* self-taught.

auto-école *f* driving school.

automate *m* automaton.

automatique *adj* automatic; **~ment** *adv* automatically.

automatiser *vt* to automate.

automatisme *m* automatism.

automne *m* autumn.

automobile *f* (motor) car.

automobiliste *mf* motorist.

autonome *adj* autonomous; self-governing.

autonomie *f* autonomy; self-government.

autoportrait *m* self-portrait.

autopsie *f* autopsy, post-mortem (examination).

autoradio *m* car radio.

autorisation *f* authorisation, permission; permit.

autoriser *vt* to authorise, give permission for; allow.

autoritaire *adj* authoritarian.

autorité *f* authority.

autoroute *f* motorway.

autosatisfaction *f* self-satisfaction.

auto-stop *m* hitch-hiking; **faire de l'~** to hitch-hike.

auto-stoppeur *m* **-euse** *f* hitch-hiker.

autour *prép* **~ de** (a)round; * *adv* (a)round; **il y en a tout ~** there is/are some all around.

autre *adj* other; **~ chose** something else *ou* different; **~ part** somewhere else; **d'~ part** on the other hand; moreover; * *pn* another (one); **j'en veux un ~** I'd like another (one); **encore deux ~s** another two; **les cinq ~s** the five others; the other five.

autrefois *adv* in the past, in days gone by.

autrement *adv* differently; otherwise; **je n'ai pas pu faire ~** I couldn't do differently *ou* otherwise.

autruche *f* ostrich.

autrui *pn* others.

aux = à les.

auxiliaire *adj* auxiliary; * *m* auxiliary; * *mf* assistant.

avachir (s') *vr* to become *ou* grow limp.

avalanche *f* avalanche.

avaler *vt* to swallow.

avance *f* advance; lead; **arriver en ~** to arrive early; **payer d'~** to pay in advance; **réserver à l'~** to book in advance; **avoir de l'~ sur** to have the lead over.

avancement *m* promotion; progress; forward movement.

avancer *vt* to move forward; bring forward; put forward; **s'~** *vr* to advance, move forward; * *vi* to move forward, advance; make progress; project, stick out.

avant *prép* before; **~ peu** shortly; **~ tout** above all; * *adv* before; **en ~** in front, ahead; * *m* front; (*mar*) bow; forward.

avantage *m* advantage.

avantager *vt* to favour; flatter.

avantageux *adj* profitable, worthwhile; attractive; flattering.

avant-bras *m invar* forearm.

avant-coureur *adj* precursory.

avant-dernier *m* **-ière** *f*, *adj* next to last, second last, last but one.

avant-garde *f* avant-garde; vanguard.

avant-goût *m* foretaste.

avant-hier *adv* the day before yesterday.

avant-première *f* preview.

avare *mf* miser; *adj* miserly.

avarice *f* avarice, miserliness.

avarie *f* damage.

avarié *adj* rotting; damaged.

avec *prép* with; to.

avènement *m* accession *(à* to*);* advent.

avenir *m* future.

aventure *f* adventure; venture; experience; affair.

aventurer (s') *vr* to venture.

aventurier *m* **-ière** *f* adventurer.

avenue *f* avenue.

avérer (s') *vr* to turn out, prove to be.

averse *f* shower (of rain).

aversion *f* aversion *(pour* to*);* loathing *(pour* for*).*

avertir *vt* to warn; inform *(de* of*).*

avertissement *m* warning.

aveu *m* admission, confession.

aveuglant *adj* blinding.

aveugle *adj* blind; * *mf* blind person.

aveuglement *m* blindness.

aveugler *vt* to blind.

aviateur *m* **-trice** *f* pilot, aviator.

aviation *f* flying; aviation.

avide *adj* greedy; eager; **~ment** *adv* greedily; eagerly.

avidité *f* greed; eagerness.

avilir *vt* to degrade.

avilissant *adj* degrading.

avion *m* (air)plane, aircraft.

aviron *m* oar; rowing.

avis *m* opinion.

avisé *adj* wise, sensible.

aviser *vt* to advise, inform; notice; **s'~** *vr* **s'aviser de** to realise suddenly.

aviver *vt* to sharpen; deepen; arouse.

avocat *m* **-e** *f* lawyer, advocate; * *m* avocado (pear).

avoine *f* oats.

avoir *vt* to have; **il y a** there is/ are; **il y a deux mois** two months ago; **qu'as-tu?** what's wrong (with you)?; **il n'avait qu'à le dire** he only had to say (the word); * *m* resources; credit.

avortement *m* abortion.

avorter *vi* to abort; fail.

avoué *m* solicitor.

avouer *vt* to admit (to); confess (to).

avril *m* April.

axe *m* axis; axle; main road.

axial *adj* axial.

azote *m* nitrogen.

B

babines *fpl* chops.

babiole *f* trinket, trifle.

bâbord *m (mar)* port.

babouin *m* baboon.

bac *m* ferry.

bâche *f* tarpaulin, cover.

bâcler *vt* to botch.

bactérie *f* bacterium.

badaud *m* idle onlooker.

badge *m* badge.

bafouer *vt* to scorn.

bafouiller *vi* to stammer; babble.

bagage *m* luggage; stock of knowledge.

bagarre *f* fight, brawl.

bagarrer (se) *vr* to fight; riot.

bagatelle *f* trinket; trifling sum.

bagne *m* penal servitude; *(fig)* grind.

bague *f* ring.

baguette *f* stick; loaf of French bread.

baie *f (geog)* bay.

baigner *vt vi* to bathe; * **se ~** *vr* to have a bath, swim.

baignoire *f* bath(tub).

bâiller *vi* to yawn.

bâillon *m* gag.

bâillonner *vt* to gag.

bain m bath; bathe; swim.

baiser m kiss; * vt to kiss.

baisse f fall, drop.

baisser vi to fall, drop; vt to lower.

bal m dance.

balade f (fam) walk; drive.

balader (se) vr (fam) to go for a walk; to go for a drive.

balai m broom, brush.

balance f scales; balance.

balancement m sway; rocking.

balancer vt to swing; to balance.

balançoire f swing; seesaw.

balayer vt to sweep, brush.

balbutiement m stammering, babbling.

balbutier vt to stammer, babble.

balbuzard m osprey.

balcon m balcony.

baleine f whale.

balistique f ballistics.

ballast m ballast.

balle f bullet; ball.

ballet m ballet.

ballon m ball; balloon.

ballotter vt jolt, shake about.

balourd adj stupid; clumsy.

balustrade f balustrade; handrail.

bambou m bamboo.

banal adj banal, trite; ~ement adv tritely.

banalisation f vulgarising; standardisation.

banalité f banality, triteness.

banane f banana.

bancaire adj banking, bank.

bancal, pl **bancals** adj lame; rickety.

bandage m bandage.

bande f band; tape; ~ dessinée strip cartoon.

bandeau m headband; blindfold.

bander vt to bandage; stretch.

banderole f banner streamer.

bandit m bandit.

banlieue f suburbs.

bannière f banner.

bannir vt to banish; prohibit.

bannissement m banishment.

banque f bank; banking.

banqueroute f bankruptcy.

banquet m banquet.

banquette f seat, stool.

banquier m banker.

banquise f ice floe.

baptême m baptism.

baptiser vt to baptise.

bar m bar; (zool) bass.

barbare adj barbarian; barbaric.

barbarie f barbarism; barbarity.

barbarisme m (gr) barbarism.

barbe f beard.

barbelé adj barbed.

barbiturique adj barbituric; * m barbiturate.

barboter vi to dabble; splash.

barbouillage m scribble; daub.

barbouiller vt to smear; scrawl.

barbu adj bearded; * m bearded man.

barème m list, schedule.

baril m barrel, cask.

bariolé adj multicoloured, motley.

baromètre m barometer.

baron m baron **-ne** f baroness.

baroque adj baroque; * m baroque.

barque f small boat.

barrage m barrage, barrier, dam.

barre f bar, rod.

barré adj barred, blocked.

barreau m rung; bar (cage).

barrer vt to bar, block.

barrette f (hair) slide, brooch.

barricader vt to barricade; se ~ vr to barricade o.s.

barrière f barrier; fence.

baryton m baritone.

bas adj low, base; * n stocking; sock; ~sement adv basely, meanly.

basalte m basalt.

bas-côté m verge; aisle.

bascule f weighing machine, scales.

basculer vi to tip up, topple over.

base f base; basis.

baser *vt* to base; **se ~ sur** *vr* to depend on, rely on.

bas-fond *m (naut)* shallow, shoal.

basilic *m (bot)* basil.

basilique *f* basilica.

basket *m* basketball.

basketteur *m* **-euse** *f* basketball player.

bas-relief *m* bas-relief.

basse *f (mus)* bass.

basse-cour *f* poultry-yard.

bassesse *f* meanness; vulgarity.

bassin *m* pond, pool; dock.

bassine *f* bowl.

basson *m* bassoon.

bastion *m* bastion.

bas-ventre *m* lower abdomen.

bataille *f* battle.

batailler *vi (fig)* to fight, battle.

batailleur *adj* combative, aggressive.

bataillon *m (mil)* battalion.

bâtard *adj* bastard, illegitimate.

bateau *m* boat, ship.

batelier *m* boatman.

bâtiment *m* building; ship.

bâtir *vt* to build.

bâtisse *f* building, house.

bâton *m* stick, staff.

batracien *m* batrachian.

battant *m* clapper (bell); shutter.

batte *f* bat.

battement *m* banging; beating.

batterie *f* battery.

batteur *m* drummer; batsman.

battre *vt* to beat, defeat.

battu *adj* beaten.

baudet *m* donkey.

baume *m* balm, balsam.

bauxite *f* bauxite.

bavard *m* **-e** *f* chatterbox; * *adj* talkative, loquacious.

bavardage *m* chatting, gossiping.

bavarder *vi* to chat, gossip.

bave *f* dribble, slobber.

baver *vi* to dribble, drool.

bavure *f* smudge, blunder.

bazar *m* bazaar; general store.

B.D. *f* (**bande dessinée**) strip cartoon.

béant *adj* gaping, wide open.

béat *adj* blissful; **~ement** *adv* rapturously.

béatitude *f* beatitude; bliss.

beau, *f* **belle** *adj* beautiful, lovely.

beaucoup *adv* a lot, a great deal; **~ de monde** a lot of people; **~ de temps** a great deal of time.

beau-fils *m* son-in-law; stepson.

beau-frère *m* brother-in-law.

beau-père *m* father-in-law; stepfather.

beauté *f* beauty, loveliness.

beaux-arts *mpl* fine arts.

beaux-parents *mpl* parents-in-laws.

bébé *m* baby.

bec *m* beak, bill.

béchamel *f* béchamel (sauce).

bée *adj* open-mouthed, flabbergasted.

bégaiement *m* stammering, faltering.

bégayer *vi* to stammer, stutter.

bégonia *m* begonia.

beige *adj* beige; * *m* beige.

beignet *m* fritter; doughnut.

bêlement *m* bleating.

bêler *vi* to bleat.

Belge *mf* Belgian.

belge *adj* Belgian.

Belgique *f* Belgium.

belle-fille *f* daughter-in-law, stepdaugher.

belle-mère *f* mother-in-law, stepmother.

belle-sœur *f* sister-in-law.

belligérant *m* **-e** *f* belligerent; * *adj* belligerent.

belliqueux *adj* aggressive; warlike.

bémol *m (mus)* flat.

bénédictin *m* **-e** *f* Benedictine.

bénédiction *f* benediction, blessing.

bénéfice *m* profit; benefit.

bénéficiaire *mf* beneficiary.

bénéficier *vi* to benefit; enjoy.

bénévole *adj* voluntary; unpaid; **~ment** *adv* voluntarily.

bénin, *f* bénigne *adj* benign; minor; harmless.
bénir *vt* to bless.
bénit *adj* consecrated, holy.
benne *f* skip; tipper.
benzène *m* benzene.
béquille *f* crutch; prop.
berceau *m* cradle.
bercement *m* rocking.
bercer *vt* to rock, cradle.
berceuse *f* lullaby; rocking chair.
béret *m* beret.
berge *f* riverbank.
berger *m* shepherd, **-ère** *f* shepherdess.
bergerie *f* sheepbarn.
berner *vt* to fool, hoax.
besogne *f* work; job.
besoin *m* need; want; **avoir ~ de** to need.
bestial *adj* bestial; **~ement** *adv* bestially.
bestialité *f* bestiality; brutishness.
bétail *m* livestock; cattle.
bête *adj* stupid, silly; **~ment** *adv* stupidly, foolishly; * *f* animal.
bêtifier *vt* to play the fool; prattle stupidly.
bêtise *f* stupidity, foolishness.
béton *m* concrete.
betterave *f* beetroot, beet.
beurre *m* butter.
beurrer *vt* to butter.
bévue *f* blunder.
biais *m* slant angle; bias.
biathlon *m* biathlon.
bibelot *m* curio.
biberon *m* baby's bottle.
bible *f* bible.
bibliographie *f* bibliography.
bibliothécaire *mf* librarian.
bibliothèque *f* library; bookcase.
bicarbonate *m* bicarbonate.
bicentenaire *m* bicentenary.
biceps *m* biceps.
biche *f* doe; darling, pet.
bicolore *adj* bi-coloured, two-tone.

bicyclette *f* bicycle.
bidon *m* tin, can; flask.
bidonville *m* shanty town.
bien *adv* well; properly; very; **c'est ~ cela** that's right; * *n* property, estate.
bien-être *m* well-being.
bienfaisant *adj* beneficial, kind.
bienfaiteur *m* benefactor, **-trice** *f* benefactress.
bienheureux *adj* blessed; lucky; happy.
bientôt *adv* soon.
bienveillant *adj* benevolent, kindly.
bienvenu *adj* welcome.
bienvenue *f* welcome.
bière *f* beer; coffin.
bifteck *m* steak.
bifurcation *f* bifurcation, fork.
bifurquer *vi* to fork, branch off.
bigot *adj* bigoted.
bihebdomadaire *adj* twice-weekly.
bijou *m* jewel.
bijouterie *f* jewellery.
bijoutier *m* **-ière** *f* jeweller.
bilan *m* balance sheet; assessment.
bilatéral *adj* bilateral.
bile *f* bile.
bilingue *adj* bilingual.
billard *m* billiards.
bille *f* marble; billiard ball.
billet *m* ticket; note.
billetterie *f* cash dispenser.
billion *m* billion.
bimensuel *adj* fortnightly.
bimestriel *adj* every two months.
binaire *adj* binary.
biochimie *f* biochemistry.
biochimiste *mf* biochemist.
biodégradable *adj* biodegradable.
bioéthique *f* bioethics.
biographie *f* biography.
biologie *f* biology.
biologique *adj* biological.
biologiste *mf* biologist.
biosphère *f* biosphere.

bioxyde *m* dioxide.
bipède *m* biped.
bipolaire *adj* bipolar.
bisannuel *adj* biennial.
biscornu *adj* crooked, misshapen; odd, outlandish.
biscuit *m* cake; biscuit.
bisexuel *adj* bisexual.
bissextile *adj* bissextile, leap (year).
bistouri *m* bistoury.
bitume *m* bitumen.
bitumer *vt* to asphalt, tarmac.
bizarre *adj* bizarre, strange; ~ment *adv* strangely, oddly.
bizarrerie *f* strangeness, singularity.
blafard *adj* pale, pallid.
blague *f* joke, trick.
blaguer *vi* to joke.
blagueur *m* **-euse** *f* joker, wag; * *adj* jokey, teasing.
blaireau *m* badger.
blâme *m* blame, rebuke.
blâmer *vt* to blame, rebuke.
blanc *adj*, *f* **blanche** white; * *m* white; blank; * *mf* white person; * *f* (*mus*) minim.
blancheur *f* whiteness.
blanchir *vi* to turn white; to become lighter; * *vt* to whiten; to lighten.
blanchissage *m* laundering; refining.
blanchisserie *f* laundry.
blasé *adj* blasé.
blason *m* blazon, coat of arms.
blasphème *m* blasphemy.
blasphémer *vi* to blaspheme.
blé *m* wheat.
blême *adj* pale, wan.
blêmir *vi* to turn pale.
blessant *adj* cutting, hurtful.
blessé *adj* injured, wounded.
blesser *vt* to injure, wound.
blessure *f* injury, wound.
bleu *adj* blue; * *m* blue; bruise.
bleuet *m* cornflower.
bleuir *vt vi* to turn blue.
bleuté *adj* bluish.

blindage *m* armour plating.
blindé *adj* armoured, reinforced.
bloc *m* block, group, unit.
blocage *m* blocking, freezing.
blocus *m* blockade.
blond *adj* blond, fair.
blondir *vi* to turn blond, turn golden; * *vt* to bleach.
bloquer *vt* to block, blockade.
blottir (se) *vr* to curl up, snuggle up.
blouse *f* blouse; overall.
blouson *m* windcheater, bomber jacket.
bobine *f* reel, bobbin.
bocal *m* jar; bowl.
bœuf *m* ox, bullock.
bohémien *m* **-ne** *f* Bohemian.
boire *vt* to drink; * *vi* to drink, tipple.
bois *m* wood.
boisé *adj* wooded.
boisson *f* drink.
boîte *f* box.
boiter *vi* to limp.
boiteux *adj* lame.
boîtier *m* case, body.
boitillant *adj* limping.
boitiller *vi* to hobble slightly.
bol *m* bowl.
bolet *m* boletus.
bombardement *m* bombardment, bombing.
bombarder *vt* to bombard, bomb.
bombe *f* bomb.
bombé *adj* rounded, domed.
bon *adj*, *f* **bonne** good; * *m* slip, coupon, bond.
bonbon *m* sweet, candy.
bond *m* leap; bounce.
bonde *f* stopper, plug.
bondé *adj* packed.
bondir *vi* to jump, leap; to bounce.
bonheur *m* happiness; luck.
bonhomme *m*, *pl* **bonshommes** chap, fellow.
bonification *f* improvement; bonus.
bonifier *vt* to improve; * **se ~** *vr* to improve.

bonjour *m* hello, good morning.
bonnet *m* bonnet, hat.
bonneterie *f* hosiery.
bonsoir *m* good evening.
bonté *f* goodness, kindness.
bon vivant *m* bon vivant.
bord *m* side, edge.
bordé *adj* edged, bordered.
bordée *f* broadside, volley.
border *vt* to edge, border.
bordereau *m* note; invoice.
bordure *f* frame, border.
borgne *adj* one-eyed.
borne *f* boundary; milestone.
borné *adj* narrow-minded.
borner *vt* to restrict, limit.
bosse *f* hump, knob.
bosseler *vt* to dent, emboss.
bossu *m* **-e** *f* hunchback; * *adj* hunchbacked.
botanique *f* botany; * *adj* botanical.
botaniste *f* botanist.
botte *f* boot.
bottine *f* ankle boot, bootee.
bouche *f* mouth.
bouché *adj* cloudy, overcast.
bouchée *f* mouthful.
bouche-à-bouche *m* kiss of life.
boucher *vt* to block, clog up; * **se ~** *vr* to become cloudy; *m*, **-ère** *f* (woman) butcher.
boucherie *f* butcher's; butchery.
bouchon *m* cork.
boucle *f* curl; buckle.
boucler *vt* to buckle; to surround.
bouclier *m* shield.
bouddhisme *m* Buddhism.
boudeur *adj* sullen, sulky.
boudin *m* (black) pudding.
boue *f* mud.
bouée *f* buoy.
boueur *m* dustman.
bouffée *f* whiff, puff.
bouffi *adj* swollen, puffed up.
bouffon *m* buffoon, clown.
bougeoir *m* candlestick.
bouger *vi* to move; * *vt* to move, shift.
bougie *f* candle.

bouillant *adj* boiling.
bouillir *vi* to boil.
bouilloire *f* kettle.
bouillon *m* broth.
bouillonner *vi* to bubble, foam.
bouillotte *f* hot-water bottle.
boulanger *m* **-ère** *f* baker.
boulangerie *f* bakery.
boule *f* ball, bowl.
boulet *m* cannonball; (*fig*) millstone.
boulevard *m* boulevard.
bouleversant *adj* upsetting, confusing.
bouleversement *m* confusion, disruption.
bouleverser *vt* to confuse, disrupt.
boulimie *f* bulimia.
boulimique *adj* bulimic.
boulon *m* bolt.
bouquet *m* bouquet, posy.
bouquin *m* (*fam*) book.
bouquiniste *mf* second-hand bookseller.
bourbeux *adj* muddy.
bourbier *m* quagmire.
bourdon *m* bumblebee.
bourdonnement *m* buzz, buzzing.
bourdonner *vi* to buzz, hum.
bourg *m* market-town.
bourgeois *m* **-e** *f* bourgeois, middle-class person; * *adj* bourgeois, middle-class.
bourgeoisie *f* bourgeoisie, middle classes.
bourgeon *m* bud.
bourgeonner *vi* to bud.
bourrasque *f* squall, gust.
bourreau *m* torturer, executioner.
bourrelet *m* pad, cushion.
bourrer *vt* to stuff, cram.
bourse *f* purse; **la Bourse** stock exchange.
boursier *m* **-ière** *f* broker; speculator.
boursouflé *adj* bloated, swollen.
bousculade *f* hustle, scramble.
bousculer *vt* to jostle, hustle.

boussole *f* compass.

bout *m* end; piece, scrap.

boutade *f* whim, caprice; jest.

bouteille *f* bottle.

boutique *f* shop, store.

bouton *m* button.

boutonner *vt* to button.

boutonnière *f* buttonhole.

bouture *f* cutting.

bovin *m* bovine.

boxe *f* boxing.

boxer *vi* to box.

boxeur *m* boxer.

boyau *m* guts, insides.

boycottage *m* boycotting.

boycotter *vt* to boycott.

bracelet *m* bracelet.

braconnier *m* poacher.

brader *vt* to sell at a discount.

braderie *f* discount sale.

braguette *f* fly (trousers).

braise *f* embers.

brancard *m* shaft, stretcher.

branche *f* branch.

branchement *m* branching; connection.

brancher *vt* to connect, link.

branchies *fpl* gills.

brandir *vt* to brandish, flourish.

branlant *adj* loose; shaky.

bras *m* arm.

brasier *m* brazier, furnace.

brasse *f* breaststroke.

brassée *f* armful.

brasser *vt* to brew; to mix.

brasserie *f* bar; brewery.

bravade *f* bravado.

brave *adj* brave, courageous; **~ment** *adv* bravely, courageously.

braver *vt* to brave, defy.

bravoure *f* bravery, courage.

brebis *f* ewe.

brèche *f* breach, gap.

bredouillant *adj* mumbling.

bredouille *adj* empty-handed.

bredouiller *vi* to mumble.

bref *adj*, *f* **brève** brief, concise; **en ~** *adv* in short.

bretelle *f* strap, sling.

brevet *m* licence, patent.

breveté *adj* patented.

bribe *f* bit, scrap.

bric-à-brac *m* bric-a-brac.

bricolage *m* DIY, odd jobs.

bricole *f* small job.

bricoler *vi* to do odd jobs.

bricoleur *m* handyman, **-euse** *f* handywoman.

bride *f* bridle.

bridé *adj* restrained, restricted.

brider *vt* to restrain, restrict.

brièvement *adv* briefly, concisely.

brièveté *f* brevity.

brigade *f* brigade.

brigadier *m* corporal, sergeant (police).

brillamment *adv* brilliantly.

brillant *adj* brilliant, shining.

briller *vi* to shine.

brin *m* stalk, strand.

brindille *f* twig.

brique *f* brick, slab.

briquet *m* lighter.

brise *f* breeze.

briser *vt* to smash, shatter.

brocante *f* second-hand dealing.

brocanteur *m* **-euse** *f* second-hand dealer.

broche *f* brooch.

brochure *f* brochure, booklet.

broder *vt* to embroider, *vi* to embellish, elaborate.

broderie *f* embroidery.

bronche *f* bronchus.

bronchite *f* bronchitis.

bronzage *m* tan.

bronze *m* bronze.

bronzer *vi* to get a tan.

brosse *f* brush.

brosser *vt* to brush.

brouette *f* wheelbarrow.

brouillard *m* fog, mist.

brouiller *vt* to blur, confuse.

brouillon *m* rough copy, draft; * *adj* untidy.

broussaille *f* brushwood, undergrowth.

broussailleux *adj* bushy, overgrown.

brousse *f* undergrowth, bush.
brouter *vt vi* to graze.
broyer *vt* to grind, pulverise.
broyeur *adj* crushing, grinding.
bruine *f* drizzle.
bruissement *m* rustle.
bruit *m* noise, sound.
bruitage *m* sound-effects.
brûlant *adj* burning, scorching.
brûler *vt vi* to burn.
brûlure *f* burn.
brume *f* haze, mist.
brumeux *adj* hazy, misty.
brun *m* dark-haired man, **brune**
    f brunette; * *adj* brown.
brusque *adj* brusque, abrupt;
    ~**ment** *adv* brusquely, abruptly.
brusquer *vt* to offend; hasten.
brut *adj* crude, raw.
brutal *adj* brutal, rough; ~**ement**
    adv brutally, roughly.
brutaliser *vt* to brutalise; to
    bully.
brutalité *f* brutality.
brute *f* brute; beast.
bruyamment *adv* noisily.
bruyant *adj* noisy.
bruyère *f* heather.
bûche *f* log.

bûcheron *m* **-ne** *f* woodcutter,
    lumberjack.
budget *m* budget.
budgétaire *adj* budgetary.
buée *f* condensation; steam.
buffet *m* sideboard, buffet.
buisson *m* bush.
bulbe *m* bulb.
bulle *f* bubble; blister.
bulletin *m* bulletin.
buraliste *mf* tobacconist.
bureau *m* office; desk.
bureaucrate *mf* bureaucrat.
bureaucratie *f* bureaucracy.
bureaucratique *adj* bureau-
    cratic.
burin *m* chisel.
bus *m* bus.
buste *m* bust, chest.
but *m* objective, goal.
butane *m* butane.
buté *adj* stubborn.
butin *m* booty, loot.
butte *f* knoll, mound.
buvable *adj* drinkable.
buvard *m* blotting paper.
buvette *f* refreshment-room.
buveur *m* **-euse** *f* drinker.

C

ça *pn* that; it; ~ **va?** How goes it?;
    ~ **y est** that's it; **qui** ~**?** who (do
    you mean)?; **comment** ~**?** how
    (do you mean)?; ~ **alors!** you
    don't say!
cabale *f* cabal, intrigue.
cabane *f* cabin, shed.
cabanon *m* cottage; chalet.
cabaret *m* cabaret; tavern.
cabine *f* cabin, cab; cockpit.
cabinet *m* surgery; office, study.
câble *m* cable.
câbler *vt* to cable.
cabosser *vt* to dent.
cabotage *m* coastal navigation.

cabriolet *m* convertible.
cacahuète *f* peanut.
cacao *m* cocoa.
cache *m* cache; mask; hiding
    place.
caché *adj* hidden, secluded.
cache-col *m invar* scarf.
cache-nez *m invar* scarf, muffler.
cacher *vt* to hide, conceal; **se** ~ *vr*
    to hide o.s.
cacheter *vt* to seal.
cachette *f* hideout, hiding place.
cachot *m* dungeon, prison cell.
cachottier *m* **-ière** *f* secretive.
cactus *m* cactus.

cadavre *m* corpse.

cadeau *m* present.

cadenas *m* padlock.

cadenasser *vt* to padlock.

cadence *f* rhythm, time, cadence.

cadet *m* **-te** *f* youngest child.

cadrage *m* framing.

cadran *m* dial, face.

cadre *m* frame; context; scope.

cadrer *vt* to centre, fit with.

caduc *adj*, *f* **caduque** null and void; obsolete.

cafard *m* hypocrite; cockroach.

café *m* coffee.

cafétéria *f* cafeteria.

cafetière *f* coffeepot.

cage *f* cage.

cageot *m* crate.

cagoule *f* cowl; balaclava.

cahier *m* notebook.

cahot *m* jerk, jolt.

caillot *m* clot.

caillou *m* stone; pebble.

caisse *f* box; till; fund.

caissier *m* **-ière** *f* cashier.

cajoler *vt* to cajole, coax; to pet.

cajou *m* cashew.

calamité *f* calamity.

calcaire *m* calcareous, chalky.

calcination *f* calcination.

calciner *vt* to calcine; to char.

calcium *m* calcium.

calcul *m* sum, calculation.

calculateur *adj*, *f* **-trice** calculating.

calculatrice, calculette *f* calculator.

calculer *vt* to calculate, reckon; *vi* to budget carefully.

cale *f* (*mar*) wedge, hold.

caleçon *m* shorts, pants.

calembour *m* pun.

calendrier *m* calendar.

calepin *m* notebook.

caler *vi* to stall; to give up; to wedge.

calfeutrer *vt* to make airtight, draughtproof.

calibre *m* calibre, bore.

calibrer *vt* to calibrate.

calice *m* chalice.

câlin *m* cuddle; * *adj* cuddly.

câliner *vt* to cuddle.

calligraphie *f* calligraphy.

callosité *f* callosity.

calmant *m* tranquilliser, sedative; * *adj* tranquillising.

calmar *m* squid.

calme *m* calm, stillness; * *adj* calm, still; **-ment** *adv* calmly, quietly.

calmer *vt* calm, soothe, pacify.

calomnie *f* slander, calumny.

calomnier *vt* to slander; libel.

calomnieux *adj* slanderous, calumnious.

calorie *f* calorie.

calorifique *adj* calorific.

calque *m* tracing; copy.

calquer *vt* to trace; to copy.

calvaire *m* calvary; ordeal.

calvitie *f* baldness.

camarade *mf* companion, friend.

camaraderie *f* camaraderie, friendship.

cambouis *m* dirty grease.

cambré *adj* arched.

cambriolage *m* burglary.

cambrioler *vt* to burgle.

cambrioleur *m* **-euse** *f* burglar.

caméléon *m* chameleon.

camélia *m* camelia.

caméra *f* camera.

camion *m* lorry.

camionneur *m* lorry driver, trucker.

camomille *f* camomile.

camouflage *m* camouflage.

camoufler *vt* to camouflage.

camp *m* camp.

campagnard *m* countryman, **-e** *f* countrywoman; * *adj* country, rustic.

campagne *f* country, countryside.

campement *m* camp, encampment.

camper *vi* to camp.

campeur *m* **-euse** *f* camper.

canal *m* canal, channel.

canalisation *f* canalisation; mains.

canaliser *vt* to channel, funnel.

canapé *m* sofa, settee.

canard *m* duck.

cancer *m* cancer.

cancéreux *adj* cancerous.

candeur *f* ingeniousness.

candidat *m* **-e** *f* candidate.

candidature *f* candidature, candidacy.

candide *adj* guileless, ingenuous; **~ment** *adv* openly, ingenuously.

canevas *m* canvas; framework.

canicule *m* heatwave.

canif *m* penknife.

canine *f* eye tooth.

caniveau *m* gutter.

canne *f* cane, rod.

cannelle *f* cinnamon.

canoë *m* canoe.

canon *m* cannon, gun.

canot *m* boat, dinghy.

cantate *f* cantata.

cantatrice *f* opera singer.

cantine *f* canteen.

cantique *m* canticle, hymn.

canton *m* canton.

cantonner (se) *vr* to take up position in.

caoutchouc *m* rubber.

cap *f* cape; course.

capable *adj* capable, competent.

capacité *f* capacity.

cape *f* cloak.

capillaire *adj* capillary.

capitaine *m* captain.

capital *adj* capital, cardinal, major; * *m* capital, stock.

capitale *f* capital (letter, city).

capitalisme *m* capitalism.

capitaliste *mf* capitalist.

capiteux *adj* heady, strong.

capitonner *vt* to pad.

capitulation *f* capitulation.

capituler *vt* to capitulate.

caporal *m* corporal.

capot *m* bonnet, hood.

capote *f* great-coat, hood.

capoter *vt* to capsize, overturn.

câpre *m* caper.

caprice *m* caprice, whim.

capricieusement *adv* capriciously.

capricieux *adj* capricious.

capricorne *m* capricorn.

capsule *f* capsule.

capter *vt* to catch; to pick up.

capteur *m* captor; pick-up.

captif *m* **-ive** *f* captive; * *adj* captive.

captivant *adj* enthralling, captivating.

captiver *vt* to captivate, enthrall.

captivité *f* captivity.

capture *f* capture.

capturer *vt* to capture.

capuche *f* hood.

car *conj* for; because; * *m* bus; van.

carabine *f* carbine, rifle.

caractère *m* character, disposition.

caractérisé *adj* marked, blatant.

caractériser *vt* to characterise.

caractérisque *f* characteristic, feature; * *adj* characteristic.

carafe *f* carafe.

carambolage *m* pile-up (car).

caramel *m* caramel.

caraméliser *vt* to caramelise.

carapace *f* carapace, shell.

carat *m* carat.

caravane *f* caravan.

caravelle *f* caravel.

carbonate *m* carbonate.

carbone *m* carbon.

carbonique *adj* carbonic.

carboniser *vt* to carbonise; to char.

carburant *m* motor-fuel.

carburateur *m* carburettor.

carburation *f* carburation.

carbure *m* carbide.

carcasse *f* carcass.

carcéral *adj* prison.

cardiaque *adj* cardiac.

cardigan *m* cardigan.

cardinal *m* cardinal; * *adj* cardinal.

cardiologie f cardiology.
cardiologue m cardiologist.
cardio-vasculaire adj cardiovascular.
carême m fast, fasting.
carence f deficiency; insolvency.
caressant adj affectionate.
caresse f caress.
caresser vt to caress, fondle.
cargaison f cargo, freight.
cargo m cargo-boat.
caricatural adj caricatural; grotesque.
caricature f caricature.
caricaturer vt to caricature.
caricaturiste m caricaturist.
carie f decay; caries.
carié adj decayed.
carillon m carillon, chime, peal.
caritatif adj charitable.
carnage m carnage.
carnassier m carnivore, **-ière** f gamebag; adj carnivorous.
carnaval m carnival.
carnet m notebook.
carnivore mf carnivore; adj carnivorous.
carotide f carotid.
carotte f carrot.
carpe f carp.
carpette f rug, doormat.
carré m square; * adj square; straightforward.
carreau m tile; pane.
carrefour m crossroads.
carrelage m tiling.
carrément adv bluntly, directly.
carrière f career.
carrosse m coach.
carrosserie f bodywork, coachwork.
carrossier m coachbuilder.
carrure f build, stature.
cartable m satchel.
carte f card; map.
cartel m cartel.
cartésien adj Cartesian.
cartilage m cartilage.
cartilagineux adj cartilaginous.

cartomancien m **-ne** f fortune-teller.
carton m cardboard.
cartonner vt to bind (book).
cartouche f cartridge.
cas m case; circumstance.
casanier m **-ière** f homebody.
cascade f waterfall; stunt.
cascadeur m **-euse** f acrobat, stuntman.
case f square; box.
caser vt (fam) to set up (job, marriage).
caserne f barracks.
casier m compartment; filing cabinet.
casino m casino.
casque m helmet.
casquette f peaked cap.
cassant adj brittle.
casse-croûte m invar snack.
casser vt to break; **se ~** vr to break.
casserole f saucepan.
casse-tête m invar puzzle, conundrum.
cassette f cassette; cash-box.
cassis m blackcurrant.
cassure f break, crack.
caste f caste.
castor m beaver.
castration f castration.
castrer vt to castrate.
cataclysme m cataclysm.
catacombe f catacomb.
catalogue m catalogue.
cataloguer vt to catalogue.
catalyseur m catalyst.
catalytique adj catalytic.
cataplasme m cataplasm.
catapulte f catapult.
cataracte f cataract.
catastrophe f catastrophe.
catastrophique adj catastrophic.
catéchisme m catechism.
catégorie f category.
catégorique adj categorical; **~ment** adv categorically.
cathédrale f cathedral.

cathode f cathode.
cathodique adj cathodic.
catholicisme m Catholicism.
catholique adj Catholic.
cauchemar m nightmare.
cause f cause, reason.
causer vt to cause; to chat; * vi to talk, chat.
caustique adj caustic.
caution f deposit; guarantee.
cautionner vt to guarantee.
cavalerie f cavalry.
cavalier m -ière f rider.
cave f cellar.
caveau m tomb; small cellar.
caverne f cave, cavern.
caverneux adj cavernous.
caviar m caviar.
cavité f cavity.
ce adj **cet** (before vowel and mute h), f **cette**, pl **ces** this, these; **cet homme-là** that man; * pn; **c'est le facteur** it's the postman; ~ **sont mes lunettes** these are my glasses; ~ **que tu veux** what you want; **c'est ~ dont je vous parle** that's what I am speaking to you about.
ceci pn this.
cécité f blindness.
céder vi to give in; * vt to give up, transfer.
ceindre vt to put round, encircle.
ceinture f belt, girdle.
ceinturer vt to surround.
ceinturon m belt.
cela pn that; emphasis **qui ~?** who? (do you mean)?; **comment ~?** how? (do you mean?).
célébration f celebration.
célèbre adj famous.
célébrer vt to celebrate.
célébrité f fame, celebrity.
célérité f celerity, speed.
céleste adj celestial.
célibat m celibacy.
célibataire mf single person; * adj single, unmarried.

cellulaire adj cellular.
cellule f cell, unit.
cellulite f cellulite.
celluloïd m celluloid.
cellulose f cellulose.
celui pn, f **celle** this one, pl **ceux** these ones.
cendre f ash.
cendrier m ashtray.
censé adj supposed; deemed.
censure f censorship.
censurer vt to censor.
cent adj a hundred; **tu as ~ fois raison** you are absolutely right; **faire les ~ pas** to walk up and down; * m a hundred; ~ **pour ~** per cent.
centaine f about a hundred, a hundred or so.
centenaire m centenarian; * adj a hundred years old.
centésimal adj centesimal.
centième mf hundredth; * adj hundredth.
centigrade m centigrade.
centigramme m centigram.
centime m centime.
centimètre m centimetre.
central adj central.
centraliser vt to centralise.
centre m centre.
centrer vt to centre, focus.
centrifuge adj centrifugal.
centuple adj centuple, hundred-fold; * mf centuple.
cependant conj however.
céramique f ceramic.
cerceau m hoop.
cercle m circle, ring.
cercueil m coffin.
céréale f cereal.
cérébral adj cerebral.
cérémonial adj ceremonial.
cérémonie f ceremony.
cérémonieux adj ceremonious.
cerf-volant m kite.
cerise f cherry.
cerisier m cherry tree.
cerne f ring.
cerner vt to circle, encompass.

certain *adj* certain, sure; **~ement** *adv* certainly, most probably; **~s** *pn* some, certain people.

certificat *m* certificate.

certifier *vt* to certify; to guarantee.

certitude *f* certainty, certitude.

cerveau *m* brain.

cervelle *f* brains.

cervical *adj* cervical.

césarienne *f* Caesarean.

cesser *f* to cease, stop.

cessez-le-feu *m* cease-fire.

cet *adj*, *f* **cette** *see* **ce**.

cétacé *m* cetacean.

ceux *see* **ce**.

chacun *pn* each one; **~e d'entre elles** each of them; **~ son tour** each in turn.

chagrin *m* sorrow, grief.

chahut *m* row, uproar.

chahuter *vi* to make a row.

chaîne *f* chain.

chaînon *m* link.

chair *f* flesh.

chaise *f* chair.

châle *m* shawl.

châlet *m* chalet.

chaleur *f* heat.

chaleureusement *adv* warmly.

chaleureux *adj* warm, cordial.

chalumeau *m* blowlamp.

chalutier *m* trawler.

chambre *f* room.

chameau *m* camel.

champ *m* field.

champêtre *adj* rural, country.

champignon *m* mushroom.

champion *m* **-ne** *f* champion.

championnat *m* championship.

chance *f* luck.

chancelant *adj* staggering, tottering.

chanceler *vi* to stagger, totter.

chancelier *m* chancellor.

chanceux *adj* lucky, fortunate.

chandail *m* sweater.

chandeleur *f* Candlemas.

chandelier *m* candlestick.

chandelle *f* candle.

changeant *adj* changeable, variable.

changement *m* change, changing.

changer *vi* to change; * *vt* to change.

chanson *f* song.

chant *m* song; singing.

chantage *m* blackmail.

chanter *vt vi* to sing.

chanteur *m* **-euse** *f* singer.

chantier *m* building site.

chantonner *vt vi* to hum.

chanvre *m* hemp.

chaos *m* chaos.

chaotique *adj* chaotic.

chapeau *m* hat.

chapelet *m* rosary; string.

chapelle *f* chapel.

chapiteau *m* capital (column).

chapitre *m* chapter.

chaque *adj* each.

char *m* *(mil)* tank; chariot.

charabia *m* gibberish.

charbon *m* coal.

charcuterie *f* pork meat trade.

charcutier *m* **-ière** *f* pork butcher.

chardon *m* thistle.

charge *f* load; responsibility.

chargé *adj* loaded.

chargement *m* loading; freight.

charger *vt* to load; **se ~ de** to take responsibility for, attend to.

chariot *m* waggon; freight car.

charisme *m* charisma.

charitable *adj* charitable, kind; **~ment** *adv* charitably.

charité *f* charity.

charlatan *m* charlatan.

charmant *adj* charming, delightful.

charme *m* charm.

charmer *vt* to charm, beguile.

charmeur *m* **-euse** *f* charmer; * *adj* winning, enchanting.

charnel *adj* carnal.

charnière *f* hinge, pivot.

charnu *adj* fleshy.

charogne *f* carrion.

charpente f structure, framework.

charpentier m carpenter.

charrette f cart.

charrier vt to cart, carry.

charrue f plough.

chasse f hunting; chase.

chasse-neige m invar snowplough.

chasser vt to hunt, chase.

chasseur m **-euse** f hunter.

châssis m chassis.

chaste adj chaste; **~ment** adv chastely.

chasteté f chastity.

chat m, **chatte** f cat.

châtaigne f chestnut.

châtain adj chestnut brown.

château m castle.

châtiment m chastisement, punishment.

chaton m kitten.

chatouiller vt to tickle.

chatoyant adj shimmering.

châtrer vt to castrate.

chaud adj warm, hot; **~ement** adv warmly, hotly.

chaudière f boiler.

chaudron m cauldron.

chauffage m heating.

chauffard m road-hog.

chauffe-eau m invar waterheater.

chauffer vi to heat; * vt to heat up.

chauffeur m driver.

chaumière f cottage.

chaussée f road, street.

chausse-pied m shoehorn.

chaussette f sock.

chausson m slipper.

chaussure f shoe.

chauve adj bald.

chauve-souris f bat.

chauvin adj, f **chauvine** chauvinistic.

chauvinisme m chauvinism.

chaux f lime.

chavirer vi to capsize, overturn.

chef m head, boss; chef.

chef-d'œuvre m masterpiece.

chemin m way, road; **~ de fer** railway.

cheminée f chimney.

cheminement m progress; course.

chemise f shirt.

chemisier m shirtmaker.

chêne m oak.

chenil m kennel.

chenille f caterpillar.

chèque m cheque.

chéquier m chequebook.

cher adj, f **chère** dear; expensive.

chercher vt to look for.

chercheur m **-euse** f researcher; seeker.

chéri m **-ie** f darling, dearest; * adj beloved, cherished.

chétif adj puny, paltry.

cheval m horse.

chevalet m easel.

chevalier m knight.

chevelu adj long-haired.

chevelure f hair, head of hair.

chevet m chevet; bedside.

cheveu m hair.

cheville f ankle.

chèvre f goat.

chèvrefeuille m honeysuckle.

chevreuil m roe deer.

chez prép at home: **je rentre ~ moi** I'm going home; **~ ta tante** at your aunt's.

chic m style, stylishness; **avoir le ~ pour** to have the knack for.

chicorée f chicory.

chien m, **chienne** f dog.

chiffon m rag, cloth.

chiffonné adj crumpled, rumpled.

chiffre m figure.

chignon m chignon, bun.

chimère f chimera.

chimérique adj chimerical, fanciful.

chimie f chemistry.

chimique adj chemical; **~ment** adv chemically.

chimiste *mf* chemist.

chimpanzé *m* chimpanzee.

chiot *m* puppy.

chipoteur *m* **-euse** *f* haggler.

chirurgical *adj* surgical.

chirurgie *f* surgery.

chirurgien *m* surgeon.

chlore *m* chlorine.

chloroforme *m* chloroform.

chlorophyle *f* chlorophyll.

chlorure *m* chloride.

choc *m* shock, crash.

chocolat *m* chocolate.

chœur *m* choir, chorus.

choir *vi* to fall.

choisir *vt* to choose.

choix *m* choice.

choléra *m* cholera.

chômage *m* unemployment.

chômeur *m* **-euse** *f* unemployed person.

choquant *adj* shocking, appalling.

choquer *vt* to shock.

chorale *f* choral.

chorégraphe *mf* choreographer.

choréraphie *f* choreography.

choriste *mf* chorister.

chose *f* thing, matter, object.

chou *m* cabbage.

chouette *f* owl.

chou-fleur *m* cauliflower.

choyer *vt* to cherish.

chrétien *m* **-ne** *f* Christian, *adj* christian.

christianisme *m* Christianity.

chrome *m* chromium.

chromosome *m* chromosome.

chronique *adj* chronic; * *f* chronicle, column, page.

chronologie *f* chronology.

chronologique *adj* chronological; **~ment** *adv* chronologically.

chronomètre *m* chronometer.

chronométrer *vt* to time.

chrysanthème *m* chrysanthemum.

chuchotement *m* whisper, rustling.

chuchoter *vi* to whisper.

chuintement *m* hissing.

chuinter *vi* to hiss.

chute *f* fall, drop.

chuter *vi* to fall.

ci *adv*: **ces fleurs-ci** these flowers; **ci-joint** enclosed; **ci-dessous** below; **ci-contre** opposite; in the margin; annexed.

cible *f* target.

cibler *vt* to target.

cicatrice *f* scar.

cicatrisation *f* cicatrisation, healing.

cicatriser *vt* to heal; **se ~** *vr* to heal, form a scar.

cidre *m* cider.

ciel *m, pl* **cieux, ciels** sky.

cierge *m* candle.

cigale *f* cicada.

cigare *m* cigar.

cigarette *f* cigarette.

cil *m* eyelash.

ciller *vi* to blink.

cime *f* summit.

ciment *m* cement.

cimenter *vt* to cement.

cimetière *m* cemetery.

cinéaste *mf* film-maker.

cinéma *m* cinema.

cinémathèque *f* film library.

cinématographique *adj* film, cinema.

cinéphile *mf* film enthusiast.

cinétique *adj* kinetic.

cinglant *adj* bitter, lashing, cutting.

cingler *vt* to lash, sting.

cinq *m* five.

cinquantaine *f* about fifty.

cinquante *m* fifty.

cinquantenaire *m* fiftieth anniversary.

cinquantième *mf* fiftieth, *adj* fiftieth.

cinquième *mf* fifth, *adj* fifth; * **~ment** *adv* in fifth place.

cintre *m* arch.

cirage *m* polish.

circonférence *f* circumference.

circonscription *f* division, constituency.
circonspect *adj* circumspect.
circonstance *f* circumstance.
circuit *m* circuit, tour.
circulaire *adj* circular; **~ment** *adv* circularly.
circulation *f* circulation; traffic.
circuler *vi* to circulate, move.
cire *f* wax.
cirer *vt* to polish.
cirque *m* circus.
ciseau *m* chisel; **~x** *pl* scissors.
citadelle *f* citadel.
citadin *m* **-e** *f* city dweller; * *adj* town, urban.
citation *f* citation, summons.
cité *f* city.
citer *vt* to quote, cite.
citerne *f* water tank.
citoyen *m* **-ne** *f* citizen.
citron *m* lemon.
citrouille *f* pumpkin.
civière *f* stretcher.
civil *adj* civil; **~ement** *adv* civilly.
civilisation *f* civilisation.
civilisé *adj* civilised.
civiliser *vt* to civilise.
civique *adj* civic.
clair *adj* clear, bright; **~ement** *adv* clearly.
clairière *f* clearing, glade.
clairsemé *adj* scattered.
clairvoyance *f* perspicacity; clairvoyance.
clairvoyant *adj* perceptive; clairvoyant.
clameur *f* clamour.
clan *m* clan.
clandestin *adj* clandestine; **~ement** clandestinely.
clandestinité *f* secrecy.
clapoter *vi* to lap (water).
clapotis *m* lapping.
claque *f* slap, smack.
claquement *m* clapping, slamming.
claquer *vi* to bang, slam.
clarifier *vt* to clarify; **se ~** *vr* to become clear.

clarinette *f* clarinet.
clarté *f* light, brightness.
classe *f* class, standing.
classement *m* filing; grading.
classer *vt* to file, classify.
classeur *m* filing cabinet.
classification *f* classification.
classique *adj* classical, standard; **~ment** *adv* classically.
clause *f* clause.
claustrer *vt* to confine.
claustrophobie *f* claustrophobia.
clavecin *m* harpsichord.
clavicule *f* collarbone.
clavier *m* keyboard.
clé, clef *f* key.
clémence *f* clemency, mildness.
clergé *m* clergy.
cliché *m* cliché; negative.
client *m* **-e** *f* client.
clientèle *f* clientele; customers.
cligner *vi* to blink.
clignotant *adj* blinking, flickering; * *m* indicator.
clignotement *m* blinking, flickering.
clignoter *vi* to blink, flicker.
climat *m* climate.
climatique *adj* climatic.
climatisation *f* air conditioning.
climatiser *vt* to air condition.
clin d'œil *m* wink.
clinique *f* clinic.
cliqueter *vi* to jingle, clink.
clitoris *m* clitoris.
clochard *m* **-e** *f* tramp.
cloche *f* bell.
clocher *m* steeple, bell tower.
clochette *f* hand-bell.
cloison *f* partition.
cloîtrer (se) *vr* to enter the monastic life.
clore *vt* to close, conclude.
clos *adj* closed, enclosed.
clôture *f* fence, hedge.
clou *m* nail.
clouer *vt* to nail.
club *m* club.
coagulation *f* coagulation.
coaguler *vi* to coagulate.

coaliser *vt vi* to form a coalition.
coalition *f* coalition.
cobalt *m* cobalt.
cobaye *m* guinea-pig.
cobra *m* cobra.
cocaïne *f* cocaine.
coccinelle *f* ladybird.
coccyx *m* coccyx.
cocher *vt* to notch, tick off.
cochon *m* **-ne** *f* pig.
code *m* code.
coder *vt* to code.
codifier *vt* to codify.
coefficient *m* coefficient.
coéquipier *m* **-ière** *f* team mate.
cœur *m* heart.
coexister *vi* to coexist.
coffre *m* chest; **~-fort** safe.
coffret *m* casket.
cogner *vi* to hammer, bang.
cohabitation *f* cohabitation.
cohabiter *vi* to cohabit.
cohérence *f* coherence.
cohérent *adj* coherent.
cohésion *f* cohesion.
cohue *f* crowd.
coiffer *vt* to arrange so's hair; **se ~** *vr* to do one's hair.
coiffeur *m* **-euse** *f* hairdresser.
coiffure *f* hairstyle.
coin *m* corner.
coincer *vt* to wedge, jam.
coïncidence *f* coincidence.
coït *m* coitus.
col *m* collar; neck.
colère *f* anger.
colérique *adj* quick-tempered, irascible.
colibri *m* hummingbird.
colique *f* diarrhoea.
colis *m* parcel.
collaborateur *m* **-trice** *f* collaborator, colleague.
collaboration *f* collaboration.
collaborer *vi* to collaborate.
collant *adj* clinging, sticky; * *m* leotard.
collecte *f* collection.
collectif *adj* collective.
collection *f* collection.

collectionner *vt* to collect.
collectionneur *m* **-euse** *f* collector.
collectivement *adv* collectively.
collectivité *f* community; collective ownership.
collège *m* secondary school.
collègue *mf* colleague.
coller *vt* to stick, glue; * *vi* to stick, be sticky.
collier *m* necklace.
colline *f* hill.
collision *f* collision.
colloque *m* colloquium.
colocataire *mf* co-tenant.
colombe *f* dove.
colon *m* colonist.
colonel *m* colonel.
colonie *f* colony.
colonisation *f* colonisation.
coloniser *vt* to colonise.
colonne *f* column.
colorant *m* colouring.
coloration *f* colouring, staining.
coloré *adj* coloured.
colorier *vt* to colour in.
coloris *m* colouring, shade.
colossal *adj* colossal.
colporter *vt* to peddle.
colza *m* rape seed.
coma *m* coma.
comateux *adj* comatose.
combat *m* combat, fight.
combatif *adj* combative.
combativité *f* combativeness.
combattant *adj* fighting, combatant.
combattre *vt* to fight, combat; * *vi* to fight.
combien *adv* how much, how many; **~ de temps?** how much time?; **~ sont-ils?** how many are they?
combinaison *f* combination.
combiner *vt* to combine.
comble *m* height, peak.
combler *vt* to fill; to fulfil.
combustible *m* fuel.
combustion *f* combustion.
comédie *f* comedy.

comédien *m* **-ne** *f* actor.
comestible *adj* edible.
comète *f* comet.
comique *adj* comic; **~ment** *adv* comically.
comité *m* committee.
commandant *m* commander.
commande *f* command, order.
commandement *m* command, commandment.
commander *vt vi* to order, command.
commanditer *vt* to finance, sponsor.
commando *m* commando.
comme *conj* as, like; **~ ci ~ ça** so-so; **~ il faut** properly; *adv* how.
commémoration *f* commemoration.
commémorer *vt* to commemorate.
commencement *m* beginning, start.
commencer *vt vi* to begin, start.
comment *adv* how; **~ dire?** how shall we say?; **~ cela?** what do you mean?
commentaire *m* comment; commentary.
commentateur *m* **-trice** *f* commentator.
commenter *vt* to comment.
commérage *m* piece of gossip.
commerçant *m* **-e** *f* merchant, trader.
commerce *m* business, commerce.
commercial *adj* commercial; **~ement** *adv* commercially.
commercialiser *vt* to market.
commère *f* gossip.
commettre *vt* to commit.
commissaire *m* representative; commissioner.
commissariat *m* police station; commissionership; commissariat.
commission *f* commission, committee.

commissionnaire *m* messenger; agent.
commode *adj* convenient, comfortable.
commodité *f* convenience.
commun *adj* common, joint; **~ément** *adv* commonly.
communal *adj* council; common, communal.
communautaire *adj* community.
communauté *f* community; joint estate.
commune *f* town, district.
communication *f* communication.
communier *vi* to receive communion.
communion *f* communion.
communiqué *m* communiqué.
communiquer *vt* to communicate, transmit; * *vi* to communicate.
communisme *m* communism.
communiste *mf* communist.
compact *adj* compact, dense.
compagne *f* companion.
compagnie *f* company.
compagnon *m* companion.
comparable *adj* comparable.
comparaison *f* comparison.
comparaître *vi* to appear.
comparativement *adv* comparatively.
comparer *vt* to compare.
compartiment *m* compartment.
compartimenter *vt* to compart, partition.
compas *m* compass.
compassion *f* compassion.
compatibilité *f* compatibility.
compatible *adj* compatible.
compatir *vi* to sympathise.
compatissant *adj* compassionate.
compatriote *mf* compatriot.
compensation *f* compensation.
compenser *vt* to compensate; offset; **se ~** *vr* to balance each other, make up for.
compétence *f* competence.

compétent *adj* competent, capable.

compétitif *adj* competitive.

compétition *f* competition.

compétitivité *f* competitiveness.

complaisance *f* kindness; complacency.

complaisant *adj* kind; complacent.

complément *m* complement; extension.

complémentaire *adj* complementary, supplementary.

complet *adj* complete, full.

complètement *adv* completely, fully.

compléter *vt* to complete; **se ~** *vr* to complement one another.

complexe *adj* complex, complicated.

complexé *adj* mixed up.

complication *f* complication.

complice *mf* accomplice.

complicité *f* complicity, collusion.

compliment *m* compliment.

complimenter *vt* to compliment, congratulate.

compliqué *adj* complicated, intricate.

compliquer *vt* to complicate.

complot *m* plot.

comportement *m* behaviour; performance.

comporter *vt* to consist of, comprise; **se ~** *vr* to behave.

composant *m* component, constituent.

composante *f* component.

composer *vt* to compose, make up; **se ~** *vr*: **se ~ de** to be made up of.

compositeur *m* **-trice** *f* composer; typesetter.

composition *f* composition, formation.

compréhensible *adj* comprehensible.

compréhensif *adj* comprehensive, understanding.

compréhension *f* comprehension, understanding.

comprendre *vt* to understand; consist of.

compresse *f* compress.

compresseur *m* compressor.

compression *f* compression; reduction.

comprimé *adj* compressed; restrained; * *m* tablet.

comprimer *vt* to compress; to restrain.

compromettant *adj* compromising.

compromettre *vt* to compromise.

compromis *m* compromise.

comptabilité *f* accountancy.

comptable *adj* accounting; * *mf* accountant.

compte *m* account.

compter *vt vi* to count.

compteur *m* meter.

comptoir *m* counter, bar.

comte *m* count, **comtesse** *f* countess.

concave *adj* concave.

concéder *vt* to grant, concede.

concentration *f* concentration.

concentré *adj* concentrated; reserved.

concentrer *vt* to concentrate; **se ~** *vr* to concentrate.

concept *m* concept.

conception *f* conception, design.

concerner *vt* to concern, regard.

concert *m* concert.

concertation *f* dialogue, consultation.

concession *f* concession; privilege.

concessionnaire *mf* concessionaire, grantee.

concevoir *vt* to imagine, conceive.

concierge *mf* caretaker, concierge.

conciliant *adj* conciliatory.

conciliation *f* conciliation; reconciliation.

concilier *vt* to reconcile; to attract.

concis *adj* concise.

concision f conciseness, brevity.

concluant adj conclusive, decisive.

conclure vt to conclude; to decide; **se ~** vr to conclude, come to an end.

conclusion f conclusion.

concombre m cucumber.

concordance f agreement, accord.

concorder vi to agree, coincide.

concours m competition; conjuncture.

concret adj concrete, solid.

concrètement adv concretely.

concrétiser vt to put in concrete form.

concubin m **-e** f concubine; cohabitant.

concubinage m concubinage; cohabitation.

concurrence f competition.

concurrent m **-e** f concurrent; competitor.

condamnation f condemnation; sentencing.

condamné m **-e** f convict; sentenced person; * adj sentenced.

condamner vt to condemn; to sentence.

condensation f condensation.

condensé adj condensed, evaporated.

condenser vt to condense, compress.

condescendant adj condescending.

condiment m condiment.

condition f condition, term.

conditionné adj conditioned; packaged.

conditionnement m conditioning; packaging.

conditionner vt to condition; to package.

condoléances fpl condolences.

conducteur m **-trice** f driver; operator.

conduire vt vi to lead; to drive.

conduit m conduit, pipe.

conduite f conduct; driving; behaviour.

cône m cone.

confédération f confederation.

conférence f conference.

conférencier m **-ière** f speaker; lecturer.

confesser vt to confess; **se ~** vr to go to confession.

confession f confession.

confiance f confidence, trust.

confiant adj confident; confiding.

confidence f confidence; disclosure.

confident m **-e** f confidant.

confidentiel adj confidential; **~lement** adv confidentially.

confier vt to confide, entrust; **se ~** vr to confide in.

confiner vt to confine; **se ~** to be confined; vr: **se ~ à** to confine o.s. to.

confirmation f confirmation.

confirmer vt to confirm; **se ~** vr to be confirmed.

confiserie f confectionery.

confisquer vt to confiscate, impound.

confiture f jam.

conflictuel adj conflicting.

conflit m conflict, contention.

confondre vt to confuse, mingle.

conforme adj consistent; true.

conformément adv in accordance with.

conformer vt to model; **se ~** vr to conform.

conformiste mf conformist.

conformité f conformity; likeness.

confort m comfort.

confortable adj comfortable, cosy; **~ment** adv comfortably.

confrère m colleague.

confrontation f confrontation; comparison.

confronter vt to confront.

confus adj confused, indistinct; **~ément** adv confusedly, vaguely.

confusion f confusion, disorder.
congé m leave; holiday.
congédier vt to dismiss.
congélateur m freezer.
congeler vt to freeze.
congestion f congestion; stroke.
congratulation f congratulation.
congratuler vt to congratulate.
congrégation f congregation.
congrès m congress, conference.
conifère m conifer.
conjoint m -e f spouse; * adj joint; linked; ~ement adv jointly.
conjonctivite f conjunctivitis.
conjoncture f conjuncture; situation.
conjugaison f conjugation.
conjugal adj conjugal.
conjuguer vt to conjugate; to combine.
conjuration f conspiracy, plot.
conjurer vt to conspire; to implore; to ward off.
connaissance f knowledge; consciousness.
connaisseur m -euse f connoisseur; expert.
connaître vt to know, be acquainted with.
connecter vt to connect.
connecteur m connective.
connexion f connection, link.
connivence f connivance.
connotation f connotation.
connu adj known; famous.
conquérant m -e f conqueror; * adj conquering.
conquérir vt to conquer.
conquête f conquest.
conquis adj conquered, vanquished.
consacrer vt to devote, dedicate; **se** ~ vr to dedicate o.s. to.
consciemment adv consciously, knowingly.
conscience f consciousness; conscience.
consciencieusement adv consciencieusement.

consciencieux adv conscientious.
conscient adj conscious, aware.
consécration f consecration.
consécutif adj consecutive.
consécutivement adv consecutively.
conseil m advice, counsel.
conseiller m -ère f counsellor, adviser; * vt to advise, counsel.
consentant adj consenting, willing.
consentement m consent.
consentir vi to consent, acquiesce.
conséquence f consequence, result.
conséquent adj consequent; substantial.
conservateur m -trice f conservative; curator.
conservation f conservation.
conservatoire m conservatory; academy.
conserve f canned food.
conserver vt to keep, preserve; **se** ~ vr to keep.
considérable adj considerable; notable; ~ment adv considerably.
considération f consideration, respect.
considérer vt to consider, regard.
consigne f orders, instructions.
consistance f consistency; strength.
consister vi: ~ **en** to consist of; **cela consiste à** that consists in doing.
consolation f consolation, solace.
console f console.
consoler vt to console, comfort.
consolidation f consolidation, reinforcement.
consolider vt to consolidate, reinforce.
consommateur m -trice f consumer.
consommation f consumption; accomplishment.

consommé *adj* consummate, accomplished; * *m* consommé.

consommer *vt* to consume, use.

consonne *f* consonant.

conspirateur *m* **-trice** *f* conspirator.

conspiration *f* conspiracy, plot.

conspirer *vi* to conspire, plot.

constamment *adv* constantly, continually.

constant *adj* constant, continuous.

constante *f* constancy.

constat *m* report; acknowledgement.

constatation *f* authentication, verification.

constater *vt* to record; to verify.

constellation *f* constellation, galaxy.

consternation *f* consternation, dismay.

consterner *vt* to dismay.

constipation *f* constipation.

constituer *vt* to constitute, form.

constitution *f* constitution, formation.

constitutionnel *adj* constitutional; **~lement** *adv* constitutionally.

constructeur *m* **-trice** *f* builder, maker.

constructif *adj* constructive.

construction *f* building, construction.

construire *vt* to construct, build.

consul *m* consul.

consulaire *adj* consular.

consulat *m* consulate.

consultant *m* **-e** *f* consultant; * *adj* consulting.

consultation *f* consultation, advice.

consulter *vt* to consult, take advice from.

consumer *vt* to consume, spend; **se ~** *vr* to be burning, waste away.

contact *m* contact, touch.

contacter *vt* to contact, approach.

contagieux *adj* contagious, infectious.

contamination *f* contamination, pollution.

contaminer *vt* to contaminate, pollute.

conte *m* story, tale.

contemplation *f* contemplation, meditation.

contempler *vt* to contemplate, meditate.

contemporain *adj* contemporary.

contenance *f* capacity, volume.

contenir *vt* to contain.

contentement *m* contentment, satisfaction.

contenter *vt* to please, satisfy; **se ~** *vr*: **se ~ de** to content o.s. with.

contenu *m* contents, enclosure.

contestation *f* dispute, controversy.

contester *vt* to contest, dispute.

contexte *m* context.

contigu *adj*, *f* **contiguë** contiguous, adjacent.

continent *m* continent.

continental *adj* continental.

contingent *m* quota; draft *(mil)*.

continu *adj* continuous, incessant.

continuation *f* continuation.

continuel *adj* continual, continuous; **~lement** *adv* continuously, continually.

continuer *vt* to continue, proceed with; * *vi* to continue, go on.

contour *m* contour, outline.

contourner *vt* to bypass, skirt.

contraceptif *adj* contraceptive.

contraception *f* contraception.

contracter *vt* to contract, acquire; **se ~** *vr* to contract, shrink.

contraction *f* contraction.

contradiction *f* contradiction, discrepancy.

contradictoire *adj* contradictory, conflicting.

contraindre *vt* to constrain, compel.

contrainte *f* constraint, compulsion.

contraire *m* opposite, contrary; * *adj* opposite, contrary; **~ment** *adv* contrarily.

contrariant *adj* contrary; perverse.

contrarier *vt* to annoy; to oppose.

contrariété *f* annoyance, disappointment.

contraste *m* contrast.

contrat *m* contract, agreement.

contre *prép* against; **parier à 10 ~ 1** to bet at 10 to 1; **~ toute attente** contrary to all expectations; **par ~** on the other hand.

contre-attaque *f* counter-attack.

contre-attaquer *vi* to counter-attack.

contrebalancer *vt* to counterbalance.

contrebande *f* contraband, smuggling.

contrebandier *m* **-ière** *f* smuggler.

contrebasse *f* double bass.

contrecarrer *vt* to thwart, oppose.

contrecœur: à ~ reluctantly.

contrecoup *m* rebound, repercussion.

contredire *vt* to contradict, refute.

contrefaçon *f* counterfeit, forgery.

contrefaire *vt* to counterfeit, forge.

contre-indication *f* contraindication.

contremaître *m* foreman.

contre-offensive *f* counter-offensive.

contrepartie *f* compensation; consideration.

contre-plaqué *m* plywood.

contrepoison *m* antidote, counter-poison.

contresens *m* nonsense; misunderstanding; mistranslation.

contretemps *m* mishap; contretemps; *(mus)* syncopation.

contribuable *mf* taxpayer.

contribuer *vt vi* to contribute.

contribution *f* contribution; tax.

contrôle *m* control, check.

contrôler *vt* to control, check.

contrôleur *m* **-euse** *f* inspector; auditor.

controverse *f* controversy.

controversé *adj* disputed.

contusion *f* bruise, contusion.

convaincant *adj* convincing.

convaincre *vt* to convince, persuade.

convaincu *adj* convinced, persuaded.

convalescence *f* convalescence.

convenable *adj* fitting, suitable; **~ment** *adv* suitably, fitly.

convenir *vi* to agree, accord.

convention *f* convention, agreement.

conventionnel *adj* conventional; contractual; **~lement** *adv* conventionally.

convenu *adj* agreed; stipulated.

convergent *adj* convergent.

converger *vi* to converge.

conversation *f* conversation, talk.

conversion *f* conversion.

convertir *vt* to convert; **se ~** *vr* to be converted.

convexe *adj* convex.

conviction *f* conviction.

convier *vt* to invite; to urge.

convivial *adj* convivial; userfriendly.

convocation *f* convocation, summoning.

convoi *m* convoy; train.

convoiter *vt* to covet.

convoquer *vt* to convoke, convene.

convulsion *f* convulsion.

coopératif *adj* cooperative.

coopération *f* cooperation.

coopérative *f* cooperative.

coopérer *vi* to cooperate, collaborate.

coordinateur *m* **-trice** *f* coordinator.

coordination *f* coordination; committee.

coordonnées *fpl* coordinates.

coordonner *vt* to coordinate.

copain *m* friend, pal.

copeau *m* shaving, chip.

copie *f* copy, reproduction.

copier *vt* to copy, reproduce.

copieusement *adv* copiously, abundantly.

copieux *adj* copious, abundant.

copilote *m* co-pilot.

copine *f* friend, mate.

coproduction *f* coproduction.

copropriété *f* co-ownership, joint ownership.

coq *m* cock, rooster.

coque *f* (*mar*) hull; shell.

coquelicot *m* poppy.

coquet *adj* stylish, smart; **~tement** *adv* stylishly, smartly.

coquetterie *f* smartness, stylishness.

coquillage *m* shellfish.

coquille *f* shell, scallop.

coquin *m* **-e** *f* naughty, mischievous.

cor *m* (*mus*) horn; corn.

corail *m* coral.

coran *m* Koran.

corbeau *m* crow.

corbeille *f* basket.

corbillard *m* hearse.

cordage *m* rope; rigging.

corde *f* rope; string.

cordée *f* roped mountaineering party.

cordial *adj* cordial, warm; **~ement** *adv* cordially, warmly.

cordialité *f* cordiality, warmth.

cordon *m* cord, string; cordon.

cordonnerie *f* shoemending.

cordonnier *m* **-ière** *f* shoemender, cobbler.

coriace *adj* tough; tight.

coriandre *m* coriander.

corne *f* horn, antler.

cornée *f* cornea.

corneille *f* crow.

cornemuse *f* bagpipes.

cornet *m* cone, cornet.

corniche *f* cornice; ledge.

cornichon *m* gherkin; greenhorn.

corporatif *adj* corporative, corporate.

corporation *f* corporation, guild.

corporatisme *m* corporatism.

corporel *adj* corporal, bodily.

corps *m* body, corpse.

corpulence *f* corpulence.

corpulent *adj* corpulent.

corpus *m* corpus.

correct *adj* correct, accurate; **~ement** *adv* correctly, accurately.

correcteur *m* **-trice** *f* examiner; proofreader.

correction *f* correction; proofreading.

corrélation *f* correlation.

correspondance *f* correspondence, communication.

correspondant *m* **-e** *f* correspondent; * *adj* corresponding.

correspondre *vi* to correspond, communicate.

corridor *m* corridor, passage.

corrigé *m* corrected version, fair copy.

corriger *vt* to correct.

corroborer *vt* to corroborate.

corroder *vt* to corıode.

corrompre *vt* to corrupt, debase.

corrompu *adj* corrupt.

corrosif *adj* corrosive.

corrosion *f* corrosion.

corruption *f* corruption, debasement.

corsage *m* blouse, bodice.

corsaire *m* corsair.

corsé *adj* rich, full-bodied.

corset *m* corset.

cortège *m* cortège, procession.

cortex *m* cortex.

cortical *adj* cortical.

cortisone *f* cortisone.

corvée *f* fatigue duty; forced labour.

cosmétique *m* cosmetic.

cosmique *adj* cosmic.

cosmonaute *mf* cosmonaut.

cosmopolite *adj* cosmopolitan.

cosmos *m* cosmos.

costume *m* costume, dress.

cotation *f* quotation, valuation.

côte *f* coast; rib; slope.

côté *m* side; point.

coteau *m* hill.

côtelé *adj* ribbed.

côtelette *f* cutlet.

coter *vt* to quote; to classify.

côtier *adj* coastal, inshore.

coton *m* cotton.

cotonneux *adj* fleecy, fluffy.

côtoyer *vt* to mix with, skirt.

cou *m* neck.

couchant *adj* setting.

couche *f* layer, coat.

coucher *vt* to put to bed; **se ~** *vr* to go to bed.

coucou *m* cuckoo.

coude *m* elbow.

coudé *adj* angled, bent.

coudoyer *vt* mix with, rub shoulders with.

coudre *vt vi* to sew.

couette *f* duvet.

coulant *adj* flowing; smooth.

couler *vi* to flow, run.

couleur *f* colour, shade.

couleuvre *f* grass snake.

coulis *m* sauce, purée.

coulissant *adj* sliding.

coulisse *f* groove; (*thea*) wings.

coulisser *vi* to slide, run.

couloir *m* corridor, passage.

coup *m* blow; shot; **~ sur ~** one after another, incessantly; **tout à ~** suddenly; **après ~** afterwards, after the event; **~ de feu** shot; **jeter un ~ d'œil** to glance; **~ de coude** nudge; **~ de téléphone** phone call; **~ de soleil** sunstroke.

coupable *mf* culprit; * *adj* guilty.

coupant *adj* cutting, sharp.

coupe *f* cut; cutting.

coupe-papier *m invar* paper knife.

couper *vt* to cut, slice.

couple *m* couple, pair.

couplet *m* couplet, verse.

coupole *f* dome.

coupon *m* coupon, voucher, ticket.

coupure *f* cut; break.

cour *f* court, yard, courtyard.

courage *m* courage, daring.

courageusement *adv* courageously.

courageux *adj* courageous.

couramment *adv* fluently; commonly.

courant *adj* current; present; * *m* stream, current.

courbature *f* stiffness; ache.

courbaturé *adj* aching.

courbe *f* curve; contour.

courbé *adj* curved, stooped.

courber *vt* to curve, bend.

coureur *m* **-euse** *f* runner.

courgette *f* courgette.

courir *vi* to run, race.

couronne *f* crown, wreath.

couronnement *m* coronation.

couronner *vt* to crown.

courrier *m* mail, post.

courroie *f* strap, belt.

cours *m* course; flow; path.

course *f* running; race; flight; journey.

coursier *m* **-ière** *f* courier, messenger.

court *adj* short, brief.

court-bouillon *m* court-bouillon, wine sauce.

court-circuit *m* short-circuit.

court-circuiter *vt* to short-circuit.

courtier *m* **-ière** *f* broker, agent.

courtiser *vt* to court.

courtois *adj* courteous; **~ement** *adv* courteously.

courtoisie *f* courtesy, courteousness.

cousin *m* **-e** *f* cousin.

coussin *m* cushion, pillow.

coussinet *m* pad; bearing.

coût *m* cost, charge.

couteau *m* knife.

coûter *vt vi* to cost.

coûteusement *adv* expensively.

coûteux *adj* costly, expensive.

coutume *f* custom, habit.

coutumier *adj* customary, usual.

couture *f* sewing, needlework.

couturier *m* couturier, fashion designer.

couturière *f* dressmaker.

couvent *m* convent.

couver *vt* to hatch, incubate; * *vi* to smoulder, lurk.

couvercle *m* lid, cap.

couvert *m* shelter; cover; pretext; * *adj* covered; secret; obscure.

couverture *f* blanket; cover; roofing.

couvre-feu *m* curfew.

couvreur *m* roofer.

couvrir *vt* to cover; **se ~** *vr* to cover up; to become overcast.

crabe *m* crab.

crachement *m* spitting.

cracher *vt* to spit.

crachin *m* drizzle.

craie *f* chalk.

craindre *vt* to fear.

crainte *f* fear, dread.

craintif *adj* timid, cowardly.

crampe *f* cramp.

crampon *m* stud, spike, crampon.

cramponner *vt* to cramp, clamp; **se ~** *vr* to cling, hang on.

cran *m* notch, cog.

crâne *m* cranium, skull.

crânien *adj* cranial.

crapaud *m* toad.

crapule *f* villain.

crapuleux *adj* villainous, vicious.

craquellement *m* cracking.

craquement *m* crack, creaking, snap.

craquer *vi* to creak, squeak, crack.

crasseux *adj* grimy, filthy.

cratère *m* crater.

cravate *f* tie.

créancier *m* **-ière** *f* creditor.

créateur *m* **-trice** *f* creator, author.

créatif *adj* creative.

création *f* creation.

créativité *f* creativity.

créature *f* creature.

crèche *f* crèche; crib.

crédibilité *f* credibility.

crédible *adj* credible.

crédit *m* credit, trust.

crédit-bail *m* lease; leasing.

crédule *adj* credulous, gullible.

crédulité *f* credulity, gullibility.

créer *vt* to create, produce.

crémaillère *f* rack, chimney hook.

crème *f* cream.

crémerie *f* dairy.

crémeux *adj* creamy.

crémier *m* dairyman, **-ière** *f* dairywoman.

créneau *m* battlement.

crêpe *f* pancake; * *m* crepe, crape.

crêperie *f* pancake restaurant.

crépitement *m* crackling; rattling.

crépiter *vi* to crackle; to rattle.

crépu *adj* frizzy, woolly.

crépuscule *m* twilight, dusk.

cresson *m* watercress.

crête *f* crest, comb.

crétin *m* **-e** *f* cretin, idiot.

creuser *vi* to dig, burrow; * *vt* to dig, hollow.

creuset *m* crucible.

creux *adj* hollow, empty.

crevaison *f* puncture, flat.

crevé *adj* burst, punctured.

crever *vt* to burst; to gouge; *vi* to burst; to split.

crevette *f* prawn.

cri *m* cry, howl, yell.

criant *adj* crying; striking, glaring.

criard *adj* yelling; scolding.

crible *m* riddle, sieve; **passer au ~** to riddle; to examine closely.

cribler *vt* to sift, riddle.

cric *m* (*auto*) jack.
crier *vi* to cry, shout.
crime *m* crime, offence.
criminel *m* **-le** *f* criminal; * *adj* criminal.
crin *m* horsehair.
crinière *f* mane.
criquet *m* locust.
crise *f* crisis, attack.
crisper *vt* to shrivel; to clench.
cristal *m* crystal, glassware.
cristallin *adj* crystalline.
cristallisation *f* crystallisation.
cristalliser *vt* to crystallise.
critère *m* criterion, standard.
critiquable *adj* censurable, open to criticism.
critique *adj* critical, censorious; * *f* criticism; critique.
critiquer *vt* to criticise, censure.
croc *m* fang; hook.
croche *f* quaver.
crochet *m* hook, clasp.
crochu *adj* hooked, claw-like.
crocodile *m* crocodile.
croire *vt* to believe, think.
croisade *f* crusade.
croisement *m* crossing, junction.
croiser *vt* to cross; to fold; **se ~** *vr* to cross, intersect.
croisière *f* cruise.
croissance *f* growth, increase.
croissant *adj* growing, increasing; * *m* croissant; crescent.
croître *vi* to grow, rise.
croix *f* cross.
croque-monsieur *m* toasted cheese and ham sandwich.
croquer *vt* to crunch.
croquette *f* croquette.
croquis *m* sketch, outline.
crosse *f* (*rel*) crozier; butt, grip.
crotte *f* manure, dung.
croupir *vi* to stagnate, wallow.
croustillant *adj* crusty, crisp.
croustiller *vi* to be crusty, crispy.
croûte *f* crust.
croûton *m* crust, crouton.
croyance *f* belief.
croyant *adj* believing.

cru *adj* raw, uncooked; * *m* vineyard; wine.
cruauté *f* cruelty, inhumanity.
cruche *f* pitcher.
crucial *adj* crucial, decisive.
crucifix *m* crucifix.
crucifixion *f* crucifixion.
crudité *f* crudity, coarseness.
crue *f* flood.
cruel *adj* cruel; **~lement** *adv* cruelly.
crustacé *m* crustacean, shellfish.
crypte *m* crypt.
crypter *vt* to encode, scramble.
cube *m* cube, block.
cubique *adj* cubic.
cubisme *m* cubism.
cueillette *f* picking, gathering.
cueillir *vt* to pick, gather.
cuiller, cuillère *f* spoon, spoonful.
cuir *m* leather, hide.
cuirasse *f* (*zool*) cuirass, breastplate.
cuirassé *adj* armoured; * *m* battleship.
cuire *vi* to cook.
cuisine *f* kitchen; cookery.
cuisiner *vt vi* to cook.
cuisinier *m* **-ière** *f* cook.
cuisinière *f* cooker, stove.
cuisse *f* thigh.
cuisson *f* cooking, baking.
cuit *adj* cooked.
cuivre *m* copper.
cul *m* (*col*) bottom, ass.
culasse *f* cylinder-head; breech.
cul-de-jatte *mf* legless cripple.
cul-de-sac *m* blind alley, cul-de-sac.
culinaire *adj* culinary.
culminer *vi* to culminate, tower.
culot *m* cheek, nerve.
culotte *f* knickers; underpants; shorts.
culpabiliser *vt* to make someone feel guilty; **se ~** *vr* to feel guilty.
culpabilité *f* guilt, culpability.
culte *m* cult, veneration.
cultivable *adj* cultivable.
cultivateur *m* **-trice** *f* farmer.

cultivé *adj* cultured.

cultiver *vt* to cultivate; **se ~** *vr* to improve o.s.

culture *f* culture; cultivation.

culturel *adj* cultural.

culturisme *m* body-building.

cumin *m* cumin.

cumul *m* pluralism; accumulation.

cumuler *vt* to accumulate; to hold concurrently.

cupide *adj* greedy; **~ment** *adv* greedily.

cupidité *f* greed, cupidity.

cure *f* cure; treatment.

curé *m* parish priest, parson.

cure-dents *m* toothpick.

curieusement *adv* curiously.

curieux *m* **-euse** *f* inquisitive person; onlooker; * *adj* curious, inquisitive.

curiosité *f* curiosity, inquisitiveness.

cursus *m* degree course.

cutané *adj* skin, cutaneous.

cuve *f* vat, tank.

cuvette *f* basin, bowl.

cyanure *m* cyanide.

cybernétique *f* cybernetics.

cyclable *adj* cycle, for cycling.

cyclamen *m* cyclamen.

cycle *m* cycle; stage.

cyclique *adj* cyclical.

cyclisme *m* cycling.

cycliste *mf* cyclist; * *adj* cycle.

cyclomoteur *m* moped.

cyclone *m* cyclone.

cyclope *m* Cyclops.

cygne *m* swan.

cylindre *m* cylinder.

cylindrée *f* capacity (engine).

cylindrique *adj* cylindrical.

cymbale *f* cymbal.

cynique *adj* cynical; **~ment** *adv* cynically.

cynisme *m* cynicism.

cytologie *f* cytology.

cytoplasme *m* cytoplasm.

D

dactylographe *mf* typist.

dactylographie *f* typing, typewriting.

dactylographier *vt* to type.

dada *m* (*fam*) hobbyhorse; gee-gee.

dahlia *m* dahlia.

daigner *vt* to deign, condescend.

daim *m* deer.

dalle *f* flagstone, slab.

dalmatien *m* Dalmatian.

daltonien *adj* colour-blind.

dame *f* lady; dame.

damier *m* draughtboard.

damnation *f* damnation.

damné *adj* damned.

damner *vt* to damn.

danger *m* danger, risk.

dangereusement *adv* dangerously.

dangereux *adj* dangerous, risky.

dans *prép* in; into; **il a ~ les trente ans** he's thirty or so.

dansant *adj* dancing.

danse *f* dance; dancing.

danser *vi* to dance.

danseur *m* **-euse** *f* dancer.

dard *m* sting.

datation *f* dating.

date *f* date.

dater *vt* to date.

datif *m* dative.

datte *f* (*bot*) date.

dattier *m* date palm.

dauphin *m* dolphin.

daurade *f* sea bream.

davantage *adv* more.

de *prép* of; from; **une femme ~ quarante ans** a forty-year-old woman; **~ bonne heure** early;

deux ~ plus two more; * *art* some, any.

dé *m* dice; thimble.

déambuler *vi* to stroll.

débâcle *f* disaster; collapse.

déballage *m* unpacking; display.

déballer *vt* to unpack; to display.

débandade *f* rout, stampede.

débarbouiller *vt* to wash; **se ~** *vr* to wash o.s.

débarcadère *m* landing; wharf.

débardeur *m* docker, stevedore.

débarquement *m* landing, disembarkment.

débarquer *vt* to land, unship; * *vi* to disembark, land.

débarrasser *vt* to clear, rid; **se ~** *vr*: **se ~ de** to rid o.s. of.

débat *m* debate; dispute, contest.

débattre *vi* to debate, discuss.

débauche *f* debauchery, dissoluteness.

débaucher *vt* to debauch, corrupt.

débile *adj* weak, feeble.

débilitant *adj* debilitating, weakening.

débit *m* debit; turnover; flow.

débiter *vt* to debit; to produce.

débiteur *m* **-trice** *f* debtor.

déblayer *vt* to clear away, remove.

déblocage *m* unblocking; freeing, releasing.

débloquer *vt* to release, unlock.

déboisement *m* deforestation.

déboiser *vt* to deforest.

déboîtement *m* dislocation.

débordant *adj* exuberant, overflowing.

débordé *adj* overwhelmed.

débordement *m* overflowing; outflanking.

déborder *vi* to overflow; to outflank.

débouché *m* outlet; issue.

déboucher *vt* to open, uncork; * *vi* to pass out, emerge.

debout *adv* upright, standing; **être ~** to stand.

déboutonner *vt* to unbutton.

débraillé *adj* untidy, disordered.

débrancher *vt* to disconnect.

débrayer *vi* to declutch; to stop work.

débris *m* debris, waste.

débrouiller *vt* to disentangle, unravel; **se ~** *vr* to cope, manage.

début *m* beginning, outset.

débutant *adj* novice.

débuter *vi* to start, begin; * *vt* to lead, start.

décadence *f* decadence, decline.

décadent *adj* decadent.

décaféiné *adj* decaffeinated.

décagone *m* decagon.

décalage *m* gap, interval; discrepancy.

décalcifier *vt* to decalcify.

décaler *vt* to shift; to stagger.

décalitre *m* decalitre.

décamètre *m* decametre.

décaper *vt* to clean, scour.

décapotable *adj* convertible; * *f* convertible.

décapsuler *vt* to take the lid off.

décapsuleur *m* bottle-opener.

décathlon *m* decathlon.

décéder *vi* to die.

décelable *adj* detectable.

déceler *vt* to detect; to disclose.

décembre *m* December.

décemment *adv* decently.

décence *f* decency.

décennal *adj* decennial.

décennie *f* decade.

décent *adj* decent, proper.

décentralisation *f* decentralisation.

décentraliser *vt* to decentralise.

déception *f* disappointment; deceit.

décerner *vt* to award, confer.

décès *m* death, decease.

décevant *adj* disappointing; deceptive.

décevoir *vt* to disappoint; to deceive.

déchaîné *adj* wild, unbridled.

déchaîner *vt* to unleash; **se ~** *vr* to break loose, run wild.

décharge *f* discharge; receipt.

déchargement *m* unloading.

décharger *vt* to unload, discharge.

décharné *adj* lean, emaciated.

déchausser *vt* to take off footwear; **se ~** *vr* to take one's shoes off.

déchéance *f* decay, decline.

déchet *m* loss, waste.

déchiffrer *vt* to decipher, decode.

déchiqueter *vt* to tear; to slash; to shred.

déchirant *adj* harrowing, excruciating.

déchirement *m* tearing, ripping.

déchirer *vt* to tear, rip.

déchirure *f* tear, rip.

déchoir *vi* to decline; to sink.

déchu *adj* fallen; declined; deposed.

décibel *m* decibel.

décidé *adj* decided; determined; **~ment** *adv* positively; resolutely; certainly.

décigramme *m* decigram.

décilitre *m* decilitre.

décimal *adj* decimal.

décimètre *m* decimetre.

décisif *adj* decisive, conclusive.

décision *f* decision.

déclamation *f* declamation.

déclamer *vt* to declaim.

déclaré *adj* professed, avowed.

déclarer *vt* to declare, announce; **se ~** *vr* to speak one's mind.

déclenchement *m* release, setting off.

déclencher *vt* to release, set off; **se ~** *vr* to release itself, go off.

déclic *m* click; trigger.

déclin *m* decline, deterioration.

déclinaison *f* declension; declination.

déclinant *adj* declining.

décliner *vi* to decline, refuse.

déclivité *f* declivity, slope.

décloisonner *vt* to decompartmentalise.

décoder *vt* to decode, decipher.

décodeur *m* decoder, decipherer.

décoiffer *vt* to disarrange so's hair.

décoincer *vt* to loose, release.

décollage *m* take-off, lift-off.

décoller *vi* to unpaste, steam off; to take off; * *vt*; **se ~** *vr* to come unstuck, become detached.

décolleté *adj* low-necked, low-cut; *m* decolletage, low neckline.

décolorant *adj* bleaching, decolorising; * *m* bleaching substance.

décolorer *vt* to decolour, bleach.

décombres *mpl* rubble, debris.

décomposer *vt* to decompose; to break up; to dissect; **se ~** *vr* to decompose, decay.

décomposition *f* decomposition, breaking up.

décompression *f* decompression.

décomprimer *vt* to decompress.

décompte *m* discount; deduction.

déconcentrer *vt* to devolve; to disperse; **se ~** *vr* to lose concentration.

déconcertant *adj* disconcerting.

déconcerter *vt* to disconcert.

décongeler *vt* to thaw, defrost.

déconnecter *vt* to disconnect.

déconnexion *f* disconnection.

décontenancé *adj* embarrassed; disconcerted.

décontracté *adj* relaxed.

décontracter *vt* to relax; **se ~** *vr* to relax.

décontraction *f* relaxation.

décor *m* scenery; setting.

décorateur *m* **-trice** *f* decorator; set designer.

décoratif *adj* decorative, ornamental.

décoration *f* decoration, embellishment.

décorer *vt* to decorate, adorn.

décortiquer *vt* to husk, shell.

découler *vi* to flow; to ensue.

découpage *m* cutting up, carving.

découper *vt* to carve, cut up.

décourageant *adj* discouraging, disheartening.

découragement *m* discouragement.

décourager *vt* to discourage, dishearten; **se ~** *vr* to become discouraged.

décousu *adj* unsewn; loose; disconnected.

découvert *adj* uncovered; open; ∗ *m* overdraft.

découverte *f* discovery.

découvrir *vt* to discover.

décret *m* decree, enactment.

décréter *vt* to decree, enact.

décrire *vt* to describe.

décrocher *vt* to take down; to unhook.

décroissant *adj* decreasing, lessening.

décroître *vi* to decrease, diminish.

déçu *adj* disappointed.

décupler *vi* to increase tenfold.

dédaigner *vt* to disdain, scorn.

dédaigneusement *adv* disdainfully.

dédaigneux *adj* disdainful, scornful.

dédain *m* disdain, scorn.

dedans *adv* inside, indoors; ∗ *m* inside; **au ~** inside.

dédicace *f* dedication.

dédier *vt* to consecrate, dedicate to.

dédommagement *m* compensation, damages.

dédommager *vt* to compensate, indemnify.

dédouanement *m* customs clearance.

dédoubler *vt* to divide in two; to remove lining.

déduction *f* deduction.

déduire *vt* to deduct; to deduce.

déesse *f* goddess.

défaillance *f* faintness; exhaustion; blackout.

défaillant *adj* faint; weakening.

défaillir *vi* to faint; to weaken.

défaire *vt* to undo, dismantle.

défaite *m* defeat, overthrow.

défaitiste *adj, mf* defeatist.

défaut *m* defect, fault.

défavorable *adj* unfavourable; **~ment** *adv* unfavourably.

défavoriser *vt* to penalise, treat unfairly.

défection *f* defection.

défectueux *adj* defective, faulty.

défendeur *m* **-eresse** *f* defendant.

défendre *vt* to defend, protect; to prohibit; **se ~** *vr* to defend o.s.

défense *f* defence; prohibition.

défenseur *m* defender.

défensif *adj* defensive.

défi *m* defiance; challenge.

défiant *adj* mistrustful, distrustful.

déficience *f* deficiency.

déficient *adj* deficient; weak.

déficit *m* deficit, shortfall.

déficitaire *adj* deficient, in deficit.

défier *vt* to challenge, defy.

défilé *m* procession, parade.

défiler *vi* to parade, march.

défini *adj* definite, precise.

définir *vt* to define, specify.

définitif *adj* definitive, final.

définition *f* definition.

définitivement *adv* definitively, finally.

déflagration *f* deflagration, explosion.

déflation *f* deflation.

défoncer *vt* to smash in; to dig deeply.

déformation *f* deformation, distortion.

déformer *vt* to deform, distort; **se ~** *vr* to bend; to lose its shape.

défoulement *m* outlet; release.

défouler *vt* to unwind, relax; **se ~** *vr* to get rid of one's inhibitions.

défricher *vt* to clear; to reclaim.

défunt *m* -**e** *f* deceased; * *adj* late, deceased.

dégagé *adj* clear; open.

dégagement *m* freeing, clearance.

dégager *vt* to free, clear; **se ~** *vr* to free o.s., extricate o.s.

dégarnir *vt* to empty; to clear.

dégât *m* havoc, damage.

dégel *m* thaw.

dégeler *vt vi* to thaw, melt.

dégénérer *vi* to degenerate, decline.

dégivrer *vt* to de-ice, defrost.

dégonfler *vt* to deflate, empty.

dégourdir *vt* to warm up, revive.

dégourdissement *m* reviving, return of circulation.

dégoût *m* disgust, distaste.

dégoûter *vt* to disgust.

dégradant *adj* degrading.

dégradation *f* degradation, debasement.

dégradé *m* shading off; gradation.

dégrader *vt* to degrade, debase; **se ~** *vr* to become degraded, debased.

dégrafer *vt* to unfasten, unhook.

dégraisser *vt* to remove grease.

degré *m* degree; grade.

dégrèvement *m* reduction; redemption.

dégripper *vt* to unblock; to unchoke.

déguisement *m* disguise.

déguiser *vt* to disguise; **se ~** *vr* to disguise o.s.

dégustation *f* tasting, sampling.

dehors *adv* outside, outdoors; **au ~** outwardly; **en ~ de** outside; apart from; * *m* outside, exterior.

déjà *adv* already.

déjeuner *vi* to lunch; * *m* lunch.

déjouer *vt* to elude; to thwart.

delà *adv*: **au ~ de** beyond; **par ~** beyond.

délabré *adj* dilapidated, ramshackle.

délacer *vt* to unlace, undo.

délai *m* delay; respite; time limit.

délaisser *vt* to abandon, quit.

délassant *adj* relaxing, refreshing.

délasser *vt* to refresh, relax; **se ~** *vr* to rest, relax.

délateur *m* -**trice** *f* informer.

délation *f* denouncement; informing.

délavé *adj* diluted; faded.

délayage *m* dragging-out, spinning-out.

délayer *vt* to thin; to drag out.

délectation *f* delectation, delight.

délecter (se) *vr* to delight, revel.

délégation *f* delegation.

délégué *m* -**e** *f* delegate, representative; * *adj* delegate, delegated.

déléguer *vt* to delegate.

délibération *f* deliberation; resolution.

délibéré *adj* deliberate; resolute; **~ment** *adv* deliberately.

délicat *adj* delicate, dainty; **~ement** *adv* delicately.

délicatesse *f* delicacy, daintiness.

délice *m* delight, pleasure.

délicieux *adj* delicious, delightful.

délier *vt* to unbind, untie.

délimitation *f* delimitation.

délimiter *vt* to delimit, demarcate.

délinquance *f* delinquency.

délinquant *m* -**e** *f* delinquent, offender; * *adj* delinquent.

délirant *adj* delirious, frenzied.

délire *m* delirium, frenzy.

délirer *vi* to be delirious.

délit *m* offence, misdemeanour.

délivrance *f* deliverance; release; delivery.

délivrer *vt* to deliver; to release; **se ~** *vr* to free o.s.

déloger *vt* to evict, dislodge.

déloyal *adj* disloyal, unfaithful; **~ement** *adv* disloyally.

déloyauté *f* disloyalty, treachery.

delta *m* delta.

deltaplane *m* hang-glider.

démagogie *f* demagogy.

démagogique *adj* demagogic.

démagogue *m* demagogue.

demain *adv* tomorrow.

demande *f* request, petition; question.

demander *vt* to ask, request; **se ~** *vr* to wonder.

démangeaison *f* itch; longing.

démaquillant *m* make-up remover; ** adj* make-up removing.

démaquiller *vt* to remove make-up; **se ~** *vr* to take one's make-up off.

démarche *f* gait, walk, step.

démarrage *m* moving off, casting off.

démarrer *vi* to start up, move off; ** vt* to start, get started.

démarreur *m* starter.

démasquer *vt* to unmask, uncover.

démêlage *m* disentangling; combing.

démêler *vt* to disentangle, unravel; comb.

déménagement *m* removal; moving (house).

déménager *vi* to move house.

déménageur *m* removal man.

démener (se) *vr* to struggle, strive.

dément *adj* mad, insane, crazy.

démenti *m* denial, refutation.

démentir *vt* to deny, refute.

démesuré *adj* excessive, inordinate; **~ment** *adv* excessively, inordinately.

démettre *vt* to dislocate; to dismiss.

demeure *f* residence, dwelling place.

demeurer *vi* to live at, reside, stay.

demi *adj* half; **à ~** halfway; ** m* half.

demi-cercle *m* semicircle.

demi-douzaine *f* half-dozen.

demi-droite *f* half-line.

demi-finale *f* semi-final.

demi-frère *m* half-brother.

demi-heure *f* half-hour.

demi-jour *m* half-light.

démilitariser *vt* to demilitarise.

demi-litre *m* half-litre.

demi-lune *f* half-moon.

demi-mesure *f* half-measure.

demi-mot *m*: **à ~** without spelling out.

demi-pension *f* half-board.

demi-sœur *f* half-sister.

démission *f* resignation.

démissionner *vi* to resign.

demi-tarif *m* half-fare.

demi-tour *m* half-turn.

démocrate *mf* democrat.

démocratie *f* democracy.

démocratique *adj* democratic; **~ment** *adv* democratically.

démocratiser *vt* to democratise.

démodé *adj* old-fashioned, out-of-date.

démographie *f* demography.

démographique *adj* demographic.

demoiselle *f* young lady; spinster; damsel.

démolir *vt* to demolish, knock down.

démolition *f* demolition.

démon *m* demon, fiend.

démoniaque *adj* demoniac, fiendish.

démonstrateur *m* **-trice** *f* demonstrator.

démonstratif *adj* demonstrative.

démonstration *f* demonstration; proof.

démontable *adj* collapsible, that can be dismantled.

démonte-pneu *m* tyre lever.

démonter *vt* to dismantle, take down, dismount; **se ~** *vr* to come apart, be nonplussed.

démontrer *vt* demonstrate; to prove.

démoralisant *adj* demoralising.

démoraliser *vt* to demoralise; **se ~** *vr* to become demoralised.

démouler *vt* to take out of a mould.

démunir *vt* to deprive; to divest.

démystifier *vt* to demystify, disabuse.

dénaturé *adj* denatured, disfigured.

dénégation *f* denial.

déneiger *vt* to clear snow from.

déni *m* denial, refusal.

dénicher *vt* to dislodge; to unearth.

dénier *vt* to deny, disclaim.

dénigrer *vt* to denigrate, disparage.

dénivellation *f* difference in level, unevenness.

dénombrer *vt* to number, enumerate.

dénomination *f* denomination, designation.

dénoncer *vt* to denounce; to inform against.

dénonciation *f* denunciation.

dénouement *m* dénouement; unravelling; outcome.

dénouer *vt* to unravel, untie, undo.

dénoyauter *vt* to stone (fruit).

denrée *f* commodity, provisions, foodstuff.

dense *adj* dense, thick.

densité *f* density, denseness.

dent *f* tooth.

dentaire *adj* dental.

dentelé *adj* jagged, perforated.

dentelle *f* lace.

dentier *m* denture, dental plate.

dentifrice *m* toothpaste.

dentiste *mf* dentist.

dentition *f* dentition, teething.

dénuder *vt* to bare, denude; **se ~** *vr* to strip off.

dénué *adj* devoid, bereft.

dénuement *m* destitution; deprivation.

déodorant *m* deodorant.

déontologie *f* deontology.

dépannage *m* repairing, fixing.

dépanner *vt* to repair, fix.

dépanneur *m* -**euse** *f* breakdown mechanic.

dépanneuse *f* breakdown lorry.

dépareillé *adj* unmatched; odd.

déparer *vt* to spoil; to disfigure.

départ *m* departure; start.

département *m* department.

dépasser *vt* to exceed; to go past.

dépaysé *adj* disoriented, out of one's element.

dépaysement *m* disorientation.

dépêcher *vt* to dispatch, send; **~** *vr* to hurry, rush.

dépendance *f* dependence; dependency.

dépendant *adj* dependent.

dépendre *vi* to depend on, be dependent on.

dépens *mpl*: **aux ~ de** at the expense of.

dépense *f* expenditure, outlay.

dépenser *vt* to expend, spend; **se ~** *vr* to exert o.s.

dépérir *vi* to decline, waste away.

dépeupler *vt* to depopulate; to clear.

dépistage *m* tracking; detection.

dépister *vt* to track.

dépit *m* spite; grudge; **en ~ de** in spite of.

dépité *adj* vexed; frustrated.

déplacé *adj* misplaced; ill-timed.

déplacement *m* displacement; removal.

déplacer *vt* to displace; to move; **se ~** *vr* to change residence.

déplaire *vi* to displease; to offend.

déplaisant *adj* disagreeable, unpleasant.

dépliant *m* prospectus, leaflet; * *adj* extendible; folding.

déplier *vt* to unfold; to open out.

déploiement *m* (*mil*) deployment; display.

déplorable *adj* deplorable, disgraceful.

déplorer *vt* to deplore, bewail.

déployer *vt* to deploy; to display.

dépopulation *f* depopulation.

déportation f deportation, transportation.

déporté m -e f deportee.

déporter vt to deport, transport.

déposer vt to lodge, deposit.

dépositaire mf depository; trustee.

déposition f deposition; evidence.

dépôt m deposit; warehouse.

dépouillement m scrutiny, perusal; despoiling.

dépouiller vt to strip; to despoil; to peruse.

dépourvu adj lacking, wanting; **au ~** off guard.

dépoussiérer vt to dust.

dépravation f depravity, corruption.

dépravé adj depraved, corrupt.

dépréciation f depreciation.

déprécier vt to depreciate; to disparage; **se ~** vr to depreciate, fall in value.

dépressif adj depressive.

dépression f depression, slump; dejection.

déprimant adj depressing.

déprimer vt to depress; to discourage.

depuis prép since, from; after.

député m deputy, delegate.

déracinement m uprooting.

déraciner vt to uproot.

déraillement m derailment.

dérailler vi to be derailed, run off the rails.

dérailleur m derailleur, derailer (rail).

déraisonner vi to talk irrationally, rave.

dérangement m derangement; inconvenience.

déranger vt to upset, unsettle; **se ~** vr to move; to put o.s. out.

dérapage m skid.

déraper vi to skid, slip.

déréglé adj out of order; irregular; unruly.

dérèglement m disturbance; irregularity; dissoluteness.

dérégler vt to disturb; to put out of order; to upset.

dérision f derision, mockery.

dérisoire adj derisory; pathetic.

dérivation f derivation; diversion.

dérive f drift; **aller à la ~** to drift away.

dériver vi to drift.

dermatologie f dermatology.

dermatologue mf dermatologist.

derme m dermis.

dernier adj last; latest; back; * m -ière f last one; latter.

dernièrement adv recently; lately.

dérobade f sidestepping; evasion.

dérober vt to steal; to hide; **se ~** vr to steal away, escape.

dérogation f derogation; dispensation.

déroger vi to derogate; to detract.

déroulement m unfolding; progress, development.

dérouler vt to unwind, uncoil; **se ~** vr to develop; to unfold.

déroutant adj disconcerting.

déroute f rout, overthrow.

dérouter vt to rout, overthrow.

derrière prép behind; * adv; **par ~** at the back; * m bottom; back; **de ~** back, rear.

des art = **de les**; see **un, une**.

dès prép from, since; **~ que** when; as soon as.

désabusé adj disenchanted; disabused.

désaccord m disagreement, discord.

désaffecté adj disused.

désagréable adj disagreeable, unpleasant; **~ment** adv disagreeably, unpleasantly.

désagréger vt to break up, disintegrate; **se ~** vr to break up, disintegrate

désagrément m displeasure, annoyance.

désaltérant adj thirst-quenching.

désaltérer *vt* to refresh; **se ~** *vi* to quench one's thirst.

désamorcer *vt* to unprime, defuse.

désapprobateur *adj* disapproving.

désapprobation *f* disapproval.

désapprouver *vt* to disapprove, object.

désarçonner *vt* to unsaddle; to nonplus, baffle.

désarmant *adj* disarming.

désarmement *m* disarmament.

désarmer *vt* to disarm; to unload.

désarroi *m* disarray, confusion.

désarticuler *vt* to dislocate; to upset.

désastre *m* disaster.

désastreux *adj* disastrous, unfortunate.

désavantage *m* disadvantage; prejudice.

désavantager *vt* to disadvantage, handicap.

désaveu *m* disavowal, retraction.

désavouer *vt* to disavow, retract.

descendance *f* descent, lineage.

descendant *m* -e *f* descendant; * *adj* falling, descending.

descendre *vi* to descend, go down; * *vt* to take down, bring down.

descente *f* descent, way down.

descriptif *adj* descriptive, explanatory.

description *f* description.

désemparé *adj* helpless; distraught.

désenchantement *m* disenchantment; disillusion.

désenfler *vi* to become less swollen.

désensibiliser *vt* to desensitise.

déséquilibre *m* imbalance, unbalance.

déséquilibré *adj* unbalanced, unhinged.

déséquilibrer *vt* to unbalance, throw off balance.

désert *m* desert, wilderness; * *adj* deserted.

déserter *vt* to desert.

déserteur *m* deserter.

désertification *f* desertification.

désertion *f* desertion.

désertique *adj* desert; barren.

désespérant *adj* desperate, hopeless; discouraging.

désespéré *adj* desperate, hopeless; **~ment** *adv* desperately.

désespérer *vi* to despair, give up hope.

désespoir *m* despair, despondency.

déshabiller *vt* to undress; **se ~** *vr* to undress.

désherbage *m* weeding.

désherbant *m* weed killer.

désherber *vt* to weed.

déshériter *vt* to disinherit.

déshonorant *adj* dishonourable, disgraceful.

déshonorer *vt* to dishonour, disgrace.

déshydraté *adj* dehydrated.

déshydrater *vt* to dehydrate; **se ~** *vr* to become dehydrated.

désignation *f* designation, nomination; name.

désigner *vt* to designate, indicate.

désillusion *f* disillusion; disappointment.

désillusionner *vt* to disillusion; to disappoint.

désincarné *adj* disincarnate, disembodied.

désinfectant *m* disinfectant; * *adj* disinfectant.

désinfecter *vt* to disinfect.

désinfection *f* disinfection.

désinformation   *f* disinformation.

désintégration *f* disintegration.

désintégrer *vt* to split, break up; **se ~** *vr* to disintegrate.

désintéressé *adj* disinterested, unselfish.

désintéressement *m* disinterestedness, unselfishness.

désintéresser (se) *vr* to lose interest in.

désintoxiquer *vt* to detoxify; to dry out; **se faire ~** *vr* to dry out.

désinvolte *adj* easy, offhand, casual.

désinvolture *f* casualness, offhandedness.

désir *m* desire, wish, longing.

désirable *adj* desirable.

désirer *vt* to desire, wish, long.

désobéir *vi* to disobey.

désobéissance *f* disobedience.

désobéissant *adj* disobedient.

désobligeant *adj* disobliging; uncivil.

désodorisant *m* deodorant; * *adj* deodorising, deodorant.

désodoriser *vt* to deodorise.

désœuvré *adj* unoccupied, idle.

désœuvrement *m* idleness.

désolation *f* desolation; ruin; grief.

désolé *adj* desolate; disconsolate, grieved.

désordonné *adj* untidy; inordinate; reckless.

désordre *m* disorder, confusion, disturbance.

désorganisation *f* disorganisation.

désorienté *adj* disorientated.

désormais *adv* from now on, henceforth.

désossé *adj* boned.

despote *m* despot.

despotique *adj* despotic; **~ment** *adv* despotically.

dessèchement *m* dryness, drying up, withering.

dessécher *vt* to dry, parch, wither; **se ~** *vr* to dry out, become parched.

dessein *m* design, plan, scheme; **à ~** intentionally.

desserrer *vt* to loosen; to unscrew; to slacken; **se ~** *vr* to work loose, come undone.

dessert *m* dessert, sweet.

desservir *vt* to clear (table); to do a disservice to.

dessin *m* drawing, sketch; draft.

dessinateur *m* **-trice** *f* drawer, draughtsman.

dessiner *vt* to draw, sketch; to design.

dessous *adv* under, beneath; * *m* underside, bottom.

dessus *adv* over, above; * *m*; **prendre le ~** to gain the upper hand; **le ~ du panier** the upper crust, the pick of the bunch.

destabiliser *vt* to destabilise.

destin *m* destiny, fate, doom.

destinataire *mf* addressee, consignee.

destination *f* destination; purpose.

destinée *f* destiny, fate.

destiner *vt* to determine; to intend, destine, aim.

destituer *vt* to dismiss, depose.

destructeur *adj* destructive, ruinous.

destruction *f* destruction.

désuétude *f* disuse **tomber en ~** to fall into disuse.

détachable *adj* detachable.

détachant *m* cleaner, stain remover.

détaché *m* (*mus*) detached.

détachement *m* detachment, indifference.

détacher *vt* (*mus*) to detach; to unfasten; **se ~** *vr* to become detached.

détail *m* detail, particular.

détaillant *m* **-e** *f* retailer.

détailler *vt* to detail; to sell retail.

détartrage *m* descaling.

détartrant *m* descaling substance; * *adj* descaling.

détartrer *vt* to descale.

détaxe *f* reduction in tax.

détecter *vt* to detect.

détecteur *m* detector.

détection *f* detection.

détective *m* detective.

déteindre *vi* to lose colour, fade.

détendre *vt* to release, loosen; **se ~** to relax, calm down.

détendu *adj* slack; relaxed.

détenir *vt* to detain; to hold.

détente *f* relaxation, easing.

détenteur *m* **-trice** *f* holder, possessor.

détergent *m* detergent.

détérioration *f* deterioration.

détériorer *vt* to damage, impair; **se ~** *vr* to deteriorate, worsen.

déterminant *adj* determining, deciding.

détermination *f* determination; resolution.

déterminé *adj* determined, resolute.

déterminer *vt* to determine, decide.

déterrer *vt* to dig up, disinter.

détestable *adj* detestable, odious; **~ment** *adv* detestably.

détester *vt* to detest, hate.

détonateur *m* detonator.

détonation *f* detonation, explosion.

détonner *vi* to clash (colour); to go out of tune.

détour *m* detour; curve; evasion.

détourné *adj* indirect, oblique.

détournement *m* diversion, re-routing.

détourner *vt* to divert, reroute.

détracteur *m* **-trice** *f* detractor, disparager.

détraquer *vt* to upset; to disorder; **se ~** *vr* to become upset; to go wrong.

détresse *f* distress, trouble.

détriment *m*: **au ~ de** to the detriment of.

détritus *m* refuse, rubbish.

détroit *m* strait.

détrôner *vt* to dethrone, depose.

detruire *vt* to destroy, demolish.

dette *f* debt.

deuil *m* mourning, bereavement, grief.

deux *adj* two; * *m* two; **entre les ~** so-so, fair to middling; **en moins de ~** in a jiffy.

deuxième *adj* second; **~ment** *adv* secondly; * *mf* second.

deux-points *m* colon.

deux-roues *m* two-wheeled vehicle.

dévaler *vt vi* to hurry down, tear down.

dévaliser *vt* to burgle; to rifle.

dévalorisation *f* depreciation.

dévaloriser *vt* to depreciate, reduce the value of.

dévaluation *f* devaluation.

devancer *vt* to outstrip, outrun; to precede.

devant *prép* in front of, before; * *adv* in front; * *m* front; **prendre les ~s** to make the first move, pre-empt; **aller au-~ de** to anticipate.

devanture *f* display; shop-front.

dévaster *vt* to devastate, lay waste.

développement *m* development; growth; progress.

développer *vt* to develop, expand; **se ~** *vr* to develop, grow.

devenir *vi* to become, grow.

déverrouiller *vt* to unbolt, unlock.

déverser *vt* to pour; to dump.

dévêtir *vt* to undress; **se ~** *vr* to get undressed.

déviation *f* deviation; diversion.

dévier *vi* to deviate; to turn aside; to swerve.

devin *m* **-eresse** *f* seer, soothsayer.

deviner *vt* to guess; to solve; to foretell.

devinette *f* riddle.

devis *m* estimate, quotation.

dévisager *vt* to stare at.

devise *f* currency.

dévisser *vt* to unscrew, undo.

dévoiler *vt* to unveil, disclose.

devoir *m* duty; homework; *vt* to owe; to have to.

dévorer *vt* to devour, consume.

dévot *adj* devout, pious.

dévotion *f* devotion, piety.

dévoué *adj* devoted, dedicated.

dévouement *m* devotion, dedication.

dévouer (se) *vr* to devote o.s., sacrifice o.s.

dextérité *f* dexterity, adroitness.

diabète *m* diabetes.

diabétique *adj* diabetic.

diable *m* devil.

diablotin *m* imp; cracker (Christmas).

diabolique *adj* diabolical, devilish; ~**ment** *adv* diabolically.

diagnostic *m* diagnosis.

diagnostiquer *vt* to diagnose.

diagonale *f* diagonal.

diagramme *m* diagram; graph.

dialecte *m* dialect.

dialectique *f* dialectic; * *adj* dialectic.

dialogue *m* dialogue, conversation.

dialoguer *vt* to write in dialogue form; *vi* to have talks (with).

dialyse *f* dialysis.

diamant *m* diamond.

diamètre *m* diameter.

diaphragme *m* diaphragm.

diarrhée *f* diarrhoea.

dictaphone *m* dictaphone.

dictateur *m* -**trice** *f* dictator.

dictatorial *adj* dictatorial.

dictature *f* dictatorship.

dictée *f* dictating; dictation.

dicter *vt* to dictate, impose.

dictionnaire *m* dictionary.

dicton *m* saying, dictum.

didactique *adj* didactic.

dièse *f* sharp (*mus*).

diesel *m* diesel.

diète *f* light diet.

diététicien *m* -**ne** *f* dietician.

diététique *adj* dietary.

dieu *m* god.

diffamation *f* defamation, slandering.

diffamer *vt* to defame, slander.

différé *adj* postponed; (*rad, TV*) pre-recorded.

différemment *adv* differently.

différence *f* difference.

différenciation *f* differentiation.

différencier *vt* to differentiate.

différend *m* disagreement, difference of opinion.

différent *adj* different; various.

différer *vt* to differ; to vary.

difficile *adj* difficult; awkward, tricky; ~**ment** *adv* with difficulty.

difficulté *f* difficulty; problem.

difforme *adj* deformed, misshapen.

difformité *f* deformity.

diffuser *vt* to diffuse, circulate, broadcast.

diffusion *f* diffusion, circulation, broadcasting.

digérer *vt* to digest.

digeste *adj* easily digestible.

digestif *adj* digestive.

digestion *f* digestion.

digital *adj* digital.

digne *adj* worthy; dignified; ~**ment** *adv* worthily, deservedly.

dignité *f* dignity.

digression *f* digression.

digue *f* dyke; sea wall.

dilapider *vt* to squander; to embezzle.

dilatation *f* dilation, distension.

dilater *vt* to dilate, distend; **se** ~ *vr* to dilate, distend.

dilemme *m* dilemma.

dilettante *mf* dilettante.

diluer *vt* to dilute.

dilution *f* dilution.

dimanche *m* Sunday.

dimension *f* dimension, size.

diminuer *vt* to diminish, reduce; * *vi* to diminish, lessen.

diminutif *m* diminutive.

diminution *f* reduction, lessening.

dinde *f* turkey hen.

dindon *m* turkey cock.

dindonneau *m* young turkey.

dîner *vi* to dine; * *m* dinner.

dinosaure *m* dinosaur.

diocèse *m* diocese.

diode *f* diode.

dioxyde *m* dioxide.
diphtérie *f* diphtheria.
diphtongue *f* diphthong.
diplomate *mf* diplomat.
diplomatie *f* diplomacy.
diplomatique *adj* diplomatic;
~**ment** *adv* diplomatically.
diplôme *m* diploma, certificate.
diplômé *m* -**e** *f* graduate; * *adj*
qualified.
dire *vt* to say; to tell; **se** ~ to say
to o.s.; to call o.s; *vr:* **se** ~ **que** to
tell o.s. that.
direct *adj* direct; ~**ement** *adv*
directly; * *m* (*rail*) express.
directeur *m* -**trice** *f* director.
direction *f* direction, management.
directive *f* directive, order.
dirigeant *m* -**e** *f* leader, ruler; *
adj ruling, executive.
diriger *vt* to run, direct; **se** ~ *vr:*
se ~ **vers** to head for, make for.
discernement *m* discernment,
judgment.
discerner *vt* to discern, distinguish.
disciple *m* disciple.
disciplinaire *adj* disciplinary.
discipline *f* discipline.
discipliné *adj* disciplined.
discontinu *adj* discontinuous.
discordant *adj* discordant, conflicting.
discorde *f* discord, dissension.
discothèque *f* discotheque.
discours *m* speech, talking.
discourtois *adj* discourteous.
discréditer *vt* to discredit.
discret *adj* discreet.
discrétion *f* discretion, prudence.
discrétionnaire *adj* discretionary.
discrimination *f* discrimination.
discriminer *vt* to distinguish; to
discriminate.
disculper *vt* to excuse, exonerate;
se ~ *vr* to justify o.s., excuse o.s.
discussion *f* discussion, debate.
discutable *adj* debatable, questionable.

discuter *vt vi* to discuss, debate.
disgrâce *f* disgrace.
disgracieux *adj* awkward,
ungraceful.
disjoncter *vi* to cut off, disconnect.
disjoncteur *m* cutout, circuit
breaker.
disparaître *vi* to disappear, vanish.
disparate *adj* disparate, incongruous.
disparité *f* disparity, incongruity.
disparition *f* disappearance;
death; extinction.
disparu *adj* vanished; bygone;
missing.
dispensaire *m* dispensary.
dispense *f* dispensation, exemption.
dispenser *vt* to dispense, exempt;
se ~ *vr:* **se** ~ **de** to dispense with;
to avoid.
disperser *vt* to spread, scatter; **se**
~ *vr* to disperse, scatter.
dispersion *f* dispersal, scatter-
ing.
disponibilité *f* availability.
disponible *adj* available; transferable.
dispos *adj* refreshed; alert; in
form.
disposer *vt* to arrange, dispose;
se ~ *vr:* **se** ~ **à** to prepare to do;
* *vi* to leave.
dispositif *m* device, mechanism.
disposition *f* arrangement, layout.
disproportionné *adj* disproportionate.
dispute *f* dispute, argument.
disputer *vt* to dispute, rival; **se** ~
vr to quarrel, argue.
disquaire *mf* record-dealer.
disqualifier *vt* to disqualify.
disque *m* disk; record.
disquette *f* diskette.
dissection *f* dissection.
dissemblable *adj* dissimilar; different.

disséminer *vt* to disseminate, scatter.

dissentiment *m* disagreement, dissent.

disséquer *vt* to dissect.

dissertation *f* dissertation.

dissidence *f* dissidence, dissent.

dissident *adj* dissident.

dissimulation *f* dissimulation, double-dealing.

dissimulé *adj* double-faced, dissembling.

dissimuler *vt* to dissemble, conceal; **se ~** *vr* to conceal o.s.

dissipation *f* dissipation, waste.

dissipé *adj* dissipated, undisciplined.

dissiper *vt* to dispel; to dissipate; **se ~** *vr* to disperse, become undisciplined.

dissociation *f* dissociation.

dissocier *vt* to dissociate.

dissolution *f* dissolution.

dissolvant *m* solvent, dissolvent.

dissonant *adj* dissonant; discordant.

dissoudre *vt* to dissolve.

dissuader *vt* to dissuade.

dissuasif *adj* dissuasive, deterrent.

dissuasion *f* dissuasion.

distance *f* distance, interval.

distancier (se) *vr* to distance o.s. from.

distant *adj* distant.

distendre *vt* to distend, strain; **se ~** *vr* to slacken.

distillation *f* distillation.

distiller *vt* to distil.

distillerie *f* distillery.

distinct *adj* distinct, different; **~ement** *adv* distinctly.

distinctif *adj* distinctive.

distinction *f* distinction.

distingué *adj* distinguished.

distinguer *vt* to distinguish; to discern; **se ~** *vr* to distinguish o.s.

distorsion *f* distortion.

distraction *f* inattention; absentmindedness; abstraction.

distraire *vt* to distract; to amuse; **se ~** *vr* to enjoy o.s.

distrait *adj* inattentive, absent-minded; **~ement** *adv* absent-mindedly.

distrayant *adj* entertaining, diverting.

distribuer *vt* to distribute.

distributeur *m* distributor.

distribution *f* distribution.

district *m* district.

diurétique *adj* diuretic; * *m* diuretic.

divagation *f* wandering, rambling.

divaguer *vi* to ramble, rave.

divan *m* divan.

divergence *f* divergence.

divergent *adj* divergent.

diverger *vi* to diverge, differ.

divers *adj* diverse, varied; **~ement** *adv* diversely.

diversification *f* diversification.

diversifier *vt* to vary, diversify; **se ~** *vr* to diversify.

diversion *f* diversion.

diversité *f* diversity, variety.

divertir *vt* to amuse, entertain; **se ~** *vr* to amuse o.s.

divertissant *adj* amusing, entertaining.

divertissement *m* entertainment, recreation.

dividende *m* dividend.

divin *adj* divine, exquisite; **~ement** *adv* divinely.

divination *f* divination.

divinité *f* divinity.

diviser *vt* to divide, split; **se ~** *vr* to split up, divide into.

division *f* division.

divorce *m* divorce.

divorcé *m* **-e** *f* divorcee; * *adj* divorced.

divorcer *vi* to divorce.

divulgation *f* disclosure, divulgence.

divulguer *vt* to divulge, disclose.

dix *adj, m* ten.

dix-huit *adj, m* eighteen.

dix-huitième *adj, mf* eighteenth.

dixième *adj* tenth; **~ment** *adv* tenthly; ***** *mf* tenth.

dix-neuf *adj, m* nineteen.

dix-neuvième *adj, mf* nineteenth.

dix-sept *adj, m* seventeen.

dix-septième *adj, mf* seventeenth.

dizaine *f* ten, ten or so.

docile *adj* docile, submissive; **~ment** *adv* docilely.

docilité *f* docility, submissiveness.

dock *m* dock, dockyard.

docteur *m* doctor.

doctorat *m* doctorate.

doctrine *f* doctrine.

document *m* document.

documentaire *adj* documentary.

documentaliste *mf* researcher.

documentation *f* documentation; information.

documenter *vt* to document; **se ~** *vr* to gather information on.

dogmatique *adj* dogmatic.

dogme *m* dogma.

doigt *m* finger; **être à deux ~s de** to come very close to doing; **obéir au ~ et à l'œil** to obey (sb) slavishly.

doigté *m* touch; fingering technique.

domaine *m* domain, estate; to sphere.

domanial *adj* state-owned.

dôme *m* dome, vault.

domestique *adj* domestic, household.

domestiquer *vt* to domesticate, tame.

domicile *m* domicile, address.

domicilié *adj* domiciled.

dominant *adj* dominant, prevailing.

dominante *f* dominant characteristic.

dominateur *adj* governing; domineering.

domination *f* domination.

dominer *vt* to dominate; to prevail; **se ~** to control o.s.

dominical *adj* Sunday.

dommage *m* damage; harm; **c'est ~** it's a pity.

dompter *vt* to tame, train.

dompteur *m* **-euse** *f* trainer, tamer.

don *m* gift; talent.

donateur *m* **-trice** *f* donor.

donation *f* donation.

donc *conj* so, therefore, thus; **pourquoi ~?** why was that?

donné *adj* given; fixed; **étant ~** seeing that, in view of.

donnée *f* datum.

donner *vt* to give; ***** *vi* to yield (crop).

donneur *m* **-euse** *f* giver, donor; dealer.

dont *pn* whose, of which.

dopage *m* doping.

doper *vt* to dope; **se ~** *vr* to take drugs, dope o.s.

doré *adj* gilded; tanned.

dorénavant *adv* from now on, henceforth.

dorer *vt* to gild; to tan.

dorloter *vt* to pamper, pet.

dormir *vi* to sleep, be asleep; to be still.

dortoir *m* dormitory.

dos *m* back; top; ridge.

dosage *m* mixture; balance; proportioning.

dose *f* dose; amount; quantity.

doser *vt* to measure out, proportion; to strike a balance.

dossier *m* dossier, file; case.

dot *f* dowry.

doter *vt* to provide with a dowry; to endow.

douane *f* customs.

douanier *m* customs officer.

double *adj* double, duplicate, dual; **~ment** *adv* doubly; ***** *m* copy, double, replica; twice as much.

doubler *vt vi* to double, duplicate.

doublure *f* lining; (*thea*) understudy.

doucement *adv* softly, gently.

doucereux *adj* sugary; mawkish; suave.

douceur *f* softness, gentleness.

douche *f* shower.

doucher *vt* to give a shower to; **se ~** *vr* to take a shower.

doué *adj* gifted, endowed with.

douille *f* case; cartridge.

douillet *adj* delicate, tender; soft.

douleur *f* pain, ache; anguish.

douloureusement *adv* painfully, grievously.

douloureux *adj* painful, grievous.

doute *m* doubt; **sans ~** without doubt.

douter *vi* to doubt, question; **se ~** *vr* **se ~ de** to suspect someone; **se ~ que** to suspect that, expect that.

douteux *adj* doubtful, dubious.

doux *adj*, *f* **douce** soft; sweet; mild.

douzaine *f* dozen.

douze *adj*, *m* twelve.

douzième *adj* twelfth; **~ment** *adv* twelfthly; * *mf* twelfth.

doyen *m* **-ne** *f* dean; doyen.

draconien *adj* draconian, drastic.

dragée *f* bonbon, sugared almond.

dragon *m* dragon.

dramatique *adj* dramatic, tragic; **~ment** *adv* dramatically.

dramatiser *vt* to dramatise.

dramaturge *mf* playwright.

drame *m* drama.

drap *m* sheet; **~-housse** fitted sheet; **être dans de beaux ~s** to be in a fine mess.

drapeau *m* flag.

draper *vt* to drape.

dressage *m* taming; pitching.

dresser *vt* to draw up; to put up; **se ~** *vr* to stand up; to rear up.

dresseur *m* **-euse** *f* trainer, tamer.

dribbler *vi* to dribble.

drogue *f* drug.

drogué *m* **-e** *f* drug addict; * *adj* drugged.

droguer *vt* to drug, administer drugs; **se ~** *vr* to dose up; to take drugs.

droguerie *f* hardware trade.

droguiste *mf* hardware storekeeper.

droit *adj* right; straight; sound; honest; **~ement** *adv* uprightly, honestly; * *adv* straight, straight ahead; * *m* right; law; tax.

droite *f* right side; right (wing); straight line.

droitier *adj* right-handed.

droiture *f* uprightness, honesty.

drôle *adj* funny, amusing; peculiar; **~ment** *adv* funnily, peculiarly.

dromadaire *m* dromedary.

dru *adj* thick, dense; sturdy.

du *art* of the.

dû *adj* owed; due; **~ment** *adv* duly.

dualité *f* duality.

dubitatif *adj* doubtful, dubious.

dubitativement *adv* doubtfully, dubiously.

duc *m* duke, **duchesse** *f* duchess.

duché *m* duchy.

duel *m* duel; dual.

duettiste *mf* duettist.

dune *f* dune.

duo *m* duo; duet.

duodénum *m* duodenum.

dupe *adj* easily duped; * *f* dupe.

duper *vt* to dupe, take in.

duplex *m* duplex, two-way.

dupliquer *vt* to duplicate.

dur *adj* hard, tough; difficult; **~ement** *adv* harshly, severely.

durable *adj* durable, lasting; **~ment** *adv* durably.

duralumin *m* duralumin.

durant *prép* during, for.

durcir *vt vi* to harden; **se ~** *vr* to become hardened.

durcissement *m* hardening.

durée *f* duration, length.

durer *vi* to last.

dureté *f* hardness; austerity, harshness.

durillon *m* callus, corn.

duvet *m* down.

duveté *adj* downy.

dynamique *f* dynamic; dynamics; * *adj* dynamic; ~**ment** *adv* dynamically.

dynamiser *vt* to energise; to potentiate.

dynamisme *m* dynamism.

dynamitage *m* dynamiting.

dynamite *f* dynamite.

dynamiter *vt* to dynamite.

dynamo *f* dynamo.

dynastie *f* dynasty.

dynastique *adj* dynastic.

dysenterie *f* dysentery.

dyslexie *f* dyslexia.

dyslexique *adj* dyslexic.

E

eau *f* water; rain.

eau-de-vie *f* brandy.

ébahir *vt* to astonish, stupefy, dumbfound.

ébahissement *m* astonishment, amazement.

ébauche *f* rough draft, rough outline.

ébaucher *vt* to sketch; to roughcast.

ébène *f* ebony.

ébéniste *m* cabinetmaker.

éblouir *vt* to dazzle; to fascinate.

éblouissant *adj* dazzling; amazing.

éblouissement *m* dazzle; bedazzlement.

ébouillanter *vt* to scald; to blanch; **s'~** *vr* to scald oneself.

éboulement *m* collapse, caving in; fall.

ébouriffé *adj* tousled, ruffled.

ébranler *vt* to shake; to unsettle, disturb.

ébrécher *vt* to chip, indent; to break into (fortune).

ébriété *f* intoxication.

ébrouer (s') *vr* to shake oneself.

ébruiter *vt* to disclose, divulge; **s'~** *vr* to spread, be noised abroad.

ébullition *f* boiling; effervescence; turmoil.

écaille *f* scale; shell.

écailler *vt* to scale; to chip; **s'~** *vr* to flake off, peel off.

écarlate *adj* scarlet.

écart *m* distance; interval; discrepancy; **rester à l'~** to steer clear of.

écarteler *vt* to tear apart; to quarter.

écarter *vt* to separate; to avert; to dismiss; **s'~** *vr* to make way; to swerve.

ecchymose *f* bruise, ecchymosis.

ecclésiastique *adj* ecclesiastical; * *m* ecclesiastic, clergyman.

échafaud *m* scaffold.

échafaudage *m* scaffolding.

échange *m* exchange, barter, trade.

échanger *vt* to exchange.

échantillon *m* sample.

échappée *f* breakaway; glimpse.

échappement *m* exhaust; release.

échapper *vi* to escape, avoid, elude; **s'~** *vr* to escape from; to leak.

écharde *f* splinter, sliver.

écharpe *f* scarf; arm-sling.

échassier *m* wader.

échauffement *m* heating; warm-up; constipation.

échauffer *vt* to heat, overheat; to

excite; **s'~** *vr* to warm up; to get worked up.

échéance *f* expiry; maturity date.

échec *m* failure, defeat; chess.

échelle *f* ladder; scale.

échelon *m* rung; grade.

échelonner *vt* to grade; to stagger, set at intervals; **s'~** *vr* to be graduated, staggered.

échine *f* backbone, spine; **courber l'~** to submit.

échiquier *m* chessboard.

écho *m* echo; rumour.

échographie *f* ultrasound scan.

échoir *vi* to fall due; to befall, fall to so's lot.

échouer *vi* to fail; to end up; to run aground.

éclabousser *vt* to splash, spatter.

éclair *m* flash; lightning flash; spark.

éclairage *m* lighting, light.

éclairagiste *m* electrician; lighting engineer.

éclaircie *f* clear interval, bright spot; glade.

éclaircir *vt* to lighten; to thin; to brighten up; **s'~** *vr* to clear (up).

éclaircissement *m* clearing up, explanation, elucidation.

éclairer *vt* to light, illuminate; clarify, explain.

éclat *m* brightness, glare; splinter; splendour.

éclatant *adj* bright, blazing; resounding; blatant.

éclatement *m* explosion, bursting, rupture.

éclater *vi* to explode; to break out; to exclaim.

éclectique *adj* eclectic.

éclipse *f* eclipse.

éclipser *vt* to eclipse, overshadow; **s'~** *vr* to disappear, vanish.

éclore *vi* to hatch out; to blossom.

éclosion *f* hatching; blooming; birth.

écluse *f* lock.

écœurant *adj* disgusting, nauseating.

écœurement *m* nausea, disgust; discouragement.

écœurer *vt* to nauseate, disgust.

école *f* school, schooling; sect, doctrine.

écolier *m* schoolgirl, **-ière** *f* schoolgirl.

écologie *f* ecology.

écologique *adj* ecological.

écologiste *mf* ecologist.

économe *adj* thrifty; * *mf* steward, treasurer; (*mar*) bursar.

économie *f* economy, thrift; economics.

économique *adj* economic; **~ment** *adv* economically.

économiser *vt* to economise, save.

écorce *f* bark, peel, skin.

écorchure *f* scratch; graze.

Écossais *m* Scotsman, **-e** *f* Scotswoman.

écossais *adj* Scottish.

Écosse *f* Scotland.

écoulement *m* flow, discharge, outlet; disposal, selling.

écouler *vt* to flow, discharge; to sell; **s'~** *vr* to leak, flow out; to pass by; to sell.

écoute *f* listening, audience.

écouter *vt* to listen to.

écran *m* screen.

écrasant *adj* crushing; overwhelming.

écraser *vt* to crush; to overwhelm; to run over; **s'~** *vr* to crash; to get crushed.

écrémer *vt* to skim, cream.

écrevisse *f* crayfish.

écrin *m* box, casket.

écrire *vt* to write; to spell.

écrit *adj* written; * *m* document; piece of writing.

écriteau *m* notice, sign.

écriture *f* writing; handwriting; script.

écrivain *m* writer.

écrou *m* nut.

écroulement *m* collapse, caving in.

écrouler (s') *vr* to collapse, crumble.

écru *adj* raw; unbleached; untreated.

ectoplasme *m* ectoplasm.

écueil *m* reef, shelf; peril.

écume *f* foam, froth; scum.

écureuil *m* squirrel.

écurie *f* stable.

écusson *m* badge, shield.

eczéma *m* eczema.

édification *f* erection, construction.

édifice *m* edifice, building.

édifier *vt* to build, construct; to edify.

éditer *vt* to publish, produce; to edit.

éditeur *m* **-trice** *f* publisher; editor.

édition *f* publishing; edition; editing.

éditorial *m* leading article, editorial.

éducatif *adj* educational.

éducation *f* education; upbringing.

édulcorant *m* sweetener; * *adj* sweetening.

éduquer *vt* to educate; to bring up, raise.

effacer *vt* to delete, erase, wipe off; **s'~** *vr* to wear away, become obliterated.

effaré *adj* alarmed, bewildered.

effaroucher *vt* to frighten off; to alarm.

effectif *m* staff; size, complement; * *adj* effective, positive.

effectivement *adv* effectively, positively.

effectuer *vt* to effect, execute, carry out.

effervescence *f* effervescence; excitement, ferment.

effervescent *adj* effervescent; excited.

effet *m* effect, impression; spin; bill, note.

efficace *adj* effective; efficient; **~ment** *adv* effectively, efficiently.

efficacité *f* effectiveness, efficiency.

effleurer *vt* to touch lightly, skim across.

effondrement *m* collapse, caving in.

effondrer (s') *vr* to collapse, cave in.

efforcer (s') *vr* to endeavour, do one's best.

effort *m* effort, exertion; stress, strain.

effraction *f* breaking and entering.

effrayant *adj* frightening, fearsome.

effrayer *vt* to frighten, scare.

effriter *vt* to crumble; to exhaust (land); **s'~** *vr* to crumble away, disintegrate.

effroi *m* terror, dismay.

effronté *adj* shameless, impudent, cheeky; **~ment** *adv* shamelessly, impudently.

effroyable *adj* horrifying, appalling; **~ment** *adv* horrifyingly, appallingly.

égal *adj* equal; even, level; equable; **~ement** *adv* evenly; equally; also, as well.

égaler *vt* to equal, match.

égalisation *f* equalisation; levelling.

égaliser *vt* to equalise; to level out.

égalitaire *adj* egalitarian.

égalité *f* equality; equableness; evenness.

égard *m* consideration, respect; **à l'~ de** concerning, regarding; **à tous ~s** in all respects.

égarer *vt* to mislead, lead astray; **s'~** *vr* to get lost; to wander from the point.

égayer *vt* to enliven, cheer up.

églantine *f* dog-rose, wild rose.

église *f* church.

égocentrique *adj* egocentric, self-centred.

égoïsme *m* selfishness, egoism.

égoïste *mf* egotist; * *adj* egotistic; **-ment** *adv* egotistically.

égout *m* sewer.

égoutter *vt* to strain; to wring out.

égratignure *f* scratch, scrape.

éjecter *vt* to eject, throw out.

élaboration *f* elaboration, development.

élaborer *vt* to elaborate, develop.

élan *m* surge, momentum, speed; spirit, elan.

élancer (s') *vr* to rush, spring, hurl oneself.

élargir *vt* to widen, stretch; **s'~** *vr* to get wider.

élargissement *m* widening, stretching, enlarging.

élastique *adj* elastic; flexible; * *m* elastic, elastic band.

électeur *m* **-trice** *f* voter, elector.

élection *f* election; choice.

électoral *adj* electoral.

électorat *m* electorate; constituency; franchise.

électricien *m* electrician.

électricité *f* electricity.

électrique *adj* electric.

électrocardiogramme *m* electrocardiogram.

électrode *f* electrode.

électrolyse *f* electrolysis.

électroménager *m* household appliance; * *adj* electrical (household).

électron *m* electron.

électronicien *m* electronics engineer.

électronique *f* electronics; * *adj* electronic.

élégance *f* elegance, stylishness.

élégant *adj* smart, elegant, stylish.

élément *m* element, component; cell; fact.

élémentaire *adj* elementary; basic.

éléphant *m* elephant.

élevage *m* rearing, breeding.

élève *mf* pupil, student.

élevé *adj* high; heavy; lofty, exalted.

élever *vt* to bring up, raise; to put up, lift up; **s'~** *vr* to rise, go up.

éleveur *m* **-euse** *f* stockbreeder.

éligible *adj* eligible.

élimination *f* elimination.

éliminatoire *adj* eliminatory; * *f* preliminary heat.

éliminer *vt* to eliminate, discard.

élire *vt* to elect.

élite *f* elite.

élitisme *m* elitism.

elle *pn* she; it; her; **c'est à ~** it's up to her; it's hers; **~-même** herself.

elliptique *adj* elliptic; **~ment** *adv* elliptically.

élocution *f* elocution, diction.

éloge *m* praise; eulogy.

élogieux *adj* laudatory, eulogistic.

éloigné *adj* distant, remote.

éloigner *vt* to move away, take away; **s'~** *vr* to go away; to grow distant.

éloquence *f* eloquence.

éloquent *adj* eloquent.

élu *adj* chosen, elected.

élucider *vt* to elucidate, clear up.

émacié *adj* emaciated, wasted.

émail *m* enamel.

émailler *vt* to enamel.

émancipation *f* emancipation, liberation.

émanciper *vt* to emancipate, liberate; **s'~** *vr* to become emancipated, liberated.

émaner *vi* to emanate, issue.

emballage *m* packing paper, wrapping paper.

emballer *vt* to pack up, wrap up.

embarcadère *m* landing stage, pier.

embarcation *f* boat, craft.

embargo *m* embargo.

embarquement *m* loading; embarkation.

embarquer *vt* to embark; to load; * *vi* to embark, go aboard.

embarras *m* embarrassment, confusion; trouble.

embarrassant *adj* embarrassing, uncomfortable.

embarrassé *adj* embarrassed, self-conscious.

embarrasser *vt* to embarrass; to hinder, hamper; **s'~** *vr* to burden oneself with; to be troubled by.

embaucher *vt* to take on, hire.

embellir *vt* to beautify, make more attractive.

embellissement *m* embellishment, improvement.

embêter *vt* (*fam*) to bore; to get on one's nerves; **s'~** *vr* to be bored, fed up.

emblème *m* symbol, emblem.

emboîter *vt* to fit together; **s'~** *vr* to fit together; to fit into each other.

embonpoint *m* stoutness, plumpness.

embouchure *f* mouth (river); mouthpiece.

embouteillage *m* traffic jam; bottling.

embranchement *m* junction; side road.

embrasser *vt* to kiss, embrace.

embrayage *m* clutch.

embrayer *vi* to engage the clutch.

embrouiller *vt* to tangle up, mix up; **s'~** *vr* to become muddled, confused.

embryon *m* embryo.

embryonnaire *adj* embryonic.

embuscade *f* ambush.

émeraude *f* emerald.

émerger *vi* to emerge; to stand out.

émeri *m* emery.

émerveiller *vt* to astonish, amaze; **s'~** *vr* to marvel at.

émetteur *adj*, *f* **-trice** transmitting.

émettre *vt* to send out, emit, transmit.

émeute *f* riot.

émietter *vt* to crumble; to disperse, break up; **s'~** *vr* to crumble; to disperse, break up.

émigration *f* emigration.

émigré *m* **-e** *f* émigré, expatriate.

émigrer *vi* to emigrate.

éminence *f* hill, elevation; eminence, distinction.

éminent *adj* eminent, distinguished.

émir *m* emir.

émission *f* sending out; transmission; broadcast; emission.

emmêler *vt* to entangle; confuse; **s'~** *vr* to tangle.

emménager *vi* to move in.

emmener *vt* to take away; to lead.

émoi *m* agitation, emotion.

émotif *adj* emotional; emotive.

émotion *f* emotion; commotion.

émotivité *f* emotionalism.

émouvant *adj* moving, touching.

émouvoir *vt* to move, disturb, upset; **s'~** *vr* to be moved; to get worried, upset.

empailler *vt* to stuff.

empaqueter *vt* to parcel up, pack.

emparer (s') *vr* to seize, grab; to take possession of.

empêchement *m* obstacle, hitch; impediment.

empêcher *vt* to prevent, stop; **s'~** *vr*: **s'~ de** to refrain from doing something.

empereur *m* emperor.

empester *vt* to stink out; to poison, infect.

empêtrer *vt* to entangle,; **s'~** *vr* to get involved in, get mixed up in.

emphase *f* pomposity; emphasis, stress.

empiéter *vi* to encroach, overlap.

empiler *vt* to pile up, stack.

empire *m* empire; influence, ascendancy.

empirer *vi* to get worse, deteriorate.

empirique *adj* empirical; **~ment** *adv* empirically.

emplacement *m* site, location.

emploi *m* use; job, employment.

employé *m* **-e** *f* employee.

employer *vt* to use, spend; to employ.

employeur *m*, **euse** *f* employer.

empoisonner *vt* to poison; to annoy.

emporter *vt* to take; to carry off; to involve; **s'~** *vr* to lose one's temper.

empreinte *f* imprint, impression, stamp.

empresser (s') *vi* to rush to; to press around, fuss around.

emprise *f* hold, ascendancy.

emprisonner *vt* to imprison, trap.

emprunt *m* borrowing, loan.

emprunter *vt* to borrow; to assume; to derive.

ému *adj* moved, touched, excited.

émulsion *f* emulsion.

en *prép* in; to; by; on; **~ tant que** as; *pn* from there; of it, of them; **je n'~ veux plus** I don't want any more of them; **s'~ faire** to worry; **il ~ va de même pour** the same goes for.

encadré *m* box; framed text.

encadrement *m* framing; training; managerial staff.

encadrer *vt* to frame; to train; to surround.

encaissement *m* collection; receipt; cashing.

encaisser *vt* to collect, receive; to cash.

encastrer *vt* to embed, fit in, encase.

enceinte *f* pregnant.

encens *m* incense.

encenser *vt* (*rel*) to cense; to shower praise on.

encercler *vt* to encircle, surround.

enchaînement *m* linking; link; sequence.

enchaîner *vt* to chain.

enchanté *adj* enchanted, delighted.

enchantement *m* enchantment, delight.

enchanter *vt* to enchant, delight.

enchâsser *vt* to set, imbed.

enchère *f* bid, offer.

enchevêtrement *m* entanglement, confusion.

enclave *f* enclave.

enclencher *vt* to engage; to set in motion.

enclin *adj* inclined, prone.

enclore *vt* to enclose, shut in.

enclume *f* anvil; engine block.

encoder *vt* to encode.

encolure *f* neck; collar size.

encombrant *adj* unwieldy, cumbersome.

encombrement *m* congestion; jumble; obstruction.

encombrer *vt* to clutter, obstruct; **s'~** *vr* to burden oneself.

encore *adv* still; only; again; more; **~ que** even though.

encourageant *adj* encouraging, heartening.

encouragement *m* encouragement.

encourager *vt* to encourage; to incite.

encre *f* ink.

encyclopédie *f* encyclopaedia.

endettement *m* indebtedness; debt.

endetter *vt* to get so into debt; **s'~** *vr* to get into debt.

endive *f* chicory.

endoctrinement *m* indoctrination.

endoctriner *vt* to indoctrinate.

endommager *vt* to damage.

endormir *vt* to put to sleep; **s'~** *vr* to fall asleep.

endossement *m* endorsement.

endosser *vt* to put on; to shoulder; to endorse.

endroit *m* place; side part; **à l'~** regarding.

enduire *vt* to coat, smear.

enduit *m* coating.

endurance *f* endurance, stamina.

endurci *adj* hardened; hard-hearted.

endurcir *vt* to harden; **s'~** *vr* to become hardened.

endurer *vt* to endure, bear.

énergétique *adj* energy; energising.

énergie *f* energy; spirit, vigour.

énergique *adj* energetic, vigorous; **~ment** *adv* energetically.

énervant *adj* enervating; irritating.

énervement *m* irritation; nervousness.

énerver *vt* to irritate, annoy; to get on one's nerves; **s'~** *vr* to get excited, worked up.

enfance *f* childhood; infancy.

enfant *mf* child; native.

enfanter *vt* to give birth to.

enfantillage *m* childishness.

enfantin *adj* childish, infantile.

enfer *m* hell.

enfermer *vt* to lock up; to confine; to box in.

enfiévrer *vt* to stir up, inflame.

enfiler *vt* to string, thread; to put on.

enfin *adv* at last; in short; after all.

enflammer *vt* to set on fire; to inflame, kindle; **s'~** *vr* to catch fire, ignite.

enflé *adj* swollen; bombastic, turgid.

enfler *vi* to swell up, inflate.

enfoncer *vt* to stick in, thrust; to break open; **s'~** *vr* to sink into, disappear into.

enfouir *vt* to bury.

enfuir (s') *vr* to run away, flee.

engagement *m* agreement, commitment, undertaking; engaging; opening.

engager *vt* to bind; to involve; to insert; to open; **s'~** *vr* to undertake to; to take a job.

engelure *f* chilblain.

engendrer *vt* to create, engender; to father.

engin *m* machine; instrument; contraption.

englober *vt* to include, encompass.

engloutir *vt* to wolf down; to engulf.

engorgement *m* obstruction, clogging; glut.

engouement *m* infatuation; fad, craze.

engouffrer *vt* to devour, swallow up, engulf; **s'~** *vr* to rush into, sweep, surge.

engourdi *adj* numb; dull.

engourdir *vt* to numb; to dull, blunt; **s'~** *vr* to become numb, to grow sluggish.

engourdissement *m* numbness; sleepiness.

engrais *m* fertiliser; manure.

engraisser *vi* to get fatter; * *vt* to fatten; to fertilise.

engrenage *m* gears, gearing.

énigmatique *adj* enigmatic; **~ment** *adv* enigmatically.

énigme *f* enigma, riddle.

enivrer *vt* to intoxicate, make drunk; **s'~** *vr* to get drunk.

enjeu *m* stake.

enjoliver *vt* to ornament; to embroider (truth).

enlacer *vt* to embrace, intertwine.

enlaidir *vt* to make ugly; **s'~** *vr* to become ugly.

enlèvement *m* abduction, kidnapping; removal.

enlever *vt* to remove; to take off; to deprive; to abduct.

enliser *vt* to get stuck (car); **s'~** *vr* to get bogged down, get sucked into.

enneigé *adj* snowy, snowbound.

enneigement *m* snow coverage.

ennemi *m* **-e** *f* enemy.

ennui *m* boredom, tedium, weariness.

ennuyer *vt* to bore, bother; **s'~** *vr* to get bored.

ennuyeux *adj* boring, tedious.

énorme *adj* enormous, huge.

énormément *adv* enormously.

énormité *f* enormity, hugeness; howler.

enquête *f* inquiry, investigation; survey.

enquêter *vi* to hold an inquiry; to investigate.

enraciner *vt* to implant, root; **s'~** *vr* to take root; to settle down somewhere.

enragé *adj* furious; keen.

enregistrement *m* recording; registration.

enregistrer *vt* to record; to register.

enrichi *adj* improved, enriched; nouveau riche.

enrichir *vt* to enrich, expand; **s'~** *vr* to get rich.

enrichissant *adj* enriching.

enrichissement *m* enrichment.

enrober *vt* to wrap, cover, coat.

enrôler *vt* to enlist, enrol.

enrouement *m* hoarseness.

enrouer *vt* to make hoarse.

enrouler *vt* to roll up, wind up.

enseignant *m* -e *f* teacher.

enseigne *f* sign; (*mil*) ensign.

enseignement *m* education, training, instruction.

enseigner *vt* to teach.

ensemble *adv* together, at the same time; * *m* unity; whole.

ensoleillé *adj* sunny.

ensorceler *vt* to bewitch, enchant.

ensuite *adv* then, next, afterwards.

entaille *f* cut, gash.

entamer *vt* to start, open, make a hole in.

entassement *m* piling up, heaping up.

entasser *vt* to pile up, heap up.

entendement *m* understanding, comprehension.

entendre *vt* to hear; to intend, mean; to understand; **s'~** *vr* to agree; to know how to.

entendu *adj* agreed; **bien ~** of course.

entente *f* harmony, understanding; accord.

enterrement *m* burial; funeral.

enterrer *vt* to bury, inter.

en-tête *m* heading, header.

entêté *adj* stubborn, obstinate.

entêtement *m* stubbornness, obstinacy.

entêter *vt* to go to the head of; **s'~** *vr* to persist in.

enthousiasme *m* enthusiasm.

enthousiasmer *vt* to fill with enthusiasm; **s'~** *vr* to be enthusiastic about.

enthousiaste *adj* enthusiastic; * *mf* enthusiast.

entier *adj* entire, whole; intact.

entièrement *adv* entirely, wholly, completely.

entité *f* entity.

entonnoir *m* funnel; swallow hole; shell-hole.

entorse *f* sprain.

entortiller *vt* to twist, twine; to hoodwink, wheedle.

entourage *m* set, circle; entourage.

entourer *vt* to surround, frame, encircle; **s'~** *vr*: **s'~ de** to surround oneself with.

entracte *m* interval, intermission.

entraide *f* mutual aid.

entraider (s') *vr* to help one another.

entrailles *fpl* entrails, guts; womb.

entrain *m* spirit, liveliness.

entraînement *m* training, coaching; force, impetus.

entraîner *vt* to drag; to lead; to train; **s'~** *vr* to train oneself.

entraîneur *m* trainer, coach.

entrave *f* hindrance, obstacle; shackle.

entraver *vt* to hold up; to shackle.

entre *prép* between, among, into.

entrebâiller *vt* to half-open; **s'~** *vr* to be half-open.

entrecôte *f* rib steak.

entrecouper *vt* to intersperse, interrupt with.

entrée *f* entry, entrance; admission; insertion; **~ en matière** introduction; **d'~ de jeu** from the outset.

entrejambes *m* crotch.

entrelacer *vt* to intertwine, interlace.

entremêler *vt* to intermingle, intermix.

entremets *m* sweet, dessert.

entreposer *vt* to store, put into storage.

entrepôt *m* warehouse, bonded warehouse.

entreprenant *adj* enterprising.

entreprendre *vt* to embark upon, undertake.

entrepreneur *m* **-euse** *f* contractor; entrepreneur.

entreprise *f* company; venture, business.

entrer *vi* to enter, go in.

entresol *m* entresol, mezzanine.

entretemps *adv* meanwhile.

entretenir *vt* to maintain, look after; to speak with.

entretien *m* upkeep, maintenance; conversation.

entrevoir *vt* to make out; to glimpse; to anticipate.

entrevue *f* meeting, interview.

entrouvert *adj* half-open.

entrouvrir *vt* to half-open; **s'~** *vr* to half-open; to gape.

énumération *f* enumeration, listing.

énumérer *vt* to enumerate, list.

envahir *vt* to invade, overrun.

envahissant *adj* invasive; intrusive; pervasive.

enveloppe *f* envelope; covering; exterior.

envelopper *vt* to envelop; to wrap up; to veil.

envergure *f* breadth, scope, scale.

envers *prép* towards, to; * *m*; **à l'~** inside out, upside down.

envie *f* desire, longing, inclination; envy.

envier *vt* to envy.

envieux *adj* envious.

environ *adv* about, around; **~s** *mpl* vicinity, neighbourhood.

environnant *adj* surrounding.

environnement *m* environment.

environnemental *adj* environmental.

environner *vt* to surround, encircle.

envisager *vt* to view, envisage.

envoi *m* dispatch, remittance; kick-off.

envol *m* takeoff, flight.

envoler (s') *vr* to fly away; to disappear.

envoûtant *adj* bewitching, entrancing.

envoûter *vt* to bewitch.

envoyé *m* **-e** *f* messenger, envoy.

envoyer *vt* to send, dispatch; hurl, fire.

enzyme *m* enzyme.

épais *adj* thick; deep.

épaisseur *f* thickness; depth.

épaissir *vi* to thicken; to deepen; * *vt*; **s'~** *vr* to thicken, get thicker.

épanoui *adj* radiant, beaming.

épanouir *vt* to brighten, light up; open out; **s'~** *vr* to bloom.

épanouissement *m* blooming; lighting up; opening out.

épargne *f* saving, savings.

épargner *vt* to save; to spare.

éparpiller *vt* to scatter, distribute; **s'~** *vr* to scatter.

épaule *f* shoulder.

épauler *vt* to support, back up.

épave *f* wreck; derelict; ruin.

épée *f* sword.

épeler *vt* to spell.

éperdu *adj* distraught, overcome; **~ment** *adv* frantically, desperately.

éperon *m* spur; (*mar*) ram.

épervier *m* sparrowhawk.

éphémère *adj* ephemeral, fleeting.

épi *m* ear; tuft.

épice *m* spice.

épicé *adj* spicy; juicy.

épicerie *f* grocery trade; grocer's shop.

épicier *m* **-ière** *f* grocer; greengrocer.

épidémie *f* epidemic.

épidémique *adj* epidemic; contagious.

épiderme *m* epidermis; skin.

épier *vt* to spy on.

épiglotte *f* epiglottis.

épilation *f* removal of hair.

épilepsie *f* epilepsy.

épileptique *adj* epileptic.

épiler *vt* to remove hair, pluck.

épilogue *m* epilogue; conclusion.

épinard *m* spinach.

épine *f* spine; thorn.

épineux *adj* thorny, prickly; tricky.

épingle *f* pin.

Épiphanie *f* Epiphany.

épique *adj* epic.

épiscopal *adj* episcopal.

épiscopat *m* episcopate.

épisode *m* episode.

épisodique *adj* occasional; transitory; **~ment** *adv* occasionally.

épitaphe *f* epitaph.

épithète *f* epithet.

éplucher *vt* to clean; to peel; to sift.

épluchure *f* peeling, paring.

éponge *f* sponge.

éponger *vt* to sponge, mop.

épopée *f* epic.

époque *f* time, epoch, age, period.

épouser *vt* to marry, wed; espouse.

épousseter *vt* to dust.

épouvantable *adj* terrible, appalling; **~ment** *adv* terribly, appallingly.

épouvantail *m* scarecrow.

épouvante *f* terror, dread.

épouvanter *vt* to terrify, appall.

époux *m* **épouse** *f* spouse.

éprendre *vr*: **s'~ de** to fall in love with.

épreuve *f* test; ordeal, trial; proof.

éprouvant *adj* trying, testing.

éprouver *vt* to feel, experience.

éprouvette *f* test tube.

épuisé *adj* exhausted; sold out.

épuisement *m* exhaustion.

épuiser *vt* to exhaust, wear out; **s'~** *vr* to run out; to exhaust oneself.

épuisette *f* landing net.

épurer *vt* to purify, refine.

équateur *m* equator.

équation *f* equation.

équatorial *adj* equatorial.

équerre *f* square; bracket.

équestre *adj* equestrian.

équilibre *m* balance, equilibrium; harmony.

équilibrer *vt* to balance; **s'~** *vr* to balance each other.

équipage *m* crew; gear, equipment.

équipe *f* team, crew, gang, staff.

équipement *m* equipment; fitting out, fittings.

équiper *vt* to equip, fit out.

équipier *m* **-ière** *f* team member.

équitable *adj* equitable, fair; **~ment** *adv* equitably, fairly.

équitation *f* equitation, riding.

équivalence *f* equivalence.

équivalent *adj* equivalent, same; * *m* equivalent.

équivoque *adj* equivocal, questionable.

érable *m* maple.

érafler *vt* to scratch, scrape.

ère *f* era.

érection *f* erection; establishment.

éreintant *adj* exhausting, backbreaking.

ergot *m* spur; (*tec*) lug.

ériger *vt* to erect; to establish.

ermite *m* hermit.

éroder *vt* to erode.

érosion *f* erosion.
érotique *adj* erotic.
érotisme *m* eroticism.
errant *adj* wandering, stray.
errer *vi* to wander, roam.
erreur *f* error, mistake, fault.
erroné *adj* erroneous.
éructation *f* eructation.
érudit *adj* erudite, learned; * *m* scholar.
érudition *f* erudition, learning.
éruptif *adj* eruptive.
éruption *f* eruption.
escabeau *m* stool; stepladder.
escadron *m* squadron, platoon.
escalade *f* climbing; escalation.
escalader *vt* to climb, scale.
escale *f* port of call, touchdown.
escalier *m* stairs, steps.
escalope *f* escalope.
escamoter *vt* to dodge, evade; to pilfer.
escapade *f* escapade; prank, jaunt.
escargot *m* snail.
escarpement *m* escarpment; steepness.
esclavage *m* slavery, bondage.
esclavagisme *m* proslavery.
esclave *mf* slave.
escompte *m* discount.
escompter *vt* to discount.
escorte *f* escort; retinue.
escorter *vt* to escort.
escrime *f* fencing.
escrimeur *m* **-euse** *f* fencer.
escroc *m* crook, con man.
escroquer *vt* to swindle, con.
ésotérique *adj* esoteric.
espace *m* space, interval.
espacement *m* spacing, interval.
espacer *vt* to space out.
espadon *m* swordfish.
espadrille *f* espadrille, rope-soled sandal.
espèce *f* sort, kind; species.
espérance *f* hope, expectation.
espérer *vt* to hope.
espion *m* **-ne** *f* spy.
espionnage *m* espionage, spying.

espionner *vt* to spy.
esplanade *f* esplanade.
espoir *m* hope.
esprit *m* mind, intellect; spirit; wit.
esquimau *m* **-de** *f* Eskimo.
esquisse *f* sketch, outline.
esquisser *vt* to sketch, outline.
esquiver *vt* to dodge; to shirk.
essai *m* test, trial; attempt; essay.
essaim *m* swarm.
essayage *m* fitting, trying on.
essayer *vt* to test, try, try on.
essence *f* petrol; essential oil.
essentiel *adj* essential, basic; **-lement** *adv* essentially, basically.
essieu *m* axle.
essorage *m* wringing, mangling.
essorer *vt* to wring, mangle.
essouffler *vt* to wind; **s'~** *vr* to get out of breath.
essuyer *vt* to wipe, mop; **s'~** *vr* to wipe oneself.
est *m* east.
esthète *mf* aesthete.
esthéticien *m* **-ne** *f* beautician.
esthétique *adj* aesthetic; **~ment** *adv* aesthetically; * *f* aesthetics.
estimation *f* valuation; estimation, reckoning.
estime *f* esteem, respect, regard.
estimer *vt* to value, assess, estimate.
estival *adj* summer; summery.
estivant *m* **-e** *f* holidaymaker, summer visitor.
estomac *m* stomach.
estomper *vt* to blur, dim; **s'~** *vr* to become blurred.
estrade *f* platform, rostrum.
estragon *m* tarragon.
et *conj* and.
étable *f* cowshed.
établi *adj* established; * *m* workbench.
établir *vt* to establish, set up; **s'~** *vr* to settle; to set oneself up as; to become established.

établissement *m* establishing, building; establishment.

étage *m* floor, storey; stage, level.

étagère *f* shelf.

étalage *m* display, display window; stall.

étalagiste *mf* window dresser.

étaler *vt* to spread, strew; to stagger; to display.

étalon *m* stallion.

étanche *adj* waterproof.

étanchéité *f* waterproofness.

étang *m* pond.

étape *f* stage, leg; staging point.

état *m* state, condition; statement.

étatique *adj* under state control.

étatiser *vt* to bring under state control, nationalise.

état-major *m* (*mil*) staff; staff headquarters.

étau *m* vice.

étayer *vt* to prop up, support.

été *m* summer.

éteindre *vt* to put out, extinguish; **s'~** *vr* to go out; to die; to evaporate.

éteint *adj* faded; extinct.

étendard *m* standard, flag.

étendre *vt* to spread, extend; to floor; **s'~** *vr* to spread; to stretch out; to increase.

étendu *adj* extensive, sprawling, wide.

étendue *f* expanse, area; duration.

éternel *adj* eternal, everlasting; **~lement** *adv* eternally.

éterniser *vt* to draw out; to immortalise; **s'~** *vr* to drag on, linger on.

éternité *f* eternity; ages.

éternuer *vi* to sneeze.

éthane *m* ethane.

éther *m* ether.

ethnie *f* ethnic unit.

ethnique *adj* ethnic.

ethnologie *f* ethnology.

ethnologue *mf* ethnologist.

étincelant *adj* sparkling; gleaming.

étinceler *vi* to sparkle, gleam.

étincelle *f* spark; gleam, glimmer.

étiqueter *vt* to label, mark.

étiquette *f* label, tag; etiquette.

étirement *m* stretching.

étirer *vt* to stretch, draw out; **s'~** *vr* to stretch out.

étoffe *f* material, fabric; stuff.

étoile *f* star.

étoilé *adj* starry.

étonnant *adj* astonishing, surprising.

étonné *adj* astonished, surprised.

étonnement *m* surprise, astonishment.

étonner *vt* to astonish, surprise; **s'~** *vr* to be astonished.

étouffant *adj* stifling.

étouffer *vt* to suffocate; to muffle; **s'~** *vr* to be suffocated, to swelter.

étourderie *f* absentmindedness.

étourdi *adj* absentminded; **~ment** *adv* absentmindedly.

étourdir *vt* to stun, daze; to deafen.

étourdissant *adj* deafening; stunning.

étourdissement *m* blackout, dizzy spell; surprise.

étourneau *m* starling.

étrange *adj* strange, funny; **~ment** *adv* strangely, oddly.

étranger *m* **-ère** *f* foreigner, stranger, alien; * *adj* foreign, strange, unknown.

étrangeté *f* strangeness, oddness.

étranglement *m* strangulation; bottleneck.

étrangler *vt* to strangle, stifle; **s'~** *vr* to strangle oneself, choke.

être *vi* to be; **c'est-à-dire** namely, that is to say; * *m* being, person, soul.

étreindre *vt* to embrace, hug; to seize.

étreinte *f* embrace; stranglehold.

étrier *m* stirrup.

étroit *adj* narrow; strict; **~ement** *adv* closely; strictly.

étude *f* study; survey; office.

étudier *vt* to study, examine.

étui *m* case; holster.

étymologie *f* etymology.

étymologique *adj* etymological.

eu = *p.p.* **avoir** had.

eucalyptus *m* eucalyptus.

eucharistie *f* eucharist.

euphémisme *m* euphemism.

euphorie *f* euphoria.

euphorique *adj* euphoric.

européen *m* **-ne** *f* European; * *adj* European.

euthanasie *f* euthanasia.

eux *pn* they, them; **c'est à ~** it's up to them; it's theirs; **~-mêmes** themselves.

évacuation *f* evacuation; emptying.

évacuer *vt* to evacuate, clear.

évader (s') *vr* to escape.

évaluation *f* evaluation, appraisal.

évaluer *vt* to evaluate, appraise.

évangélique *adj* evangelical.

évangéliser *vt* to evangelise.

évangile *m* gospel.

évanouir (s') *vr* to faint, pass out.

évanouissement *m* faint, blackout.

évaporation *f* evaporation.

évaporer (s') *vr* to evaporate.

évasif *adj* evasive.

évasion *f* escape; escapism.

évasivement *adv* evasively.

évêché *m* bishopric.

éveil *m* awakening; dawning.

éveiller *vt* to waken, arouse; **s'~** *vr* to wake up.

événement *m* event, incident.

éventail *m* fan; range.

éventaire *m* tray; stall.

éventualité *f* eventuality, possibility.

éventuel *adj* possible; **~lement** *adv* possibly.

évêque *m* bishop.

évertuer (s') *vr* to strive to.

évidemment *adv* obviously, evidently.

évidence *f* evidence, proof.

évident *adj* obvious, evident.

évier *m* sink.

évincer *vt* to oust; to evict.

éviter *vt* to avoid; to spare.

évocation *f* evocation, recall.

évolué *adj* developed, advanced; enlightened.

évoluer *vi* to evolve, develop.

évolution *f* evolution, development.

évoquer *vt* to evoke, recall.

exacerber *vt* to exacerbate, aggravate.

exact *adj* exact, accurate; **~ement** *adv* exactly.

exactitude *f* exactness, accuracy.

exagération *f* exaggeration.

exagéré *adj* exaggerated, excessive; **~ment** *adv* exaggeratedly.

exagérer *vt* to exaggerate.

exaltation *f* elation; extolling, praising.

exalter *vt* to exalt, glorify; to elate.

examen *m* examination, survey, investigation.

examinateur *m* **-trice** *f* examiner.

examiner *vt* to examine, survey.

exaspération *f* exasperation.

exaspérer *vt* to exasperate.

exaucer *vt* to fulfil, grant.

excédent *m* surplus, excess.

excédentaire *adj* surplus, excess.

excellent *adj* excellent.

exceller *vi* to excel.

excentricité *f* eccentricity.

excentrique *adj* eccentric; **~ment** *adv* eccentrically.

excepté *adj* apart, aside; * *prép* except, but for.

exception *f* exception.

exceptionnel *adj* exceptional; **~lement** *adv* exceptionally.

excès *m* excess, surplus.

excessivement *adv* excessively.
excitant *m* stimulant; * *adj* exciting, stimulating.
excitation *f* excitation, stimulation; incitement.
exciter *vt* to excite, stimulate; **s'~** *vr* to get excited.
exclamation *f* exclamation.
exclamer (s') *vr* to exclaim.
exclu *adj* excluded, outcast.
exclure *vt* to exclude, oust, expel.
exclusif *adj* exclusive.
exclusion *f* exclusion, suspension.
exclusivement *adv* exclusively.
exclusivité *f* exclusive rights.
excrément *m* excrement.
excroissance *f* (*med*) excrescence, outgrowth.
excursion *f* excursion, trip.
excursionniste *mf* tripper; walker.
excuse *f* excuse, pretext.
excuser *vt* to excuse, forgive; **s'~** *vr* to apologise for.
exécrable *adj* execrable, atrocious; **~ment** *adv* atrociously, execrably.
exécration *f* execration, loathing.
exécrer *vt* to execrate, loathe.
exécuter *vt* to execute, carry out, perform; to produce.
exécution *f* execution, carrying out, performance.
exemplaire *m* copy, archetype; * *adj* model, exemplary; **~ment** *adv* exemplarily.
exemple *m* example, model, instance.
exempt *adj* exempt, free from.
exercer *vt* to exercise, perform, fulfil; **s'~** *vr* to practise.
exercice *m* exercise, practice, use; financial year.
exhaustif *adj* exhaustive.
exhaustivement *adv* exhaustively.
exhiber *vt* to exhibit, show; to produce; **s'~** *vr* to show off; to expose oneself.

exhibition *f* exhibition, show; display.
exhibitionniste *mf* exhibitionist.
exhortation *f* exhortation.
exhorter *vt* to exhort, urge.
exigeant *adj* demanding, exacting.
exigence *f* demand, requirement; exigency.
exiger *vt* to demand, require.
exigu *adj*, *f* **exiguë** scanty, exiguous.
exiguïté *f* exiguity, scantiness.
exil *m* exile.
exilé *m* **-e** *f* exile;* *adj* exiled.
exiler *vt* to exile, banish; **s'~** *vr* to go into exile.
existant *adj* existing.
existence *f* existence, life.
exister *vi* to exist; to be.
exode *m* exodus; drift, loss.
exonération *f* exemption.
exonérer *vt* to exempt.
exorbitant *adj* exorbitant, outrageous.
exorciser *vt* to exorcise.
exotique *adj* exotic.
exotisme *m* exoticism.
expansif *adj* expansive, outgoing.
expansion *f* expansion, development.
expatrié *m* **-e** *f* expatriate; * *adj* expatriate.
expatrier *vt* to expatriate; **s'~** *vr* to expatriate oneself.
expectative *f* expectation, hope; **être dans l'~** to be waiting (to see, to hear).
expédier *vt* to send, dispatch; to dispose of.
expéditeur *m* **-trice** *f* sender; shipper, consignor.
expéditif *adj* quick, expeditious.
expédition *f* dispatch; consignment.
expérience *f* experience; experiment.
expérimental *adj* experimental; **~ement** *adv* experimentally.

expérimentateur *m* **-trice** *f* experimenter.

expérimentation *f* experimentation.

expérimenté *adj* experienced.

expérimenter *vt* to test; to experiment with.

expert *adj* expert, skilled in; * *m* expert; connoisseur; assessor.

expertise *f* expertise; expert appraisal.

expiation *f* expiation, atonement.

expier *vi* to expiate, atone for.

expiration *f* expiry; expiration, exhalation.

expirer *vi* to breathe out, expire.

explicatif *adj* explanatory.

explication *f* explanation, analysis.

explicite *adj* explicit **~ment** *adv* explicitly.

expliquer *vt* to explain, account for; to analyse.

exploitant *m* **-e** *f* farmer, smallholder.

exploitation *f* working; exploitation; operating; concern; smallholding.

exploiter *vt* to work, exploit; run, operate.

explorateur *m* **-trice** *f* explorer.

exploration *f* exploration.

explorer *vt* to explore.

exploser *vi* to explode.

explosif *adj* explosive; * *m* explosive.

explosion *f* explosion.

exportateur *m* **-trice** *f* exporter.

exportation *f* export, exportation.

exporter *vt* to export.

exposé *m* exposition, overview, statement.

exposer *vt* to display; to explain, state; to expose; **s'~** *vr* to expose oneself to, run the risk of.

exposition *f* display; exposition; exposure.

exprès *adj* express.

express *adj* fast; * *m* fast train.

expressif *adj* expressive.

expression *f* expression.

expressionnisme *m* expressionism.

expressionniste *mf* expressionist; * *adj* expressionist, expressionistic.

exprimer *vt* to express, voice; **s'~** *vr* to express oneself.

expropriation *f* expropriation.

expulser *vt* to expel; to evict.

expulsion *f* expulsion; eviction.

exquis *adj* exquisite; **~ément** *adv* exquisitely.

extase *f* ecstasy; rapture.

extasier (s') *vr* to go into ecstasies.

extensible *adj* extensible, extendable.

extension *f* extension; stretching; expansion.

exténuant *adj* exhausting.

exténuer *vt* to exhaust; **s'~** *vr* to exhaust oneself.

extérieur *m* exterior, outside; * *adj* outer, external, exterior; **~ement** *adv* externally, outwardly.

extérioriser *vt* to show, express; to exteriorise.

extermination *f* extermination.

exterminer *vt* exterminate.

externe *adj* external, outer.

extincteur *m* extinguisher.

extinction *f* extinction, extinguishing.

extraction *f* extraction; mining.

extradition *f* extradition.

extraire *vt* to extract; to mine.

extrait *m* extract; (*jur*) abstract.

extraordinaire *adj* extraordinary; **~ment** *adv* extraordinarily.

extraterrestre *mf* extraterrestrial; * *adj* extraterrestrial.

extravagant *adj* extravagant, wild.

extraverti *m* **-e** *f* extrovert; * *adj* extrovert.

extrême *adj* extreme; **~ment** *adv* extremely.

extrémiste *mf, adj* extremist.
extrémité *f* end, extremity, limit.

exubérance *f* exuberance.
exubérant *adj* exuberant.
exulter *vi* to exult.

F

fable *f* fable, story, tale.
fabricant *m* **-e** *f* manufacturer, maker.
fabrication *f* manufacture, production.
fabrique *f* factory.
fabriquer *vt* to manufacture; to forge; to fabricate.
fabuleux *adj* fabulous, mythical, legendary.
façade *f* façade, front.
face *f* face, side, surface, aspect; **en ~** opposite, over the road; **~ à** facing; **faire ~ à** to confront, face up to; **de ~** fullface, frontal; **~ à ~** face to face.
face à face *m* encounter, interview.
facette *f* facet.
fâché *adj* angry; sorry.
fâcher *vt* to anger, make angry; to grieve; **se ~** *vr* to get angry.
fâcheux *adj* deplorable, regrettable.
facile *adj* easy; facile; **~ment** *adv* easily.
facilité *f* easiness, ease; ability; facility.
faciliter *vt* to make easier, facilitate.
façon *f* way, fashion; make; imitation; **de toute ~** at any rate; **non merci, sans ~** no thanks, honestly; **de ~ à** so that, so as to.
façonner *vt* to shape, fashion, model; to till.
fac-similé *m* facsimile.
facteur *m* postman.
factice *adj* artificial, imitation.
faction *f* faction; sentry-duty.

facturation *f* invoicing.
facture *f* bill, invoice; construction, technique.
facturer *vt* to invoice, charge for.
facultatif *adj* optional.
faculté *f* faculty; power, ability; right.
fade *adj* insipid, bland, dull.
fagot *m* faggot, bundle of firewood.
faible *adj* weak, feeble; slight, poor; **~ment** *adv* weakly, faintly, feebly.
faiblesse *f* weakness, feebleness, faintness.
faiblir *vi* to fail, flag, weaken; to wane.
faïence *f* earthenware, crockery.
faille *f* fault; flaw; weakness.
faillir *vi*: to come close to; to fail **j'ai failli tomber** I almost fell.
faillite *f* bankruptcy; collapse.
faim *f* hunger; appetite; famine.
fainéant *m* **-e** *f* idler, loafer.
faire *vt* to do; to make; **rien à ~!** nothing doing!; **se ~ à** to get used to; **s'en ~** to worry.
faire-part *m* announcement (birth, marriage, death).
faisable *adj* feasible.
faisan *m* pheasant.
faisceau *m* bundle, stack; beam.
fait *m* event; fact; act.
faîte *m* summit; rooftop.
falaise *f* cliff.
falloir *vi*: to be necessary; **il faut, que tu partes** you must leave.
falsifier *vt* to falsify, alter.
famélique *adj* starving, scrawny.
fameux *adj* famous; excellent.
familial *adj* family, domestic.

familiariser *vt* to familiarise; **se ~** *vr* to familiarise o.s.

familiarité *f* familiarity.

familier *adj* familiar; colloquial; informal.

familièrement *adv* familiarly, informally.

famille *f* family.

famine *f* famine.

fanatique *adj* fanatic; **~ment** *adv* fanatically; * *mf* fanatic; zealot.

fanatisme *m* fanaticism.

fané *adj* faded, withered.

faner *vt* to turn (hay); to fade; **se ~** *vr* to wither, fade.

fanfare *f* fanfare, flourish; brass band.

fantaisie *f* whim, extravagance; imagination.

fantasme *m* fantasy.

fantasmer *vi* to fantasise.

fantastique *adj* fantastic; **~ment** *adv* fantastically; eerily.

fantôme *m* ghost, phantom.

faon *m* fawn.

farce *f* joke, prank; farce.

farceur *m* **-euse** *f* joker; clown.

farci *adj* stuffed, crammed, packed.

farcir *vt* to stuff, cram.

fard *m* make-up.

fardeau *m* load, burden.

farder *vt* to make up; to disguise; **se ~** *vr* to make o.s. up.

farine *f* flour.

farineux *adj* floury, powdery; * *m* starchy food.

farouche *adj* shy, timid; unsociable; fierce; **~ment** *adv* fiercely.

fascicule *m* booklet, fascicule, part, instalment.

fascinant *adj* fascinating.

fascination *f* fascination.

fasciner *vt* to fascinate, bewitch.

fascisme *m* fascism.

fasciste *mf*, *adj* fascist.

faste *m* pomp, ostentation.

fastidieux *adj* tedious, boring.

fastueux *adj* sumptuous, luxurious.

fatal *adj* fatal, deadly; fateful; **~ement** *adv* inevitably, unavoidably.

fataliste *mf* fatalist; * *adj* fatalistic.

fatalité *f* fatality; inevitability.

fatidique *adj* fateful; fatal.

fatigant *adj* tiring, fatiguing.

fatigue *f* fatigue, tiredness.

fatigué *adj* tired, weary; overworked, strained.

fatiguer *vt* to tire; to overwork, strain; **se ~** *vr* to get tired.

faubourg *m* suburb.

faucher *vt* to reap; to flatten, knock down.

faucille *f* sickle.

faucon *m* falcon, hawk.

faufiler *vt* to tack; to insinuate, introduce; **se ~** *vr* to worm one's way in.

faune *f* wildlife, fauna.

faussaire *mf* forger.

faussement *adv* wrongly; falsely.

fausser *vt* to distort, alter; to warp.

fausseté *f* falseness; deceitfulness.

faute *f* mistake, foul, fault; **~ de mieux** for lack of anything better.

fauteuil *m* armchair.

fautif *m* **-ive** *f* culprit, guilty party; * *adj* at fault, guilty; faulty, incorrect.

fauve *m* wild animal; fawn (colour).

faux *adj* false, forged, fake; wrong; bogus.

faux-filet *m* sirloin.

faux-fuyant *m* evasion, equivocation.

faux-semblant *m* sham, pretence.

faveur *f* favour.

favorable *adj* favourable, sympathetic; **~ment** *adv* favourably.

favori *m* **-te** *f* favourite; * *adj* favourite.

favoriser *vt* to favour, further.

fébrile *adj* feverish, febrile; **~ment** *adv* feverishly.

fébrilité *f* feverishness.

fécond *adj* fertile; prolific, fruitful; creative.

fécondation *f* impregnation, fertilisation.

féconder *vt* to impregnate; to fertilise, pollinate.

fécondité *f* fertility, fecundity.

fécule *f* starch.

féculent *adj* starchy; * *m* starchy food.

fédéral *adj* federal.

fédération *f* federation.

fée *f* fairy.

féerique *adj* magical, fairy.

feindre *vt* to feign, pretend.

feinte *f* dummy, feint.

fêlé *adj* cracked, hare-brained.

félicitation *f* congratulation.

féliciter *vt* to congratulate.

félin *adj* feline; * *m* feline.

femelle *f* female.

féminin *adj* feminine, female.

féminisme *m* feminism.

féministe *mf* feminist; * *adj* feminist.

féminité *f* femininity.

femme *f* woman; wife; ~ **de ménage** cleaning woman; ~ **de chambre** chambermaid.

fémur *m* femur.

fendiller *vt* to chink, crack, craze; **se** ~ *vr* to be covered in small cracks.

fendre *vt* to split, cleave, crack; **se** ~ *vr* to crack.

fenêtre *f* window.

fenouil *m* fennel.

fente *f* crack, fissure; slot.

féodal *adj* feudal.

fer *m* iron, point, blade; ~ **à cheval** horseshoe.

férié *adj* public holiday.

ferme *adj* firm, steady; definite; ~**ment** *adv* firmly; * *f* farm.

fermé *adj* closed; exclusive; inscrutable.

ferment *m* ferment, leaven.

fermentation *f* fermentation, fermenting.

fermenter *vi* to ferment, work.

fermer *vt* to close; block; turn off; **se** ~ *vr* to close, shut up; to close one's mind to.

fermeté *f* firmness, steadiness.

fermeture *f* closing, shutting; latch; fastener.

fermier *m* **-ière** *f* farmer.

féroce *adj* ferocious, savage; ~**ment** *adv* ferociously, savagely.

férocité *f* ferocity, fierceness.

ferraille *f* scrap iron.

ferronnerie *f* ironworks; ironwork.

ferroviaire *adj* railway.

fertile *adj* fertile, productive.

fertilisation *f* fertilisation.

fertiliser *vt* to fertilise.

fertilité *f* fertility.

fervent *adj* fervent, ardent.

ferveur *f* fervour, ardour.

fesse *f* buttock.

festin *m* feast.

festival *m* festival.

fête *f* feast, holiday.

fêter *vt* to celebrate, fête.

fétichisme *m* fetishism.

fétichiste *mf*; * *adj* fetishist.

fétide *adj* fetid.

feu *m* fire; light; hearth; **en** ~ on fire.

feuillage *m* foliage, greenery.

feuille *f* leaf.

feuillet *m* leaf, page, layer.

feuilleté *adj* foliated; laminated.

feuilleter *vt* to leaf through.

feuilleton *m* serial, series.

feutre *m* felt; felt hat.

fève *f* broad bean.

fiabilité *f* accuracy; dependability.

fiable *adj* reliable; dependable.

fiançailles *fpl* engagement, betrothal.

fiancer (se) *vr* to become engaged.

fiasco *m* fiasco.

fibre *f* fibre.

fibreux *adj* fibrous, stringy.

fibrome *m* fibroid, fibroma.

ficeler *vt* to tie up.

ficelle *f* string; stick (bread).

fiche *f* card; sheet; certificate.

ficher *vt* to file, put on file.

fichier *m* catalogue; file.

fictif *adj* fictitious; imaginary.

fiction *f* imagination, fiction.

fidèle *adj* faithful, loyal; ~**ment** *adv* faithfully; * *mf* believer.

fidélité *f* fidelity, loyalty.

fief *m* fief; stronghold, preserve.

fier (se) *vr* to trust, rely on.

fier *adj* proud, haughty; noble.

fièrement *adv* proudly.

fierté *f* pride; arrogance.

fièvre *f* fever, temperature; excitement.

fiévreux *adj* feverish.

figer *vt* to congeal, freeze; to clot; **se ~** *vr* to congeal, freeze; to clot.

figue *f* fig.

figuier *m* fig tree.

figurant *m* -**e** *f* extra, walk-on; stooge.

figuratif *adj* figurative, representational.

figure *f* face; figure; illustration, diagram.

figuré *adj* figurative, metaphorical, diagrammatic; * *m*: **au ~** in the figurative sense.

figurer *vt* to represent; * *vi* to appear, feature; **se ~** *vr* to imagine.

figurine *f* figurine.

fil *m* thread; wire; cord; **~ de fer** wire; **~ à plomb** plumb line; **au ~ des jours** with the passing days.

filament *m* filament, strand, thread.

filature *f* spinning; mill; tailing.

file *f* line, queue; **à la ~** in line, in succession; **stationner en double ~** to double-park.

filer *vt* to spin; to tail; to draw out; * *vi* to run, trickle; to fly by; to make off.

filet *m* dribble, trickle; fillet; net.

filiation *f* filiation; relation.

filière *f* path; procedures; network.

fille *f* daughter, girl.

fillette *f* (small) girl.

filleul *m* -**e** *f* godson, godchild.

film *m* film, picture.

filmer *vt* to film.

filon *m* vein, seam.

fils *m* son.

filtre *m* filter.

filtrer *vt* to filter; to screen.

fin *f* end, finish; **prendre ~** to terminate, come to an end; * *adj* thin, fine; delicate; ~**ement** *adv* finely, delicately.

final *adj* final; ~**ement** *adv* finally.

finale *f* finale.

finance *f* finance.

financement *m* financing.

financer *vt* to finance.

financier *m* -**ière** *f* financier.

financièrement *adv* financially.

finesse *f* fineness; sharpness; neatness; delicacy.

fini *adj* finished, over, complete.

finir *vt* to finish, complete; * *vi* to finish, end; to die.

finition *f* finish, finishing.

fisc *m* tax department.

fiscal *adj* fiscal, tax.

fissure *f* crack, fissure.

fixation *f* fixation; fixing, fastening.

fixe *adj* fixed, permanent, set; ~**ment** *adv* fixedly, steadily.

fixer *vt* to fix, fasten; to arrange; **se ~** *vr* to settle.

flacon *m* bottle, flask.

flageolant *adj* shaky.

flageolet *m* flageolet.

flagrant *adj* flagrant, blatant.

flair *m* sense of smell, nose; intuition.

flairer *vt* to smell, sniff; to scent.

flambeau *m* torch; candlestick.

flamboyant *adj* blazing; flamboyant.

flamboyer *vi* to blaze, flash, gleam.

flamme *f* flame; fervour; ardour.

flan *m* custard tart; mould.

flanc *m* flank, side.

flanelle *f* flannel.

flâner *vi* to stroll; to lounge about.

flasque *adj* flaccid; spineless.

flatter *vt* to flatter, gratify; to pander; to delight.

flatterie *f* flattery.

flatteur *m* **-euse** *f* flatterer.

fléau *m* scourge; plague.

flèche *f* arrow.

fléchir *vi* to bend, yield, weaken; * *vt* to bend, sway.

fléchissement *m* bending; flexing; bowing.

flegmatique *adj* phlegmatic.

flegme *m* composure, phlegm.

flétrir *vt* to wither, fade; to stigmatise; **se ~** *vr* to wither, wilt.

fleur *f* flower.

fleuri *adj* in bloom; flowery.

fleurir *vi* to blossom, flower; * *vt* to decorate with flowers.

fleuriste *mf* florist.

fleuve *m* river.

flexibilité *f* flexibility.

flexible *adj* flexible, pliant.

flic *m* (*fam*) cop, policeman.

flocon *m* fleck, flake.

floraison *f* flowering, blossoming.

floral *adj* floral, flower.

flore *f* flora.

florissant *adj* flourishing, blooming.

flot *m* stream, flood; floodtide; wave.

flotte *f* fleet; (*col*) rain.

flottement *m* wavering; vagueness, imprecision.

flotter *vi* to float; to drift; to wander; to waver.

flotteur *m* float.

flou *adj* blurred, hazy.

fluctuant *adj* fluctuating.

fluctuation *f* fluctuation.

fluide *adj* fluid, flowing.

fluidité *f* fluidity.

fluor *m* fluorine.

fluorescent *adj* fluorescent.

fluorure *m* fluoride.

flûte *f* flute; French stick (bread).

flûtiste *mf* flautist.

flux *m* flood; flow; flux.

focaliser *vt* to focus; **se ~** *vr* to be focused on.

foetus *m* foetus.

foi *f* faith, trust.

foie *m* liver.

foin *m* hay.

foire *f* fair, trade fair.

fois *f* time, occasion.

folie *f* madness, insanity; extravagance.

folklore *m* folklore.

folklorique *adj* folk.

follement *adv* madly, wildly.

foncé *adj* dark, deep (colours).

foncer *vi* to hammer along, rush at; * *vt* to make darker; (*tec*) to sink, bore.

foncier *adj* land, landed, property.

foncièrement *adv* fundamentally, basically.

fonction *f* post, duty; function.

fonctionnaire *mf* civil servant.

fonctionnement *m* working, functioning, operation.

fonctionner *vi* to work, function, operate.

fond *m* bottom, back; **au ~** basically, in fact; **à ~** thoroughly, in depth; **dans le ~** in reality, basically; **~ de teint** foundation.

fondamental *adj* fundamental, basic; **~ement** *adv* fundamentally.

fondamentalisme *m* fundamentalism.

fondamentaliste *mf*; * *adj* fundamentalist.

fondant *adj* thawing, melting.

fondateur *m* **-trice** *f* founder.

fondation *f* foundation.

fondement *m* foundation; ground.

fonder *vt* to found; to base.

fondre *vi* to melt; to vanish; to slim; * *vt* to melt; to cast; to merge.

fonds *m* business; fund; money; stock.

fondu *adj* melted; molten; cast.

fontaine *f* fountain, spring.

fonte *f* melting; casting; smelting.

football *m* football, soccer.

forage *m* drilling, boring.

forain *m* -e *f* stallholder; fairground entertainer; * *adj* fairground.

force *f* strength, force, violence, energy; **à ~ de** by dint of.

forcé *adj* forced; emergency; ~ment *adv* inevitably.

forcené *adj* deranged, frenzied.

forcer *vt* to force, compel; track down; * *vi* to overdo, strain; **se ~ vr** to force o.s. to.

forestier *adj* forest; forestry.

forêt *f* forest.

forfait *m* set price, package; (*sport*) withdrawal.

forfaitaire *adj* fixed, set, inclusive.

forge *f* forge, smithy.

forger *vt* to forge, form, mould.

forgeron *m* blacksmith, smith.

formaliser (se) *vr* to take offence at.

formalité *f* formality.

format *m* format, size.

formation *f* formation; training.

forme *f* form, shape; mould, fitness; **être en ~** to be on form; **en ~ de** forming.

formel *adj* definite, positive; formal; ~lement *adv* positively, definitely; formally.

former *vt* to form, make up; to train; **se ~ vr** to form, gather; to train o.s.

formidable *adj* tremendous; fantastic; ~ment *adv* tremendously, fantastically.

formulaire *m* form.

formule *f* formula; phrase; system.

formuler *vt* to formulate; express.

fort *adj* strong; high; loud; pronounced; ~ement *adv* strongly; highly; very much; * *adv* loudly; greatly; most; * *m* fort; strong point; (*mus*) forte.

forteresse *f* fortress.

fortifiant *m* tonic; * *adj* fortifying; invigorating.

fortification *f* fortification.

fortifier *vt* to fortify, strengthen; **se ~ vr** to grow stronger.

fortuit *adj* fortuitous, chance; ~ement *adv* fortuitously.

fortune *f* fortune, luck.

fortuné *adj* wealthy; fortunate.

fosse *f* pit; grave.

fossé *m* ditch; gulf.

fossette *f* dimple.

fossile *m* fossil.

fou *adj*, *f* **folle** mad, wild; tremendous; erratic.

foudre *f* lightning, thunderbolt.

foudroyant *adj* lightning; thundering; violent.

foudroyer *vt* to strike (lightning).

fouet *m* whip; whisk.

fouetter *vt* to whip, flog.

fougère *f* fern.

fougue *f* ardour, spirit.

fougueux *adj* fiery, ardent.

fouille *f* frisking; excavations.

fouiller *vt* to search, scour.

foulard *m* scarf.

foule *f* crowd; masses, heaps.

four *m* oven; furnace; fiasco.

fourbe *adj* deceitful, two-faced.

fourbu *adj* exhausted.

fourche *f* pitchfork; crotch.

fourchette *f* fork.

fourchu *adj* forked; cloven.

fourgon *m* coach, wagon, van.

fourmi *f* ant.

fourmilière *f* anthill.

fourmillement *m* swarming, milling.

fourmiller *vi* to swarm, teem.

fourneau *m* stove.

fournir *vt* to supply, provide.

fournisseur *m* -euse *f* purveyor, supplier.

fourniture *f* supplying, provision.

fourrage *m* fodder, forage.

fourré *adj* filled; fur-lined; * *m* thicket.

fourrer *vt* to stuff; to line.

fourrière *f* pound (car).

fourrure *f* coat, fur.

foutu *adj* bloody, damned; lousy.

foyer *m* home; fireplace; club; focus.

fracas *m* crash; roar, din.

fraction *f* fraction, part.

fractionnement *m* splitting up, division.

fracture *f* fracture.

fracturer *vt* to fracture, break open.

fragile *adj* fragile, delicate.

fragilité *f* fragility, flimsiness.

fragment *m* fragment.

fragmentation *f* fragmentation; splitting up.

fragmenter *vt* to break up, fragment; **se ~** *vr* to fragment, break up.

fraîcheur *f* freshness, coolness.

frais *mpl* expenses; * *adj*, *f* **fraîche** fresh, cool.

fraise *f* strawberry.

framboise *f* raspberry.

franc *adj*, *f* **franche** frank, open; clear; absolute.

Français *m* Frenchman, **-e** *f* Frenchwoman.

français *adj* French; * *m* French.

France *f* France.

franchement *adv* frankly, openly; boldly; clearly.

franchir *vt* to clear, get over, cross.

franchise *f* frankness, openness; exemption; franchise.

francophone *mf* French-speaker, *adj* French-speaking.

francophonie *f* French-speaking communities.

frange *f* fringe; threshold.

frappant *adj* striking.

frapper *vt* to hit; to strike down; to infringe; * *vi* to strike, knock.

fraternel *adj* fraternal; **~lement** *adv* fraternally.

fraterniser *vi* to fraternise.

fraternité *f* fraternity.

fraude *f* fraud, cheating.

frauduleux *adj* fraudulent.

frayeur *f* fright.

frein *m* brake; check.

freinage *m* braking; slowing down.

freiner *vi* to brake, slow down; * *vt* to slow down; to curb, check.

frêle *adj* flimsy, fragile.

frémir *vi* to quiver, tremble.

frémissant *adj* quivering, trembling.

frémissement *m* shudder, quiver.

frénétique *adj* frenetic; **~ment** *adv* frenetically.

fréquemment *adv* frequently.

fréquence *f* frequency.

fréquent *adj* frequent.

frère *m* brother.

fresque *f* fresco.

friand *adj* partial to, fond of.

friandise *f* delicacy, sweetmeat.

fric *m* (*fam*) cash, lolly.

friction *f* friction.

frigidaire *m* refrigerator.

frigide *adj* frigid.

frileux *adj* susceptible to cold; chilly.

frire *vt* to fry.

frisé *adj* curly, curly-haired.

friser *vi* to curl, be curly; * *vt* to curl; to graze, skim.

frisson *m* shiver, shudder.

frissonnant *adj* shivering, shuddering.

frissonnement *m* shuddering, shivering.

frissonner *vi* to shudder, tremble, shiver.

frite *f* chip.

friteuse *f* chip pan.

friture *f* frying; frying fat.

frivole *adj* frivolous, shallow.

frivolité *f* frivolity.

froid *adj* cold, cool; **~ement** *adv* coldly, coolly; * *m* cold; coolness; refrigeration.

froideur *f* coldness, chilliness.

froissement *m* creasing; rustling, rustle.

froisser *vt* to crease; to offend; **se ~ vr** to crease; to take offence.

frôler *vt* to brush against; to verge on.

fromage *m* cheese.

front *m* forehead; face; front.

frontal *adj* frontal.

frontalier *adj* border, frontier.

frontière *f* border, frontier.

frottement *m* rubbing, scraping.

frotter *vt* to rub, scrape.

fructifier *vi* to bear fruit.

fructueux *adj* fruitful, profitable.

frugal *adj* frugal; **~ement** *adv* frugally.

frugalité *f* frugality.

fruit *m* fruit, result.

fruité *adj* fruity.

frustration *f* frustration.

frustrer *vt* to frustrate, deprive.

fugace *adj* fleeting, transient.

fugitif *m* **-ive** *f* fugitive; * *adj* fugitive, runaway.

fugue *f* running away.

fuir *vi* to avoid; to flee; to leak.

fuite *f* flight, escape; leak.

fulgurant *adj* lightning; dazzling.

fumant *adj* smoking, fuming.

fumé *adj* smoked.

fumée *f* smoke; vapour.

fumer *vi* to smoke, steam, give off smoke; * *vt* to smoke.

fumet *m* aroma.

fumeur *m* **-euse** *f* smoker.

fumier *m* dung, manure.

funèbre *adj* funeral; funerary.

funérailles *fpl* funeral.

funéraire *adj* funeral, funerary.

funeste *adj* disastrous; harmful.

fureur *f* fury; violence.

furie *f* fury, rage.

furieusement *adv* furiously.

furieux *adj* furious, violent.

furtif *adj* furtive; stealthy.

furtivement *adj* furtively.

fusée *f* rocket, missile.

fusible *m* fuse.

fusil *m* rifle, gun.

fusillade *f* fusillade; gunfire; shoot-out.

fusiller *vt* to shoot.

fusion *f* fusion; melting; merger; blending.

fusionner *vt* to merge, combine.

fût *m* trunk; shaft; barrel.

futé *adj* crafty, cunning.

futile *adj* futile; **~ment** *adv* futilely.

futilité *f* futility.

futur *adj* future; * *m* intended, fiancé; future.

fuyant *adj* fleeting; evasive.

fuyard *m* **-e** *f*; * *adj* runaway.

G

gabarit *m* size, build; calibre.

gâcher *vt* to mix; to waste.

gachette *f* trigger.

gâchis *m* mess.

gadget *m* gadget; gimmick.

gaffe *f* blunder; boat hook.

gage *m* security; pledge; proof.

gagnant *m* **-e** *f* winner; * *adj* winning.

gagner *vt* to earn, to win, beat; to gain; * *vi* to win; to spread.

gai *adj* cheerful, happy, gay; **~ement** *adv* cheerfully, happily.

gaieté *f* cheerfulness, gaiety.

gain *m* earnings; gain, profit, benefit; saving.

gaine *f* girdle; sheath.

gala *m* official reception; gala.

galamment *adv* courteously, gallantly.

galant *adj* gallant, courteous.

galanterie *f* gallantry.

galaxie *f* galaxy.
galère *f* galley.
galerie *f* gallery; tunnel.
galet *m* pebble.
galette *f* pancake.
Gallois *m* Welshman, **-e** *f* Welsh-
   woman.
gallois *adj* Welsh; * *m* Welsh (language).
galon *m* braid; stripe.
galop *m* gallop; canter.
galoper *vi* to gallop; to run wild.
galvaniser *vt* to galvanise.
gamba *f* large prawn.
gamin *m* **-e** *f* kid, street urchin.
gaminerie *f* playfulness; childishness.
gamme *f* range; scale.
ganglion *m* ganglion.
gangrène *f* gangrene.
gant *m* glove.
garage *m* garage.
garagiste *mf* garage owner.
garant *m* **-e** *f* (*jur*) guarantor.
garantie *f* guarantee, surety.
garantir *vt* to guarantee, secure.
garçon *m* boy; assistant; waiter.
garde *f* custody; guard; surveillance; * *m* guard, warder.
garde-à-vous *m* standing to attention.
garde-boue *m* mudguard.
garde-chasse *m* gamekeeper.
garde-fou *m* railing, parapet;
   safeguard.
garder *vt* t look after; to stay in;
   to keep on.
garderie *f* day nursery.
garde-robe *f* wardrobe.
gardien *m* **-ne** *f* guard, guardian,
   warden; protector.
gare *f* rail station; (*mar*) basin;
   depot.
garer *vt* to park; to dock; **se** ~ *vr*
   to avoid, steer clear of.
gargariser (se) *vr* to gargle; to
   crow about.
gargarisme *m* gargle.
gargouillement *m* gurgling;
   rumbling.

gargouiller *vi* to gurgle; to rumble.
garnir *vt* to fit with; to trim, decorate.
garnison *f* (*mil*) garrison.
garniture *f* trimming, lining; garnish.
garrot *m* garrotte; (*med*) tourniquet.
gars *m* (*fam*) lad; bloke.
gaspillage *m* waste; squander-
   ing.
gaspiller *vt* to waste, squander.
gastrique *adj* gastric.
gastronome *m* gourmet, gastronome.
gastronomie *f* gastronomy.
gâté *adj* ruined; spoiled.
gâteau *m* cake.
gâter *vt* to ruin; to spoil; **se** ~ *vr*
   to go bad, go off.
gâteux *adj* senile; (*fam*) dodder-
   ing.
gauche *adj* left; awkward,
   clumsy; ~**ment** *adv* awkwardly;
   * *f* left; left wing.
gaucher *adj* left-handed.
gauchisant *m* **-e** *f* leftist; * *adj* of
   leftist tendencies.
gauchiste *mf*; * *adj* leftist.
gaufre *f* waffle.
gaver *vt* to force-feed, fill up; **se**
   ~ *vr* to stuff o.s.; to devour.
gaz *m invar* gas; fizz; wind.
gaze *f* gauze.
gazelle *f* gazelle.
gazeux *adj* gaseous; fizzy.
gazon *m* lawn; turf.
gazouiller *vi* to chirp, warble.
géant *m* giant, **-e** *f* giantess.
geindre *vi* to groan; to whine.
gel *m* frost; gel.
gélatine *f* gelatine.
gelé *adj* frozen; cold, unresponsive.
gelée *f* frost; jelly.
geler *vi* to freeze, be frozen; * *vt*
   to freeze, turn to ice; to suspend.
gélule *f* capsule.
Gémeaux *mpl* Gemini.
gémir *vi* to groan, moan.

gémissement *m* groan, moan; groaning.

gênant *adj* annoying; awkward.

gencive *f* gum.

gendarme *m* policeman; gendarme.

gendarmerie *f* police force, constabulary.

gendre *m* son-in-law.

gêne *f* discomfort; trouble; embarrassment; **être sans ~** to be inconsiderate.

généalogie *f* genealogy.

généalogique *adj* genealogical.

gêner *vt* to bother; to hinder; to make uneasy; **se ~** *vr* to get in each other's way.

général *adj* general, broad; common; **~ement** *adv* generally; * *m* general, **-e** *f* general's wife; (*thea*) dress rehearsal.

généralisation *f* generalisation.

généraliser *vt* to generalise; **se ~** *vr* to become widespread.

généraliste *m* general practitioner; * *adj* general-interest; non-specialised.

généralité *f* majority; general points.

générateur *m* generator.

génération *f* generation.

générer *vt* to generate

généreusement *adv* generously; nobly.

généreux *adj*, *f* **-euse** generous; noble; magnanimous.

générosité *f* generosity; nobility; magnanimity.

génétique *adj* genetic; **~ment** *adv* genetically.

génial *adj* inspired, of genius.

génie *m* genius; spirit; genie.

génital *adj* genital.

génocide *m* genocide.

genou *m* knee.

genre *m* kind, type; gender; genre.

gens *mpl* people, folk.

gentil *adj*, *f* **-le** kind; good; pleasant.

gentillesse *f* kindness; favour.

gentiment *adv* kindly; nicely.

géographe *mf* geographer.

géographie *f* geography.

géographique *adj* geographic.

géologie *f* geology.

géologue *mf* geologist.

géomètre *m* land surveyor.

géométrie *f* geometry.

géométrique *adj* geometric; **~ment** *adv* geometrically.

géranium *m* geranium.

gérant *m* **-e** *f* manager.

gerbe *f* sheaf, bundle; collection.

gercer *vt* to chap, crack; **se ~** *vr* to chap, crack.

gerçure *f* (small) crack.

gérer *vt* to manage, administer.

germe *m* germ; seed.

germer *vi* to sprout, germinate.

gérondif *m* gerundive; gerund.

gésier *m* gizzard.

gestation *f* gestation.

geste *m* gesture; act, deed.

gesticuler *vi* to gesticulate.

gestion *f* management, administration.

gestionnaire *adj* administrative, management.

ghetto *m* ghetto.

gibier *m* game; prey.

gicler *vi* to spurt, squirt.

gicleur *m* jet.

gifle *f* slap, smack.

gifler *vt* to slap, smack.

gigantesque *adj* gigantic, immense.

gigot *m* leg (mutton/lamb), haunch.

gilet *m* waistcoat.

gingembre *m* ginger.

girafe *f* giraffe.

giratoire *adj* gyrating, gyratory.

girouette *f* weather vane.

gisement *m* deposit; mine; pool.

gitan *m* **-e** *f* gipsy.

gîte *m* shelter; home.

givre *m* frost, rime.

givré *adj* covered in frost.

glace *f* ice; ice cream; mirror.

glacé *adj* icy; frozen; glazed; chilly.

glacer *vt* to freeze; to chill; to glaze.

glacial *adj* icy; freezing.

glacier *m* glacier; ice cream maker.

glacière *f* icebox.

glaçon *m* icicle; ice cube.

glaïeul *m* gladiola.

glaise *f* clay.

gland *m* acorn.

glande *f* gland.

glaner *vt* to glean.

glauque *adj* murky; shabby, run-down.

glissade *f* slide, skid.

glissant *adj* slippery.

glissement *m* sliding; gliding; downturn, downswing.

glisser *vi* to slide, slip, skid.

glissière *f* slide; runner.

global *adj* global, overall; **~ement** *adv* globally.

globe *m* globe, sphere; earth.

globulaire *adj* global; (*med*) corpuscular.

globule *m* globule; corpuscle.

globuleux *adj* globular; protruding.

gloire *f* glory; distinction; celebrity.

glorieux *adj* glorious.

glorifier *vt* to glory, honour; **se ~** *vr* to glory in; to boast.

glossaire *m* glossary.

glouton *m* **-ne** *f* glutton; * *adj* gluttonous, ravenous; **~nement** *adv* gluttonously.

gluant *adj* sticky, slimy.

glucide *m* glucide.

glucose *m* glucose.

glycérine *f* glycerine.

gobelet *m* beaker, tumbler.

gober *vt* to swallow; to fall for.

goéland *m* gull.

goinfre *m* pig; * *adj* piggish.

golf *m* golf.

golfeur *m* **-euse** *f* golfer.

gomme *f* gum; rubber, eraser.

gommer *vt* to rub out; to gum.

gond *m* hinge.

gondole *f* gondola.

gondoler *vi* to crinkle, warp, buckle; **se ~** *vr* to crinkle; to split one's sides laughing.

gonflable *adj* inflatable.

gonflement *m* inflation, swelling.

gonfler *vt* to pump up, inflate; **se ~** *vr* to swell; to be puffed up.

gong *m* gong; bell.

gorge *f* throat.

gorgée *f* sip, gulp.

gorille *m* gorilla.

gosier *m* throat, gullet.

gosse *mf* (*fam*) kid.

gothique *m, adj* Gothic.

goudron *m* tar.

goudronner *vt* to tar.

gouffre *m* gulf, chasm, abyss.

goulu *adj* greedy, gluttonous.

goulûment *adv* greedily, gluttonously.

goupille *f* pin.

gourd *adj* numb (with cold).

gourde *f* gourd; flask.

gourdin *m* club, cudgel.

gourmand *adj* greedy.

gourmandise *f* greed, greediness.

gourmet *m* gourmet.

gourmette *f* chain bracelet.

gousse *f* pod.

goût *m* taste; liking; style.

goûter *vt* to taste; to appreciate; * *vi* to have a snack; to taste good; * *m* snack.

goutte *f* drop; dram; gout.

gouttière *f* gutter; drainpipe.

gouvernail *m* rudder; helm.

gouvernement *m* government.

gouvernemental *adj* government, governmental.

gouverner *vt* to govern, rule; to control; to steer.

gouverneur *m* governor.

goyave *f* guava.

grâce *f* grace; favour; mercy; pardon; **~ à** thanks to.

gracier *vt* to pardon.

gracieusement *adv* gracefully; kindly.

gracieux *adj* gracious.

grade *m* rank; grade; degree.

gradé *m* officer; * *adj* promoted.

gradin *m* tier; step; terrace.

graduel *adj* gradual; progressive; **~lement** *adv* gradually.

graduer *vt* to step up; to graduate.

graffiti *mpl* graffiti.

grain *m* grain, seed; bead.

graine *f* seed.

graissage *m* greasing, lubricating.

graisse *f* grease, fat.

graisser *vt* to grease, lubricate.

grammaire *f* grammar.

grammairien *m* **-ne** *f* grammarian.

grammatical *adj* grammatical; **~ement** *adv* grammatically.

gramme *m* gram.

grand *adj* big; tall; great; leading; **pas ~-chose** not a lot, not up to much; **~ement** *adv* greatly; a great deal; nobly.

grandeur *f* size; greatness; magnitude.

grandiose *adj* imposing, grandiose.

grandir *vi* to grow bigger, increase; * *vt* to magnify; exaggerate.

grand-mère *f* grandmother.

grand-père *m* grandfather.

grand-parents *mpl* grandparents

granit(e) *m* granite.

granulé *m* granule; * *adj* granular.

granuleux *adj* granular; grainy.

graphique *m* graph; * *adj* graphic; **~ment** *adv* graphically.

graphite *m* graphite.

grappe *f* cluster, bunch.

gras *adj*, *f* **-se** fatty; fat; greasy; crude.

gratification *f* gratuity; bonus.

gratin *m* cheese dish, gratin.

gratis *adv* free, gratis.

gratitude *f* gratitude, gratefulness.

gratter *vt* to scratch, scrape.

gratuit *adj* free, gratuitous; disinterested; **~ement** *adv* free; gratuitously.

grave *adj* grave, solemn; **~ment** *adv* gravely, solemnly.

graver *vt* to engrave, imprint.

graveur *m* engraver, woodcutter.

gravier *m* gravel.

gravir *vt* to climb.

gravitation *f* gravitation.

gravité *f* gravity.

gravure *f* engraving, carving.

gré *m*: liking, taste; **au ~ de** depending on, at the mercy of; **bon ~ mal ~** like it or not, willy-nilly; **savoir ~** to be grateful.

greffe *f* transplant, graft.

greffer *vt* to transplant, graft.

grégaire *adj* gregarious.

grêle *f* hail.

grêlon *m* hailstone.

grelotter *vi* to shiver.

grenade *f* pomegranate; grenade.

grenat *m* garnet.

grenier *m* attic, garret.

grenouille *f* frog.

grès *m* sandstone; stoneware.

grésiller *vi* to sizzle; splutter.

grève *f* strike; shore.

gribouillage *m* scrawl, scribble.

gribouiller *vi* to doodle; * *vt* to scribble, scrawl.

grièvement *adv* seriously.

griffe *f* claw.

griffer *vt* to scratch.

griffonner *vt* to scribble, jot down.

grignoter *vi* to nibble at, pick at; * *vt* to nibble at; to eat away.

gril *m* grill pan; rack.

grillade *f* grilled meat.

grillage *m* toasting; grilling.

grille *f* railings; gate; grill.

grille-pain *m invar* toaster.

griller *vt* to toast, scorch; to put bars on; * *vi* to toast, grill.

grillon *m* cricket.

grimace *f* grimace; funny face.

grimper *vi* to climb up.

grincement *m* grating, creaking.

grincer *vi* to grate, creak.

grincheux *adj* grumpy.

griotte *f* Morello cherry; marble.

grippe *f* flu, influenza.

grippé *adj* suffering from flu.

gris *adj* grey.

grisant *adj* exhilarating; intoxicating.

griser *vt* to intoxicate; **se ~** *vr* to get drunk.

grisonnant *adj* greying.

grive *f* thrush.

grog *m* grog.

grognement *m* grunt, grunting.

grogner *vi* to grumble, moan.

grognon *m* grumbler, moaner, *adj* grumpy, surly.

grommeler *vi* to mutter; to grumble; * *vt* to mutter.

grondement *m* rumbling, growling.

gronder *vt* to scold; * *vi* to rumble, growl.

gros *adj*, *f* -**se** big; fat; thick; serious; heavy; coarse; **en ~** in bulk; * *m* bulk; wholesale; fat man.

groseille *f* currant.

grossesse *f* pregnancy.

grosseur *f* thickness; lump; fatness.

grossier *adj* coarse; unrefined; base.

grossièrement *adv* roughly; coarsely.

grossièreté *f* rudeness; coarseness.

grossir *vi* to get fatter; to swell, grow; * *vt* to magnify; to exaggerate.

grossiste *mf* wholesaler.

grotesque *adj* grotesque, ludicrous; **~ment** *adv* grotesquely.

grotte *f* cave; grotto.

grouiller *vi* to mill about; to swarm; **se ~** *vr* (*fam*) to get a move on.

groupe *m* group; party; cluster.

groupement *m* grouping; group.

grouper *vt* to group together; to bulk; **se ~** *vr* to gather.

grue *f* crane.

grumeau *m* lump.

gruyère *m* gruyère (cheese).

guenon *f* female monkey; hag.

guépard *m* cheetah.

guêpe *f* wasp.

guêpier *m* trap; wasp's nest.

guère *adv* hardly, scarcely.

guéri *adj* cured.

guéridon *m* pedestal table.

guérir *vi* to get better; to heal; * *vt* to cure, heal; **se ~** *vr* to get better; to recover from.

guérison *f* recovery; curing.

guérisseur *m* -**euse** *f* healer.

guerre *f* war; warfare.

guerrier *m* -**ière** *f* warrior.

guet *m* watch; **faire le ~** to be on the watch.

guetter *vt* to watch; to lie in wait for.

gueule *f* (*fam*) mouth; face; muzzle.

gueuler *vi* (*fam*) to bawl; bellow.

guichet *m* counter; ticket office, booking office.

guichetier *m* -**ière** *f* counter clerk.

guidage *m* guides; guidance.

guide *m* guide.

guider *vt* to guide; **se ~** *vr* to be guided by.

guidon *m* handlebars.

guignol *m* puppet; puppet show.

guillemet *m* inverted comma; quotation mark.

guillotine *f* guillotine.

guimauve *f* marshmallow.

guindé *adj* stiff, uptight.

guirlande *f* garland.

guise *f* manner, way; **en ~ de** by way of; **à ta ~** as you please.

guitare *f* guitar.

guitariste *mf* guitarist.

guttural *adj* guttural

gymnase *m* gymnasium.

gymnastique *f* gymnastics.

gynécologie *f* gynaecology.

gynécologue, gynécologiste *mf* gynaecologist.

gyrophare *m* revolving light.

H

habile *adj* skilful, skilled; clever; ~**ment** *adv* skilfully.

habileté *f* skill, skilfulness; clever move.

habiliter *vt* to qualify; to authorise.

habillement *m* clothing, dress, outfit.

habiller *vt* to dress, clothe; **s'~** *vr* to get dressed.

habit *m* clothes; apparel; dresscoat; outfit

habitable *adj* inhabitable.

habitant *m* -**e** *f* inhabitant; occupant; dweller.

habitat *m* habitat; housing conditions.

habitation *f* dwelling; residence; house.

habité *adj* manned.

habiter *vi* to live; * *vt* to live in; occupy.

habitude *f* habit, custom, routine.

habituel *adj* usual, customary; ~**lement** *adv* usually, generally.

habituer *vt* to accustom; to teach; **s'~** *vr* to get used to.

hache *f* axe, hatchet.

hacher *vt* to chop, mince.

hachoir *m* chopper, cleaver.

hachure *f* hatching.

hagard *adj* wild; haggard; distraught.

haie *f* hedge.

haine *f* hatred.

haineux *adj* full of hatred; malevolent.

haïr *vt* to hate, detest.

hâle *m* tan, sunburn.

hâlé *adj* tanned, sunburnt.

haleine *f* breath, breathing.

haletant *adj* panting, gasping.

haleter *vi* to pant, gasp for breath.

hall *m* hall, foyer.

halle *f* covered market; hall.

hallucination *f* hallucination.

halo *m* halo.

halte *f* stop, break; stopping place.

haltère *f* dumbbell.

hamac *m* hammock.

hameçon *m* fish-hook.

hamster *m* hamster.

hanche *f* hip; haunch.

handball *m* handball.

handballeur *m* -**euse** *f* handball player.

handicap *m* handicap.

handicaper *vt* to handicap

hangar *m* shed, barn; hangar.

hanneton *m* maybug.

hanter *vt* to haunt.

happer *vt* to snap up, snatch.

harassant *adj* exhausting, wearing.

harcèlement *m* harassment; pestering.

harceler *vt* to harass; to pester; to plague.

hardi *adj* bold, daring; brazen; ~**ment** *adv* boldly, daringly; brazenly.

hareng *m* herring.

hargne *f* spite.

hargneux *adj* aggressive, belligerent.

haricot *m* bean.

harmonica *m* harmonica.

harmonie *f* harmony; wind section.

harmonieusement *adv* harmoniously.

harmonieux *adj* harmonious; well-matched.

harmoniser *vt* to harmonise; **s'~** *vr* to be in harmony.

harnacher *vt* to harness.

harnais *m* harness; equipment.

harpe *f* harp.

harpiste *mf* harpist.

harpon *m* harpoon.

hasard *m* chance; accident; hazard; risk.

hasardeux *adj* hazardous, risky.

hâte *f* haste; impatience.
hâter *vt* to hasten; to quicken; **se**
~ *vr* to hurry.
hâtif *adj* precocious; early; hasty.
hâtivement *adv* hastily.
hausse *f* rise, increase.
hausser *vt* to raise; to heighten.
haut *adj* high, tall; upper; superior; **~ement** *adv* highly.
hautain *adj* haughty, lofty.
hautbois *m* oboe.
hauteur *f* height; elevation; haughtiness; bearing.
haut-parleur *m* loudspeaker.
hebdomadaire *adj*; * *m* weekly.
hébergement *m* accommodation; lodging.
héberger *vt* to accommodate, lodge.
hectare *m* hectare.
hectogramme *m* hectogram.
hectolitre *m* hectolitre.
hectomètre *m* hectometre.
hélice *f* propeller; helix.
hélicoptère *m* helicopter.
hélium *m* helium.
hématome *m* severe bruise, haematoma.
hémicycle *m* semicircle, hemicycle; amphitheatre.
hémiplégique *mf* person paralysed on one side, hemiplegic; *
adj hemiplegic.
hémisphère *m* hemisphere.
hémoglobine *f* haemoglobin.
hémophile *adj* haemophiliac.
hémophilie *f* haemophilia.
hémorragie *f* bleeding, haemorrhage.
hémorroïde *f* haemorrhoid, pile.
henné *m* henna.
hépatique *adj* hepatic.
hépatite *f* hepatitis.
herbe *f* grass; **en** ~ in the blade.
herbivore *m* herbivore; *adj* herbivorous.
herboriste *mf* herbalist.
héréditaire *adj* hereditary.
hérédité *f* heredity; heritage; right of inheritance.

hérésie *f* heresy.
hérétique *adj* heretical.
hérissé *adj* bristling; spiked.
hérisser *vt* to bristle; to spike; *
se ~ *vr* to stand on end; to bristle.
hérisson *m* hedgehog.
héritage *m* inheritance; heritage, legacy.
hériter *vi* to inherit.
héritier *m* heir -**ière** *f* heiress.
hermaphrodite *m* hermaphrodite; * *adj* hermaphrodite.
hermétique *adj* airtight, watertight, hermetic; **~ment** *adv* hermetically.
hermine *f* ermine; stoat.
hernie *f* hernia, rupture.
héroïne *f* heroine; heroin.
héroïque *adj* heroic; **~ment** *adv* heroically.
héroïsme *m* heroism.
héron *m* heron.
héros *m* hero.
herpès *m* herpes; cold sore.
hésitant *adj* hesitant.
hésitation *f* hesitation.
hésiter *vi* to hesitate.
hétéroclite *adj* heterogeneous; sundry; eccentric.
hétérogène *adj* heterogeneous.
hétérosexuel *adj* heterosexual.
hêtre *m* beech.
heure *f* hour; time of day; **de bonne** ~ early; **tout à l'**~ a short time ago, just now.
heureusement *adv* luckily; happily.
heureux *adv* lucky; happy.
heurter *vt* to strike, hit; to jostle.
hexagone *m* hexagon.
hibernation *f* hibernation.
hibou *m* owl.
hideux *adj* hideous.
hier *adv* yesterday.
hiérarchie *f* hierarchy.
hiérarchique *adj* hierarchical; **~ment** *adv* hierarchically
hilarant *adj* hilarious, side-splitting.

hilarité *f* hilarity, laughter.
hindouisme *m* Hinduism.
hippisme *m* riding, equestrianism.
hippocampe *m* sea horse.
hippodrome *m* racecourse.
hippopotame *m* hippopotamus.
hirondelle *f* swallow.
hirsute *adj* dishevelled, tousled
hisser *vt* to hoist, haul up.
histoire *f* history; story; business; ~ **de dire** just to say.
historien *m* -ne *f* historian.
historique *adj* historic; historical; ~ment *adv* historically.
hiver *m* winter.
hivernal *adj* winter; wintry.
HLM (habitation à loyer modéré) *f*/*m* public sector housing.
hocher *vt* to nod; to shake one's head.
hochet *m* rattle; toy.
holocauste *m* holocaust.
homard *m* lobster.
homéopathe *mf* homeopath.
homéopathie *f* homeopathy.
homicide *m* homicide.
hommage *m* homage, tribute; **rendre ~ à** to pay homage to.
homme *m* man.
homme-grenouille *m* frogman.
homogène *adj* homogeneous.
homogénéiser *vt* to homogenise.
homogénéité *f* homogeneity.
homologue *adj* homologous; equivalent.
homologuer *vt* to ratify; to approve.
homonyme *m* homonym; * *adj* homonymous.
homosexualité *f* homosexuality.
homosexuel *m* -le *f* homosexual.
honnête *adj* honest; decent; honourable; ~ment *adv* honestly, decently.
honnêteté *f* honesty, decency.
honneur *m* honour; integrity; credit; **en l'~ de** in honour of.

honorable *adj* honourable; reputable; ~ment *adv* honourably.
honoraire *adj* honorary.
honoraires *mpl* fees.
honorer *vt* to honour; to esteem; to do credit to; **s'~** *vr*: **s'~ de** to pride oneself on.
honte *f* shame, disgrace.
honteusement *adv* shamefully; disgracefully.
honteux *adj* shameful; disgraceful.
hôpital *m* hospital.
hoquet *m* hiccough, hiccup.
horaire *m* timetable; * *adj* hourly.
horizon *m* horizon.
horizontal *adj* horizontal; ~ement *adv* horizontally.
horloge *f* clock.
horloger *m* -ère *f* watchmaker, clockmaker.
hormone *f* hormone.
horoscope *m* horoscope.
horreur *f* horror.
horrible *adj* horrible; dreadful; ~ment *adv* horribly
horrifier *vt* to horrify.
hors *prép* outside; beyond; save; except; ~ **série** incomparable, outstanding; special issue.
hors-bord *m invar* speedboat.
hors-d'œuvre *m invar* hors d'œuvre, starter.
hors-jeu *m invar* offside.
hors-piste *m invar* off-piste.
hortensia *m* hydrangea.
horticulteur *m* horticulturist.
horticulture *f* horticulture.
hospice *m* home, asylum; hospice.
hospitalier *adj* hospital; hospitable.
hospitalisation *f* hospitalisation.
hospitaliser *vt* to hospitalise.
hospitalité *f* hospitality.
hostie *f* host.
hostile *adj* hostile; ~ment *adv* hostilely.
hostilité *f* hostility.
hôte *m* **hôtesse** *f* host; landlord.

hôtel *m* hotel.

hôtelier *m* **-ière** *f* hotelier; * *adj* hotel.

hôtellerie *f* inn; hotel business.

hotte *f* basket.

houblon *m* hop.

houille *f* coal.

houle *f* swell.

houleux *adj* stormy; turbulent.

houppe *f* tuft; tassel.

housse *f* cover, dust-sheet.

houx *m* holly.

hublot *m* porthole.

huer *vt* to boo.

huile *f* oil; petroleum.

huissier *m* bailiff; usher.

huit *adj, m* eight.

huitaine *f* eight or so.

huitième *adj* eighth; **~ment** *adv* eighthly; * *mf* eighth.

huître *f* oyster.

humain *adj* human; humane; **~ement** *adv* humanly; humanely; * *m* human.

humanisme *m* humanism.

humaniste *m* humanist; * *adj* humanist.

humanitaire *adj* humanitarian.

humanité *f* humanity.

humble *adj* humble; modest; **~ment** *adv* humbly.

humecter *vt* to dampen, moisten.

humeur *f* mood, humour; temper.

humide *adj* humid.

humidité *f* humidity.

humiliant *adj* humiliating.

humiliation *f* humiliation.

humilier *vt* to humiliate.

humilité *f* humility.

humoristique *adj* humorous.

humour *m* humour.

hurlement *m* roar, yell; howl.

hurler *vi*; * *vt* to roar, yell.

hutte *f* hut.

hybride *adj* hybrid; * *m* hybrid.

hydratant *adj* moisturising.

hydratation *f* hydration; moisturising.

hydrater *vt* to hydrate; to moisturise.

hydraulique *adj* hydraulic.

hydravion *m* seaplane.

hydrocarbure *m* hydrocarbon.

hydrogène *m* hydrogen.

hydrolyse *f* hydrolysis.

hydrophile *adj* absorbent.

hydroxyde *m* hydroxide.

hyène *f* hyena.

hygiène *f* hygienics; hygiene.

hygiénique *adj* hygienic; **~ment** *adv* hygienically.

hymne *m* hymn.

hyperbole *f* hyperbole; hyperbola.

hypermarché *m* hypermarket.

hypermétrope *adj* long-sighted; * *mf* long-sighted person.

hypertension *f* hypertension.

hypertrophié *adj* (*med*) enlarged; overdeveloped.

hypnose *f* hypnosis

hypnotique *adj* hypnotic.

hypnotiser *vt* to hypnotise.

hypocondriaque *mf* hypochondriac; * *adj* hypochondriac.

hypocrisie *f* hypocrisy.

hypocrite *mf* hypocrite; * *adj* hypocritical; **~ment** *adv* hypocritically.

hypophyse *f* pituitary gland, hypophysis.

hypothalamus *m* hypothalamus.

hypothèque *f* mortgage.

hypothéquer *vt* to mortgage.

hypothèse *f* hypothesis; assumption.

hypothétique *adj* hypothetical; **~ment** *adv* hypothetically.

hystérie *f* hysteria.

hystérique *mf* hysterical; * *adj* hysteric.

I

ibis m ibis.

iceberg m iceberg.

idéal adj; * m ideal.

idéaliser vt to idealise.

idéaliste adj idealistic; * mf idealist.

idée f idea.

identifier vt to identify; **s'~** vr to identify with.

identique adj identical; **~ment** adv identically.

identité f identity; similarity.

idéologie f ideology.

idiot m -e f idiot, fool; * adj idiotic, stupid; **~ement** adv idiotically.

idole f idol.

igloo m igloo.

ignoble adj ignoble, mean, base.

ignorance f ignorance.

ignorant adj ignorant; unacquainted; uninformed.

ignorer vt to be ignorant of; to be unaware of; to ignore.

iguane m iguana.

il pn he, it.

île f island, isle.

illégal adj illegal; unlawful; **~ement** adv illegally.

illégalité f illegality.

illégitime adj illegitimate; unwarranted.

illettré adj illiterate.

illicite adj illicit; **~ment** adv illicitly.

illimité adj unlimited; limitless.

illisible adj illegible, unreadable.

illogique adj illogical.

illumination f illumination, lighting.

illuminer vt to light up, illuminate; to enlighten.

illusion f illusion

illusoire adj illusory; illusive; **~ment** adv illusorily.

illustration f illustration.

illustre adj illustrious, renowned.

illustrer vt to illustrate.

îlot m islet; block (flats).

image f image, picture; reflection.

imagé adj colourful; full of imagery.

imaginaire adj imaginary.

imagination f imagination.

imaginer vt to imagine; to suppose; to devise; **s'~** vr to imagine o.s.; to think.

imbattable adj unbeatable.

imbécile mf idiot, imbecile; * adj stupid, idiotic.

imbiber vt to soak, moisten.

imbriquer vt to fit into; to overlap; **s'~** vr to be linked.

imbuvable adj undrinkable; unbearable.

imitation f imitation; mimicry; forgery.

imiter vt to imitate.

immaculé adj spotless, immaculate.

immangeable adj inedible.

immatriculation f registration.

immatriculer vt to register.

immédiat adj immediate; instant; **~ement** adv immediately, instantly.

immense adj immense, boundless.

immensément adv immensely; hugely.

immensité f immensity; immenseness.

immergé adj submerged.

immersion f immersion; submersion.

immeuble m building; block of flats; real estate.

immigrant m -e f immigrant.

immigration f immigration.

immigré m -e f immigrant.

imminent adj imminent, impending.

immobile adj motionless, still.

immobilier adj property; * m property business.

immobiliser *vt* to immobilise; to bring to a standstill; **s'~** *vr* to stop, stand still.

immobilité *f* stillness; immobility; permanence.

immonde *adj* squalid; base, vile.

immoral *adj* immoral.

immoralité *f* immorality.

immortaliser *vt* to immortalise.

immortel *adj* immortal.

immuable *adj* unchanging, immutable; **~ment** *adv* immutably.

immuniser *vt* to immunise.

immunité *f* immunity.

impact *m* impact.

impair *adj* odd, uneven.

impalpable *adj* impalpable.

impardonnable *adj* unforgivable, unpardonable.

imparfait *adj* imperfect; **~ement** *adv* imperfectly.

impartial *adj* impartial; **~ement** *adv* impartially.

impartialité *f* impartiality.

impasse *f* dead end, cul-de-sac; impasse.

impassible *adj* impassive.

impatiemment *adv* impatiently.

impatience *f* impatience.

impatient *adj* impatient.

impatienter *vt* to irritate, annoy; **s'~** *vr* to grow, get impatient.

impeccable *adj* perfect; faultless, impeccable; **~ment** *adv* perfectly, impeccably.

impénétrable *adj* impenetrable; inscrutable.

impensable *adj* unthinkable.

impératif *adj* imperative; mandatory; * *m* requirement; demand; constraint.

impératrice *f* empress.

imperceptible *adj* imperceptible; **~ment** *adv* imperceptibly.

imperfection *f* imperfection.

impérial *adj* imperial.

impérialisme *m* imperialism.

imperméable *adj* impermeable, waterproof; **~ à** impervious to.

impersonnel *adj* impersonal.

impertinence *f* impertinence.

impertinent *adj* impertinent.

imperturbable *adj* unshakeable; imperturbable; **~ment** *adv* imperturbably.

impétueux *adj* impetuous.

impitoyable *adj* merciless, pitiless; **~ment** *adv* mercilessly, pitilessly.

implacable *adj* implacable; **~ment** *adv* implacably.

implantation *f* implantation; establishment; introduction.

implanter *vt* to introduce; to establish; to implant; **s'~** *vr* to be established; to become implanted.

implication *f* implication; involvement.

implicite *adj* implicit; **~ment** *adv* implicitly.

impliquer *vt* to imply; to necessitate; to implicate; **s'~** *vr* to get involved in one's work.

impoli *adj* impolite, rude.

impolitesse *f* impoliteness, rudeness.

impopulaire *adj* unpopular.

importance *f* importance, significance; size.

important *adj* important, significant; sizeable.

importateur *m* **-trice** *f* importer; * *adj* importing.

importation *f* import, importation.

importer *vt* to import; * *vi* to matter; **que m'importe que** what does it matter to me that; **peu importe** whatever; **n'importe qui** anybody; **n'importe quoi** anything; **n'importe comment** anyhow; **n'importe quel** any.

importuner *vt* to importune, bother.

imposant *adj* imposing; stately.

imposer *vt* to impose, lay down; **s'~** *vr* to be essential; to assert o.s.

impossibilité *f* impossibility.

impossible *adj* impossible.

imposteur *m* impostor.

impôt *m* tax, duty.

impotent *adj* disabled, crippled.

imprégner *vt* impregnate; to permeate; to imbue; **s'~** *vr* to become impregnated with; to become imbued with.

impresario *m* manager, impresario.

impression *f* feeling, impression.

impressionnant *adj* impressive; upsetting.

impressionner *vt* to impress; to upset.

impressionisme *m* impressionism.

impressioniste *mf*; * *adj* impressionist.

imprévisible *adj* unforeseeable; unpredictable.

imprévoyant *adj* improvident.

imprévu *adj* unforeseen, unexpected.

imprimante *f* printer.

imprimé *adj* printed; * *m* printed form; printed material.

imprimer *vt* to print.

imprimerie *f* printing works; printing house.

imprimeur *m* printer.

improbable *adj* improbable, unlikely.

improductif *adj* unproductive.

improvisation *f* improvisation.

improviser *vt* to improvise.

improviste *adv*: **à l'~** unexpectedly.

imprudence *f* carelessness, imprudence.

imprudent *adj* careless, imprudent.

impudence *f* impudence; shamelessness.

impudique *adj* immodest, shameless.

impuissance *f* powerlessness, helplessness.

impuissant *adj* powerless, helpless.

impulsif *adj* impulsive.

impulsion *f* impulse; impetus.

impulsivement *adv* impulsively.

impunément *adv* with impunity.

impur *adj* impure; mixed.

impureté *f* impurity.

inacceptable *adj* unacceptable.

inaccessible *adj* inaccessible; obscure; incomprehensible.

inaccoutumé *adj* unusual.

inachevé *adj* unfinished, uncompleted.

inactif *adj* inactive, idle.

inaction *f* inactivity, idleness.

inactivité *f* inactivity.

inadapté *adj* unsuitable; maladjusted.

inadéquat *adj* inadequate.

inadmissible *adj* (*jur*) inadmissible.

inaltérable *adj* stable; unchanging, permanent.

inamovible *adj* irremovable; fixed.

inanimé *adj* inanimate; unconscious.

inaperçu *adj*: unnoticed **passer ~** to go unnoticed.

inappréciable *adj* invaluable, inestimable.

inapte *adj* unfit.

inattaquable *adj* unassailable; irrefutable.

inattendu *adj* unexpected, unforeseen.

inattention *f* inattention, lack of attention.

inauguration *f* inauguration, opening.

inaugurer *vt* to inaugurate, open.

inavouable *adj* shameful; undisclosable.

incapable *adj* incapable; incompetent.

incapacité *f* incompetence; disability; **être dans l'~ de** to be unable to do.

incarcérer *vt* to incarcerate.

incarnation *f* incarnation.

incarner *vt* to incarnate, embody.

incendiaire *adj* incendiary; inflammatory; * *mf* arsonist.

incendie *m* fire, blaze.

incendier *vt* to set alight; to kindle.

incertain *adj* uncertain, unsure.

incertitude *f* uncertainty; **être dans l'~** to feel uncertain.

incessant *adj* incessant, ceaseless.

inceste *m* incest.

incident *m* incident, point of law.

incinération *f* incineration; cremation.

inciser *vt* to incise; (*med*) to lance.

incisive *f* incisive; piercing.

incitation *f* incitement; incentive.

inciter *vt* to incite, urge.

inclinaison *f* incline; gradient.

incliner *vt* to bend; to slope; to bow.

inclure *vt* to include; to insert.

inclus *adj* enclosed; included; **ci-~** herein enclosed.

incohérence *f* incoherence; inconsistency.

incohérent *adj* incoherent; inconsistent.

incolore *adj* colourless; clear.

incommode *adj* inconvenient; awkward.

incommoder *vt* to disturb, bother.

incomparable *adj* incomparable; **~ment** *adv* incomparably.

incompatibilité *f* incompatibility.

incompatible *adj* incompatible.

incompétence *f* incompetence.

incompétent *adj* incompetent; inexpert.

incomplet *adj* incomplete.

incompréhensible *adj* incomprehensible.

incompréhension *f* lack of understanding.

inconcevable *adj* inconceivable.

inconciliable *adj* irreconcilable.

inconditionnel *adj* unconditional; unreserved; unquestioning.

inconfortable *adj* uncomfortable; awkward; **~ment** *adv* uncomfortably.

incongru *adj* unseemly; incongruous.

inconnu *m* **-e** *f* stranger, unknown person; * *m* unknown; * *adj* unknown.

inconsciemment *adv* unconsciously; thoughtlessly.

inconscience *f* unconsciousness; thoughtlessness.

inconscient *adj* unconscious; thoughtless, reckless; * *m* subconscious, unconscious.

inconsidéré *adj* inconsiderate; thoughtless; **~ment** *adv* inconsiderately.

inconsistant *adj* flimsy; colourless; watery.

inconsolable *adj* disconsolate; inconsolable.

inconstant *adj* fickle; variable, inconstant.

incontestable *adj* incontestable, unquestionable; **~ment** *adv* incontestably, unquestionably.

inconvénient *m* drawback, inconvenience.

incorporation *f* incorporation; integration; blending.

incorporer *vt* to incorporate, integrate.

incorrect *adj* faulty, incorrect; **~ement** *adv* incorrectly.

incorrigible *adj* incorrigible.

incorruptible *adj* incorruptible.

incrédule *adj* incredulous; * *mf* unbeliever, non-believer.

incrédulité *f* incredulity, lack of belief.

incroyable *adj* incredible; unbelievable; **~ment** *adv* incredibly, unbelievably.

incruster *vt* to inlay; to superimpose; **s'~** *vr* to become imbedded in; to become rooted in.

inculpation f inculcation, instilling.

inculpé m -e f accused; * adj accused.

incurable adj incurable; ~**ment** adv incurably, hopelessly.

indécent adj indecent, improper.

indéchiffrable adj indecipherable; incomprehensible.

indécis adj indecisive; unsettled; undefined.

indéfini adj undefined; indefinite; ~**ment** adv indefinitely.

indéfinissable adj indefinable.

indemne adj unharmed, unhurt.

indemniser vt to indemnify; to compensate.

indemnité f compensation; indemnity.

indéniable adj undeniable, indisputable; ~**ment** adv undeniably.

indépendance f independence.

indépendant adj independent.

indestructible adj indestructible.

indéterminé adj undetermined; unspecified; undecided.

index m index; index finger.

indexer vt to index.

indicatif m signature tune; dialling code; * adj indicative.

indication f indication; piece of information; instruction.

indice m indication; clue; sign.

indifféremment adv indiscriminately, equally.

indifférence f indifference.

indifférent adj indifferent; immaterial.

indigène mf native; local; * adj indigenous, native.

indigeste adj indigestible.

indigestion f indigestion.

indigne adj unworthy; undeserving.

indigner vt to annoy, make indignant; **s'~** vr to be indignant.

indiquer vt to indicate, point out; to tell.

indirect adj indirect; circumstantial; collateral; ~**ement** adv indirectly.

indiscipliné adj undisciplined.

indiscret adj indiscreet; inquisitive.

indiscrétion f indiscretion; inquisitiveness.

indiscutable adj indisputable; unquestionable; ~**ment** adv indisputably.

indispensable adj indispensable; essential.

indisponible adj unavailable.

indistinct adj indistinct, vague; ~**ement** adv indistinctly.

individu m individual.

individuel adj individual; ~**lement** adv individually.

indolore adj painless.

indubitable adj indubitable; certain; ~**ment** adv indubitably.

indulgence f indulgence; leniency.

indulgent adj indulgent; lenient.

industrialisation f industrialisation.

industrie f industry; dexterity, ingenuity.

industriel m -**le** f industrialist, manufacturer; * adj industrial.

inébranlable adj steadfast, unwavering.

inédit adj unpublished; original.

inefficace adj ineffective; inefficient.

inefficacité f ineffectiveness; inefficiency.

inégal adj unequal; uneven; irregular; ~**ement** adv unequally.

inégalité f inequality; difference, disparity.

inéluctable adj ineluctable, unavoidable; ~**ment** adv ineluctably.

inépuisable adj inexhaustible.

inerte adj inert; lifeless.

inertie f inertia, apathy.

inespéré adj unexpected.

inestimable *adj* inestimable, invaluable.

inévitable *adj* inevitable, unavoidable.

inexact *adj* inexact, inaccurate.

inexactitude *f* inaccuracy.

inexistant *adj* nonexistent.

inexorable *adj* inexorable; ~**ment** *adv* inexorably.

inexpérimenté *adj* inexperienced; inexpert.

inexplicable *adj* inexplicable; ~**ment** *adv* inexplicably.

inexprimable *adj* inexpressible.

infaillible *adj* infallible.

infâme *adj* infamous; base, vile.

infantile *adj* infantile, childish.

infatigable *adj* indefatigable, tireless; ~**ment** *adv* indefatigably.

infect *adj* vile; revolting; filthy.

infecter *vt* to infect; to contaminate; **s'~** *vr* to become infected.

infection *f* infection.

inférieur *adj* inferior; lower.

infériorité *f* inferiority.

infernal *adj* infernal, diabolical.

infester *vt* to infest, overrun.

infidèle *adj* unfaithful, disloyal.

infidélité *f* infidelity.

infiltration *f* infiltration.

infini *adj* infinite; interminable; ~**ment** *adv* infinitely.

infinitif *m* infinitive.

infirme *adj* feeble; crippled, disabled.

infirmerie *f* infirmary; sick bay.

infirmier *m* -**ière** *f* nurse.

infirmité *f* disability; infirmity.

inflammation *f* inflammation.

inflation *f* inflation.

inflexible *adj* inflexible, rigid.

infliger *vt* to inflict; to impose.

influence *f* influence.

influencer *vt* to influence, sway.

informaticien *m* -**ne** *f* computer scientist.

information *f* piece of information; information; inquiry.

informatique *f* computing; data processing; * *adj* computer.

informer *vt* to inform, tell; **s'~** *vr* to find out, inquire.

infraction *f* infraction, infringement; offence.

infranchissable *adj* impassable; insuperable.

infrarouge *adj* infrared.

infrastructure *f* infrastructure; substructure.

infructueux *adj* fruitless, unsuccessful.

infusion *f* infusion, herb tea.

ingénieur *m* engineer.

ingénieux *adj* ingenious, clever.

ingénu *adj* ingenuous, naive.

ingrat *adj* ungrateful; unprofitable.

ingratitude *f* ingratitude.

ingrédient *m* ingredient; component.

inhabité *adj* uninhabited, unoccupied.

inhabituel *adj* unusual, unaccustomed.

inhumain *adj* inhuman.

inimaginable *adj* unimaginable.

inimitable *adj* inimitable.

ininterrompu *adj* uninterrupted; unbroken.

initial *adj* initial; ~**ement** *adv* initially.

initiation *f* initiation.

initiative *f* initiative; enterprise.

initier *vt* to initiate.

injecter *vt* to inject.

injection *f* injection.

injure *f* injury; insult.

injurier *vt* to abuse; insult.

injuste *adj* unjust, unfair; ~**ment** *adv* unjustly.

injustice *f* injustice.

injustifié *adj* unjustified.

inné *adj* innate, inborn.

innocence *f* innocence.

innocent *m* -**e** *f* innocent person; simpleton; * *adj* innocent.

innocenter *vt* to clear, prove innocent.

innovation *f* innovation.

innover *vi* to innovate, make innovations.

inodore *adj* odourless, scentless.

inoffensif *adj* inoffensive, harmless.

inondation *f* flood.

inonder *vt* to flood, inundate.

inopportun *adj* ill-timed, inopportune.

inoubliable *adj* unforgettable.

inouï *adj* unprecedented, unheard of.

inox *m* stainless steel.

inqualifiable *adj* unspeakable.

inquiet *adj* worried, anxious, uneasy.

inquiéter *vt* to worry, disturb; **s'~** *vr* to get worried.

inquiétude *f* restlessness, uneasiness.

insaisissable *adj* elusive; imperceptible.

insalubre *adj* insalubrious; unhealthy.

insatiable *adj* insatiable; **~ment** *adv* insatiably.

insatisfaction *f* dissatisfaction.

inscription *f* inscription; registration; matriculation.

inscrire *vt* to inscribe; to enter; to set down; to register; **s'~** *vr* to join; to register, enrol.

insecte *m* insect.

insecticide *m* insecticide.

insémination *f* insemination.

insensé *adj* insane, demented.

insensible *adj* insensible, unfeeling, insensitive; imperceptible; **~ment** *adv* imperceptibly; insensibly.

inséparable *adj* inseparable.

insérer *vt* to insert.

insertion *f* insertion, inserting.

insidieux *adj* insidious

insignifiant *adj* insignificant, trifling.

insinuation *f* insinuation.

insinuer *vt* to insinuate, imply; **s'~** *vr* to insinuate o.s. into; to creep into.

insipide *adj* insipid, tasteless.

insister *vi* to insist, be insistent; to stress.

insolence *f* insolence.

insolent *adj* insolent; brazen.

insolite *adj* unusual; strange.

insomnie *f* insomnia.

insouciance *f* unconcern; carelessness.

insouciant *adj* carefree; careless.

insoutenable *adj* unbearable; untenable.

inspecter *vt* to inspect, examine.

inspecteur *m* **-trice** *f* inspector

inspection *f* inspection.

inspiration *f* inspiration; suggestion.

inspirer *vt* to inspire; to breathe in; **s'~** *vr*: **s'~ de** to be inspired by.

instable *adj* unstable; unsettled.

installation *f* installation; installing.

installer *vt* to install; to fit out; **s'~** *vr* to set o.s. up; to settle down.

instant *m* moment, instant.

instantané *adj* instant, instantaneous; **~ment** *adv* instantly.

instaurer *vt* to institute; to impose.

instinct *m* instinct.

instinctif *adj* instinctive.

instinctivement *adv* instinctively.

institut *m* institute; school.

instituteur *m* **-trice** *f* teacher.

institution *f* institution; establishment.

instructif *adj* instructive.

instruction *f* instruction; education; inquiry.

instruire *vt* to instruct; to teach; to conduct an inquiry; **s'~** *vr* to educate o.s.; to obtain information.

instrument *m* instrument, implement.

insuffisance *f* insufficiency, inadequacy.

insuffisant *adj* insufficient, inadequate.

insuline *f* insulin.

insulte *f* insult.

insulter *vt* to insult, affront.

insupportable *adj* unbearable, intolerable; **~ment** *adv* unbearably, intolerably.

insurrection *f* insurrection, revolt.

intact *adj* intact.

intégral *adj* integral; uncut; complete; **~ement** *adv* integrally; in full.

intégralité *f* whole; entirety.

intégrer *vt* to integrate; **s'~** *vr* to become integrated; to fit in.

intégrité *f* integrity.

intellectuel *m* **-le** *f* intellectual; * *adj* intellectual, mental.

intelligence *f* intelligence; understanding.

intelligent *adj* intelligent, shrewd, bright.

intelligible *adj* intelligible.

intempéries *fpl* bad weather.

intendant *m* **-e** *f* bursar; steward, stewardess.

intense *adj* intense; severe.

intensément *adv* intensely.

intensif *adj* intensive.

intensifier *vt* to intensify; **s'~** *vr* to intensify.

intensité *f* intensity; severity.

intention *f* intention; purpose, intent.

interaction *f* interaction.

intercaler *vt* to intercalate; to interpolate.

intercepter *vt* to intercept.

interchangeable *adj* interchangeable.

interdiction *f* interdiction, prohibition, ban.

interdire *vt* to forbid, ban, prohibit.

interdit *adj* forbidden, prohibited; dumbfounded.

intéressant *adj* interesting; attractive, worthwhile.

intéresser *vt* to interest; to concern; *vr:* **s'~ à** to be interested in.

intérêt *m* interest; significance, importance.

interférence *f* interference; conjunction.

intérieur *adj* interior, internal, inland; **à l'~** inside; within; **~ement** *adv* inwardly.

intérimaire *adj* interim; acting; temporary.

interligne *m* line space; interlining; lead.

interlocuteur *m* **-trice** *f* interlocutor, speaker.

intermède *m* interlude.

intermédiaire *adj* intermediate; intermediary.

interminable *adj* interminable; endless; **~ment** *adv* interminably, endlessly.

intermittent *adj* intermittent, sporadic.

international *adj* international.

interne *adj* internal; * *mf* boarder; house doctor.

interpeller *vt* to call out to; (*police*) to interpellate.

interphone *m* intercom, entryphone.

interposer *vt* to interpose; **s'~** *vr* to intervene.

interprétation *f* interpretation, rendering.

interprète *mf* interpreter.

interpréter *vt* to interpret; to perform.

interrogation *f* interrogation, questioning; question.

interrogatoire *m* questioning; cross-examination.

interroger *vt* to question; to interrogate; **s'~** *vr* to wonder.

interrompre *vt* to interrupt, break; **s'~** *vr* to break off, interrupt o.s.

interrupteur *m* switch.

interruption *f* interruption, break.

intervalle *m* interval; space, distance.

intervenir *vi* to intervene; to take part in.

intervention *f* intervention; operation.

intestinal *adj* intestinal

intestin *m* intestine.

intime *adj* intimate; private; **~ment** *adv* intimately; * *mf* close friend.

intimider *vt* to intimidate.

intimité *f* intimacy; privacy.

intituler *vt* to call, entitle; **s'~** *vr* to be called; to call o.s.

intolérable *adj* intolerable.

intolérance *f* intolerance.

intolérant *adj* intolerant.

intonation *f* intonation.

intoxication *f* poisoning; indoctrination.

intransigeant *adj* intransigent, uncompromising.

intransitif *adj* intransitive.

intrépide *adj* intrepid, fearless; **~ment** *adv* intrepidly.

intrigant *adj* scheming.

introduction *f* introduction; launching; (*jur*) institution.

introduire *vt* to introduce, insert; to present; **s'~** *vr* to find one's way in; to be introduced.

introuvable *adj* undiscoverable; not to be found.

introverti *m* **-e** *f* introvert; * *adj* introverted.

intrus *m* **-e** *f* intruder; * *adj* intruding, intrusive.

intuitif *adj* intuitive.

intuition *f* intuition.

inutile *adj* useless; unavailing; pointless; **~ment** *adv* uselessly, needlessly.

inutilisable *adj* unusable.

invalide *adj* disabled; (*jur*) invalid.

invariable *adj* invariable; unvarying; **~ment** *adv* invariably.

invasion *f* invasion.

inventaire *m* inventory; stocklist.

inventer *vt* to invent; to devise; to make up.

inventeur *m* **-trice** *f* inventor.

invention *f* invention; inventiveness.

inverse *adj* opposite; * *m* opposite, reverse.

inverser *vt* to reverse, invert.

inversion *f* inversion; reversal.

investir *vt* to invest; to surround.

investissement *m* investment; investing.

invincible *adj* invincible, indomitable.

invisible *adj* invisible; unseen.

invitation *f* invitation.

invité *m* **-e** *f* guest.

inviter *vt* to invite, ask.

involontaire *adj* involuntary; unintentional; **~ment** *adv* involuntarily.

invoquer *vt* to invoke; to call up; to plead.

invraisemblable *adj* unlikely, improbable; **~ment** *adv* improbably.

invulnérable *adj* invulnerable.

iode *m* iodine.

ion *m* ion.

iris *m* iris.

Irlandais *m* Irishman, **-e** *f* Irishwoman

irlandais *adj* Irish.

Irlande *f* Ireland.

ironie *f* irony.

ironique *adj* ironic; **~ment** *adv* ironically.

irradiation *f* irradiation; radiation.

irrationnel *adj* irrational.

irrécupérable *adj* irretrievable.

irréel *adj* unreal.

irréfléchi *adj* unconsidered; hasty.

irrégularité *f* irregularity; variation; unevenness.

irrégulier *adj* irregular; varying; uneven.

irrégulièrement *adv* irregularly; unevenly.

irrémédiable *adj* irreparable; incurable; **~ment** *adv* irreparably.

irremplaçable *adj* irreplaceable.

irréparable *adj* irreparable; irretrievable; **~ment** *adv* irreparably.

irrésistible *adj* irresistible; **~ment** *adv* irresistibly.

irresponsable *adj* irresponsible

irréversible *adj* irreversible; **~ment** *adv* irreversibly.

irrigation *f* irrigation.

irriguer *vt* to irrigate.

irriter *vt* to irritate; to provoke.

irruption *f* irruption.

Islam *m* Islam.

isolement *m* loneliness; isolation; insulation.

isoler *vt* to isolate; to insulate; **s'~** *vr* to cut o.s. off.

issu *adj* descended from; stemming from.

issue *f* outlet; solution; outcome.

ivoire *m* ivory.

ivre *adj* drunk, inebriated.

ivresse *f* drunkenness.

ivrogne *mf* drunkard.

J

jachère *f* fallow; leaving land lying fallow.

jade *m* jade.

jadis *adv* formerly, long ago.

jaguar *m* jaguar.

jaillir *vi* to spout, gush; to spring.

jalon *m* staff; landmark, milestone.

jalonner *vt* to mark out.

jalousie *f* jealousy, envy.

jaloux *m* **-ouse** *f* jealous person; * *adj* jealous, envious.

jamais *adv* never, not ever; **à ~** for ever.

jambe *f* leg.

jambon *m* ham.

janvier *m* January.

jardin *m* garden.

jardinage *m* gardening.

jardiner *vi* to garden.

jardinier *m* **-ière** *f* gardener.

jargon *m* jargon, slang; gibberish.

jarret *m* hock; (*zool*) hollow of the knee.

jaser *vi* to chatter; to twitter; to babble.

jasmin *m* jasmine.

jauge *f* gauge; capacity; tonnage.

jauger *vt* to gauge the capacity of; to size up.

jaunâtre *adj* yellowish.

jaune *adj* yellow; * *m* yellow.

jaunir *vi* to yellow, turn yellow; * *vt* to make yellow.

jaunisse *f* jaundice.

jazz *m* jazz.

je, j' *pn* I.

jésuite *m* Jesuit.

jet *m* jet, spurt; throwing.

jetable *adj* disposable.

jetée *f* pier.

jeter *vt* to throw; to discard; to give out; **se ~** *vr* to throw o.s.; to rush at.

jeton *m* token; counter.

jeu *m* play; game; gambling; **~ de jambes** footwork; **~ de mots** pun, play on words; **cacher son ~** to conceal one's intentions.

jeudi *m* Thursday.

jeun *adv*: **à ~** on an empty stomach.

jeune *adj* young; junior; new; youthful; * *m* youth, young man; *f* young girl.

jeûne *m* fast.

jeûner *vi* to fast.

jeunesse *f* youth, youthfulness.

joaillerie *f* jewellery.

joaillier *m* **-ière** *f* jeweller.

joie *f* joy, happiness; pleasure.

joindre *vt* to join, link; to attach; **se ~** *vr* to join, join in.

joint *m* joint; join.

jointure *f* joint *(anat)*.

joli *adj* pretty; good, handsome; **~ment** *adv* nicely, attractively.

jonc *m* rush; cane.

joncher *vt* to strew with.

jonction *f* junction.

jongler *vi* to juggle.

jongleur *m* **-euse** *f* juggler.

jonquille *f* daffodil, jonquil.

joue *f* cheek

jouer *vi* to play; to gamble; to act.

jouet *m* toy.

joueur *m* **-euse** *f* player; gambler.

joufflu *adj* chubby; round-faced.

joug *m* yoke.

jouir *vi* to enjoy; to delight in.

jouissance *f* enjoyment; use.

jour *m* day; daylight; **tous les ~s** every day; **à ~** up to date; **au ~ le ~** to live from day to day; **~ férié** public holiday; **mise à ~** updating; update; **du ~ au lendemain** overnight.

journal *m* newspaper; bulletin, journal; **~ de bord** logbook; **~ télévisé** television news.

journalisme *m* journalism.

journaliste *mf* journalist.

journée *f* day; day's work.

jovial *adj* jovial, jolly.

jovialité *f* joviality.

joyau *m* jewel, gem.

joyeusement *adv* joyfully, cheerfully.

joyeux *adj* joyful, cheerful.

jubiler *vi* to be jubilant, exult.

judaïsme *m* Judaism.

judiciaire *adj* judicial, legal.

judicieusement *adv* judiciously

judicieux *adj* judicious.

judo *m* judo.

judoka *mf* judoka.

juge *m* judge.

jugement *m* judgment; sentence; opinion.

juger *vt* to judge; to decide; to consider.

juif *m* Jew; Jewish; **juive** *f* Jewess; * *adj* Jewish.

juillet *m* July.

juin *m* June.

jumeau *m* **-elle** *f* twin; * *adj* twin; double.

jumelage *m* twinning.

jumelé *adj* twinned, twin.

jumelle(s) *f(pl)* binoculars.

jument *f* mare.

jungle *f* jungle.

jupe *f* skirt.

jurer *vt* to swear, pledge.

juridiction *f* jurisdiction; court of law.

juridique *adj* legal, juridical; **~ment** *adv* juridically, legally.

jurisprudence *f* case law, jurisprudence.

juriste *m* lawyer; jurist.

juron *m* oath, curse.

jury *m* jury; board of examiners.

jus *m* juice.

jusque, jusqu' *prép* to, as far as; until.

justaucorps *m* jerkin; leotard.

juste *adj* just, fair; exact; sound; **~ment** *adv* exactly, precisely.

justesse *f* accuracy; aptness; soundness.

justice *f* justice, fairness.

justicier *m* **-ière** *f* justiciary; dispenser of justice.

justificatif *adj* supporting, justificatory.

justification *f* justification; proof.

justifier *vt* to justify, prove; **se ~** *vr* to justify o.s.

jute *m* jute.

juteux *adj* juicy; lucrative.

juvénile *adj* young, youthful.

juxtaposer *vt* to juxtapose.

juxtaposition *f* juxtaposition.

K

kaki *adj* khaki.
kaléidoscope *m* kaleidoscope.
kangourou *m* kangaroo.
karaté *m* karate.
kayac, kayak *m* kayak.
képi *m* kepi.
kermesse *f* fair; bazaar.
kérosène *m* kerosene, aviation fuel.
kidnapper *vt* to kidnap, abduct.
kidnappeur *m* **-euse** *f* kidnapper.
kilogramme *m* kilogram.
kilohertz *m* kilohertz.

kilométrage *m* total kilometres travelled (mileage).
kilomètre *m* kilometre.
kimono *m* kimono.
kinésithérapeute *mf* physiotherapist.
kiosque *m* kiosk, stall.
kiwi *m* kiwi, Chinese gooseberry.
klaxon *m* horn.
klaxonner *vi* to sound one's horn.
kleptomane *mf* kleptomaniac.
kleptomanie *f* kleptomania.
koala *m* koala.
kyste *m* cyst.

L

la *art pn: see* **le.**
là *adv* there; over there; then; **par ~** that way; **~-dedans** inside, in there; **~-dessous** underneath, under there; **~-dessus** on that; thereupon; **~-haut** up there, up on top; **celui-~** that one.
label *m* label; seal.
labeur *m* labour, toil.
laboratoire *m* laboratory.
laborieux *adj* laborious, toilsome.
labourer *vt* to plough; to dig over; to rip open.
labyrinthe *m* labyrinth.
lac *m* lake.
lacer *vt* to lace up; to tie up.
lacérer *vt* to lacerate; to tear.
lacet *m* lace.
lâche *adj* slack; loose; lax; cowardly; **~ment** *adv* loosely; in a cowardly manner; * *mf* coward.
lâcher *vt* to loosen; to release.
lâcheté *f* cowardice; meanness.
laconique *adj* laconic; **~ment** *adv* laconically.
lacté *adj* milky, lacteal.

lactique *adj* lactic.
lacune *f* lacuna; gap.
lagon *m* lagoon.
lagune *f* lagoon.
laïc *m* layman, **laïque** *f* laywoman; * **laïque** *adj* lay, civil.
laid *adj* ugly, unsightly.
laideur *f* ugliness, unsightliness.
lainage *m* woollen article.
laine *f* wool.
laisse *f* leash, string, lead.
laisser *vt* to leave; to let; **~ tomber** to drop; **se ~ aller** to let o.s. go.
laisser-passer *m invar* pass, permit.
lait *m* milk.
laitage *m* milk; milk products.
laiton *m* brass.
laitue *f* lettuce.
lama *m* (*zool*) llama; lama.
lambeau *m* shred; tatter.
lambris *m* plastering; panelling.
lame *f* blade; strip; metal plate.
lamelle *f* slide; small strip.
lamentable *adj* lamentable, dis-

tressing; **~ment** *adv* lamentably.

lamentation *f* lamentation; wailing.

lamenter (se) *vr* to lament, bewail.

laminer *vt* to laminate.

lampadaire *m* standard-lamp; street lamp.

lampe *f* lamp, light; bulb.

lance *f* lance, spear.

lance-flammes *m invar* flamethrower.

lancement *m* launching; starting up; throwing.

lance-pierres *m invar* catapult.

lancer *vt* to throw; to launch; se ~ *vr* to leap, jump; to embark on.

lancinant *adj* nagging; haunting.

lande *f* moor.

langage *m* language, speech.

langoureux *adj* languid, languorous.

langouste *f* spiny lobster.

langoustine *f* Dublin bay prawn.

langue *f* tongue; language.

languette *f* tongue; tongue-like strip.

langueur *f* languor.

languir *vi* to languish; to linger.

lanière *f* thong; lash.

lanoline *f* lanolin.

lanterne *f* lantern; lamp.

lapin *m* **-e** *f* rabbit.

lapsus *m* slip, mistake.

laque *f* hairspray; lacquer; * *m* lacquer wax.

lard *m* fat; bacon.

lardon *m* bacon cube.

large *adj* wide; generous; lax; great; **~ment** *adv* widely; greatly.

largeur *f* width, breadth.

larguer *vt* to loose, release; cast off.

larme *f* tear.

larmoyant *adj* tearful, weeping.

larve *f* larva, grub.

laryngite *f* laryngitis.

larynx *m* larynx.

las *adj*, *f* **-se** weary, tired.

lasagne *f* lasagne.

laser *m* laser.

lasser *vt* to tire; se ~ *vr* to grow tired.

lassitude *f* tiredness, weariness.

latent *adj* latent.

latéral *adj* lateral, side; **~ement** *adv* laterally.

latex *m* latex.

latin *adj* Latin; * *m* Latin.

latitude *f* latitude; margin.

latte *f* lath.

lauréat *m* **-e** *f* prize winner.

laurier *m* bay-tree, laurel.

lavabo *m* washbasin.

lavage *m* washing; bathing.

lavande *f* lavender.

lave *f* lava.

lavement *m* enema.

laver *vt* to wash; to cleanse; se ~ *vr* to wash o.s.

laverie *f* laundry.

lave-vaisselle *m invar* dishwasher.

laxatif *adj* laxative; * *m* laxative.

laxisme *m* laxness.

layette *f* baby clothes.

le *art*, *f* **la**, *devant voyelle* **l'**, *pl* **les** the; * *pn* him, her, them.

lécher *vt* to lick.

leçon *f* lesson; reading; class.

lecteur *m* **-trice** *f* reader.

lecture *f* reading; perusal.

légal *adj* legal, lawful; **~ement** *adv* legally.

légaliser *vt* to legalise.

légalité *f* legality, lawfulness.

légendaire *adj* legendary.

légende *f* legend; inscription.

léger *adj* light; slight; faint; inconsiderate.

légèrement *adv* lightly; thoughtlessly.

légèreté *f* lightness; nimbleness; thoughtlessness.

légion *f* legion.

législatif *adj* legislative; * *m* legislature.

législation *f* legislation, laws.

légitime *adj* legitimate, lawful; **~ment** *adv* legitimately.

légitimité *f* legitimacy.

legs *m* legacy, bequest.

léguer *vt* to bequeath; (*jur*) to devise.

légume *m* vegetable.

lendemain *m* next day, day after.

lent *adj* slow; tardy; sluggish; **~ement** *adv* slowly.

lente *f* (*zool*) nit.

lenteur *f* slowness.

lentille *f* lentil; lens.

léopard *m* leopard.

lèpre *f* leprosy.

lépreux *m* **-euse** *f* leper; * *adj* leprous.

lequel *pn*, *f* **laquelle**, *pl* **lesquels, lesquelles** who, whom, which.

lesbienne *f* lesbian.

léser *vt* to wrong; to damage.

lésion *f* wrong; lesion, wound.

lessive *f* washing powder.

leste *adj* nimble, agile; **~ment** *adv* nimbly.

lester *vt* to fill; to ballast.

léthargie *f* lethargy.

léthargique *adj* lethargic.

lettre *f* letter, note; literature; **en toutes ~s** in black and white; **suivre à la ~** to carry out to the letter; **avant la ~** in advance, premature.

leucémie *f* leukaemia.

leucocyte *m* leucocyte.

leur *pn* them; **le ~, la ~, les ~s** theirs.

leurrer *vt* to deceive; to lure; **se ~** *vr* to delude o.s.

levain *m* leaven.

lever *vt* to lift, raise; to levy; **se ~** *vr* to get up; * *m* rising; getting up.

levier *m* lever.

lèvre *f* lip.

lévrier *m* greyhound.

levure *f* yeast.

lexique *m* vocabulary, lexis.

lézard *m* lizard.

lézarde *f* crack.

liaison *f* affair; connection; liaison, link.

liasse *f* bundle.

libellule *f* dragonfly.

libéral *adj* liberal; **~ement** *adv* liberally; * *m* liberal.

libéraliser *vt* to liberalise.

libéralisme *m* liberalism.

libéralité *f* liberality, generosity.

libération *f* release, liberation.

libérer *vt* to release; to liberate; **se ~** *vr* to free o.s.

liberté *f* liberty, freedom.

libido *f* libido.

libraire *mf* bookseller.

librairie *f* bookshop; bookselling.

libre *adj* free; independent; **~ment** *adv* freely.

licence *f* degree; permit; licentiousness.

licenciement *m* redundancy; dismissal.

licencier *vt* to make redundant; to dismiss.

lichen *m* lichen.

licorne *f* unicorn.

lie *f* dregs, sediment.

liège *m* cork.

lien *m* bond; link, connection; tie.

lier *vt* to bind; to link; **se ~** *vr*: **se ~ avec** to make friends.

lierre *m* ivy.

lieu *m* place, position; cause; occasion; **avoir ~** to take place; **en premier ~** in the first place; **au ~ de** instead of.

lieutenant *m* (*mil*) lieutenant.

lièvre *m* hare.

ligament *m* ligament

ligature *f* ligature; tying up.

ligne *f* line; row; range.

lignée *f* lineage; offspring.

lignite *m* lignite.

ligoter *vt* to bind hand and foot.

ligue *f* league.

lilas *m* lilac; * *adj* lilac.

limace *f* slug.

limande *f* dab.

lime *f* file.

limer *vt* to file down.

limitation *f* limitation, restriction.

limite *f* boundary, limit; **à la ~** ultimately.

limiter *vt* to limit, restrict; **se ~ vr** to limit o.s. to.

limitrophe *adj* border.

limon *m* silt.

limonade *f* lemonade.

limpide *adj* limpid, clear.

limpidité *f* limpidity, clearness.

lin *m* flax; linen.

linceul *m* shroud.

linéaire *adj* linear.

linge *m* linen; washing.

lingerie *f* linen room; underwear, lingerie.

lingot *m* ingot.

linguiste *mf* linguist.

linguistique *f* linguistics; * *adj* linguistic.

lion *m* lion, **lionne** *f* lioness.

lionceau *m* lion cub.

lipide *m* lipid.

liquéfier *vt* to liquefy; **se ~ vr** to liquefy.

liqueur *f* liqueur; liquid.

liquidation *f* liquidation; winding up; elimination.

liquide *m* liquid.

liquider *vt* to settle; to wind up; to eliminate

lire *vt* to read.

lis *m* lily.

lisible *adj* legible; readable; **~ment** *adv* legibly.

lisière *f* edge; border; outskirts.

lisse *adj* smooth, glossy.

lisser *vt* to smooth, gloss.

liste *f* list; (*jur*) schedule.

lit *m* bed; layer.

litanie *f* litany.

literie *f* bedding.

lithographie *f* lithography.

litière *f* litter.

litige *m* lawsuit; dispute.

litigieux *adj* litigious.

litre *m* litre.

littéraire *adj* literary.

littéral *adj* literal; **~ement** *adv* literally.

littérature *f* literature; writing.

littoral *m* coast; * *adj* coastal, littoral.

liturgie *f* liturgy.

livide *adj* livid, pale.

livraison *f* delivery; number, issue.

livre *m* book; * *f* pound (weight, currency).

livrer *vt* to deliver, hand over; to give away; **se ~ vr** to abandon o.s.

livret *m* (*mus*) libretto; booklet.

livreur *m* delivery man, **-euse** *f* delivery woman.

lobe *m* lobe.

lobotomie *f* lobotomy.

local *adj* local; **~ement** *adv* locally.

localisation *f* localisation.

localiser *vt* to localise.

localité *f* locality; town.

locataire *mf* tenant; lodger.

location *f* renting; lease, leasing.

locomotion *f* locomotion.

locomotive *f* locomotive, engine; dynamo.

locution *f* locution, idiom.

logarithme *m* logarithm.

loge *f* lodge; dressing room; box.

logement *m* housing; accommodation.

loger *vt* to accommodate; to billet; * *vi* to live in.

logiciel *m* software.

logique *f* logic; * *adj* logical; **~ment** *adv* logically.

logistique *f* logistics.

logo *m* logo.

loi *f* law; act, statute; rule.

loin *adv* far, a long way; * *m*: distance; background **au ~** in the distance; **de ~** from a distance.

lointain *adj* distant, remote; * *m* distance; background.

loir *m* dormouse.

loisir *m* leisure, spare time.

lombaire *adj* lumbar; * *f* lumbar vertebra.

lombric *m* earthworm.

long *adj*, *f* **-ue** long, lengthy; **~uement** *adv* at length.

longer *vt* to border; to walk along.

longévité *f* longevity.

longitude *f* longitude.

longtemps *adv* for a long time.

longueur *f* length.

longue-vue *f* telescope.

loquace *adj* loquacious, talkative.

loque *f* rag.

loquet *m* latch; clasp.

lorgner *vt* to leer, ogle.

lors *adv* then; **~ de** at the time of; **dès ~** from that time.

lorsque *conj* when.

losange *m* lozenge, diamond.

lot *m* prize; lot; portion.

loterie *f* lottery; raffle.

lotion *f* lotion.

lotissement *m* allotment; site, housing development.

lotus *m* lotus.

louange *f* praise, commendation.

louche *adj* dubious; suspicious, shady.

loucher *vi* to squint; to ogle.

louer *vt* to rent, lease; to book.

loup *m* wolf.

loupe *f* magnifying glass.

louper *vt* (*fam*) to botch, bungle; to flunk.

lourd *adj* heavy; sultry; unwieldy; **~ement** *adv* heavily.

lourdeur *f* heaviness.

loutre *f* otter.

louve *f* she-wolf.

louveteau *m* wolf-cub.

loyal *adj* loyal, faithful; **~ement** *adv* loyally.

loyauté *f* loyalty.

loyer *m* rent.

lubrifiant *m* lubricant; * *adj* lubricating.

lubrifier *vt* to lubricate.

lubrique *adj* lustful, lecherous; **~ment** *adv* lustfully.

lucarne *f* skylight.

lucide *adj* lucid, clear; **~ment** *adv* lucidly.

lucidité *f* lucidity, clearness.

lucratif *adj* lucrative.

ludique *adj* play.

lueur *f* glimmer, gleam; glimpse.

luge *f* sledge, toboggan.

lugubre *adj* lugubrious, gloomy; **~ment** *adv* lugubriously.

lui *pn* him, her, it; **c'est à ~** it is his; **~-même** himself, itself.

luire *vt* to shine, gleam.

luisant *adj* gleaming, shining.

lumbago *m* lumbago.

lumière *f* light; daylight; lamp; insight.

lumineux *adj* luminous; illuminated.

lunaire *adj* lunar, moon.

lunatique *adj* fantastical, whimsical, quirky.

lundi *m* Monday.

lune *f* moon.

lunette *f* telescope; **~s** glasses.

lustré *adj* glossy; shiny.

luth *m* lute.

luthérien *adj* Lutheran.

luthiste *mf* lutanist.

lutin *m* imp;goblin.

lutte *f* struggle; contest; strife.

lutter *vi* to struggle, fight.

lutteur *m* **-euse** *f* wrestler, fighter.

luxation *f* dislocation, luxation.

luxe *m* luxury, excess.

luxueusement *adv* luxuriously.

luxueux *adj* luxurious.

luxure *f* lust.

luxuriance *f* luxuriance.

luxuriant *adj* luxuriant.

luzerne *f* lucerne, alfalfa.

lycée *m* secondary school.

lycéen *m* secondary school boy, **-ne** *f* secondary school girl.

lymphatique *adj* lymphatic.

lymphe *f* lymph.

lymphocyte *m* lymphocyte.

lyncher *vt* to lynch.
lynx *m* lynx.
lyre *f* lyre.

lyrique *adj* lyric; ~**ment** *adv* lyrically.
lyrisme *m* lyricism.

M

macabre *adj* macabre.
macadam *m* tarmac.
macaque *m* macaque.
macédoine *f* medley, hotchpotch; macedoine.
macérer *vt* to macerate; to mortify o.s.; * *vi* to macerate, steep.
mâche *f* corn-salad.
mâcher *vt* to chew.
machiavélique *adj* Machiavellian.
machin *m* (*fam*) gadget; thingamajig.
machinal *adj* mechanical, automatic; ~**ement** *adv* mechanically.
machination *f* machination, plot.
machine *f* machine; engine; apparatus.
machinerie *f* machinery, plant.
machiniste *m* machinist; driver; stagehand.
mâchoire *f* jaw.
maçon *m* builder, mason.
maçonnerie *f* masonry; building.
macrobiotique *adj* macrobiotic; * *f* macrobiotics
madame *f* Madam; Mrs; lady.
madeleine *f* madeleine.
mademoiselle *f* Miss; young lady.
magasin *m* shop, store; warehouse.
magazine *m* magazine.
mage *m* magus; seer.
magicien *m* -ne *f* magician.
magie *f* magic
magique *adj* magic; magical; ~**ment** *adv* magically.
magistral *adj* masterly; authoritative; ~**ement** *adv* in a masterly fashion.
magistrat *m* magistrate.

magistrature *f* magistracy; magistrature.
magnanime *adj* magnanimous; ~**ment** *adv* magnanimously.
magnanimité *f* magnanimity.
magnat *m* magnate.
magnésium *m* magnesium.
magnétique *adj* magnetic.
magnétiser *vt* to magnetise; to hypnotise.
magnétisme *m* magnetism; hypnotism.
magnétophone *m* tape recorder.
magnétoscope *m* video recorder; videotape.
magnifique *adj* magnificent; sumptuous; ~**ment** *adv* magnificently.
magnolia *m* magnolia.
magot *m* (*fam*) savings, hoard, nest egg.
magouille *f* (*fam*) fiddle, scam; scheming.
mai *m* May.
maigre *adj* thin; meagre, scarce; ~**ment** *adv* meagrely.
maigreur *f* thinness; meagreness; sparseness.
maigrir *vi* to get thinner; to waste away.
maille *f* stitch; mesh; link.
maillet *m* mallet.
maillon *m* link; shackle.
maillot *m* jersey; leotard.
main *f* hand; **avoir la** ~ to have the lead; **passer la** ~ to make way for so.
main-d'œuvre *f* workforce.
maintenance *f* maintenance, servicing.
maintenant *adv* now; **à partir de** ~ from now on.

maintenir *vt* to keep, maintain; preserve; **se ~** *vr* to persist; to hold one's own.

maintien *m* maintenance; preservation; keeping up.

maire *m* mayor, *f* mayoress.

mairie *f* mayoralty; town hall.

mais *conj* but.

maïs *m* maize; corn.

maison *f* house; home; building; premises.

maître *m* **-esse** *f* master; ruler; lord; proprietor.

maîtresse *f* mistress; teacher.

maîtrise *f* mastery; control; expertise.

maîtriser *vt* to control; to master; **se ~** *vr* to control o.s.

majesté *f* majesty, grandeur.

majestueusement *adv* majestically.

majestueux *adj* majestic.

majeur *adj* major; main; chief; superior; * *m* major *mf* adult.

majoration *f* increased charge; overestimation.

majordome *m* majordomo, butler.

majorer *vt* to increase, raise.

majorette *f* majorette.

majoritaire *adj* majority.

majorité *f* majority.

majuscule *f* capital letter.

mal *adv* wrong, badly; * *m* evil, wrong; harm; pain.

malachite *f* malachite.

malade *adj* sick, ill; diseased; * *mf* invalid, sick person.

maladie *f* illness; malady, complaint; disorder.

maladresse *f* clumsiness; awkwardness.

maladroit *adj* clumsy, awkward; **~ement** *adv* clumsily.

malaise *m* uneasiness, discomfort; indisposition.

malchance *f* ill luck; misfortune; mishap.

malchanceux *adj* unlucky, unfortunate.

mâle *m* male; * *adj* male; manly, virile.

malédiction *f* malediction, curse.

maléfique *adj* hurtful; malignant; baleful.

malencontreux *adj* unfortunate, untoward.

malentendu *m* misunderstanding.

malfaisant *adj* malevolent; harmful; wicked.

malfaiteur *m* criminal; malefactor.

malgré *prép* in spite of; despite.

malheur *m* misfortune; calamity.

malheureusement *adv* unfortunately.

malheureux *adj* unfortunate; unlucky; unhappy.

malhonnête *adj* dishonest, crooked; uncivil; **~ment** *adv* dishonestly.

malhonnêteté *f* dishonesty; incivility.

malice *f* malice, spite; mischievousness.

malicieux *adj* malicious, spiteful; mischievous.

malin *adj* shrewd, cunning, crafty; malignant.

malintentionné *adj* ill-disposed, spiteful.

malle *f* trunk.

malléable *adj* malleable.

malmener *vt* to ill-treat, maltreat.

malnutrition *f* malnutrition.

malsain *adj* unhealthy, unwholesome; immoral.

malt *m* malt.

maltraiter *vt* to abuse; to handle roughly.

malveillance *f* malevolence, spite.

malveillant *adj* malevolent, spiteful.

maman *f* mother, mummy, mum.

mamelle *f* breast; udder.

mamelon *m* nipple, teat.

mammifère *m* mammal.

manche *f* sleeve; game, round; * *m* handle, shaft.

manchot *m* -e *f* one-armed person; * *adj* one-armed; * *m* penguin.

mandarin *m* mandarin; Mandarin.

mandarine *f* tangerine.

mandat *m* mandate; money order; proxy.

mandataire *mf* proxy; representative.

mandibule *f* mandible, jaw.

mandoline *f* mandolin.

manège *m* roundabout, merry-go-round.

manette *f* lever, tap.

manganèse *m* manganese.

mangeable *adj* edible.

manger *vt* to eat; to consume.

mangeur *m* -euse *f* eater.

mangouste *f* mongoose.

mangue *f* mango.

maniable *adj* handy, workable, tractable; amenable.

maniaque *adj* eccentric; fussy.; * *mf* maniac; fusspot; fanatic.

manie *f* mania.

maniement *m* handling; management, use.

manier *vt* to handle; to manipulate.

manière *f* manner, way, style.

maniéré *adj* affected.

manifestation *f* demonstration; expression, manifestation.

manifeste *adj* manifest, evident, obvious; ~ment *adv* manifestly, obviously; * *m* manifesto.

manifester *vt* to display, make known; to demonstrate; se ~ *vr* to make o.s. known; to appear; to express o.s.

manigancer *vt* to contrive; to scheme.

manipulation *f* handling; manipulation.

manipuler *vt* to handle; to manipulate

manivelle *f* crank.

mannequin *m* model; dummy.

manœuvre *f* manoeuvre, operation; scheme; * *m* labourer.

manœuvrer *vt* to manoeuvre; to operate; * *vi* to manoeuvre, move.

manoir *m* manor.

manomètre *m* manometer.

manquant *adj* missing.

manque *m* lack, shortage; shortcoming, deficiency.

manquer *vt* to miss; to fail; to be absent.

mansarde *f* attic, garret.

manteau *m* coat; mantle, blanket; cloak.

manuel *m* manual, handbook; * *adj* manual; ~lement *adv* manually.

manufacture *f* factory; manufacture.

manufacturier *m* -ière *f* factory owner; manufacturer; * *adj* manufacturing.

manuscrit *m* manuscript; typescript; * *adj* handwritten.

manutention *f* handling.

mappemonde *f* map of the world.

maquereau *m* mackerel.

maquette *f* model; mock-up; dummy; sketch.

maquillage *m* make-up.

maquiller *vt* to make up; to fake; to fiddle; se ~ *vr* to put make-up on.

marais *m* marsh, swamp.

marasme *m* stagnation; depression, slump.

marathon *m* marathon.

marbre *m* marble; marble statue.

marbré *adj* marbled; mottled, blotchy.

marbrier *m* marble-cutter; monumental mason.

marchand *m* -e *f* shopkeeper; dealer; merchant; * *adj* market, trade.

marchandage *m* bargaining, haggling.

marchander *vi* to bargain over, haggle.

marchandise *f* merchandise, commodity; goods.

marche *f* walk; journey; progress; movement; **mettre en ~** to start up; to turn on.

marché *m* market; transaction, contract.

marcher *vi* to walk, march; to progress; to work.

marcheur *m* **-euse** *f* walker, pedestrian.

mardi *m* Tuesday.

mare *f* pool, pond.

marécage *m* marsh, swamp.

maréchal *m* marshal.

marée *f* tide.

margarine *f* margarine.

marge *f* margin; latitude, freedom; mark-up.

marginal *adj* marginal.

marginaliser *vt* to marginalise.

marguerite *f* daisy.

mari *m* husband.

mariage *m* marriage.

marié *m* bridegroom; * *adj* married.

marier *vt* to marry; blend, harmonise; **se ~** *vr* to get married.

marin *m* sailor.

marine *f* navy; seascape; marine.

mariner *vi* to marinate; to hang about; * *vt* to marinate.

marionnette *f* puppet; puppet show.

maritime *adj* maritime; seaboard.

marjolaine *f* marjoram.

marmelade *f* stewed fruit; marmalade.

marmite *f* pot.

marmonner *vt* to mumble, mutter.

marmotte *f* marmot.

maroquinerie *f* tannery; fine leather craft.

maroquinier *m* leather craftsman; dealer in fine leather.

marquant *adj* outstanding, vivid.

marque *f* mark, sign; brand; make.

marquer *vt* to mark; to note down; to score.

marquis *m* marquis **-e** *f* marchioness.

marraine *f* godmother; sponsor.

marron *m* chestnut; brown; * *adj* brown.

marronnier *m* chestnut tree.

mars *m* March.

marsouin *m* porpoise.

marteau *m* hammer; knocker.

marteler *vt* to hammer; to beat.

martial *adj* martial, warlike.

martin-pêcheur *m* kingfisher.

martyr *m* **-e** *f* martyr; * *adj* martyred.

martyre *m* martyrdom.

martyriser *vt* to torture, martyrise.

mascarade *f* farce, mascarade.

masculin *adj* masculine.

masochisme *m* masochism.

masochiste *mf* masochist; * *adj* masochistic.

masque *m* mask; facade, front.

masquer *vt* to mask, conceal; to disguise.

massacre *m* massacre; slaughter.

massacrer *vt* to massacre, slaughter.

massage *m* massage.

masse *f* mass, heap; bulk; mob.

masser *vt* to mass, assemble; to massage.

masseur *m* masseur, **-euse** *f* masseuse.

massif *adj* massive, solid, heavy; * *m* massif; clump.

massivement *adv* en masse, massively, heavily.

massue *f* club.

mastic *m* mastic; cement; putty.

mastiquer *vt* to chew, masticate.

masturbation *f* masturbation.

masturber *vi* **se ~** *vr* to masturbate.

mat *adj* matt, dull; dead, dull-sounding.

mât *m* mast; pole.

match *m* match; game.

matelas *m* mattress.

matelassé *adj* stuffed; padded, cushioned.

matelot *m* sailor; seaman.

mater *vt* to subdue; to control, curb; to spy on; to ogle.

matérialiser *vt* to embody; **se ~** *vr* to materialize.

matériaux *mpl* material, materials.

matériel *adj* material, physical; practical; **~lement** *adv* materially, practically.

maternel *adj* maternal, motherly; **~lement** *adv* maternally.

maternité *f* motherhood; pregnancy; maternity hospital.

mathématicien *m* **-ne** *f* mathematician.

mathématique *adj* mathematical; **~ment** *adv* mathematically; * *f* mathematics.

matière *f* material, matter; subject; **~ première** raw material.

matin *m* morning; dawn.

matinal *adj* morning.

matinée *f* morning; matinée.

matraque *f* truncheon; cosh.

matrice *f* womb; mould; matrix.

matricule *m* reference number; * *f* roll, register.

matrimonial *adj* matrimonial, marriage.

maturation *f* maturing; maturation.

maturité *f* maturity; prime.

maudire *vt* to curse.

maudit *adj* cursed; blasted; damned.

maussade *adj* sulky, sullen; **~ment** *adv* sulkily, sullenly.

mauvais *adj* bad; wicked; faulty; hurtful; poor.

mauve *adj* mauve; * *f* mallow.

maximal *adj* maximal.

maxime *f* maxim.

maximum *m* maximum.

mayonnaise *f* mayonnaise.

me, m' *pn* me; myself.

mécanicien *m* **-ne** *f* mechanic; engineer.

mécanique *f* mechanics; mechanical engineering; * *adj* mechanical; **~ment** *adv* mechanically.

mécanisme *m* mechanism, working.

mécène *m* patron.

méchamment *adv* spitefully; wickedly.

méchanceté *f* spitefulness; wickedness; mischievousness.

méchant *adj* spiteful; wicked; mischievous.

mèche *f* wick, fuse; tuft.

méconnaissable *adj* unrecognisable.

méconnu *adj* unrecognised; misunderstood.

mécontent *adj* discontent, displeased.

mécontentement *m* discontent; displeasure.

médaille *f* medal; stain, mark.

médaillon *m* medallion; locket.

médecin *m* doctor, physician.

médecine *f* medicine

médiateur *m* **-trice** *f* mediator; arbitrator.

médiatique *adj* media.

médical *adj* medical; **~ement** *adv* medically.

médicament *m* medicine, drug.

médicinal *adj* medicinal.

médiéval *adj* medieval.

médiocre *adj* mediocre; passable; indifferent; **~ment** *adv* indifferently; poorly.

médisant *adj* slanderous.

méditation *f* meditation.

méditer *vi* to meditate; * *vt* to contemplate, have in mind.

médium *m* medium.

méduse *f* jellyfish.

méfiance *f* distrust, mistrust.

méfiant *adj* distrustful, mistrustful.

méfier (se) *vr* to mistrust, distrust; to be suspicious.

mégalomane *adj* megalomaniac; * *mf* megalomaniac.

mégaphone *m* megaphone.

mégot *m* cigarette-end, stub.

meilleur *adj* better, preferable; **le ~, la ~e** the best.

mélancolie *f* melancholy, gloom.

mélancolique *adj* melancholy; melancholic; **~ment** *adv* melancholically.

mélange *m* mixing, blending; mixture.

mélanger *vt* to mix, blend; to muddle.

mêlée *f* melée, fray; scrum.

mêler *vt* to mix; to combine; **se ~ vr** to mix, mingle; **se ~ à** to join; **se ~ de** to meddle in.

mélisse *f* lemon balm.

mélodie *f* melody, tune.

mélodieusement *adv* melodiously, tunefully.

mélodieux *adj* melodious, tuneful.

mélomane *mf* music lover.

melon *m* melon.

membrane *f* membrane.

membre *m* member; limb.

même *adv* even; **tout de ~** nevertheless, all the same; * *adj* same, identical; * *pn*: **le ~, la ~, les ~s** the same, the same ones.

mémoire *f* memory; * *m* memorandum, report.

mémorable *adj* memorable.

mémoriser *vt* to memorise.

menaçant *adj* menacing, threatening.

menace *f* threat; intimidation; danger.

menacer *vt* to threaten, menace; to impend.

ménage *m* housework, housekeeping; household.

ménager *vt* to treat with caution; to manage; to arrange.; **se ~ vr** to take care of o.s.; * *adj* household, domestic.

ménagère *f* housewife.

ménagerie *f* menagerie.

mendiant *m* **-e** *f* beggar.

mendier *vt* to beg; to implore.

mener *vt* to lead, guide; to steer; to manage.

meneur *m* **-euse** *f* leader; agitator.

menhir *m* menhir, standing stone.

méningite *f* meningitis.

ménopause *f* menopause.

menottes *fpl* handcuffs.

mensonge *m* lie, falsehood; error, illusion.

menstruation *f* menstruation.

mensuel *adj* monthly.

mental *adj* mental; **~ement** *adv* mentally.

mentalité *f* mentality.

menteur *m* **-euse** *f* liar; * *adj* lying, deceitful.

menthe *f* mint.

menthol *m* menthol.

mention *f* mention; comment; grade.

mentionner *vt* to mention.

mentir *vi* to lie; to be deceptive.

menton *m* chin.

menu *m* menu; meal; * *adj* slender, thin; petty, minor.

menuiserie *f* joinery, carpentry.

menuisier *m* joiner, carpenter.

mépris *m* contempt, scorn.

méprisant *adj* contemptuous, scornful.

mépriser *vt* to scorn, despise.

mer *f* sea; tide.

mercenaire *m* mercenary.

mercerie *f* haberdashery.

merci *m* thank you; * *f* mercy; **sans ~** merciless; **être à la ~ de** to be at the mercy of.

mercredi *m* Wednesday.

mercure *m* mercury.

mère *f* mother.

méridien *m* meridian; midday.

méridional *adj* southern.

meringue *f* meringue.

merisier *m* wild cherry.

mérite *m* merit, worth; quality.

mériter *vt* to deserve, merit.

merlan *m* whiting.

merle *m* blackbird.

merveille *f* marvel, wonder.

merveilleusement *adv* marvellously, wonderfully.

merveilleux *adj* marvellous, wonderful.

mésange *f* tit *(orn).*

mésentente *f* misunderstanding.

mesquin *adj* mean, niggardly; petty; **~ement** *adv* meanly, pettily.

message *m* message.

messager *m* **-ère** *f* messenger.

messagerie *f* parcels office, parcels service.

messe *f* mass.

messie *m* messiah.

mesure *f* measure; gauge; measurement; moderation; step; **au fur et à ~** as; one by one; **sans commune ~ avec** there is no possible comparison with; **dans la mesure où** insofar as; **en ~** in time.

mesurer *vt* to measure; to assess; to limit; **se ~** *vr* to try one's strength; **se ~ à** to pit o.s. against, measure one's strength against.

métabolisme *m* metabolism.

métal *m* metal.

métallique *adj* metallic.

métallisé *adj* metallic, metallised.

métallurgie *f* metallurgy.

métallurgiste *m* steelworker, metalworker.

métamorphose *f* metamorphosis.

métamorphoser *vt* to transform, metamorphose; **se ~** *vr* to be metamorphosed.

métaphore *f* metaphor.

métaphorique *adj* metaphorical; **~ment** *adv* metaphorically.

métaphysique *adj* metaphysical; * *f* metaphysics.

météore *m* meteor.

météorite *m/f* meteorite.

météorologue, météorologiste *mf* meteorologist.

méthane *m* methane.

méthode *f* method, way.

méthodique *adj* methodical; **~ment** *adv* methodically.

méthylène *m* methyl alcohol; methylene.

méticuleusement *adv* meticulously.

méticuleux *adj* meticulous

métier *m* job; occupation; **~ à tricoter** knitting machine; **~ à tisser** weaving loom.

métis *m* **-se** *f* half-caste; hybrid; mongrel; * *adj* half-caste; hybrid, mongrel.

mètre *m* metre.

métro *m* underground, metro.

métronome *m* metronome.

métropole *f* metropolis.

métropolitain *adj* metropolitan; underground.

mets *m* dish.

metteur en scène *m* *(cin)* director.

mettre *vt* to put, place; to put on; **~ en marche** to start up; **se ~** *vr* to place o.s.; to sit down; **se ~ à** to begin to; **se ~ en route** to start off.

meuble *m* piece of furniture.

meubler *vt* to furnish.

meule *f* millstone; grindstone.

meurtrier *m* murderer, **-ière** *f* murderess.

meurtrir *vt* to bruise.

meute *f* pack.

mezzanine *f* mezzanine.

mi- *adj* half; **à ~chemin** halfway; **~clos** half-closed; **à ~jambe** up to the knees; **à ~voix** in a low voice.

miauler *vi* to mew.

miche *f* round loaf.

microbe *m* germ, microbe.

microbien *adj* microbial, microbic.

microclimat *m* microclimate.
microfilm *m* microfilm.
micro-informatique *f* micro-computing.
micro-onde *f* microwave; * *m* **micro-ondes** microwave oven.
micro-ordinateur *m* microcomputer.
microphone *m* microphone.
microprocesseur *m* microprocessor.
microscope *m* microscope.
microscopique *adj* microscopic.
midi *m* midday, noon.
mie *f* crumb, soft part of a loaf.
miel *m* honey.
mien *pn*, *f* **mienne**: le ~, la mienne, les ~s, les miennes mine, my own.
miette *f* crumb; remnant; morsel.
mieux *m* improvement; **le ~** the best; **de ~ en ~** better and better.
mignon *adj* sweet, pretty.
migraine *f* headache; migraine.
migrateur *m* migrant.
migration *f* migration.
mijoter *vi* to simmer, be brewing; * *vt* to simmer; to scheme, plot.
milice *f* militia.
milieu *m* middle, centre; medium; environment.
militaire *m* serviceman; * *adj* military, army.
militant *m* **-e** *f* militant; * *adj* militant.
militer *vi* to militate; to be a militant.
mille *m* one thousand; * *adj* one thousand.
millénaire *m* millennium, a thousand years; thousandth anniversary; * *adj* thousand-year-old; millennial.
mille-pattes *m* millipede, centipede.
millésime *m* year, date; vintage.
millet *m* millet.
milliard *m* thousand million; billion.

milliardaire *adj* worth (many) millions; * *mf* multimillionaire.
milliardième *adj* thousand millionth; * *m* thousand millionth.
millième *adj* thousandth; * *m* thousandth.
millier *m* thousand.
milligramme *m* milligram.
millilitre *m* millilitre.
millimètre *m* millimetre.
million *m* million.
millionième *adj* millionth; * *m* millionth.
millionnaire *adj* millionaire; worth millions; * *mf* millionaire.
mime *m* mime; * *mf* mimic.
mimer *vt* to mime; to mimic, imitate.
mimétisme *m* mimicry; mimetism.
mimosa *m* mimosa.
minable *adj* seedy, shabby; **~ment** *adv* shabbily.
mince *adj* thin, slender; meagre; trivial.
mincir *vi* to get slimmer, get thinner.
mine *f* expression; appearance; mine; **avoir bonne ~** to look good.
minerai *m* ore.
minéral *adj* mineral; inorganic; * *m* mineral.
minéralogique *adj* mineralogical.
mineur *m* **-e** *f* minor; * *adj* minor; * *m* miner.
miniature *f* miniature.
mini-jupe *f* miniskirt.
minimal *adj* minimal, minimum.
minime *adj* minor, minimal.
minimum *m* minimum.
ministère *m* ministry; agency.
ministériel *adj* ministerial.
ministre *m* minister; clergyman.
minoritaire *adj* minority.
minorité *f* minority.
minuit *m* midnight.
minuscule *adj* minuscule, tiny, minute.
minute *f* minute, moment.

minuterie *f* time switch; regulator.

minutieux *adj* meticulous.

mirabelle *f* mirabelle.

miracle *m* miracle, wonder.

miraculeux *adj* miraculous.

mirage *m* mirage.

miroir *m* mirror, reflection.

misanthrope *mf* misanthrope; misanthropist; * *adj* misanthropic.

mise *f* putting, placing; stake; deposit; investment; ~ **en scène** production, staging; ~ **en liberté** release; ~ **en ordre** ordering, arrangement; ~ **en œuvre** implementation.

miser *vt* to stake, to bet.

misérable *adj* miserable; destitute; pitiable; ~**ment** *adv* miserably.

misère *f* misery; poverty; destitution.

miséricorde *f* mercy, forgiveness.

misogyne *mf* misogynist; * *adj* misogynous.

missile *m* missile.

mission *f* mission, assignment.

missionnaire *m* missionary.

mi-temps *f* half-time; half.

miteux *adj* dingy, shabby, poverty-stricken.

mitigé *adj* mitigated; lukewarm.

mitoyen *adj* common; semi-detached.

mitrailler *vt* to machine-gun.

mitraillette *f* submachine gun.

mitrailleuse *f* machine gun.

mixer *vt* to mix; to blend.

mixte *adj* mixed; joint; combined.

mixture *f* mixture, concoction.

mobile *adj* moving; movable; mobile; nimble; * *m* motive; moving body.

mobilier *m* furniture; * *adj* movable; personal; transferable.

mobilisation *f* mobilisation, calling up.

mobilité *f* mobility.

mobylette *f* moped.

moche *adj* (*fam*) ugly, lousy.

mode *f* fashion; custom; * *m* form, mode; way.

modèle *m* model; pattern; design; example.

modeler *vt* to model; to shape; **se ~** *vr*: **se ~ sur** to model o.s. on.

modem *m* modem.

modération *f* moderation; diminution.

modéré *adj* moderate; ~**ment** *adv* moderately.

modérer *vt* moderate, restrained; **se ~** *vr* to control o.s., keep one's temper.

moderne *adj* modern, up-to-date.

moderniser *vt* to modernise.

modeste *adj* modest, simple; unassuming; ~**ment** *adv* modestly.

modestie *f* modesty.

modification *f* modification.

modifier *vt* to modify, alter; **se ~** *vr* to be modified.

modulation *f* modulation; adjustment.

moelle *f* marrow; core.

moelleux *adj* mellow; soft; smooth.

mœurs *fpl* morals; customs.

moi *pn* me, I; **c'est à ~** it is mine, it is my turn; **~-même** myself.

mois *m* month.

moisi *adj* mouldy, mildewed; * *m* mould.

moisir *vi* to go mouldy.

moisissure *f* mould, mildew.

moisson *f* harvest.

moissonner *vt* to reap, harvest.

moite *adj* moist, damp.

moitié *f* half.

molaire *f* molar.

molécule *f* molecule.

mollement *adv* softly; gently.

mollusque *m* mollusc.

moment *m* moment, instant, while; time; opportunity.

momentané *adj* momentary; brief; ~**ment** *adv* momentarily.

momie *f* mummy.

mon *pn*, *f* **ma**, *pl* **mes** my, my own.

monarchie *f* monarchy.

monastère *m* monastery.

mondain *adj* worldly, mundane; society, fashionable.

monde *m* world, earth; society, company; **il y a du ~** there are some people there.

mondial *adj* world, world-wide; **~ement** *adv* the world over.

monétaire *adj* monetary.

moniteur *m* **-trice** *f* instructor, coach; supervisor.

monnaie *f* currency; coin; change.

monoculture *f* single-crop farming, monoculture.

monologue *m* monologue.

monopole *f* monopoly.

monopoliser *vt* to monopolise.

monotone *adj* monotonous.

monotonie *f* monotony, sameness.

monseigneur *m* my lord, your grace.

monsieur *m* sir, gentleman, Mr, *pl* **messieurs** gentlemen, Messrs.

monstre *m* monster.

monstrueux *adj* monstrous.

mont *m* mountain; mount.

montage *m* assembly; setting up; editing.

montagnard *m* **-e** *f* mountain dweller.

montagne *f* mountain.

montagneux *adj* mountainous.

montant *m* upright; total, total sum; * *adj* upward, rising; upstream.

montée *f* climb, climbing; ascent; rise.

monter *vi* to go up, ascend; get into (vehicle); * *vt* to go up; to carry/bring up.

monteur *m* **-euse** *f* fitter; editor.

montre *f* watch.

montrer *vt* to show, point to; to prove; **se ~** *vr* to appear; to prove o.s.

monture *f* mount; setting; frame.

monument *m* monument, memorial.

monumental *adj* monumental, colossal.

moquer (se) *vr* to make fun, jeer, laugh at.

moqueur *m* **-euse** *f* mocker, scoffer; * *adj* mocking.

moral *adj* moral, ethical; intellectual; **~ement** *adv* morally.

moralité *f* morals, morality.

morbide *adj* morbid, unhealthy.

morceau *m* piece, morsel, fragment; extract.

mordant *adj* cutting, mordant; * *m* mordant.

mordre *vt* to bite, gnaw; to grip.

morgue *f* morgue; mortuary.

morille *f* morel.

morne *adj* gloomy, dismal.

morose *adj* sullen, morose.

morphine *f* morphine.

morphologie *f* morphology.

morse *m* Morse; walrus.

morsure *f* bite.

mort *m* dead man, **-e** *f* dead woman; * *adj* dead; * *f* death.

mortalité *f* mortality; death rate.

mortel *adj* mortal; fatal; **~lement** *adv* mortally.

mortier *m* mortar.

mortuaire *adj* mortuary; funeral.

morue *f* cod.

mosaïque *f* mosaic.

mosquée *f* mosque.

mot *m* word; saying; **~s croisés** crossword.

moteur *m* engine, motor; * *adj* motor, driving.

motif *m* motive, grounds; motif, design.

motion *f* motion; **~ de censure** censure motion.

motivation *f* motivation.

motiver *vt* to justify; to motivate.

moto *f* motorbike.

moto-cross *m* motocross, scrambling.

motte *f* clod, lump; slab.

mou *adj*, *f* **molle** soft; gentle; muffled.

mouche *f* fly.

moucher *vt* to wipe sb's nose; **se ~** *vr* to blow one's nose.

moucheron *m* midge, gnat.

moucheté *adj* speckled; flecked.

mouchoir *m* handkerchief.

moudre *vt* to mill, grind.

moue *f* pout; **faire la ~** to pout.

mouette *f* gull.

moufle *f* mitten.

mouillé *adj* wet, soaked.

mouiller *vt* to wet; to water down; **se ~** *vr* to get wet.

moulage *m* moulding, casting.

moule *m* mould; * *f* mussel.

mouler *vt* to mould; to model.

moulin *m* mill.

moulu *adj* ground; bruised.

mourant *m* dying man, **-e** *f* dying woman; * *adj* dying.

mourir *vi* to die.

mousse *f* moss; foam, froth.

mousser *vi* to froth, foam.

mousseux *adj* sparkling; frothy; * *m* sparkling wine.

moustache *f* moustache; whiskers.

moustachu *adj* moustached; * *m* moustached man.

moustiquaire *f* mosquito net.

moustique *m* mosquito.

moutarde *f* mustard.

mouton *m* sheep; mutton.

mouvement *m* movement, motion; animation.

mouvementé *adj* eventful; turbulent.

mouvoir *vt* to drive, power; **se ~** *vr* to move.

moyen *m* means; way; * *adj* average, medium, moderate; **~nement** *adv* fairly, moderately; **~ âge** Middle Ages.

moyenne *f* average.

moyeu *m* hub; boss.

mue *f* moulting; shedding.

muer *vi* to moult; to slough.

muet *m* mute (man), **muette** *f* mute (woman); * *adj* dumb; silent, mute.

mufle *m* muffle; muzzle.

muguet *m* lily-of-the-valley; (*med*) thrush.

mule *f* she-mule.

mulet *m* mule.

multicolore *adj* multicoloured.

multinationale *f* multinational.

multiple *adj* numerous, multiple; * *m* multiple.

multiplication *f* multiplication.

multiplier *vt* **se ~** *vr* to multiply, increase.

multitude *f* multitude, crowd.

municipal *adj* municipal; local.

municipalité *f* town, municipality.

munir *vt* to provide, equip with; **se ~** *vr* to equip o.s.

munition *f* munition, ammunition.

mur *m* wall.

mûr *adj* ripe, mature; worn out.

muraille *f* city wall, rampart.

mûre *f* blackberry.

mûrir *vi* to ripen, mature.

murmure *m* murmur; muttering; grumbling.

murmurer *vi* to murmur; to whisper; grumble; to babble * *vt* to murmur.

muscle *m* muscle.

musclé *adj* muscular, brawny.

musculaire *adj* muscular.

muse *f* muse.

museau *m* muzzle, snout.

musée *m* art gallery, museum.

musicien *m* **-ne** *f* musician; * *adj* musical.

musique *f* music.

musulman *m* **-e** *f* Moslem; * *adj* Moslem.

mutant *m* **-e** *f* mutant; * *adj* mutant.

mutation *f* transfer; transformation; mutation.

muter *vt* to transfer, move.

mutilation *f* mutilation, maiming.

mutiler *vt* to mutilate; **se ~** *vr* to injure o.s.

mutisme *m* silence.

mutuel *adj* mutual; **~lement** *adv* mutually.

mutuelle *f* mutual insurance company.

mycose *f* mycosis.

mygale *f* tarantula.

myope *mf* short-sighted person; * *adj* short-sighted.

myopie *f* short-sightedness, myopia.

myosotis *m* forget-me-not.

myrtille *f* bilberry, blueberry.

mystère *m* mystery.

mystérieusement *adv* mysteriously.

mystérieux *adj* mysterious.

mystifier *vt* to mystify; to hoax.

mystique *adj* mystical; * *mf* mystic.

mythe *m* myth.

mythique *adj* mythical.

mythologie *f* mythology.

N

nacre *f* mother-of-pearl.

nacré *adj* nacreous, pearly, iridescent.

nageoire *f* fin, flipper.

nager *vi* to swim.

nageur *m* **-euse** *f* swimmer; rower.

naïf *adj* naïve, artless, ingenuous.

nain *m* **-e** *f* dwarf; * *adj* dwarfish, dwarf.

naissance *f* birth, extraction; dawn, beginning.

naître *vi* to be born; to arise, spring up.

naïvement *adj* naïvely.

naïveté *f* naïvety, artlessness, gullibility.

nanti *m* rich man, *adj* rich, well-to-do.

nappe *f* tablecloth; layer; sheet, expanse.

napper *vt* to top with.

napperon *m* tablemat.

narcisse *m* narcissus.

narcotique *m* drug, narcotic; * *adj* narcotic.

narguer *vt* to flout, defy; to cheek.

narine *f* nostril.

narrateur *m* **-trice** *f* narrator.

narration *f* narration, narrative.

nasal *adj* nasal.

naseau *m* nostril.

natalité *f* birth rate.

natation *f* swimming.

nation *f* nation.

national *adj* national; domestic.

nationaliser *vt* to nationalise.

nationaliste *mf* nationalist; * *adj* nationalist.

nationalité *f* nationality.

natte *f* plait, braid.

naturalisation *f* nationalisation.

naturaliste *mf* naturalist; taxidermist; * *adj* naturalistic.

nature *f* nature; kind, sort; temperament.

naturel *adj* natural; native; unsophisticated; **~lement** *adv* naturally; of course.

naufrage *m* shipwreck; ruin, foundering.

nausée *f* nausea.

nautique *adj* nautical, water.

naval *adj* naval, shipbuilding.

navet *m* turnip.

navette *f* shuttle; **faire la ~** to shuttle between.

navigateur *m* navigator, sailor.

navigation *f* sailing, navigation.

navire *m* ship, vessel.

navrant *adj* distressing, upsetting.

ne *adv* no, not.

né *adj* born.

néanmoins *adv* nevertheless.

néant *m* nothing, nothingness, emptiness.

nécessaire *adj* necessary; requisite; indispensable; **~ment** *adv* necessarily.

nécessité *f* necessity; need; inevitability.

nécessiter *vt* to require, necessitate.

nécropole *f* necropolis.

nectar *m* nectar.

nectarine *f* nectarine.

néfaste *adj* harmful; unlucky; ill-fated.

négatif *adj* negative.

négation *f* negation; negative.

négativement *adv* negatively.

négligemment *adv* negligently; carelessly; nonchalantly.

négligence *f* negligence, carelessness.

négligent *adj* negligent, careless; nonchalant.

négliger *vt* to neglect; to be negligent about.

négociant *m* -e *f* merchant.

négociation *f* negotiation.

négocier *vi* to negotiate; to trade; * *vt* to negotiate.

neige *f* snow.

neiger *vi* to snow, be snowing.

nénuphar *m* water-lily.

néophyte *mf* neophyte; novice * *adj* newly converted.

nerf *m* nerve.

nerveusement *adv* nervously; irritably.

nerveux *adj* nervous; vigorous; excitable.

nervosité *f* nervousness; excitability.

nervure *f* nervure, vein; rib.

net *adj*, *f* -te clean; clear; plain; sharp; net; **~tement** *adv* cleanly; clearly; plainly.

netteté *f* neatness; clearness; sharpness.

nettoyage *m* cleaning; clearing up.

nettoyer *vt* to clean; to ruin, clean out.

neuf *adj* nine; * *m* nine.

neurologie *f* neurology.

neurone *m* neurone.

neutraliser *vt* to neutralise.

neutralité *f* neutrality.

neutre *adj* neutral; neuter.

neutron *m* neutron.

neuvième *adj* ninth; **~ment** *adv* ninthly; * *mf* ninth.

neveu *m* nephew.

névralgie *f* neuralgia.

névrose *f* neurosis.

nez *m* nose; flair; **avoir du ~** to have flair.

niais *adj* silly, simple, inane; **~ement** *adv* inanely.

niche *f* niche, nook; kennel; trick.

nickel *m* nickel.

nicotine *f* nicotine.

nid *m* nest; den; berth.

nièce *f* niece.

nier *vt* to deny; to repudiate.

nigaud *m* -e *f* simpleton.

nitrate *m* nitrate.

nitroglycérine *f* nitroglycerine.

niveau *m* level; standard; par; gauge.

niveler *vt* to level; to even out, equalise.

noble *adj* noble, dignified; **~ment** *adv* nobly.

noblesse *f* nobleness, nobility.

noce *f* wedding, wedding feast; marriage ceremony.

nocif *adj* noxious, harmful.

noctambule *mf* night reveller, night owl; sleepwalker; * *adj* enjoying night life; noctambulant.

nocturne *adj* nocturnal, night; * *f* evening fixture; late night opening.

nodule *m* nodule.

Noël *m* Christmas.

nœud *m* knot, bow; crux.

noir *adj* black; dark; * *m* black; darkness; black man.

noircir *vt* to blacken; to dirty; **se ~** *vr* to darken, grow black.

noire *f* black woman.

noisetier *m* hazel tree.

noisette *f* hazel.

noix *f* walnut.

nom *m* name; fame; noun.

nomade *mf* nomad.

nombre *m* number, quantity.

nombreux *adj* numerous, frequent.

nombril *m* navel.

nomenclature *f* list, catalogue; nomenclature.

nominal *adj* nominal; noun; **~ement** *adv* nominally.

nominatif *m* nominative.

nomination *f* appointment; nomination.

nommer *vt* to appoint; nominate.

non *adv* no; not.

nonchalance *f* nonchalance.

nonchalant *adj* nonchalant.

non-conformiste *mf* nonconformist; * *adj* nonconformist.

non-lieu *m* (*jur*) no ground for prosecution.

non-sens *m* nonsense.

non-violence *f* non-violence.

nord *m* north, northerly (wind).

nordique *adj* Nordic; Scandinavian.

normal *adj* normal, usual; standard-sized; **~ement** *adv* normally, usually.

norme *f* norm; standard.

nostalgie *f* nostalgia.

nostalgique *adj* nostalgic.

notable *adj* notable; noteworthy; **~ment** *adv* notably.

notaire *m* notary; solicitor.

notamment *adv* notably; in particular.

note *f* note; minute; mark; bill.

noter *vt* to note down; to notice; to mark.

notice *f* note; directions; instructions.

notion *f* notion, idea.

notoire *adj* notorious; well-known, acknowledged; **~ment** *adv* notoriously.

notoriété *f* notoriety; fame.

notre *adj*, *pl* **nos** ours, our own.

nôtre *pn*: **le ~, la ~, les ~s** ours, our own.

nouer *vt* to tie, knot; **se ~** *vr* to join together.

nouille *f* (piece of) pasta.

nourrice *f* child-minder, nanny.

nourrir *vt* to feed, provide for; to stoke; **se ~** *vr* to feed o.s.

nourrissant *adj* nourishing, nutritious.

nourrisson *m* infant, nursling.

nourriture *f* food; sustenance.

nous *pn* we; us; **c'est à ~** it's ours; it's our turn; **~-mêmes** ourselves.

nouveau *adj* new; recent; additional.

nouveau-né *m* **-e** *f* new-born child.

nouveauté *f* novelty; newness.

nouvelle *f* piece of news; short story.

novembre *m* November.

novice *mf* novice, beginner; * *adj* novice, unpractised, inexperienced.

noyade *f* drowning, drowning incident.

noyau *m* stone, pit; core; nucleus.

noyer *vt* to drown; to flood; **se ~** *vr* to drown, drown o.s.; * *m* walnut (tree).

nu *adj* naked, nude; plain, unadorned.

nuage *m* cloud.

nuageux *adj* cloudy, overcast.

nuance *f* shade, hue; faint difference, nuance.

nucléaire *adj* nuclear; * *m* nuclear energy.

nudiste *mf* nudist; * *adj* nudist.

nudité *f* nakedness, nudity.

nuée *f* dense cloud; horde, swarm.

nuire *vi* to harm, injure; to prejudice.

nuisible *adj* harmful; noxious; ~**ment** *adv* harmfully.

nuit *f* night, darkness.

nul *adj* no; nil; null and void; non-existent; ~**lement** *adv* not at all, not in the least.

nullité *f* nullity; uselessness.

numéral *adj* numeral; * *m* numeral.

numérique *adj* numerical; digital.

numéro *m* number; issue.

numérotation *f* numbering, numeration.

numéroter *vt* to number.

nuptial *adj* nuptial, wedding.

nuque *f* nape (of the neck).

nutritif *adj* nutritious, nourishing.

nutrition *f* nutrition.

nylon *m* nylon.

nymphe *f* nymph.

O

oasis *m* oasis.

obéir *vt* to obey, be obedient; to comply.

obéissance *f* obedience; compliance.

obéissant *adj* obedient.

obèse *adj* obese.

obésité *f* obesity.

objecter *vt* to object.

objectif *adj* objective, unbiased; * *m* objective, target.

objection *f* objection.

objectivement *adv* objectively.

objet *m* object, thing; purpose; matter.

obligation *f* obligation, duty; bond.

obligatoire *adj* obligatory, compulsory; ~**ment** *adv* obligatorily.

obligé *adj* obliged, compelled; inevitable; necessary.

obliger *vt* to oblige, require; (*jur*) to bind.

oblique *adj* oblique, sidelong.

oblitérer *vt* to obliterate; to cancel (stamp).

obscène *adj* obscene.

obscénité *f* obscenity.

obscur *adj* obscure, dark, gloomy; ~**ément** *adv* obscurely.

obscurcir *vt* to darken; to obscure; **s'**~ *vr* to get dark.

obscurité *f* obscurity; darkness.

obséder *vt* to obsess, haunt.

obsèques *fpl* funeral.

observateur *m* -**trice** *f* observer; * *adj* observant.

observation *f* observation; remark.

observatoire *m* observatory.

observer *vt* to observe, watch; to notice; to comply with.

obsession *f* obsession.

obstacle *m* obstacle, hindrance.

obstétrique *f* obstetrics.

obstination *f* obstinacy, stubbornness.

obstiné *adj* obstinate, stubborn; ~**ment** *adv* obstinately.

obstiner (s') *vr* to insist, persist.

obtenir *vt* to obtain, procure, get; to achieve.

obturation *f* stopping, closing up, obturation.

obus *m* shell.

occasion *f* occasion, opportunity; cause; bargain; **d'**~ second-hand.

occident *m* west.

occidental *adj* western; Occidental.

occulte *adj* occult.

occupant *m* -**e** *f* occupant, occupier.

occupation *f* occupation, pursuit; work; occupancy.

occuper *vt* to occupy; to employ; to inhabit; **s'~** *vr* to keep busy.

océan *m* ocean.

ocre *m* ochre; * *adj* ochre.

octane *m* octane.

octave *f* octave.

octet *m* byte.

octobre *m* October.

octroyer *vt* to grant, bestow; **s'~** *vr* to allow oneself.

oculaire *adj* ocular.

odeur *f* smell, odour.

odieux *adj* hateful, obnoxious.

odorat *m* smell (sense).

oedème *m* oedema.

œil *m*, *pl* **yeux** eye; look; bud.

œillet *m* carnation.

oesophage *m* oesophagus.

œuf *m* egg.

œuvre *f* work; action, deed; production.

offense *f* offence; injury, wrong.

offenser *vt* to offend; to injure, shock; **s'~** *vr* to take offence.

offensif *adj* offensive; forceful, aggressive.

offensive *f* offensive, attack.

office *m* office, bureau; duty; function.

officiel *adj* official; **~lement** *adv* officially.

officier *m* officer.

officieusement *adv* officiously; unofficially.

officieux *adj* officious, over-obliging; unofficial.

offrande *f* offering.

offre *f* offer, tender, bid.

offrir *vt* to offer.

offusquer *vt* to offend; **s'~** *vr* to take offence; to be offended.

ogive *f* ogive, pointed arch.

ogre *m* ogre, **-sse** *f* ogress.

ohm *m* ohm.

oie *f* goose.

oignon *m* onion; bulb.

oiseau *m* bird.

oisif *adj* idle.

oisiveté *f* idleness.

oléagineux *adj* oleaginous, oily.

oléoduc *m* oil pipeline.

olfactif *adj* olfactory.

oligarchie *f* oligarchy.

oligo-élément *m* trace element.

olive *f* olive.

olivier *m* olive tree.

olympique *adj* Olympic.

ombilical *adj* umbilical.

ombragé *adj* shaded, shady.

ombre *f* shade, shadow.

omelette *f* omelette.

omettre *vt* to leave out, miss out.

omission *f* omission.

omnibus *m* local train; omnibus.

omnipotent *adj* omnipotent.

omniprésent *adj* omnipresent.

omoplate *f* shoulder blade.

on *pn* one; someone, anyone.

once *f* ounce.

oncle *m* uncle.

onctueux *adj* smooth, creamy.

onde *f* wave.

ondoyant *adj* undulating, flowing; changeable.

ondulation *f* undulation; wave.

onduler *vi* to undulate; to ripple.

onéreux *adj* onerous; expensive, costly.

ongle *m* nail; claw, talon; hoof.

onomatopée *f* onomatopoeia.

onyx *m* onyx.

onze *adj* eleven; * *m* eleven.

onzième *adj* eleventh; **~ment** *adv* in eleventh place; * *mf* eleventh.

opale *f* opal.

opaque *adj* opaque; impenetrable.

opéra *m* opera.

opération *f* operation, performance; transaction, deal.

opérationnel *adj* operational.

opératoire *adj* operating; operative, surgical.

opérer *vt* to operate; to carry out, implement.

opérette *f* operetta, light opera.

ophtalmie f ophthalmia.

opiniâtre adj stubborn; persistent; ~**ment** adv stubbornly; persistently.

opinion f opinion, view.

opium m opium.

opportun adj timely, opportune; ~**ément** adv opportunely.

opportuniste mf opportunist; * adj opportunist.

opportunité f opportuneness, expediency, timeliness.

opposant m -**e** f opponent; * adj opposing.

opposé adj opposite, contrary; facing; * m opposite; **à l'**~ contrary to.

opposer vt to oppose; to contrast; to object; **s'**~ vr to be opposed to; to clash, conflict.

opposition f opposition; conflict.

oppresser vt to oppress, weigh down.

oppressif adj oppressive.

oppression f oppression.

opprimer vt to oppress, crush.

opticien m -**ne** f optician.

optimisme m optimism.

optimiste mf optimist; * adj optimistic.

option f option, choice.

optionnel adj optional.

optique adj optical; * f optics.

opulence f opulence, wealth.

opulent adj opulent, wealthy.

or m gold; * conj now.

oracle m oracle.

orage m storm, tempest, thunderstorm.

orageux adj stormy.

oral adj oral, verbal; ~**ement** adv orally.

orange f orange; * adj invar orange.

oranger m orange tree.

orang-outan(g) m orang-utang.

orateur m -**trice** f orator.

orbite f orbit; socket; sphere.

orchestral adj orchestral.

orchestre m orchestra.

orchestrer vt to orchestrate, score.

orchidée f orchid.

ordinaire adj ordinary, common, usual; ~**ment** adv ordinarily, usually; * m custom, usual routine; **d'**~, **à l'**~ ordinarily, usually.

ordinateur m computer.

ordonnance f prescription, order, edict.

ordonner vt to arrange; to order; to prescribe.

ordre m order, command; class.

ordure f filth, dirt; excrement; rubbish.

oreille f ear; hearing; wing; handle.

oreiller m pillow.

oreillons mpl mumps.

orfèvre m silversmith, goldsmith.

orfèvrerie f silversmith's (goldsmith's) craft.

organe m organ; instrument; medium.

organigramme m organisational chart.

organique adj organic.

organisateur m -**trice** f organiser.

organisation f organisation.

organiser vt to organise, arrange; **s'**~ vr to organise o.s.

organisme m organism.

organiste mf organist.

orgasme m orgasm.

orge f barley.

orgie f orgy.

orgue m (mus) organ.

orgueil m pride, arrogance.

orgueilleux adj proud, arrogant.

orient m orient, east.

oriental adj eastern, oriental.

orientation f orientation; positioning; directing; trend.

orienter vt to orientate; to position; to direct; **s'**~ vr to ascertain one's position; to turn towards.

orifice m orifice; aperture, opening.

originaire *adj* originating from, native to; **~ment** *adv* originally, primitively.

original *adj* original, novel; peculiar, bizarre; * *m* original; top copy.

originalité *f* originality; oddness.

origine *f* origin, source, derivation; à l'~ originally.

originel *adj* original, primitive.

orme *m* elm.

ornement *m* ornament, embellishment.

ornemental *adj* ornamental.

orner *vt* to adorn, decorate.

ornière *f* rut.

ornithologie *f* ornithology.

ornithologiste, ornithologue *mf* ornithologist.

orphelin *m* -e *f* orphan.

orphelinat *m* orphanage.

orteil *m* toe.

orthodoxe *adj* orthodox; * *mf* orthodox.

orthogonal *adj* orthogonal.

orthographe *f* spelling.

orthopédie *f* orthopaedics.

orthopédique *adj* orthopaedic.

ortie *f* nettle.

orvet *m* slow-worm.

os *m* bone.

oscillation *f* oscillation, swinging.

osciller *vi* to oscillate, swing.

oseille *f* sorrel.

oser *vt* to dare.

osier *m* osier, willow, wicker.

osmose *f* osmosis.

ossature *f* skeleton; framework.

ossements *mpl* bones.

ostensible *adj* open, conspicuous; **~ment** *adv* openly; conspicuously.

ostentation *f* ostentation.

ostéopathe *mf* osteopath.

ostracisme *m* ostracism.

otage *m* hostage.

otarie *f* sea-lion.

ôter *vt* to take away, remove; to deprive, deduct.

otite *f* ear infection.

oto-rhino-laryngologie *f* oto-rhinolaryngology.

oto-rhino(-laryngologiste) *mf* ear, nose and throat specialist.

ou *conj* or

où *adv* where, in which; *pn* where.

ouate *f* cotton wool.

oubli *m* forgetfulness; oblivion; oversight, omission.

oublier *vt* to forget; to omit, neglect.

oubliette *f* oubliette.

ouest *m* west; *adj* west.

oui *adv* yes.

ouïe *f* hearing (sense).

ouragan *m* hurricane, whirlwind.

ourlet *m* hem.

ours *m* -e *f* bear.

oursin *m* sea urchin.

ourson *m* bear cub.

outil *m* tool, implement.

outillage *m* (set of) tools; equipment.

outiller *vt* to equip; to provide with tools.

outrage *m* outrage, insult, wrong.

outrageant *adj* outrageous, insulting.

outre *prép* as well as, besides; **en ~** moreover; **~ mesure** to excess, inordinately; **passer ~** to go on, to take no notice; * *f* goatskin, leather bottle.

outré *adj* excessive, exaggerated.

outremer *m* ultramarine.

outrepasser *vt* to exceed; to transgress.

ouvert *adj* open; exposed; frank; **~ement** *adv* openly, overtly.

ouverture *f* opening; mouth; overture; means, way.

ouvrable *adj* working, business.

ouvrage *m* work; piece of work.

ouvre-boîte *m* tin-opener.

ouvre-bouteille *m* bottle-opener.

ouvrier *m* -ière *f* worker; * *adj* working-class; industrial; labour.

ouvrir *vt* to open; to unlock; to broach; **s'~** *vr* to open; to open one's mind; to cut o.s.
ovaire *m* ovary.
ovale *adj* oval; * *m* oval.
ovation *f* ovation.
ovni *m* UFO.
ovulation *f* ovulation.

ovule *m* ovum; ovule.
oxydation *f* oxidation.
oxyde *m* oxide.
oxyder *f* to oxidise; **s'~** *vr* to become oxidised.
oxygène *m* oxygen.
ozone *f* ozone.

P

pacifier *vt* to pacify.
pacifique *adj* peaceful, pacific; **~ment** *adv* peacefully, pacifically.
pacifiste *mf* pacifist; * *adj* pacifist.
pacte *m* pact, treaty.
pactiser *vt* to treat with sb; to come to terms with.
pagaie *f* paddle.
pagayer *vi* to paddle.
page *f* page; passage.
pagne *m* loincloth.
paiement *m* payment.
païen *m* **-ne** *f* pagan; * *adj* pagan.
paillasse *f* straw mattress.
paillasson *m* doormat.
paille *f* straw.
paillette *f* sequin; spangle.
pain *m* bread; loaf; bar.
pair *adj* even; * *m* peer; par; **hors ~** outstanding, matchless.
paire *f* pair; yoke; brace.
paisible *adj* peaceful; calm; **~ment** *adv* peacefully; calmly.
paître *vi* to graze.
paix *f* peace; quiet; stillness; tranquillity.
palais *m* palace; law courts; palate.
palan *m* hoist.
pâle *adj* pale, pallid.
palette *f* palette; pallet; paddle.
pâleur *f* paleness, pallor.
palier *m* landing; level; degree.

pâlir *vi* to turn pale; to dim; to fade.
palissade *f* fence; boarding; stockade.
palliatif *m* palliative; * *adj* palliative.
pallier *vt* to palliate; to offset.
palmarès *m* prize list; medal record.
palme *f* palm leaf; palm.
palmé *adj* palmate; webbed.
palmeraie *f* palm grove.
palmier *m* palm tree.
palmipède *m* palmiped.
palpable *adj* palpable.
palper *vt* to feel, touch; to palpate.
palpitation *f* palpitation; throbbing; quivering.
palpiter *vi* to palpitate; to beat; to race.
paludisme *m* malaria.
pamplemousse *m* grapefruit.
panache *m* panache; gallantry.
panaché *adj* variegated; motley.
pancarte *f* sign, notice; placard.
pancréas *m* pancreas.
panda *m* panda.
pané *adj* covered in breadcrumbs.
panier *m* basket; pannier (mode).
panique *f* panic.
paniquer *vi* to panic, get panicky.
panne *f* breakdown; fault, problem.
panneau *m* panel; sign, notice.
panoplie *f* outfit; display.
panorama *m* panorama.

panoramique *adj* panoramic.

pansement *m* dressing, bandage.

panser *vt* to dress, bandage.

pantalon *m* trousers; pants; knickers.

panthéon *m* pantheon.

panthère *f* panther.

pantin *m* jumping-jack; puppet.

pantomime *f* pantomime; mime.

pantoufle *f* slipper.

paon *m* peacock.

papa *m* dad; daddy.

papauté *f* papacy.

papaye *f* papaya.

pape *m* pope.

papeterie *f* stationery; stationer's shop; paper mill.

papetier *m* -**ière** *f* stationer; paper-maker.

papier *m* paper; article; wrapper.

papillon *m* butterfly.

papillote *f* sweet wrapper.

papoter *vi* to chatter.

Pâques *fpl* Easter.

paquebot *m* liner, steamer.

pâquerette *f* daisy.

paquet *m* packet, pack; bag; parcel.

par *prép* by, with, through; from; along; ~-**ci**, ~-**là** here and there, now and then; ~-**derrière** round the back; ~-**dessous** underneath; ~-**dessus** over, above.

parabole *f* (*math*) parabola; parable.

parachever *vt* to perfect; to complete.

parachute *m* parachute.

parachuter *vt* to parachute.

parachutiste *mf* parachutist.

parade *f* parade, show; parry.

paradis *m* paradise; (*thea*) gallery.

paradoxal *adj* paradoxical; ~**ement** *adv* paradoxically.

paradoxe *m* paradox.

paraffine *f* paraffin.

parages *mpl* vicinity; **dans les** ~ in the area.

paragraphe *m* paragraph; section.

paraître *vi* to appear; to be published; to look, seem; **il paraît que** apparently.

parallèle *adj* parallel; ~**ment** *adv* parallel; at the same time.

paralyser *vt* to paralyse.

paralysie *f* paralysis.

paralytique *mf* paralytic; * *adj* paralytic.

paramètre *m* parameter.

paranoïa *f* paranoia.

paranoïaque *adj* paranoiac, paranoid; * *mf* paranoiac, paranoid.

paraphraser *vt* to paraphrase.

parapluie *m* umbrella.

parasite *m* parasite, sponger.

parasol *m* parasol; sunshade.

paratonnerre *m* lightning conductor.

paravent *m* folding screen, partition.

parc *m* park; grounds; depot.

parcelle *f* fragment, particle; parcel.

parce que *conj* because.

parchemin *m* parchment.

parcimonie *f* parsimony.

parcmètre *m* meter (parking).

parcourir *vt* to travel through; to scour; to traverse.

pardon *m* pardon, forgiveness.

pardonner *vt* to pardon; to excuse, overlook.

pare-brise *m invar* windscreen.

pare-chocs *m invar* bumper.

pareil *m* -**le** *f* equal; match; **sans** ~ unparalleled, unequalled; * *adj* like, equal, similar; identical; ~**lement** *adv* likewise, equally.

parent *m* -**e** *f* relative, relation; ~**s** (*pl*) parents.

parental *adj* parental.

parenté *f* relationship, kinship.

parenthèse *f* parenthesis, digression.

parer *vt* to adorn, deck out; to ward off; to parry; ~ **à** to deal with, overcome.

paresse f laziness; sluggishness.

paresseux m **-euse** f lazy person, loafer; * adj lazy.

parfaire vt to perfect, bring to perfection.

parfait adj perfect, flawless; **~ement** adv perfectly; completely, absolutely.

parfois adv sometimes, occasionally.

parfumer vt to perfume, scent; **se ~** vr to put perfume on.

parfumerie f perfumery.

parfumeur m **-euse** f perfumer.

pari m bet, wager.

parier vt to bet, wager.

parking m car park; parking.

parlement m Parliament.

parlementaire adj parliamentary; * mf member of parliament.

parler vi to talk, speak; * vt to speak.

parmesan m parmesan.

parmi prép among.

parodie f parody.

paroi f wall; surface.

paroisse f parish.

parole f word; speech; voice; lyrics.

paroxysme m paroxysm; crisis.

parquer vt to park; to enclose, pen.

parquet m floor, floorboards.

parrain m godfather; patron; promoter.

parrainage m sponsorship; promoting; patronage.

parrainer vt to sponsor; propose.

parsemer vt to sprinkle, strew.

part f part; share; portion; **prendre ~ à** to participate in; **faire ~ de** to announce; **de sa part** for his part; **autre ~** elsewhere; **nulle ~** nowhere; **d'autre ~** moreover.

partage m sharing, distribution; portion.

partager vt to divide up, share out.

partenaire mf partner.

parti m party; option; match.

partial adj partial, biased; **~ement** adv in a biased way.

participant m **-e** f participant, member; * adj participant, participating.

participation f participation; involvement.

participe m participle.

participer vi to take part in, participate.

particularité f particularity, characteristic.

particule f particle.

particulier adj particular, specific; peculiar, characteristic; * m person, private individual; character.

particulièrement adv particularly, especially.

partie f part; subject; game; party; **faire ~ de** to be a part of.

partiel adj part, partial; **~lement** adv partially, in part.

partir vi to leave, set off; to start up; **à ~ de** from.

partisan m **-e** f partisan, supporter, proponent.

partition f partition; score.

partout adv everywhere.

parvenir vi: **~ à** to reach; to achieve.

pas m step; pace; footprint; gait; * adv no, not.

passable adj passable, tolerable; **~ment** adv tolerably; reasonably.

passage m passage, passing by; transit.

passager m **-ère** f passenger; * adj passing, transitory.

passant m **-e** f passer-by, wayfarer; * adj much-frequented, busy.

passe f pass; permit; channel.

passé m past.

passeport m passport.

passer vi to pass; to elapse; to disappear, fade; **se ~** vr to pass; to take place; **se ~ de** to do without.

passerelle *f* footbridge; bridge; gangway.

passe-temps *m invar* pastime.

passif *adj* passive; * *m* passive.

passion *f* passion; fondness.

passionnant *adj* fascinating; exciting.

passionné *adj* passionate, impassioned; **~ment** *adv* passionately.

passionner *vt* to fascinate; to interest deeply, impassion; **se ~** *vr* to be fascinated by, have a passion for.

passivement *adv* passively.

passivité *f* passivity, passiveness.

pastel *m* pastel.

pastèque *f* watermelon.

pasteur *m* minister, pastor.

pasteuriser *vt* to pasteurise.

pastiche *m* pastiche.

pastille *f* pastille, lozenge.

patate *f* (*fam*) spud; sweet potato.

patauger *vi* to wade about, splash about.

pâte *f* pastry, pasta, dough, batter.

pâté *m* pâté.

paternel *adj* paternal, fatherly; **~lement** *adv* paternally.

paternité *f* paternity; fatherhood.

pathétique *adj* pathetic.

patiemment *adv* patiently.

patience *f* patience, endurance.

patient *adj* patient, enduring.

patienter *vi* to wait.

patin *m* skate; **~ à glace** iceskate; **~ à roulettes** roller skate.

patinage *m* skating; slipping; spinning.

patiner *vi* to skate; to slip; to spin.

patineur *m* **-euse** *f* skater.

patinoire *f* ice rink.

pâtisserie *f* cake shop, confectioner's.

pâtissier *m* **-ière** *f* pastry cook, confectioner.

patois *m* patois, provincial dialect.

patrie *f* homeland, country.

patrimoine *m* inheritance, patrimony.

patriote *mf* patriot; * *adj* patriotic.

patriotisme *m* patriotism.

patron *m* **-ne** *f* owner, boss, proprietor.

patronat *m* employers.

patronner *vt* to patronise, sponsor.

patrouille *f* patrol.

patte *f* leg, paw, foot.

pâturage *m* pasture, pasturage, grazing.

pâture *f* pasture; food.

paume *f* palm.

paumer *vt* (*fam*) to lose; **se ~** *vr* to get lost.

paupière *f* eyelid.

paupiette *f* stuffed slice of meat.

pause *f* pause; half-time.

pauvre *adj* poor; indigent; scanty; weak; **~ment** *adv* poorly; * *mf* poor person, pauper.

pavé *m* cobblestone, paving stone.

pavillon *m* house; pavilion; flag.

pavot *m* poppy.

paye *f* pay, wages.

payer *vt* to pay, settle; to reward.

pays *m* country; region; village; land.

paysage *m* landscape; scenery.

paysan *m* countryman, farmer; **-ne** *f* countrywoman.

PDG (**président-directeur général**) *m* chairman and managing director.

péage *m* toll; tollgate.

peau *f* skin; hide, pelt.

pêche *f* peach; fishing.

pécher *vi* to sin.

pêcher *vt* to fish; to catch; * *m* peach tree.

pécheur *m* **-eresse** *f* sinner.

pêcheur *m* fisherman, **-euse** *f* fisherwoman.

pectoral *adj* pectoral; cough.

pectoraux *mpl* pectorals.
pédagogie *f* education; educational methods.
pédagogue *mf* teacher; educationalist; * *adj* pedagogic.
pédale *f* pedal; treadle.
pédaler *vi* to pedal.
pédalier *m* pedal-board, crankgear.
pédestre *adj* pedestrian.
pédiatre *mf* paediatrician.
pédicure *mf* chiropodist.
peigne *m* comb.
peigner *vt* to comb; to card; **se ~** *vr* to comb one's hair.
peignoir *m* dressing gown.
peindre *vt* to paint; to depict, portray.
peine *f* effort; sadness; pain; punishment; difficulty.
peiner *vi* to toil; to struggle.
peintre *m* painter; portrayer.
peinture *f* painting, picture; paintwork.
péjoratif *adj* pejorative.
pelage *m* coat, fur.
peler *vi* to peel.
pèlerin *m* pilgrim; peregrine falcon.
pèlerinage *m* pilgrimage.
pélican *m* pelican.
pelle *f* shovel; spade.
pellicule *f* film; thin layer.
pelote *f* ball; pelota ball.
peloton *m* pack; squad; platoon.
pelouse *f* lawn, field; ground.
pelure *f* peeling, piece of peel.
pénal *adj* penal; criminal.
pénaliser *vt* to penalise.
pénalité *f* penalty.
penalty *m* penalty (kick).
pencher *vi* to lean; to tilt; (*mar*) to list; * *vt* to tip up; tilt; **se ~** *vr* to bend down; to study, look at.
pendant *prép* during; for; **~ que** while, whilst; * *adj* hanging, drooping; pending.
pendentif *m* pendant; pendentive.
pendre *vi* to hang, dangle; * *vt* to

hang; **se ~** *vr* to hang o.s.
pendule *f* clock; * *m* pendulum.
pénétrant *adj* penetrating, piercing; searching; acute.
pénétration *f* penetration; perception.
pénétrer *vi* to enter, penetrate; * *vt* to penetrate, pierce; to pervade.
pénible *adj* hard, tiresome; difficult; laborious; **~ment** *adv* painfully; with difficulty.
péniche *f* barge.
péniciline *f* penicillin.
péninsule *f* peninsula.
pénis *m* penis.
pénitence *f* penitence, penance; punishment.
pénitent *m* **-e** *f* penitent; * *adj* penitent.
pénitencier *m* prison, penitentiary.
pénombre *f* half-light; penumbra (astronomy).
pensée *f* thought; thinking; mind.
penser *vt* to think, suppose, believe; * *vi* to think.
pensif *adj* pensive, thoughtful.
pension *f* pension; boarding house.
pensionnaire *mf* boarder; lodger.
pensionnat *m* boarding school.
pensivement *adv* pensively, thoughtfully.
pentagone *m* pentagon.
pentathlon *m* pentathlon.
pente *f* slope; gradient.
Pentecôte *f* Pentecost, Whitsun.
pénurie *f* shortage, scarcity; penury.
pépère *m* granddad, grandpa.
pépin *m* pip; snag, hitch.
pépinière *f* tree nursery; breeding-ground.
pépite *f* nugget.
perçant *adj* piercing, shrill.
percée *f* opening, clearing; breach; breakthrough.
perce-oreille *m* earwig.
perception *f* perception; collec-

tion.

percer *vt* to pierce; to drill; to see through.

percevoir *vt* to perceive, detect; to collect.

percher *vt* to stick; to place on; **se ~** *vr* to perch.

percussion *f* percussion.

percussionniste *mf* percussionist.

percuter *vt* to strike; to crash into.

perdant *m* -e *f* loser; * *adj* losing.

perdre *vt* to lose; to waste; to miss; * *vi* to lose; **se ~** *vr* to lose one's way.

perdrix *f* partridge.

perdu *adj* lost; wasted; missed.

père *m* father; sire.

péremptoire *adj* peremptory.

perfection *f* perfection.

perfectionnement *m* perfection, perfecting; improvement.

perfectionner *vt* to improve, perfect; **se ~** *vr* to improve, improve o.s.

perfectionniste *mf* perfectionist; * *adj* perfectionist.

perfide *adj* perfidious, treacherous; ~**ment** *adv* perfidiously.

perforation *f* perforation.

perforer *vt* to perforate; to pierce.

performance *f* result, performance.

performant *adj* outstanding; high-performance, high-return.

péricliter *vi* to collapse; to be in jeopardy.

péril *m* peril, danger.

périlleux *adj* perilous.

périmé *adj* out-of-date; expired.

périmètre *m* perimeter.

période *f* period; epoch, era; wave, spell.

périodique *adj* periodic; ~**ment** *adv* periodically.

péripétie *f* event, episode.

périphérie *f* periphery.

périphérique *adj* peripheral, outlying; * *m* ring road; peripheral.

périple *m* voyage; journey.

périr *vi* to perish, die.

périscope *m* periscope.

périssable *adj* perishable.

perle *f* pearl; bead; gem.

permanence *f* permanence; permanency.

permanent *adj* permanent, continuous.

permanente *f* perm.

permanenter *vt* to perm.

perméable *adj* permeable; pervious.

permettre *vt* to allow, permit; **se ~** *vr* to allow o.s.

permis *adj* permitted; * *m* permit, licence.

permission *f* permission; leave.

permutation *f* permutation.

permuter *vt* to change, switch round; to permutate.

pernicieux *adj* pernicious.

perpendiculaire *adj* perpendicular; ~**ment** *adv* perpendicularly.

perpétuel *adj* perpetual; permanent; ~**lement** *adv* perpetually.

perpétuer *vt* to perpetuate, carry on; **se ~** *vr* to be perpetuated; to survive.

perpétuité *f* perpetuity.

perplexe *adj* perplexed, confused.

perplexité *f* perplexity, confusion.

perquisition *f* search.

perquisitionner *vt* to make a search.

perron *m* flight of steps.

perroquet *m* parrot.

perruche *f* budgerigar; chatterbox.

perruque *f* wig.

persécuter *vt* to persecute; to harass.

persécution *f* persecution.

persévérance *f* perseverance.

persévérant *adj* persevering.

persévérer *vi* to persevere; to persist in.

persil *m* parsley.

persistance *f* persistence.

persistant *adj* persistent; evergreen.

persister *vi* to persist, keep up.

personnage *m* character, individual.

personnaliser *vt* to personalise.

personnalité *f* personality.

personne *f* person; self; appearance; **en ~** in person; * *pn* anyone, anybody; nobody.

personnel *adj* personal; selfish; **~lement** *adv* personally.

personnifier *vt* to personify.

perspective *f* perspective; view; angle.

perspicace *adj* shrewd, perspicacious.

perspicacité *f* insight, perspicacity.

persuader *vt* to persuade; to convince.

persuasif *adj* persuasive; convincing.

persuasion *f* persuasion; conviction.

perte *f* loss, losing; ruin.

pertinent *adj* pertinent.

perturbation *f* disruption; perturbation.

perturber *vt* to disrupt, disturb.

pervenche *f* periwinkle.

pervers *adj* perverse; perverted.

perversité *f* perversity.

pesant *adj* heavy, weighty.

pesanteur *f* gravity; heaviness.

pèse-personne *m* scales.

peser *vt* to weigh; to press; to evaluate; * *vi* to weigh, weigh down; to hang over; **se ~** to weigh o.s.

pessimisme *m* pessimism.

pessimiste *mf* pessimist; * *adj* pessimistic.

peste *f* pest, nuisance; plague.

pesticide *m* pesticide.

pétale *f* petal.

pétanque *f* petanque.

pétard *m* firecracker; detonator; charge; racket, row.

pétillant *adj* bubbly, fizzy.

pétiller *vi* to crackle; to bubble;

to sparkle.

petit *adj* small, tiny; slim; young.

petitesse *f* smallness, modesty; meanness.

petit-fils *m* grandson.

petite-fille *f* granddaughter.

pétition *f* petition.

petits-enfants *mpl* grandchildren.

pétrifié *adj* petrified; transfixed; fossilised.

pétrin *m* kneading trough; scrape, mess, tight spot.

pétrir *vt* to knead; to mould, shape.

pétrole *m* oil, petroleum.

pétrolier *m* oil tanker; * *adj* petroleum, oil, oil-producing.

pétrolifère *adj* oil-bearing.

pétunia *m* petunia.

peu *adv* little, not much, few; **un petit ~** a little bit; **quelque ~** a little; **pour ~ que** however little; **~ de** little, few.

peuplade *f* tribe, people.

peuple *m* people, nation; crowd.

peuplement *m* populating; stocking.

peupler *vt* to populate, stock; to plant.

peuplier *m* poplar.

peur *f* fear, terror, apprehension; **avoir ~** to be afraid.

peureux *adj* fearful, timorous.

peut-être *adv* perhaps.

phalange *f* phalanx.

phallocrate *m* male chauvinist.

pharaon *m* pharaoh.

phare *m* lighthouse; headlight.

pharmaceutique *adj* pharmaceutical.

pharmacie *f* pharmacy; pharmacology.

pharmacien *m* **-ne** *f* pharmacist; chemist.

pharynx *m* pharynx.

phase *f* phase, stage.

phénoménal *adj* phenomenal.

phénomène *m* phenomenon; freak; character.

philanthrope *mf* philanthropist.
philatélie *f* philately, stamp collecting.
philologie *f* philology.
philosophe *mf* philosopher; * *adj* philosophical.
philosopher *vi* to philosophise.
philosophie *f* philosophy.
philosophique *adj* philosophical; **~ment** *adv* philosophically.
phobie *f* phobia.
phonétique *f* phonetics; * *adj* phonetic; **~ment** *adv* phonetically.
phoque *m* seal; sealskin.
phosphate *m* phosphate.
phosphore *m* phosphorus.
phosphorescent *adj* luminous, phosphorescent.
photo *f* photo.
photocopie *f* photocopy.
photocopier *vt* to photocopy.
photocopieur *m*, **-euse** *f* photocopier.
photogénique *adj* photogenic.
photographe *mf* photograph.
photographie *f* photography.
photographier *vt* to photograph.
photographique *adj* photographic.
phrase *f* sentence; phrase.
physicien *m* **-ne** *f* physicist.
physiologie *f* physiology.
physiologique *adj* physiological.
physionomie *f* countenance, physiognomy.
physionomiste *adj* good at remembering faces.
physiothérapie *f* physiotherapy.
physique *f* physics; * *adj* physical; **~ment** *adv* physically.
pianiste *mf* pianist.
piano *m* piano.
pic *m* peak; **à ~** vertically, sheer.
pichet *m* pitcher, jug.
picorer *vt* to peck; to nibble.
picot *m* picot; (*bot*) burr; (*tec*) tooth.
picotement *m* tickle; prickling.
picoter *vt* to tickle; to prickle; to

smart, sting.
pictural *adj* pictorial.
pie *f* magpie; chatterbox.
pièce *f* piece; object; component; room; paper, document.
pied *m* foot; track; hoof; bottom; **à ~** on foot; **être sur ~** to be underway.
pied-à-terre *m invar* pied-à-terre.
piédestal *m* pedestal.
piège *m* trap; pit; snare.
piéger *vt* to trap, set a trap.
pierre *f* stone.
piété *f* piety.
piétiner *vi* to stamp (one's foot); * *vt* to trample on.
piéton *m* pedestrian; * *adj* pedestrian.
pieu *m* post, stake, pile.
pieusement *adv* piously, devoutly.
pieux *adj* pious, devout.
pigeon *m* pigeon; dupe, mug.
pigment *m* pigment.
pigmentation *f* pigmentation.
pignon *m* gable; cogwheel.
pile *f* pile; pier; battery; * *adv* dead; just, right, exactly.
piler *vt* to crush, pound.
pilier *m* pillar.
pillage *m* pillaging, looting.
piller *vt* to pillage, loot.
pilon *m* pestle; wooden leg.
pilote *m* pilot; driver.
piloter *vt* to pilot, fly; to drive.
pilotis *m* stilts; pilotis.
pilule *f* pill.
piment *m* hot pepper, capsicum.
pimenter *vt* to add spice.
pin *m* pine.
pince *f* pliers, crowbar; pincer; dart.
pinceau *m* brush, paintbrush.
pincée *f* pinch.
pincer *vt* to pinch, nip; to grip.
pinède *f* pine forest.
pingouin *m* penguin.
ping-pong *m* table tennis.
pintade *f* guinea-fowl.

pinte *f* pint.
pioche *f* pick, pickaxe.
piocher *vt* to use a pick; to swot.
piolet *m* ice axe.
pion *m* pawn; draught.
pionnier *m* pioneer.
pipe *f* pipe.
pipette *f* pipette.
piquant *adj* prickly; pungent; piquant; * *m* quill, spine; prickle.
pique *f* pike, lance.
pique-nique *m* picnic.
pique-niquer *vi* to picnic.
piquer *vt* to sting, bite; to goad; to puncture.
piquet *m* post, picket.
piqûre *f* prick; sting; bite.
pirate *m* pirate.
pire *adj* worse; **le ~, la ~, les ~s** the worst.
pirogue *f* pirogue, dugout canoe.
pirouette *f* pirouette; about-turn.
pis *m* udder.
pis-aller *m invar* last resort, stopgap.
piscine *f* swimming pool.
pissenlit *m* dandelion.
pistache *f* pistachio.
piste *f* track, trail; course; runway; lead, clue.
pistolet *m* pistol, gun.
piston *m* piston.
pistonner *vt* to pull strings for, recommend.
piteux *adj* pitiful, pathetic.
pitié *f* pity, mercy.
pitoyable *adj* pitiful, pitiable.
pittoresque *adj* picturesque.
pivoine *f* peony.
pivot *m* pivot; mainspring.
pivoter *vi* to revolve, pivot.
placard *m* cupboard; poster, notice.
place *f* place; square; seat; space; position; **à la ~ de** instead of.
placebo *m* placebo.
placement *m* placing; investment.
placenta *m* placenta; afterbirth.
placer *vt* to place, put; to fit; to

seat; to sell; to invest; **se ~** *vr* to take up position; to stand; to find a job.
placide *adj* placid, calm.
placidité *f* placidity, calmness.
plafond *m* ceiling; roof.
plafonner *vi* to reach a ceiling/maximum.
plage *f* beach.
plagiat *m* plagiarism, plagiary.
plagier *vt* to plagiarise.
plaider *vt* to plead; to defend; * *vi* to plead for, go to court.
plaidoirie *f* defence speech; plea.
plaidoyer *m* defence speech; plea.
plaie *f* wound, cut; scourge.
plaignant *m* **-e** *f* plaintiff.
plaindre *vt* to pity; to begrudge; **se ~** *vr* to complain.
plaine *f* plain.
plainte *f* complaint; moan, groan.
plaintif *adj* plaintive, complaining.
plaire *vi* to please, be pleasant; **se ~** *vr* to enjoy, take pleasure in.
plaisant *adj* pleasant, agreeable.
plaisanter *vi* to joke, jest.
plaisanterie *f* joking; pleasantry; humour.
plaisir *m* pleasure; delight; entertainment; **faire ~** to please.
plan *m* plan, scheme, project; plane, level.
planche *f* plank, board; plate; shelf.
plancher *m* floor.
planchette *f* small board, small shelf.
plancton *m* plankton.
planer *vi* to glide, soar; to hover over.
planétaire *adj* planetary.
planète *f* planet.
planeur *m* glider.
planifier *vt* to plan.
planisphère *m* planisphere.
planning *m* programme, schedule.
plantation *f* plantation; planting.

plante *f* plant.

planter *vt* to plant; to hammer in; to stick, dump.

plantureux *adj* copious, ample.

plaque *f* sheet, plate; plaque; slab.

plaqué *m* plated.

plaquer *vt* to plate, veneer; to jilt; to tackle.

plaquette *f* plaque; tablet; slab.

plasma *m* plasma.

plastifier *vt* to coat with plastic.

plastique *m* plastic; * *adj* plastic.

plat *adj* flat; straight; dull, insipid; **~ement** *adv* dully, insipidly; * *m* plate, dish; course.

platane *m* plane tree.

plateau *m* tray; turntable; plateau; stage.

plate-bande *f* border, flower-bed.

plate-forme *f* platform.

platine *m* platinum; * *f* deck; turntable; stage.

platitude *f* platitude; flatness, dullness.

platonique *adj* platonic.

plâtre *m* plaster.

plâtrer *vt* to plaster; to set in plaster.

plâtrier *m* plasterer.

plausible *adj* plausible.

plébiscite *m* plebiscite.

plébisciter *vt* to elect by plebiscite.

plein *adj* full; entire, whole; busy; **~ement** *adv* fully, in full; wholly; * *m* filling up; full house; height, middle.

plénitude *f* plenitude, fullness.

pléonasme *m* pleonasm.

pleur *m* tear, sob; **en ~s** in tears.

pleurer *vi* to cry, weep; * *vt* to mourn for, lament.

pleurésie *f* pleurisy.

pleuvoir *vi* to rain; to shower down, rain down.

plexus *m* plexus.

pli *m* fold; crease; wrinkle; envelope.

pliant *adj* collapsible, folding.

plier *vt* to fold; to bend; * *vi* to bend; to yield; **se ~** *vr* to fold up; to submit.

plinthe *f* plinth; skirting board.

plissement *m* creasing, folding; puckering.

plisser *vt* to pleat, fold; to pucker; * *vi* to become creased.

pliure *f* fold; bend.

plomb *m* lead; sinker; fuse.

plombage *m* weighting; leading; filling.

plomber *vt* to weight; to fill.

plomberie *f* plumbing.

plombier *m* plumber.

plongée *f* diving, dive.

plongeoir *m* diving board.

plongeon *m* dive.

plonger *vi* to dive; to plunge, dip sharply.

plongeur *m* **-euse** *f* diver; washer-up.

ployer *vi* to bend, to sag.

pluie *f* rain; shower.

plumage *m* plumage, feathers.

plume *f* feather.

plumeau *m* feather duster.

plumer *vt* to pluck.

plupart *f* most, most part, majority; **la ~ de** most of.

pluriel *m* plural; * *adj* plural.

plus *adv* more, most; **~ grand que** bigger than; **de ~ en ~** more and more; **de ~** besides, moreover; **non ~** neither, not either.

plusieurs *adj* several.

plus-que-parfait *m* pluperfect.

plus-value *f* appreciation; increase in value.

plutonium *m* plutonium.

plutôt *adv* rather, quite, fairly; sooner.

pluvieux *adj* rainy, wet.

pneu *m* tyre.

pneumatique *adj* pneumatic; * *m* tyre.

pneumonie *f* pneumonia.

poche *f* pocket; pouch; bag.

pocher *vt* to poach.

pochette *f* pocket handkerchief;

wallet; envelope.

pochoir *m* stencil.

podium *m* podium.

poêle *m* stove; * *f* frying pan.

poème *m* poem.

poésie *f* poetry.

poète *m* poet.

poétique *adj* poetic; **~ment** *adv* poetically.

poids *m* weight, influence; **~ lourd** heavyweight; **~ plume** featherweight.

poignant *adj* poignant.

poignard *m* dagger.

poignarder *vt* to stab.

poigne *f* grip; hand.

poignée *f* handful; **~ de mains** handshake.

poignet *m* wrist; cuff.

poil *m* hair; coat; bristle.

poilu *adj* hairy.

poinçon *m* hallmark, style; awl.

poinçonner *vt* to stamp; to hallmark.

poindre *vi* to break, dawn.

poing *m* fist; **coup de ~** punch.

point *m* point, spot; stage; full stop; **mettre au ~** to finalise; to perfect; **faire le ~** (*mar*) to take bearings; **être sur le ~ de** to be about to; **à~** medium, just right, when due; **~-virgule** semicolon; **~ de vue** point of view.

pointage *m* checking off; sighting; scrutiny.

pointe *f* point, head; spike, tack; **tailler en ~** to cut to a point; **sur la ~ des pieds** on tiptoe.

pointer *vi* to clock in; to soar up; to peep out; * *vt* to check off; to clock in; to stick into.

pointillé *m* stipple engraving; dotted line.

pointilleux *adj* particular, fastidious.

pointu *adj* pointed, sharp; subtle.

pointure *f* size, number.

poire *f* pear.

poireau *m* leek.

poirier *m* pear tree.

pois *m* pea; **~ chiche** chickpea; **petits ~** garden peas.

poison *m* poison.

poisseux *adj* sticky.

poisson *m* fish.

poissonnerie *f* fishmonger's, fish shop.

poissonnier *m* **-ière** *f* fishmonger.

poitrail *m* breast, chest.

poitrine *f* chest, breast; bosom.

poivre *m* pepper.

poivrer *vt* to pepper, put pepper in.

poivrière *f* pepperpot.

poivron *m* green pepper, capsicum.

polaire *adj* polar.

polariser *vt* to polarise; to attract.

polarité *f* polarity.

polaroïd *m* polaroid; * *adj* polaroid.

pôle *m* pole; centre.

polémique *f* controversy, polemic; * *adj* controversial, polemic.

poli *adj* polite; polished, smooth; **~ment** *adv* politely.

police *f* police; policing; regulations.

polichinelle *m* buffoon.

policier *m* policeman, **-ière** *f* policewoman.

poliomyélite *f* poliomyelitis.

polir *vt* to polish; to refine.

politesse *f* politeness, courtesy.

politicien *m* **-ne** *f* politician; * *adj* (*pej*) politicking.

politique *f* politics; policy; * *adj* political; **~ment** *adv* politically.

politiser *vt* to politicise; to make a political issue of.

pollen *m* pollen.

polluant *adj* polluting; * *m* pollutant.

polluer *vt* to pollute.

pollution *f* pollution.

polo *m* polo.

poltron *m* **-ne** *f* coward; * *adj* cow-

ardly, craven.
polyamide *m* polyamide.
polycopier *vt* to duplicate, stencil.
polyester *m* polyester.
polygame *m* polygamist.
polygamie *f* polygamy.
polyglotte *adj* polyglot; * *mf* polyglot.
polygone *m* polygon.
polymère *m* polymer; * *adj* polymeric.
polyvalent *adj* polyvalent; varied; versatile.
pommade *f* ointment.
pomme *f* apple.
pomme de terre *f* potato.
pommette *f* cheekbone.
pommier *m* apple tree.
pompe *f* pump.
pomper *vt* to pump.
pompeux *adj* pompous; pretentious.
pompier *m* fireman.
pompiste *mf* pump attendant.
poncer *vt* to sand down, rub down.
ponction *f* (*med*) puncture.
ponctualité *f* punctuality.
ponctuation *f* punctuation.
ponctuel *adj* punctual; **~lement** *adv* punctually.
ponctuer *vt* to punctuate; to phrase.
pondéré *adj* weighted; levelheaded.
pondre *vt* to lay; to produce.
poney *m* pony.
pont *m* bridge; deck; axle.
ponte *f* laying; clutch.
pontifical *adj* pontifical.
ponton *m* pontoon; landing stage.
populaire *adj* popular; working-class; vernacular.
populariser *vt* to popularise.
popularité *f* popularity.
population *f* population.
porc *m* pig; pork.
porcelaine *f* porcelain, china.
porc-épic *m* porcupine.

porche *m* porch.
porcherie *f* pigsty.
pore *m* pore.
poreux *adj* porous.
pornographique *adj* pornographic.
port *m* port, harbour; carrying, wearing.
portail *m* portal, gate.
portatif *adj* portable.
porte *f* door; gate; threshold.
porte-avions *m invar* aircraft carrier.
porte-bagages *m invar* luggage rack.
porte-bonheur *m invar* lucky charm.
porte-clefs, porte-clés *m invar* key ring.
porte-documents *m invar* briefcase.
portée *f* reach, range; capacity; impact, significance; **à la ~ de** within reach; **hors de ~** out of reach.
portefeuille *m* wallet; portfolio.
porte-jarretelles *m invar* suspender belt.
portemanteau *m* coat hanger; hat stand.
porte-parole *m invar* spokesperson.
porte-plume *m invar* penholder.
porter *vt* to carry; to take; to wear; to hold, keep; **se ~** *vr* to put o.s. forward; to go.
porteur *m* **-euse** *f* porter; carrier; * *adj* booster; strong, buoyant.
portier *m* commissionaire.
portière *f* door.
portillon *m* gate, barrier.
portion *f* portion, share.
portique *m* portico.
portrait *m* portrait.
portraitiste *mf* portraitist.
pose *f* pose, posture; laying, fitting, setting.
poser *vt* to put; to install; to set out; to ask; **se ~** *vr* to land, settle; to come up, arise.

positif *adj* positive, definite.

position *f* position; situation; state; stance.

positionner *vt* to position, locate.

positivement *adv* positively.

posologie *f* posology.

posséder *vt* to possess, have; to know inside out.

possesseur *m* possessor, owner.

possessif *adj* possessive.

possession *f* possession, ownership.

possibilité *f* possibility; potential.

possible *adj* possible, feasible; potential; * *m*; **faire son ~** to do one's best.

postal *adj* postal, mail.

poste *f* post office, post; * *m* post, position; station; job.

poster *vt* to post, mail; to station; **se ~** *vr* to take up a position.

postérieur *adj* later, subsequent; back, posterior.

postérité *f* posterity; descendants.

posthume *adj* posthumous.

postiche *adj* false; postiche; pretended; * *m* hairpiece; toupee.

postier *m* **-ière** *f* post office worker.

postillon *m* postilion.

postulant *m* **-e** *f* applicant.

postuler *vt* to apply for; to postulate.

posture *f* posture, position.

pot *m* jar; pot; can.

potable *adj* drinkable; passable.

potage *m* soup.

potager *m* kitchen garden; * *adj* vegetable, edible.

potassium *m* potassium.

pot-au-feu *m invar* stew.

pot-de-vin *m* bribe.

poteau *m* post, stake.

potée *f* hotpot.

potelé *adj* plump, chubby.

potence *f* gallows; bracket.

potentiel *adj* potential; * *m* potential.

poterie *f* pottery, piece of pottery.

potiche *f* vase, mere, puppet.

potier *m* potter.

potion *f* potion.

potiron *m* pumpkin.

pou *m* louse.

poubelle *f* dustbin.

pouce *m* thumb; big toe; inch.

poudre *f* powder, dust.

poudrer *vt* to powder.

poudrière *f* powder magazine.

poulailler *m* henhouse.

poulain *m* foal; protegé.

poule *f* hen, fowl.

poulet *m* chicken.

poulie *f* pulley.

poulpe *m* octopus.

pouls *m* pulse.

poumon *m* lung.

poupe *f* stern.

poupée *f* doll.

poupon *m* baby.

pouponnière *f* day nursery, crèche.

pour *prép* for; to; in favour of; on account of; in order; **~ que** so that, in order that; **être ~** to be in favour of.

pourboire *m* tip.

pourceau *m* pig, swine.

pourcentage *m* percentage.

pourchasser *vt* to pursue; to harry.

pourparlers *mpl* talks, negotiations.

pourpre *adj* crimson; * *m* crimson.

pourquoi *adv* why; **~ pas?** why not?; * *m* reason, question.

pourri *adj* rotten, decayed; corrupt; * *m* rotten part, rottenness.

pourrir *vi* to rot, go rotten; to deteriorate.

pourriture *f* rot, rottenness.

poursuite *f* pursuit; prosecution.

poursuivant *m* **-e** *f* pursuer; plaintiff.

poursuivre *vt* to pursue; to seek; to prosecute.

pourtant *adv* however, yet, nevertheless.

pourtour *m* circumference, perimeter.

pourvoir *vt* to provide, equip.

pourvu *conj*: ~ **que** provided that.

pousse *f* shoot; sprouting.

poussée *f* pressure, pushing; thrust; upsurge.

pousser *vt* to push; to drive; to incite; * *vi* to push; to grow, expand; **se ~** *vr* to move, shift.

poussette *f* pushchair.

poussière *f* dust.

poussiéreux *adj* dusty.

poussin *m* chick; junior.

poutre *f* beam.

pouvoir *vi* can, be able; may, be allowed; * *m* power, ability; authority; proxy.

pragmatique *adj* pragmatic.

prairie *f* meadow, prairie.

pralin *m* praline.

praline *f* sugared almond.

praticable *adj* practicable; passable.

pratiquant *m* -e *f* churchgoer; * *adj* practising.

pratique *f* practice; exercise; observance; * *adj* practical; **~ment** *adv* practically.

pratiquer *vt* to practise, exercise; to carry out.

pré *m* meadow.

préalable *adj* preliminary; previous; **~ment** *adv* previously, first.

préambule *m* preamble, prelude.

préau *m* covered playground; inner yard.

préavis *m* notice, advance warning.

précaire *adj* precarious.

précarité *f* precariousness.

précaution *f* precaution; care.

précautionneux *adj* cautious, careful.

précédent *adj* previous, preceding; * *m* precedent.

précéder *vt* to precede, go before.

précepte *m* precept.

prêcher *vt* to preach; * *vi* to preach, sermonise.

prêcheur *m* -euse *f* preacher.

précieux *adj* precious; invaluable.

précipice *m* precipice; abyss.

précipitamment *adv* hurriedly, hastily.

précipitation *f* haste, violent hurry.

précipiter *vt* to throw, push down; to hasten, precipitate; **se ~** *vr* to rush forward; to speed up.

précis *adj* precise, exact; **~ément** *adv* precisely.

préciser *vt* to specify; to clarify; **se ~** *vr* to become clear.

précision *f* precision, preciseness.

précoce *adj* precocious, premature.

préconçu *adj* preconceived.

préconiser *vt* to recommend; to advocate.

précurseur *m* forerunner, precursor; * *adj* precursory, preceding.

prédateur *m* predator.

prédécesseur *m* predecessor.

prédestiné *adj* predestined, fated.

prédiction *f* prediction.

prédire *vt* to predict, foretell.

prédisposition *f* predisposition.

prédominance *f* predominance.

prédominant *adj* predominant.

prédominer *vi* to predominate.

préfabriqué *adj* prefabricated.

préface *f* preface, prelude.

préfecture *f* prefecture.

préférable *adj* preferable; better; **~ment** *adv* preferably.

préféré *m* -e *f* favourite; *adj* favourite, preferred.

préférence *f* preference.

préférer *vt* to prefer.

préfet *m* prefect.

préfigurer *vt* to prefigure.

préhistoire *f* prehistory.

préhistorique *adj* prehistoric.

préjudice *m* loss; harm; wrong;

damage.

préjudiciable *adj* prejudicial, detrimental.

préjudicier *vt* to be prejudicial.

préjugé *m* prejudice.

prélasser (se) *vr* to sprawl, lounge.

prélèvement *m* taking; levying; imposition.

prélever *vt* to take; to levy; to deduct.

préliminaire *m* preliminary; * *adj* preliminary.

prélude *m* prelude; warm-up.

prématuré *adj* premature; untimely; ~**ment** *adv* prematurely.

préméditation *f* premeditation.

prémédité *adj* premeditated.

premier *m* first, first floor, **-ière** *f* first, first gear; * *adj* first; former; chief; early; primary.

première *f* première.

premièrement *adv* firstly, in first place.

prémonition *f* premonition.

prémonitoire *adj* premonitory.

prénatal *adj* prenatal.

prendre *vt* to take; to pick up; to catch; * *vi* to take root; to harden; to start; **se** ~ *vr* to consider o.s.; **s'y ~ mal** to set about the wrong way; **s'en ~ à** to set upon, take it out on.

prénom *m* first name, forename.

préoccuper *vt* to worry; to preoccupy; **se** ~ *vr* to concern o.s.

préparatif *m* preparation.

préparation *f* preparation; making up; training.

préparatoire *adj* preparatory.

préparer *vt* to prepare, get ready; to train; **se** ~ *vr* to prepare o.s.

prépondérant *adj* preponderant, dominating.

préposition *f* preposition.

prérogative *f* prerogative.

près *adv* near, close; nearly, almost; **de** ~ closely; **à peu** ~ just

about, near enough; **à peu de choses** ~ more or less.

présage *m* omen; harbinger.

presbytère *m* presbytery.

presbytie *f* long-sightedness, presbyopia.

prescrire *vt* to prescribe; to stipulate.

présélection *f* preselection.

présence *f* presence.

présent *m* present, gift; **-e** *f* this letter, the present letter; * *adj* present; * *m* present; **à** ~ just now.

présentable *adj* presentable.

présentateur *m* **-trice** *f* host, compère; presenter.

présentation *f* presentation; introduction; **faire les ~s** to make the introductions.

présenter *vt* to introduce; to present; to explain; **se** ~ *vr* to appear; to come forward; to introduce o.s.

présentoir *m* display shelf.

préservatif *m* condom.

préserver *vt* to preserve; to protect; **se** ~ *vr* to protect o.s.

présidence *f* presidency; chairmanship.

président *m* **-e** *f* president.

présidentiel *adj* presidential.

présider *vt* to preside, chair; to direct.

présomption *f* presumption, assumption.

présomptueux *adj* presumptuous.

presque *adv* almost, nearly; hardly, scarcely.

presqu'île *f* peninsula.

pressant *adj* urgent, pressing.

presse *f* press, newspapers; throng.

pressé *adj* hurried, urgent.

presse-citron *m invar* lemon squeezer.

pressentiment *m* presentiment, foreboding, premonition.

pressentir *vt* to have a presenti-

145

ment of.

presse-papiers *m invar* paper-weight.

presser *vt* to press; to squeeze; to hurry up; **se ~** *vr* to hurry; to crowd around.

pression *f* pressure.

pressoir *m* press (wine, cider).

prestation *f* benefit; service; payment; allowance.

prestidigitateur *m* **-trice** *f* conjurer; magician.

prestige *m* prestige.

prestigieux *adj* prestigious.

présumer *vt* to presume, assume.

prêt *adj* ready; prepared, willing; * *m* loan, lending.

prêt-à-porter *m* ready-to-wear.

prétendant *m* **-e** *f* candidate.

prétendre *vt* to claim, maintain; to want; to intend, mean.

prétendu *adj* so-called, supposed; **~ment** supposedly, allegedly.

prétentieux *adj* pretentious.

prétention *f* pretension, claim; pretentiousness.

prêter *vt* to lend; to attribute; to give.

prétérit *m* preterite tense.

prétexte *m* pretext, excuse.

prêtre *m* priest.

preuve *f* proof, evidence.

prévaloir *vi* to prevail.

prévenant *adj* considerate, thoughtful.

prévenir *vt* to prevent; to warn, inform; to anticipate.

préventif *adj* preventive.

prévention *f* prevention.

prévisible *adj* foreseeable.

prévision *f* prediction; forecast.

prévoir *vt* to anticipate; to plan; to provide for.

prévoyance *f* foresight, forethought.

prévoyant *adj* provident.

prévu *adj* provided for.

prier *vi* to pray; * *vt* to pray to; to beg; to invite.

prière *f* prayer; entreaty.

primaire *adj* primary; elementary.

primate *m* primate.

primauté *f* primacy.

prime *f* premium, subsidy; free gift.

primer *vi* to dominate; to take first place; * *vt* to outdo, prevail.

primeurs *fpl* early fruit and vegetable.

primevère *f* primrose.

primitif *adj* primitive.

primordial *adj* primordial, essential.

prince *m* prince.

princesse *f* princess.

principal *m* principal; headmaster; * *adj* main, principal; **~ement** *adv* principally.

principe *m* principle; origin; element; **en ~** in principle.

printanier *adj* spring.

printemps *m* spring.

prioritaire *adj* having priority, priority.

priorité *f* priority.

pris *adj* taken; busy, engaged.

prise *f* hold, grip; catch; plug; dose; **lâcher ~** to let go one's hold; **~ de sang** blood sample; **~ de courant** plug, power point; **~ de conscience** awareness, realisation.

prisme *m* prism.

prison *f* prison; jail.

prisonnier *m* **-ière** *f* prisoner; * *adj* captive.

privation *f* deprivation; forfeiture.

privatiser *vt* to privatise.

privé *adj* private; unofficial; independent.

priver *vt* to deprive; **se ~** *vr* to go without.

privilège *m* privilege.

privilégié *m* **-e** *f* privileged person; * *adj* privileged, favoured.

privilégier *vt* to favour.

prix *m* price, cost; prize.

probabilité *f* probability, likelihood.

probable *adj* probable, likely; **~ment** *adv* probably.

problématique *adj* problematical; * *f* problem; problematics.

problème *m* problem, issue.

procédé *m* process; behaviour.

procéder *vi* to proceed.

procédure *f* procedure; proceedings.

procès *m* proceedings; lawsuit, trial.

procession *f* procession.

processus *m* process; progress.

procès-verbal *m* minutes; report.

prochain *adj* next; imminent; **~ement** *adv* soon, shortly; * *m* neighbour.

proche *adj* nearby; close, imminent.

proclamation *f* proclamation.

proclamer *vt* to proclaim, declare.

procuration *f* proxy, power of attorney.

procurer *vt* to procure, provide; **se ~** *vr* to procure, obtain for o.s.

procureur *m* prosecutor.

prodige *m* marvel, wonder.

prodigieusement *adv* prodigiously, incredibly.

prodigieux *adj* prodigious.

prodiguer *vt* to be lavish, be unsparing; to squander

producteur *m* -**trice** *f* producer; * *adj* producing, growing.

productif *adj* productive.

production *f* production; generation; output.

productivité *f* productivity.

produire *vt* to produce; to grow; to generate; **se ~** *vr* to happen, take place.

produit *m* product; goods; yield, profit.

proéminent *adj* prominent.

profane *adj* secular, profane; * *mf* layman, lay person.

profaner *vt* to profane; to defile.

proférer *vt* to utter, pronounce.

professeur *m* teacher, professor.

profession *f* profession; occupation, trade.

professionnel *m* -**le** *f* professional; skilled worker; * *adj* professional; occupational; technical; **~lement** *adv* professionally.

profil *m* profile, outline.

profiler *vt* to profile; to streamline; **se ~** *vr* to stand out, be profiled.

profit *m* profit; advantage, benefit.

profitable *adj* profitable; **~ment** *adv* profitably.

profiter *vi* to profit; to thrive.

profiteur *m* -**euse** *f* profiteer.

profond *adj* deep, profound; heavy; **~ément** *adv* deeply, profoundly.

profondeur *f* depth; profundity.

profusion *f* profusion, wealth; **à ~** plenty, in profusion.

programme *m* program; syllabus; schedule.

programmer *vt* to program; to schedule.

progrès *m* progress; improvement; advance.

progresser *vi* to progress; to advance.

progression *f* progress; progression, spread.

progressivement *adv* progressively.

prohiber *vt* to prohibit, ban.

proie *f* prey, victim.

projecteur *m* projector; spotlight, floodlight.

projectile *m* projectile; missile.

projection *f* projection, casting; showing.

projet *m* plan; draft.

projeter *vt* to plan; to throw out; to cast, project.

prolétaire *mf* proletarian.

prolétariat *m* proletariat.
prolifération *f* proliferation.
proliférer *vi* to proliferate.
prologue *m* prologue.
prolongation *f* prolongation, extension.
prolongement *m* continuation, extension.
prolonger *vt* to prolong, extend; **se ~** *vr* to go on, persist.
promenade *f* walk, stroll; drive, spin.
promener *vt* to take out for a walk; **se ~** *vr* to go for a walk.
promeneur *m* **-euse** *f* walker.
promesse *f* promise.
prometteur *adj* promising.
promettre *vt* to promise.
promontoire *m* promontory, headland.
promoteur *m* **-trice** *f* promoter, instigator.
promotion *f* promotion; advancement.
promouvoir *vt* to promote, upgrade.
prompt *adj* prompt; swift; ready; **-ement** *adv* promptly; swiftly.
promptitude *f* promptness; swiftness.
promulgation *f* promulgation.
promulguer *vt* to promulgate.
prôner *vt* to advocate.
pronom *m* pronoun.
prononcer *vt* to pronounce, utter; **se ~** *vr* to reach a verdict.
prononciation *f* pronunciation.
pronostic *m* forecast; prognosis; tip.
pronostiquer *vt* to forecast, prognosticate.
propagande *f* propaganda.
propagation *f* propagation; spreading.
propager *vt* to propagate, spread; **se ~** *vr* to spread, be propagated.
propane *m* propane.
prophète *m* prophet.
prophétie *f* prophecy.

prophétique *adj* prophetic.
prophétiser *vt* to prophesy.
propice *adj* propitious, favourable.
proportion *f* proportion, ratio.
proportionné *adj* proportional; proportionate.
proportionnel *adj* proportional; **-lement** *adv* proportionally.
propos *m* talk, remarks; intention; **à ~ de** about, on the subject of; **hors de ~** irrelevant.
proposer *vt* to propose, suggest; **se ~** *vr* to offer one's services; to intend to.
proposition *f* proposition, suggestion.
propre *adj* clean, neat; honest; own; peculiar; suitable; **-ment** *adv* cleanly; exactly; specifically.
propreté *f* cleanliness; tidiness.
propriétaire *mf* owner; landlord.
propriété *f* ownership, property; appropriateness, suitability.
propulser *vt* to propel, power.
propulsion *f* propulsion.
prorogation *f* prorogation; deferment; extension.
proroger *vt* to prorogue; to defer; to extend.
prosaïque *adj* mundane, prosaic.
proscrire *vt* to proscribe; to prohibit.
prose *f* prose.
prospecter *vt* to prospect; to canvass.
prospecteur *m* **-trice** *f* prospector.
prospection *f* prospecting; canvassing.
prospectus *m* leaflet; prospectus.
prospère *adj* prosperous, flourishing.
prospérer *vi* to prosper, flourish.
prospérité *f* prosperity.
prostate *f* prostate.
prosterner (se) *vr* to prostrate o.s.
prostituée *f* prostitute.
prostitution *f* prostitution.

prostré *adj* prostrate, prostrated.

protagoniste *m* protagonist.

protecteur *m* **-trice** *f* protector; patron; * *adj* protective; patronising.

protection *f* protection; patronage.

protectionnisme *m* protectionism.

protégé *m* **-e** *f* favourite, protegé; * *adj* protected, sheltered.

protéger *vt* to protect; to patronise; **se ~** *vr* to protect o.s.

protéine *f* protein.

protestant *m* **-e** *f* Protestant; * *adj* Protestant.

protestantisme *m* Protestantism.

protestation *f* protest, protestation.

protester *vi* to protest; to affirm.

prothèse *f* prosthesis; prosthetics.

protocole *m* protocol; etiquette.

prototype *m* prototype.

protubérance *f* protuberance, bulge.

proue *f* prow; bows.

prouesse *f* prowess.

prouver *vt* to prove; to demonstrate.

provenir *vi* to come from; to be due to.

proverbe *m* proverb.

proverbial *adj* proverbial.

providence *f* providence.

providentiel *adj* providential.

province *f* province.

provincial *m* **-e** *f* provincial; * *adj* provincial.

provision *f* provision; supply, stock.

provisoire *adj* provisional, temporary; **~ment** *adv* provisionally.

provocant *adj* provocative.

provocation *f* provocation.

provoquer *vt* to provoke; to cause.

proximité *f* proximity, closeness;

imminence.

prudemment *adv* prudently, carefully.

prudence *f* prudence, care.

prudent *adj* prudent, careful.

prune *f* plum.

pruneau *m* prune.

prunelle *f* sloe; pupil, eye.

prunier *m* plum tree.

psaume *m* psalm.

pseudonyme *m* pseudonym; pen name; alias.

psoriasis *m* psoriasis.

psychanalyse *f* psychoanalysis.

psychanalyser *vt* to psychoanalyse.

psychanalyste *mf* psychoanalyst.

psychédélique *adj* psychedelic.

psychiatre *mf* psychiatrist.

psychiatrie *f* psychiatry.

psychiatrique *adj* psychiatric.

psychique *adj* psychic, mental.

psychisme *m* psyche, mind.

psychologie *f* psychology.

psychologique *adj* psychological; **~ment** *adv* psychologically.

psychologue *mf* psychologist; * *adj* psychological.

psychopathe *mf* psychopath; mentally ill person.

psychose *f* psychosis; obsessive fear.

psychosomatique *adj* psychosomatic.

psychothérapie *f* psychotherapy.

puberté *f* puberty.

pubis *m* pubis.

public *adj*, *f* **publique** public, state; * *m* public, audience; public sector.

publication *f* publication, publishing.

publicité *f* publicity.

publier *vt* to publish; to make public.

publiquement *adv* publicly.

puce *f* flea.

puceron *m* aphid, greenfly.

pudeur *f* modesty, decency.

pudique *adj* modest; chaste; ~ment *adv* modestly.

puer *vi* to stink; * *vt* to stink.

puéricultrice *f* paediatric nurse.

puéril *adj* puerile, childish; ~ement *adv* puerilely, childishly.

puérilité *f* puerility, childishness.

puis *adv* then, next.

puiser *vt* to draw from, extract.

puisque *conj* since; as, seeing that.

puissance *f* power, strength; output; force.

puissant *adj* powerful; potent.

puits *m* well; shaft.

pull-over *m* pullover, sweater.

pulluler *vi* to swarm, pullulate.

pulmonaire *adj* pulmonary, lung.

pulpe *f* pulp.

pulsation *f* beat; beating; pulsation.

pulsion *f* drive, urge.

pulvériser *vt* to pulverise; to powder.

puma *m* puma.

punaise *f* bug; drawing pin.

punir *vt* to punish.

punition *f* punishment.

pupille *f* pupil; ward.

pupitre *m* desk; console; lectern.

pur *adj* pure; neat; clear; ~ement *adv* purely.

purée *f* mashed potatoes; purée.

pureté *f* purity, pureness.

purge *f* purge; purgative; draining.

purger *vt* to purge; to drain.

purifier *vt* to purify, cleanse.

purin *m* liquid manure, slurry.

puritain *m* -e *f* puritan; * *adj* puritan.

puritanisme *m* puritanism.

pur-sang *m invar* thoroughbred.

purulent *adj* purulent.

pus *m* pus.

putois *m* polecat; skunk.

putréfaction *f* putrefaction.

putréfier *vt* to putrefy, rot.

pyjama *m* pyjamas.

pylône *m* pylon.

pyramide *f* pyramid.

pyrex *m* Pyrex.

pyromane *mf* pyromaniac; arsonist.

python *m* python.

Q

quadragénaire *adj mf* forty-year-old.

quadrangle *m* quadrangle.

quadrature *f* quadrature.

quadriceps *m* quadriceps.

quadrilatère *m* quadrilateral.

quadrillage *m* covering, control; check pattern.

quadriller *vt* to mark out in squares; to cover, control.

quadrupède *adj m* quadruped.

quadruple *adj m* quadruple.

quai *m* quay, wharf; platform.

qualificatif *adj* qualifying.

qualification *f* qualification.

qualifier *vt* to describe; to qualify; se ~ *vr* to qualify for; to call o.s.

qualitatif *adj* qualitative.

qualitativement *adv* qualitatively.

qualité *f* quality; skill; position.

quand *conj* when, whenever, while.

quant *prép*: ~ à lui as for him/it.

quantifier *vt* to quantify.

quantitatif *adj* quantitative.

quantitativement *adv* quantitatively.

quantité *f* quantity, amount.

quarantaine f about forty; **avoir la ~** to be in one's forties.

quarante adj, m inv forty.

quarantième adj, mf fortieth.

quart m quarter; beaker; watch.

quartette m quartet.

quartier m district, neighbourhood; quarters; quarter.

quartz m quartz.

quasi adv almost, nearly.

quasiment adv almost, nearly.

quaternaire adj quaternary, m Quaternary.

quatorze adj, m fourteen.

quatorzième adj, mf fourteenth; **~ment** adv in fourteenth place.

quatre adj, m four.

quatre-vingt(s) adj, m eighty.

quatre-vingt-dix adj, m ninety.

quatre-vingtième adj, mf eightieth.

quatrième adj, mf fourth; **~ment** adv in fourth place.

quatuor m quartet.

que conj that; than; * pn that; whom; what; which.

quel, f **quelle** adj who, what, which.

quelconque adj some, any; least, slight; poor, indifferent.

quelque adj some; **~ part** somewhere.

quelque chose pn something.

quelquefois adv sometimes

quelqu'un, f **-une** someone, somebody, pl **quelques-uns, -unes** pn some, a few; **il y a ~?** is there someone there?

quémander vt to beg for.

querelle f quarrel; row; debate.

quereller (se) vr to quarrel, squabble.

question f question; matter, issue.

questionnaire m questionnaire.

questionner vt to question.

quête m quest, search; collection; **en ~ de** in search of.

quêter vi to seek; to collect money.

queue f tail; stalk; queue; **faire la ~** to queue.

qui pn who, whom; which.

quiche f quiche.

quiconque pn whoever, whosoever.

quiétude f quiet; peace; tranquillity.

quille f skittle; (mar) keel.

quincaillerie f hardware, ironmongery.

quinine f quinine.

quinquagénaire adj mf fifty-year-old.

quinquennal adj five-year, quinquennial.

quinquina m cinchona.

quinte f fifth (mus); coughing fit.

quintette m quintet.

quintuple adj quintuple; * m quintuple.

quintupler vt to multiply by five; * vi to quintuple, increase fivefold.

quintuplés mpl **-ées** fpl quintuplets.

quinzaine f about fifteen; fortnight.

quinze adj, m fifteen.

quinzième adj, mf fifteenth; **~ment** adv in fifteenth place.

quiproquo m mistake; misunderstanding.

quittance f receipt; bill.

quitte adj even, quits; **être ~ envers** to be quits, all square with; **~ à** even if it means, although it may mean; **~ ou double** double or quits.

quitter vt to leave; to give up; **se ~ vr** to part company, separate.

quoi pn what; **~ que** whatever.

quoique conj although, though.

quolibet m gibe, jeer.

quote-part f share.

quotidien adj daily, everyday; **~nement** adv daily, every day; * m everyday life.

quotient m quotient; quota.

R

rabâcher *vi* to harp on, keep on; * *vt* to rehearse, harp on.

rabais *m* reduction, discount; **au ~** at a reduced price.

rabaisser *vt* to humble, disparage; to reduce; **se ~** *vr* to belittle o.s.

rabattre *vt* to close; to pull down; to reduce; **se ~** *vr* to cut across, pull in front of; **se ~ sur** to fall back on.

rabbin *m* rabbi.

rabot *m* plane.

raboter *vt* to plane; to scrape.

rabougri *adj* stunted, puny.

racaille *f* rabble, scum.

raccommodage *m* mending, repairing.

raccommoder *vt* to mend, repair.

raccompagner *vt* to see back to; to accompany home.

raccord *m* join; link; pointing.

raccordement *m* linking; joining; connecting.

raccorder *vt* to link up, join up; **se ~** *vr* to link, join up.

raccourci *m* shortcut; **en ~** in short.

raccourcir *vt* to shorten, curtail; * *vi* to shrink; to grow shorter.

raccrocher *vt* to ring off; to hang up; to grab; **se ~** *vr* to catch; to cling to.

race *f* race; stock; breed.

rachat *m* repurchase, purchase.

racheter *vt* to repurchase; to redeem; to ransom.

rachitique *adj* rachitic; scrawny.

racial *adj* racial.

racine *f* root; **~ carrée** square root.

racisme *m* racism.

raciste *mf* racist; * *adj* racist.

racler *vt* to scrape; to rake.

racoler *vt* to accost; to solicit.

raconter *vt* to tell, recount.

radar *m* radar.

rade *f* (*mar*) harbour, roads.

radeau *m* raft.

radiateur *m* radiator; heater.

radiation *f* radiation.

radical *adj* radical; **~ement** *adv* radically.

radieux *adj* radiant, dazzling.

radin *m* -e *f* skinflint; * *adj* mean, stingy.

radio *f* radio; X-ray.

radioactif *adj* radioactive.

radioactivité *f* radioactivity.

radiodiffuser *vt* to broadcast (radio).

radiodiffusion *f* broadcasting (radio).

radiographie *f* radiography; X-ray photography.

radiologie *f* radiology.

radiologue *mf* radiologist.

radiophonique *adj* radio.

radioscopie *f* radioscopy.

radio-taxi *m* radio taxi.

radis *m* radish.

radium *m* radium.

radoter *vi* to ramble; to dote.

radoucir *vt* to soften; **se ~** *vr* to calm down; to mellow.

rafale *f* gust, blast; flurry.

raffermir *vt* to harden; to strengthen; **se ~** *vr* to become strengthened.

raffinage *m* refining.

raffiné *adj* refined, sophisticated.

raffinement *m* refinement, sophistication.

raffiner *vt* to refine.

raffoler *vi*: **~ de** to be crazy about.

rafle *f* raid, round-up.

rafraîchir *vt* to cool, freshen, chill; **se ~** *vr* to freshen up; to get colder.

rafraîchissant *adj* refreshing, cooling.

rafraîchissement *m* cooling; cold drink.

rage f rage, fury; mania; rabies.

rageur adj quick-tempered; bad-tempered.

ragot m (fam) malicious gossip.

ragoût m ragout; stew.

raid m raid; trek.

raide adj stiff; steep; rough; (col) broke.

raideur f stiffness; steepness; roughness.

raidir vt to stiffen; to tighten; to harden.

raie f line; furrow; scratch.

raifort m horseradish.

rail m rail; railway.

railler vt to scoff at, mock.

raillerie f mockery, scoffing.

railleur adj mocking, scoffing.

rainette f tree frog.

raisin m grape.

raison f reason; motive; sense; ground; ratio; **avoir ~** to be right; **en ~ de** because of.

raisonnable adj reasonable, sensible; **~ment** adv reasonably.

raisonnement m reasoning; argument.

raisonner vi to reason; to argue.

rajeunir vi to feel younger; to be modernised; * vt to rejuvenate.

rajouter vt to put in; to add; **en ~** to exaggerate.

rajuster vt to readjust, rearrange; to tidy up.

râle m groan; death rattle.

ralenti adj slow; slackened; * m slow motion; **au ~** ticking over, idling.

ralentir vi to slow down, let up; * vt to slow down, check.

ralentissement m slowing down; slowing up.

râler vi to groan, moan.

ralliement m rallying, winning over; uniting.

rallier vt to rally; to win over; **se ~** vr to join; to side with.

rallonge f extension, lengthening; extension lead.

rallumer vt to relight; to switch on again; to revive.

ramadan m Ramadan.

ramage m song; foliage.

ramassage m collection; gathering.

ramasser vt to pick up; to collect, gather.

rambarde f guardrail.

rame f oar; underground train; stake.

rameau m branch; ramification.

ramener vt to bring back, restore.

ramer vi to row.

rameur m **-euse** f rower.

ramification f ramification.

ramifier (se) vr to ramify; to branch out.

ramollir vt to soften; to weaken; **se ~** vr to go soft.

ramoner vt to sweep.

ramoneur m chimney sweep.

rampant adj crawling, creeping.

rampe f ramp, slope; gradient.

ramper vi to crawl, slither.

rance adj rancid, rank.

rancœur f rancour, resentment.

rançon f ransom.

rancune f grudge, resentment.

rancunier adj rancorous, spiteful.

randonnée f drive; ride; ramble.

randonneur m **-euse** f hiker, rambler.

rang m row, line; rank; class.

rangée f row, range, tier.

rangement m arranging, putting in order.

ranger vt to arrange, array; to put in order; **se ~** vr to line up; to make room; to park.

ranimer vt to reanimate, revive; to rekindle.

rapace m bird of prey.

rapatrié m **-e** f repatriate; * adj repatriated.

rapatriement m repatriation.

rapatrier vt to repatriate.

râpe f rasp, rough file.

râper vt to grate; to rasp.

râpeux adj rough.

rapide *adj* rapid, quick; steep; **~ment** *adv* rapidly, quickly.

rapidité *f* rapidity, quickness.

rapiécer *vt* to patch up.

rappel *m* recall; reminder.

rappeler *vt* to recall; to remind; **se ~** *vr* to remember.

rapport *m* report; relation; reference; profit; **en ~ avec** in touch with.

rapporter *vt* to report; to bring back; to yield; **se ~** *vr*: **se ~ à** to relate to.

rapporteur *m* **-euse** *f* reporter; tell-tale; * *adj* tell-tale; * *m* (*math*) protractor.

rapprochement *m* drawing closer; reconciliation.

rapprocher *vt* to bring nearer; to reconcile; **se ~** *vr* to approach; to come together, be reconciled.

rapt *m* abduction.

raquette *f* racket.

rare *adj* rare; few, odd; exceptional; **~ment** *adv* rarely, seldom.

raréfier (se) *vr* to rarefy; become scarce.

rareté *f* rarity; scarcity; infrequency.

rarissime *adj* extremely rare.

ras *adj* close-shaven, shorn; **à ~** short; level with; **à ~ bords** to the brim; **en avoir ~ le bol** (*fam*) to be fed up.

rasage *m* shaving; shearing.

raser *vt* to shave off; to scrape; to raze; **se ~** *vr* to have a shave.

rasoir *m* razor.

rassasier *vt* to fill sb up.

rassemblement *m* assembling, mustering; crowd; political group.

rassembler *vt* to rally, gather together; **se ~** *vr* to gather, assemble.

rasseoir (se) *vr* to sit down again.

rasséréner *vt* to clear up, restore serenity to.

rassis *adj* settled; calm; stale.

rassurant *adj* reassuring, comforting.

rassurer *vt* to reassure; to comfort; **se ~** *vr* to be reassured.

rat *m* rat.

ratatiner *vt* to shrivel; to wrinkle; **se ~** *vr* to become wrinkled.

ratatouille *f* ratatouille.

rate *f* spleen.

raté *m* **-e** *f* failure; * *m* misfire.

râteau *m* rake.

râtelier *m* rack; denture.

rater *vt* to miss; to spoil; to fail; * *vi* to misfire; to miss.

ratification *f* ratification.

ratifier *vt* to ratify, confirm.

ration *f* ration, allowance.

rationnel *adj* rational.

rationnement *m* rationing.

rationner *vt* to ration, put on rations; **se ~** *vr* to ration o.s.

ratisser *vt* to rake; to comb.

rattacher *vt* to refasten; to attach; to link.

rattraper *vt* to catch again, retake; to recover; **se ~** *vr* to catch hold of; to make up for.

rature *f* crossing-out.

raturer *vt* to cross out.

rauque *adj* hoarse, raucous.

ravage *m* havoc; ravaging, laying waste.

ravager *vt* to ravage; devastate.

ravaler *vt* to swallow again; to restore.

ravi *adj* delighted.

ravin *m* ravine, gully.

ravir *vt* to delight.

raviser (se) *vr* to think better of it, change one's mind.

ravissant *adj* ravishing, delightful.

ravitaillement *m* supplies; refuelling.

ravitailler *vt* to resupply; **se ~** *vr* to be resupplied; to refuel.

raviver *vt* to revive, reanimate; **se ~** *vr* to be revived.

rayer *vt* to scratch; to cross out.

rayon m ray, beam; spoke; shelf.
rayonnant adj radiant, beaming.
rayonnement m radiance, effulgence; influence.
rayonner vi to radiate, shine; to be influential.
rayure f stripe; streak; groove.
réaccoutumer vt to reaccustom; **se ~** vr to become reaccustomed.
réacteur m reactor; jet-engine.
réaction f reaction.
réactionnaire adj reactionary; * mf reactionary.
réactiver vt to reactivate.
réadaptation f rehabilitation; readjustment.
réadapter vt to readjust; to rehabilitate.
réagir vi to react.
réalisateur m **-trice** f director, film-maker.
réalisation f realisation; carrying out; achievement.
réaliser vt to realise; to carry out; to achieve; **se ~** vr to be realised, come true.
réalisme m realism.
réaliste adj realistic; * mf realist.
réalité f reality; **en ~** in fact, in reality.
réanimation f resuscitation.
réanimer vt to reanimate; to resuscitate.
réapparaître vi to reappear.
rébarbatif adj stern, grim, forbidding.
rebattu adj hackneyed.
rebelle mf rebel; * adj rebel, rebellious.
rebeller (se) vr to rebel.
rébellion f rebellion.
reboisement m reafforestation.
reboiser vt to reafforest.
rebondir vi to bounce; to rebound.
rebondissement m rebound; bouncing.

rebord m rim, edge; hem.
rebrousser vt to brush back; **~ chemin** to turn back.
rébus m rebus, puzzle.
rebut m scrap; repulse, rebuff.
récalcitrant adj recalcitrant, stubborn.
récapituler vt to recapitulate, sum up.
receler vt to receive; to harbour.
récemment adv recently.
recensement m census, inventory.
recenser vt to make a census of; to record.
récent adj recent; new.
récépissé m receipt.
récepteur m receiver.
réceptif adj receptive.
réception f reception, welcome; receipt.
réceptionniste mf receptionist.
récession f recession.
recette f recipe; formula; receipt.
receveur m **-euse** f recipient; collector.
recevoir vt to receive, welcome; to take, collect.
rechange m: change; spare; **de ~** spare.
recharge f recharging; reloading.
rechargeable adj rechargeable; reloadable; refillable.
recharger vt to recharge; to reload; to refill.
réchaud m stove; dish-warmer.
réchauffer vt to reheat; to warm up; **se ~** vr to get warmer.
rêche adj rough, harsh.
recherche f search; inquiry; investigation; research; **être à la ~ de** to be in search of.
recherché adj sought after, in demand; choice, exquisite.
rechercher vt to seek; to investigate.
rechigner vt to balk; to grumble.
rechute f relapse; lapse.
récidive f second offence, relapse into crime; (med) recurrence.

récidiver *vi* to reoffend; to recur.

récidiviste *mf* recidivist, habitual criminal.

récif *m* reef.

récipient *m* container, receptacle.

réciproque *adj* reciprocal, mutual; **~ment** *adv* reciprocally.

récit *m* account, story.

récital *m*, *pl* -als recital.

récitation *f* recitation; recital.

réciter *vt* to recite.

réclamation *f* complaint; demand; claim.

réclame *f* advertisement; publicity; **en ~** on offer.

réclamer *vt* to claim, demand, ask for; * *vi* to complain.

reclus *adj* shut up, secluded.

réclusion *f* reclusion; confinement.

recoiffer *vt* to do sb's hair; **se ~** *vr* to do one's hair.

recoin *m* corner, nook.

recoller *vt* to restick.

récolte *f* harvest; collection; result.

récolter *vt* to harvest; to collect.

recommandation *f* recommendation, reference.

recommander *vt* to recommend; to commend; to register (letter).

recommencement *m* renewal; fresh beginning.

recommencer *vi* to begin again; * *vt* to begin again, resume.

récompense *f* reward; award.

réconciliation *f* reconciliation.

réconcilier *vt* to reconcile; **se ~** *vr* to become reconciled.

reconduire *vt* to bring back; to see home, escort.

réconfort *m* comfort.

réconfortant *adj* comforting; tonic.

réconforter *vt* to comfort; to fortify; **se ~** *vr* to take some refreshment.

reconnaissance *f* recognition; acknowledgement; gratitude.

reconnaissant *adj* grateful.

reconnaître *vt* to recognise; to acknowledge; to be grateful.

reconnu *adj* recognised, accepted.

reconquérir *vt* to reconquer; to recover.

reconsidérer *vt* to reconsider.

reconstituer *vt* to reconstitute; rebuild, restore.

reconstitution *f* reconstitution; rebuilding, restoration.

reconstruire *vt* to reconstruct, rebuild.

reconversion *f* reconversion, redeployment.

recopier *vt* to copy out.

record *m* record.

recoudre *vt* to sew up.

recoupement *m* crosscheck.

recourbé *adj* curved, hooked.

recourir *vi* to run again; **~ à** to resort to.

recours *m* recourse; redress; (*jur*) appeal.

recouvrir *vt* to cover again; to cover up.

récréatif *adj* recreative; entertaining.

récréation *f* recreation; break.

récrimination *f* recrimination, remonstration.

récriminer *vi* to recriminate, remonstrate.

recroqueviller (se) *vr* to shrivel up.

recrudescence *f* recrudescence; upsurge; further outbreak.

recrue *f* recruit.

recrutement *m* recruiting, recruitment.

recruter *vt* to recruit.

rectal *adj* rectal.

rectangle *m* rectangle.

rectangulaire *adj* rectangular.

recteur *m* priest, rector.

rectificatif *m* correction; * *adj* corrected, rectified.

rectification *f* rectification; correction.

rectifier *vt* to rectify, correct; to adjust.

rectiligne *adj* straight; rectilinear.

recto *m* recto, first side; front.

rectum *m* rectum.

reçu *p.p.* recevoir accepted, successful; * *m* receipt.

recueil *m* collection, miscellany.

recueillement *m* meditation.

recueillir *vt* to gather, collect; to record; **se ~** *vr* to collect one's thoughts.

recul *m* retreat; recession; decline.

reculer *vi* to fall back, retreat; * *vt* to move back; to defer.

récupération *f* recovery; retrieval.

récupérer *vt* to recover, retrieve; to recuperate; * *vi* to recover.

récurer *vt* to scour.

recycler *vt* to recycle.

rédacteur *m* **-trice** *f* editor, compiler; drafter; writer; sub-editor.

rédaction *f* drafting, drawing up.

rédemption *f* redemption.

redescendre *vi* to go down again; * *vt* to bring down again.

redevable *adj* indebted, owing; liable.

redevance *f* rent; tax; fees.

rediffusion *f* repeat, reshowing.

rédiger *vt* to write; to compile; to draft.

redire *vt* to repeat, say again; **trouver à - à** to find fault with.

redoubler *vt* to increase, intensify; * *vi* to increase, intensify; **~ de** to redouble.

redoutable *adj* redoubtable, formidable.

redouter *vt* to dread, fear.

redresser *vt* to rectify; to true; to set up again; **se ~** *vr* to stand up; to right oneself.

réduction *f* reduction; discount; mitigation.

réduire *vt* to reduce, diminish; **se ~** *vr*: **se ~ à** to boil down to.

réduit *adj* reduced, limited; miniature; * *m* retreat; recess; small room.

rééducation *f* re-education; rehabilitation.

rééduquer *vt* to re-educate; to rehabilitate.

réel *adj* real, genuine; **~lement** *adv* really.

réélire *vt* to re-elect.

rééquilibrer *vt* to restabilise.

réévaluer *vt* to revalue.

refaire *vt* to redo; to remake; to renew.

réfectoire *m* canteen, refectory.

référence *f* reference.

référendum *m* referendum.

refermer *vt* to close again.

réfléchi *adj* well-considered; reflective, thoughtful.

réfléchir *vi* to think, reflect; * *vt* to realise; to mirror.

reflet *m* reflection; reflex.

refléter *vt* to reflect, mirror.

réflexe *m* reflex.

réflexion *f* thought, reflection; remark; **à la ~** on reflection; **~ faite** all things considered.

reflux *m* reflux, ebb.

réforme *f* reform, amendment; discharge.

réformer *vt* to reform, correct; to invalid out; to scrap.

refouler *vt* to drive back, repel.

réfraction *f* refraction.

refrain *m* refrain, chorus.

réfréner *vt* to curb, hold in check.

réfrigérateur *m* refrigerator.

réfrigérer *vt* to refrigerate.

refroidir *vt* to cool; * *vi* to cool down, get cold.

refroidissement *m* cooling; chill.

refuge *m* refuge, shelter; lay-by.

réfugié *m* **-e** *f* refugee; * *adj* refugee.

réfugier (se) *vr* to take refuge.

refus *m* refusal.

refuser *vt* to refuse; to reject; to deny; **se ~** *vr* to deny o.s.; **se ~ à** to reject.

réfuter *vt* to refute.

regagner *vt* to regain, win back.

régal *m* delight, treat.

régaler *vt* to regale; to treat; **se ~** *vr* to treat o.s.

regard *m* look; glance; expression; peephole.

regardant *adj* particular, meticulous; stingy.

regarder *vt* to look at; to glance; to be opposite; to concern; **~ à** to think about.

régates *fpl* regattas.

régénération *f* regeneration.

régénérer *vt* to regenerate, revive.

régent *m* -e *f* regent.

régenter *vt* to rule over, domineer.

régie *f* administration; state control.

régime *m* system, régime; scheme; diet; rate, speed.

régiment *m* regiment.

région *f* region, area.

régional *adj* regional.

régir *vt* to govern, rule.

régisseur *m* manager; steward; bailiff.

registre *m* register, record; style; compass.

réglable *adj* adjustable.

réglage *m* regulation, adjustment; tuning.

règle *f* rule; order; regularity; period.

règlement *m* regulation, rules; settlement.

réglementaire *adj* regulation; statutory.

réglementation *f* regulations; control.

réglementer *vt* to regulate, control.

régler *vt* to settle, pay; to regulate.

réglisse *f* liquorice.

règne *m* reign.

régner *vi* to reign; to prevail.

regorger *vi*: **~ de** to overflow with, abound in.

régresser *vi* to regress; to recede.

régression *f* regression.

regret *m* regret, yearning; **à ~** regretfully.

regrettable *adj* regrettable.

regretter *vt* to regret, be sorry; to miss.

regroupement *m* gathering together; merger.

regrouper *vt* to group together; to reassemble; **se ~** *vr* to gather together.

régulariser *vt* to regularise; straighten out.

régularité *f* regularity; consistency.

régulier *adj* regular; consistent; steady; even; legitimate.

régulièrement *adv* regularly; consistently; lawfully.

réhabilitation *f* rehabilitation; discharge; reinstatement.

réhabiliter *vt* to rehabilitate; to discharge; to reinstate.

réhabituer *vt* to reaccustom sb to; **se ~** *vr* to reaccustom o.s. to.

rehausser *vt* to heighten, raise.

rein *m* kidney.

réincarnation *f* reincarnation.

reine *f* queen.

reine-claude *f* greengage.

réinsertion *f* reinsertion, reintegration.

réintégrer *vt* to reinstate; to return to.

réitérer *vt* to reiterate, repeat.

rejaillir *vi* to gush out; to rebound on.

rejet *m* rejection, dismissal; throwing up.

rejeter *vt* to reject, dismiss; throw up.

rejoindre *vt* to rejoin; to catch up with.

rejouer *vt* to replay; to perform again; * *vi* to play again.

réjouir *vt* to delight; to entertain; **se ~** *vr* to rejoice, be delighted.

réjouissance *f* rejoicing, merry-making.

relâche *f* intermission, respite; **faire ~** to be closed; **sans ~** relentlessly.

relâchement *m* relaxation, loosening; laxity.

relâcher *vt* to relax, slacken; **se ~** *vr* to relax; to become lax.

relais *m* relay; shift; staging post.

relatif *adj* relative; relating to.

relation *f* relation, relationship; reference; acquaintance; account; **être en ~ avec** to be in contact with.

relativement *adv* relatively.

relativisme *m* relativism.

relativité *f* relativity.

relaxant *adj* relaxing.

relaxation *f* relaxation.

relaxer *vt* to relax; to acquit; to release; **se ~** *vr* to relax.

relayer *vt* to relieve, take the place of; to relay; **se ~** *vr* to take turns.

relecture *f* rereading.

reléguer *vt* to relegate; to banish.

relève *f* relief; relief party.

relevé *m* statement; list; bill; * *adj* turned up, rolled up; elevated.

relever *vt* to set up again, raise again; to rebuild; to relieve; **se ~** *vr* to stand up again; to get up.

relief *m* relief; contours; depth.

relier *vt* to link up, connect; to bind.

religieux *m* monk, **-euse** *f* nun; * *adj* religious.

religion *f* religion.

relique *f* relic.

relire *vt* to reread.

reliure *f* binding; bookbinding.

reluire *vi* to gleam, shine.

remaniement *m* recasting; altering; revision; amendment.

remanier *vt* to recast, revise; to amend.

remarquable *adj* remarkable, notable; **~ment** *adv* remarkably.

remarque *f* remark, comment.

remarquer *vt* to remark; to notice.

rembourrer *vt* to stuff; to pad.

remboursement *m* reimbursement, repayment.

rembourser *vt* to reimburse, pay back.

remède *m* remedy, cure.

remédier *vi*: **~ à** to remedy, cure.

remerciement *m* thanks; thanking.

remercier *vt* to thank.

remettre *vt* to put back; to replace; to restart; to revive; **se ~** *vr* to recover, get better; **se ~ à** to start doing sth again; **se ~ de** to get over sth.

réminiscence *f* reminiscence.

remise *f* delivery; remittance; discount; deferment; **~ en état** repairing; **~ à neuf** restoration; **~ en jeu** throw-in; **~ en question** calling into question; **~ en cause** calling into question; **~ de peine** remission.

remmener *vt* to take back.

remontant *m* tonic; * *adj* invigorating, fortifying.

remonte-pente *m* ski tow.

remonter *vi* to go up again; to rise, increase; to return; * *vt* to go up; to take up.

remontrance *f* remonstrance.

remords *m* remorse.

remorque *f* trailer; towrope.

remorquer *vt* to tow.

remorqueur *m* tug.

rémouleur *m* knife-grinder.

remous *m* back-wash; eddy, swirl.

rempailler *vt* to reseat (chair).

rempart *m* rampart; defence.

remplaçant *m* **-e** *f* substitute.

remplacement *m* replacing; substitution.

remplacer *vt* to replace, stand in for.

remplir *vt* to fill; to fill in; to fulfil; **se ~ *vr*** to fill up.

remplissage *m* filling up; padding.

remporter *vt* to take away.

remuant *adj* restless, fidgety.

remue-ménage *m invar* commotion; hullabaloo.

remuer *vi* to move; to fidget; * *vt* to move, shift; to stir; **se ~ *vr*** to move; to shift o.s.

rémunération *f* remuneration, payment.

rémunérer *vt* to remunerate, pay.

renaissance *f* rebirth, Renaissance.

renaître *vi* to be reborn; to be revived; to reappear.

renard *m* fox.

renchérir *vi* to go further, go one better; to bid higher.

renchérissement *m* increase in price.

rencontre *f* meeting, encounter; conjuncture; collision.

rencontrer *vt* to meet; to find; to strike; **se ~ *vr*** to meet each other.

rendement *m* yield; output.

rendez-vous *m* appointment; date; meeting place.

rendormir *vt* to put to sleep again; **se ~ *vr*** to go back to sleep.

rendre *vt* to render; to give back, return; to yield; **se ~ *vr*** to surrender; to give way.

rêne *f* rein.

renfermé *adj* withdrawn, close; * *m* fusty/close smell.

renfermer *vt* to contain, hold.

renflement *m* bulge.

renflouer *vt* to refloat; to bail out.

renfoncement *m* recess.

renfoncer *vt* to drive further in; to recess.

renforcer *vt* to strengthen, reinforce.

renfort *m* reinforcement; help.

renfrogné *adj* frowning, glum.

renier *vt* to repudiate, disown.

renifler *vt* to sniff, snuffle.

renne *m* reindeer.

renom *m* renown, fame.

renommée *f* renowned, famed.

renoncement *m* renouncement; renunciation.

renoncer *vi* to renounce, give up.

renonciation *f* renunciation; waiver.

renouer *vt* to retie; to renew.

renouveau *m* spring; renewal.

renouveler *vt* to renew; to revive; **se ~ *vr*** to be renewed.

renouvellement *m* renewal; revival.

rénovation *f* renovation; renewal.

rénover *vt* to renovate.

renseignement *m* information; intelligence.

renseigner *vt* to inform, give information to; **se ~ *vr*** to ask for information.

rentabiliser *vt* to make profitable.

rentable *adj* profitable.

rente *f* rent; profit; annuity.

rentier *m* **-ière** *f* stockholder, fundholder; rentier.

rentrée *f* reopening; reassembly; reappearance.

rentrer *vi* to re-enter; to return home; to begin again; * *vt* to bring in.

renversement *m* inversion; reversal; overturning.

renverser *vt* to turn upside down; to reverse; to overturn.

renvoi *m* sending back; returning; dismissal.

renvoyer *vt* to send back; to return; to dismiss.

réorganisation *f* reorganisation.

réorganiser *vt* to reorganise.

réouverture *f* reopening.

repaire *m* den, lair.

répandre *vt* to pour out; to scatter, spread; **se ~ *vr*** to spread; to be spilled.

répandu *adj* widespread.

réparateur *m* **-trice** *f* repairer.

réparation *f* repairing; restoration.

réparer *vt* to repair; to restore; to make up for.

repartie *f* retort; **avoir de la ~** to have a quick wit.

repartir *vi* to set off again; to start up again.

répartir *vt* to share out; to distribute; **se ~** *vr* to share out.

répartition *f* sharing out; allocation.

repas *m* meal.

repassage *m* ironing; grinding, sharpening.

repasser *vt* to iron; to cross again; to resit; * *vi* to go past again.

repêcher *vt* to fish out, retrieve.

repeindre *vt* to repaint.

repenti *adj* repentant.

repentir *m* repentance, contrition.

repentir (se) *vr* to repent, rue.

répercussion *f* repercussion.

répercuter *vt* to reverberate; to echo; **se ~** *vr* to reverberate; to echo.

repère *m* line, mark; **point de ~** indication, reference mark.

repérer *vt* to spot, pick out; to mark out.

répertoire *m* index, catalogue; repertory.

répertorier *vt* to itemise; to index.

répéter *vt* to repeat; to rehearse; **se ~** *vr* to repeat o.s.; to reoccur.

répétitif *adj* repetitive.

répétition *f* repetition; rehearsal.

repiquer *vt* to plant out, transplant.

répit *m* respite, rest.

repli *m* fold, coil, meander; withdrawal; downturn.

replier *vt* to fold up; to withdraw; **se ~** *vr* to coil up, curl up.

réplique *f* reply, retort; counterattack.

répliquer *vt* to reply; to retaliate.

répondant *m* **-e** *f* guarantor; bail, surety.

répondeur *m* answering machine.

répondre *vt* to answer, reply.

réponse *f* response, reply.

report *m* postponement, deferment; carrying forward.

reportage *m* report; commentary; reporting.

reporter *vt* to postpone; to carry forward; to transfer; * *m* reporter.

repos *m* rest; tranquillity; landing.

reposant *adj* restful, refreshing.

reposer *vt* to put back; to rest; to ask again; **se ~** *vr* to rest.

repoussant *adj* repulsive; repellent.

repousser *vt* to push back; to repel.

reprendre *vt* to retake, recapture; to resume; **se ~** *vr* to correct o.s.; to pull o.s. together.

représailles *fpl* reprisals; retaliation.

représentant *m* representative.

représentatif *adj* representative.

représentation *f* representation; performance.

représenter *vt* to represent, depict; to perform; to symbolise.

répressif *adj* repressive.

répression *f* repression.

réprimande *f* reprimand, rebuke.

réprimander *vt* to reprimand, rebuke.

réprimer *vt* to repress; to quell.

reprise *f* resumption; recapture, taking back; **à plusieurs ~s** several times.

repriser *vt* to darn.

réprobation *f* reprobation.

reproche *m* reproach; objection.

reprocher *vt* to reproach, blame.

reproduction *f* reproduction; copy; duplicate.

reproduire *vt* to reproduce, copy; to repeat; **se ~** *vr* to reproduce, breed.

reptile *m* reptile.

repu *adj* full, satiated.

républicain *m* -**e** *f* republican; * *adj* republican.

république *f* republic.

répudier *vt* to repudiate; to renounce.

répugnance *f* repugnance, disgust.

répugnant *adj* repugnant, disgusting, revolting.

répulsion *f* repulsion, repugnance.

réputation *f* reputation; character; fame.

réputé *adj* reputable, renowned; supposed, reputed.

requérir *vt* to call for, request.

requête *f* petition, request.

requin *m* shark.

requis *adj* required, requisite.

réquisition *f* requisition; conscription.

réquisitionner *vt* to requisition; to conscript.

rescapé *m* -**e** *f* survivor.

réseau *m* network, net.

réservation *f* reservation, booking.

réserve *f* reserve; reservation, caution.

réservé *f* reserved.

réserver *vt* to reserve, save; to book; to lay by.

réservoir *m* tank; reservoir.

résidence *f* residence; apartment block.

résidentiel *adj* residential.

résider *vi* to reside, dwell.

résidu *m* residue.

résignation *f* resignation.

résigner (se) *vr* to resign o.s.

résilier *vt* to terminate; to annul.

résine *f* resin.

résistance *f* resistance.

résistant *adj* resistant; tough, unyielding.

résister *vi* to resist, withstand.

résolu *adj* resolved, determined; **~ment** *adv* resolutely.

résolution *f* resolution, determination.

résonner *vi* to resound, resonate.

résorber *vi* to reduce; to absorb; **se ~** *vr* to be reduced.

résoudre *vt* to solve; to resolve; to annul; **se ~** *vr*: **se ~ à** to decide to do.

respect *m* respect, regard, deference.

respectable *adj* respectable; sizeable.

respecter *vt* to respect; to comply with.

respectif *adj* respective.

respectivement *adv* respectively.

respectueusement *adv* respectfully.

respectueux *adj* respectful.

respirable *adj* breathable.

respiration *f* breathing, respiration.

respiratoire *adj* respiratory.

respirer *vi* to breathe, respire; to rest; * *vt* to breathe in.

resplendissant *adj* shining, radiant.

responsabilité *f* responsibility; liability.

responsable *adj* responsible; liable; * *mf* official, manager.

resquiller *vi* to sneak in; to take a free ride.

ressaisir (se) *vr* to regain one's self-control.

ressemblance *f* resemblance, likeness; similarity.

ressemblant *adj* lifelike.

ressembler *vi* to resemble, be like; **se ~** *vr* to be alike.

ressemelage *m* soling, resoling.

ressentiment *m* resentment.

ressentir *vt* to feel, experience; **se ~** *vr*: **se ~ de** to feel the effects of.

resserrement *m* contraction, tightening; narrowing.

resserrer *vt* to tighten; to strengthen; **se ~** *vr* to grow tighter.

ressort *m* spring; motivation.

ressortir *vi* to go out again; to stand out.

ressortissant *m* **-e** *f* national.

ressource *f* resource, resort, expedient.

ressusciter *vi* to revive, reawaken; to come back to life; * *vt* to resuscitate; to revive.

restant *adj* remaining; * *m* rest, remainder.

restaurant *m* restaurant.

restaurateur *m* **-trice** *f* restaurateur; restorer.

restauration *f* restoration, rehabilitation; catering.

restaurer *vt* to restore; to feed; **se ~** *vr* to eat.

reste *m* rest, left-over, remainder; **du ~** besides; **être en ~** to be outdone.

rester *vi* to remain, stay; to be left; to continue; to pause.

restituer *vt* to return, restore; to refund.

restitution *f* restoration; restitution.

restreindre *vt* to restrict, curtail; **se ~** *vr* to restrain o.s.

restreint *adj* restricted, limited.

restrictif *adj* restrictive.

restriction *f* restriction, limitation; reserve.

restructurer *vt* to restructure.

résultat *m* result, outcome; profit.

résulter *vi*: **~ de** to result, follow from, ensue.

résumé *m* summary, recapitulation; **en ~** in brief.

résumer *vt* to sum up; **se ~** *vr*: **se ~ à** to amount to.

résurrection *f* resurrection.

rétablir *vt* to re-establish, restore; **se ~** *vr* to recover, get well again.

rétablissement *m* re-establishment, restoring.

retard *m* lateness; delay; **être en ~** to be late; to be behind; to be backward.

retardataire *mf* latecomer; * *adj* obsolete.

retardé *adj* backward, slow.

retarder *vt* to delay; to hinder; to put back; * *vi* to be out of touch.

retenir *vt* to hold back, retain; to remember; **se ~** *vr* to control o.s.

rétention *f* retention; withholding.

retentir *vi* to resound; to ring.

retentissant *adj* resounding; ringing.

retenue *f* discretion; deduction, stoppage; reservoir.

réticence *f* reticence.

réticent *adj* reticent.

rétine *f* retina.

retiré *adj* remote, isolated.

retirer *vt* to take off; to take out, withdraw; to redeem; **se ~** *vr* to retire, withdraw; to stand down.

retombée *f* fallout; repercussions.

retomber *vi* to fall again; to have a relapse; **~ sur** to come across again.

rétorquer *vt* to retort.

retouche *f* touching up; alteration.

retoucher *vt* to touch up; to alter.

retour *m* return; recurrence; vicissitude, reversal; **être de ~** to be back.

retournement *m* reversal; turnaround.

retourner *vt* to reverse, turn over; to return; * *vi* to return, go back; **se ~** *vr* to turn over; to overturn.

rétracter *vt* to retract, take back; **se ~** *vr* to retract, withdraw one's evidence.

retrait *m* ebb; retreat; withdrawal; **être en ~** to be set back.

retraite *f* retreat; retirement; refuge; **à la ~** retired.

retraité *m* **-e** *f* pensioner; * *adj* retired.

retranchement *m* curtailment; entrenchment.

retrancher *vt* to curtail; to entrench.

retransmettre *vt* to retransmit.

retransmission *f* retransmission.

rétrécir *vi* to narrow; to shrink; * *vt* to take in, make narrower; **se ~** *vr* to narrow; to shrink.

rétrécissement *m* narrowing; shrinking.

rétribuer *vt* to remunerate.

rétribution *f* retribution.

rétroactif *adj* retrospective; retroactive.

rétroaction *f* retroaction; retrospective action.

rétrograde *adj* reactionary, backward.

rétrograder *vi* to go backward, regress.

rétroprojecteur *m* overhead projector.

rétrospectif *adj* retrospective.

rétrospective *f* retrospective.

rétrospectivement *adv* retrospectively.

retrousser *vt* to roll up, hitch up.

retrouvailles *fpl* reunion.

retrouver *vt* to find again, to regain; to recover; to recognise; **se ~** *vr* to meet up; to end up in.

rétroviseur *m* rear-view mirror.

réunifier *vt* to reunify.

réunion *f* reunion, gathering.

réunir *vt* to unite; to collect, gather; to combine; **se ~** *vr* to meet; to assemble.

réussir *vi* to succeed, be a success; * *vt* to make a success of.

réussite *f* success, successful outcome.

revanche *f* revenge; **en ~** on the other hand.

rêvasser *vi* to daydream.

rêve *m* dream, dreaming; illusion.

réveil *m* waking, awaking; alarm clock.

réveiller *vt* to wake; **se ~** *vr* to awaken.

réveillon *m* midnight feast.

révélation *f* revelation, disclosure; developing.

révéler *vt* to reveal, disclose; **se ~** *vr* to be revealed; to prove to be.

revenant *m* **-e** *f* ghost.

revendeur *m* **-euse** *f* retailer; dealer.

revendication *f* claiming; claim; demand.

revendiquer *vt* to claim; to demand.

revendre *vt* to resell.

revenir *vi* to come back, reappear; to happen again; **ne pas en ~** to not recover from, not pull through; **~ à soi** to come round.

revenu *m* income, revenue.

rêver *vi* to dream; to muse; * *vt* to dream of.

réverbération *f* reverberation.

réverbère *m* street lamp.

révérence *f* bow, curtsey.

révérend *adj* reverend.

révérer *vt* to revere.

rêverie *f* reverie, musing.

revers *m* back, reverse; counterpart.

réversible *adj* reversible.

revêtement *m* coating, surface.

revêtir *vt* to don; to assume.

rêveur *m* **-euse** *f* dreamer; * *adj* dreamy.

revigorer *vt* to invigorate; to revive.

revirement *m* change of mind; reversal; turnaround.

réviser *vt* to review; to revise.

révision *f* review; auditing; revision.

revivre *vt* to relive; * *vi* to live again, come alive again.

révocation *f* removal; dismissal; revocation.

revoir *vt* to see again; **se ~** *vr* to meet each other again.

révoltant *adj* revolting, appalling.

révolte *f* revolt, rebellion.

révolter *vt* to revolt, outrage; **se ~** *vr* to rebel, revolt.

révolu *adj* past, bygone.

révolution *f* revolution.

révolutionnaire *mf* revolutionary; * *adj* revolutionary.

révolutionner *vt* to revolutionise; to upset.

revolver *m* revolver.

révoquer *vt* to revoke; to dismiss.

revue *f* review; inspection.

rez-de-chaussée *m invar* ground floor.

rhabiller *vt* to dress (sb) again; to fit (sb) out again; **se ~** *vr* to get dressed again.

rhésus *m* rhesus.

rhétorique *f* rhetoric; * *adj* rhetorical.

rhinocéros *m* rhinoceros.

rhododendron *m* rhododendron.

rhubarbe *f* rhubarb.

rhum *m* rum.

rhumatisme *m* rheumatism.

rhume *m* cold.

riant *adj* smiling; cheerful.

ribambelle *f* swarm, herd.

ricanement *m* snigger, sniggering.

ricaner *vi* to snigger, giggle.

riche *adj* rich, wealthy; abundant; **~ment** *adv* richly; * *mf* rich person.

richesse *f* richness; wealth; abundance.

ricochet *m* ricochet; rebound.

rictus *m* grin; grimace.

ride *f* wrinkle; ripple; ridge.

ridé *adj* wrinkled.

rideau *m* curtain.

ridicule *adj* ridiculous; * *m* ridiculousness; absurdity; ridicule.

ridiculiser *vt* to ridicule.

rien *pn* nothing; **de ~** don't mention it; **il n'en est ~** it's nothing of the sort; * *m* nothingness; mere nothing; pinch, shade; **en un ~ de temps** in no time; **pour un ~** at the slightest little thing.

rieur *adj* cheerful; laughing.

rigide *adj* rigid; **~ment** *adv* rigidly.

rigidité *f* rigidity, stiffness.

rigole *f* channel; rivulet.

rigoler *vi* (*fam*) to have a good laugh.

rigoureusement *adv* harshly, rigorously.

rigoureux *adj* rigorous, harsh.

rigueur *f* rigour; harshness, severity.

rime *f* rhyme.

rimer *vi* to rhyme (with).

rince-doigts *m invar* finger-bowl.

rincer *vt* to rinse out; to rinse.

ring *m* boxing ring.

riposte *f* riposte, retort.

riposter *vi* to answer back, retaliate.

rire *vi* to laugh; to smile; to joke; * *m* laughter, laugh.

risée *f* laugh; ridicule; mockery, derision.

risible *adj* laughable, ridiculous.

risque *m* risk, hazard.

risqué *adj* risky, hazardous; risqué.

risquer *vt* to risk; to venture; **se ~** *vr* to venture, dare.

ristourne *f* discount, rebate.

rite *m* rite.

rituel *adj* ritual.

rivage *m* shore.

rival *m* **-e** *f* rival; **sans ~** unrivalled; * *adj* rival.

rivaliser *vi* to rival, compete with; **~ de** to vie with.

rivalité *f* rivalry.

rive *f* shore, bank.

river *vt* to clinch; to rivet.

riverain *m* **-e** *f* lakeside resident; riverside resident; * *adj* lakeside, riverside.

rivière *f* river.

riz *m* rice.

robe *f* dress; gown; **~ de chambre** dressing gown.

robinet *m* tap.

robot *m* robot.

robotique *f* robotics.
robuste *adj* robust.
robustesse *f* robustness.
roc *m* rock.
rocaille *f* loose stones; rocky ground.
rocailleux *adj* rocky.
roche *f* rock.
rocher *m* rock, boulder.
rodage *m* grinding; running in, breaking in.
roder *vt* to grind; to run in.
rôder *vi* to roam; to prowl about.
rôdeur *m* -**euse** *f* prowler.
rogner *vt* to pare, prune, clip.
rognon *m* kidney.
roi *m* king.
rôle *m* role, character; roll, catalogue.
roman *m* novel; romance.
romancier *m* -**ière** *f* novelist.
romanesque *adj* fabulous; storybook; fictional.
romantique *adj* romantic.
romantisme *m* romanticism.
rompre *vt* to break; to snap; to dissolve; * *vi* to break; to burst.
ronce *f* bramble.
rond *m* circle, ring; slice, round; * *adj* round; chubby, plump; frank ~**ement** *adv* briskly, frankly.
ronde *f* patrol; round; beat.
rondelle *f* slice, round; disc.
rondeur *f* plumpness; roundness.
rondin *m* log.
rond-point *m* roundabout.
ronflement *m* snore, snoring; humming; roaring.
ronfler *vi* to snore; to hum; to roar.
ronger *vt* to gnaw.
ronronner *vi* to purr; to hum.
rosbif *m* roast beef.
rose *f* rose; * *adj* pink; * *m* pink.
roseau *m* reed.
rosée *f* dew.
rosier *m* rosebush.
rossignol *m* nightingale.
rot *m* belch, burp.

roter *vi* to belch, burp.
rotation *f* rotation; turnover.
rôti *m* joint, roast.
rotin *m* rattan.
rôtir *vt* to roast.
rôtisserie *f* rotisserie, steakhouse.
rotonde *f* rotunda; roundhouse.
rotule *f* kneecap, patella.
rouage *m* cog; gearwheel.
roucouler *vi* to coo; to bill.
roue *f* wheel.
rouge *adj* red; * *m* red; ~ **à lèvres** lipstick.
rouge-gorge *m* robin.
rougeole *f* measles.
rougeur *f* redness, blushing.
rougir *vi* to blush, go red; * *vt* to make red, redden.
rouille *f* rust.
rouiller *vi* to rust; * *vt* to make rusty.
roulant *adj* on wheels; moving.
rouleau *m* roll; roller.
roulement *m* rotation; movement; rumble, rumbling.
rouler *vt* to wheel, roll along; * *vi* to go, run (train); to drive.
roulette *f* castor; trundle; roulette.
roulis *m* rolling.
roulotte *f* caravan.
rouquin *m* -**e** *f* redhead; * *adj* red-haired.
route *f* road; way; course, direction.
routier *adj* road; * *m* lorry driver; transport café.
routine *f* routine.
routinier *adj* humdrum, routine.
roux *m*, **rousse** *f* redhead; * *adj* red, auburn.
royal *adj* royal, regal; ~**ement** *adv* royally.
royaliste *mf* royalist; * *adj* royalist.
royaume *m* kingdom.
royauté *f* monarchy.
ruade *f* kick (horse).
ruban *m* ribbon; tape, band.

rubéole f rubella.
rubis m ruby.
rubrique f column; heading, rubric.
ruche f hive.
rude adj rough; hard; unrefined; **~ment** adv roughly, harshly.
rudesse f roughness; harshness.
rudiment m rudiment; principle.
rudimentaire adj rudimentary.
rudoyer vt to treat harshly.
rue f street.
ruée f rush, stampede.
ruelle f alley.
ruer vi to kick (horse); **se ~** vr to pounce on.
rugby m rugby.
rugbyman m rugby player.
rugir vi to roar.
rugissement m roar, roaring.
rugueux adj rough; coarse.

ruine f ruin; wreck.
ruiner vt to ruin.
ruineux adj ruinous; extravagant.
ruisseau m stream, brook.
ruisseler vi to stream, flow.
ruissellement m streaming; cascading.
rumeur f rumour; murmur; hum.
ruminer vt to ruminate; to brood over.
rupture f break, rupture; breach; split.
rural adj rural, country.
ruse f cunning, slyness.
rusé adj cunning, crafty.
rustine ® f rubber repair patch.
rustique adj rustic.
rutilant adj gleaming, rutilant.
rythme m rhythm; rate, speed.
rythmique adj rhythmic.

S

sabbatique adj sabbatical.
sable m sand.
sablé m shortbread biscuit; * adj sandy, sanded.
sablier m hourglass, sandglass.
sabot m clog; hoof.
sabotage m sabotage.
saboter vt to sabotage; to mess up.
saboteur m **-euse** f saboteur; bungler.
sabre m sabre
sac m bag, sack; **~ à main** handbag; **~ de voyage** travelling bag.
saccade f jerk, jolt.
saccadé adj jerky, broken, staccato.
saccager vt to sack; to wreck, devastate.
saccharine f saccharin.
sacerdoce m priesthood.
sacerdotal adj priestly, sacerdotal.

sachet m bag; sachet; packet.
sacoche f saddlebag, satchel.
sacre m coronation; consecration.
sacré adj sacred, holy; damned, confounded.
Sacré-Cœur m Sacred Heart.
sacrer vt to crown; to consecrate.
sacrifice m sacrifice.
sacrifier vt to sacrifice; to give up; **se ~** vr to sacrifice o.s.
sacrilège m sacrilege.
sacristie f sacristy.
sacrum m sacrum.
sadique adj sadistic; * mf sadist.
sadisme m sadism.
sadomasochiste adj sadomasochistic; * mf sadomasochist.
safari m safari.
safran m saffron.
saga f saga.
sagace adj sagacious, shrewd.
sagacité f sagacity, shrewdness.

sage *adj* wise, sensible; well-behaved; **~ment** *adv* wisely, sensibly; * *m* sage, wise man.

sage-femme *f* midwife.

sagesse *f* wisdom, sense; good behaviour.

sagittaire *m* archer; Sagittarius.

saignant *adj* bleeding; underdone.

saignement *m* bleeding.

saigner *vi* to bleed; * *vt* to bleed; to stick.

saillant *adj* prominent, protruding.

saillie *f* projection; sally; flash of wit.

saillir *vi* to gush out; to project, jut.

sain *adj* healthy; sound; sane; **~ement** *adv* healthily; soundly.

saindoux *m* lard.

saint *m* **-e** *f* saint; * *adj* holy, saintly; **Saint-Sylvestre** New Year's Eve; **Saint-Esprit** Holy Spirit.

saint-bernard *m* St Bernard.

sainteté *f* saintliness; holiness.

saisie *f* (*jur*) seizure, distraint; capture.

saisir *vt* to take hold of; (*jur*) to seize, distrain; to capture.

saisissant *adj* gripping, startling, striking.

saison *f* season.

saisonnier *adj* seasonal.

salade *f* salad; jumble, miscellany.

saladier *m* salad bowl.

salaire *m* salary, pay; reward.

salamandre *f* salamander.

salarié *m* **-e** *f* salaried employee; * *adj* salaried.

sale *adj* dirty, filthy; obscene; nasty; **~ment** *adv* dirtily.

salé *adj* salty, salted; savoury.

saler *vt* to salt, add salt.

saleté *f* dirtiness, dirt; rubbish; obscenity.

salière *f* saltcellar.

salin *adj* saline.

salir *vt* to make dirty, soil; **se ~** *vr* to get dirty.

salissant *adj* dirty; that gets dirty easily.

salive *f* saliva.

saliver *vi* to salivate; to drool.

salle *f* room; hall; theatre; audience; **~ de séjour** living room; **~ à manger** dining room; **~ de bain** bathroom; **~ de cinéma** cinema.

salon *m* lounge, sitting room; exhibition.

salopette *f* overalls.

salpêtre *m* saltpetre.

salsifis *m* salsify.

salubre *adj* healthy, salubrious.

saluer *vt* to greet; to salute.

salut *m* safety, salvation; welfare; wave (hand); salute.

salutaire *adj* salutary; profitable; healthy.

salutation *f* salutation, greeting.

samedi *m* Saturday.

sanatorium *m* sanatorium.

sanctifier *vt* to sanctify, bless.

sanction *f* sanction, penalty; approval.

sanctionner *vt* to punish; to sanction, approve.

sanctuaire *m* sanctuary.

sandale *f* sandal.

sandwich *m* sandwich.

sang *m* blood; race; kindred.

sang-froid *m* sangfroid, cool, calm.

sanglant *adj* bloody, gory; bloodshot; blood-red.

sangle *f* strap; girth.

sanglier *m* wild boar.

sanglot *m* sob.

sangloter *vi* to sob.

sangsue *f* leech.

sanguinaire *adj* sanguinary, bloodthirsty.

sanitaire *adj* health, sanitary.

sans-abris *mf invar* homeless person.

sans-gêne *adj* inconsiderate; * *m invar* inconsiderate type.

santal *m* sandalwood.
santé *f* health, healthiness.
saper *vt* to undermine, sap.
sapeur-pompier *m* fireman.
saphir *m* sapphire.
sapin *m* fir tree, fir.
sarcasme *m* sarcasm.
sarcastique *adj* sarcastic.
sarcler *vt* to weed; to hoe.
sarcophage *m* sarcophagus.
sardine *f* sardine.
sardonique *adj* sardonic
SARL (société à responsabilité limitée) *f* limited liability company.
sarrasin *m* buckwheat.
sas *m* airlock; sieve.
satanique *adj* satanic, diabolical.
satellite *m* satellite.
satiété *f* satiety, satiation; **à ~** ad nauseam.
satin *m* satin.
satiné *adj* satiny, satin-smooth; glazed.
satire *f* satire, lampoon.
satirique *adj* satirical.
satisfaction *f* satisfaction; gratification; appeasement.
satisfaire *vt* to satisfy; to gratify; to appease.
satisfaisant *adj* satisfactory; satisfying.
satisfait *adj* satisfied.
saturation *f* saturation.
saturé *adj* saturated; overloaded, jammed.
saturer *vt* to saturate; to surfeit; to congest.
satyre *m* satyr.
sauce *f* sauce, dressing.
saucière *f* sauceboat.
saucisse *f* sausage.
saucisson *m* large sausage; salami.
sauf *prép* save, except; unless; * *adj* safe, unhurt.
sauge *f* sage.
saugrenu *adj* preposterous, absurd.
saule *m* willow.

saumon *m* salmon.
sauna *m* sauna.
saupoudrer *vt* to sprinkle; to dust.
saut *m* jump, bound; waterfall.
sauté *adj* sauté.
sauter *vi* to jump, leap; to blow up; to get sacked.
sauterelle *f* grasshopper.
sautiller *vi* to hop, skip.
sauvage *adj* savage, wild; unsociable; **~ment** *adv* savagely.
sauvegarde *f* safeguard; backup.
sauvegarder *vt* to safeguard.
sauver *vt* to save, rescue; to preserve; **se ~** *vr* to save o.s.; to escape.
sauvetage *m* rescue; salvage.
sauveteur *m* rescuer.
savant *adj* learned; expert; skilled; * *m* scientist, scholar.
savate *f* old shoe.
saveur *f* flavour; savour.
savoir *vt* to know; to be aware; to understand; to be able; * *m* learning, knowledge.
savoir-faire *m* know-how.
savoir-vivre *m* good manners, good breeding.
savon *m* soap.
savonner *vt* to soap, lather.
savonnette *f* bar of soap.
savoureux *adj* tasty, savoury.
saxophone *m* saxophone.
saxophoniste *mf* saxophonist.
scabreux *adj* scabrous; dangerous; improper.
scalpel *m* scalpel.
scandale *m* scandal.
scandaleux *adj* scandalous.
scandaliser *vt* to scandalise, shock deeply; **se ~** *vr* to be scandalised.
scanner *m* scanner.
scaphandre *m* diving suit.
scarabée *m* beetle, scarab.
scarlatine *f* scarlet fever.
sceau *m* seal.
scélérat *m* **-e** *f* villain, rascal; * *adj* villainous, wicked.

sceller *vt* to seal.

scénario *m* scenario; screenplay.

scénariste *mf* scriptwriter.

scène *f* stage; scenery, scene.

scepticisme *m* scepticism.

sceptique *adj* sceptical; * *mf* sceptic.

sceptre *m* sceptre.

schéma *m* diagram, sketch; outline.

schématique *adj* diagrammatic, schematic; ~ment *adv* diagrammatically.

schématiser *vt* to schematise.

schisme *m* schism; split.

schiste *m* schist, shale.

schizophrène *mf* schizophrenic; * *adj* schizophrenic.

schizophrénie *f* schizophrenia.

sciatique *f* sciatica.

scie *f* saw; bore.

sciemment *adv* knowingly, on purpose.

science *f* science; skill; knowledge.

science-fiction *f* science fiction.

scientifique *adj* scientific; ~ment *adv* scientifically.

scierie *f* sawmill.

scinder *vt* to split, divide up.

scintillant *adj* sparkling, glistening.

scintillement *m* sparkling, glistening.

scintiller *vi* to sparkle, glisten.

scission *f* split, scission.

sciure *f* sawdust.

sclérose *f* sclerosis.

scléroser (se) *vr* to become sclerotic.

scolaire *adj* school; academic.

scolariser *vt* to send to school; to provide schools.

scolarité *f* schooling.

scoliose *f* scoliosis, curvature of the spine.

scooter *m* scooter.

score *m* score.

scorie *f* slag, scoria.

scorpion *m* scorpion.

scout *m* scout, boy scout.

script *m* printing; script.

scrupule *m* scruple, qualm, doubt.

scrupuleusement *adv* scrupulously.

scrupuleux *adj* scrupulous.

scruter *vt* to scrutinise, scan.

scrutin *m* ballot, poll.

sculpter *vt* to sculpt; to carve.

sculpteur *m* sculptor.

sculpture *f* sculpture.

se *pn* oneself, himself, herself, itself, themselves.

séance *f* meeting, sitting, session; seat.

seau *m* bucket, pail.

sec *adj*, *f* **sèche** dry, arid; barren; unfeeling; curt; neat.

sécateur *m* secateurs.

séchage *m* drying; seasoning.

sèche-cheveux *m invar* hairdrier

sèchement *adv* dryly; curtly.

sécher *vi* to dry, dry out; * *vt* to dry, wipe.

sécheresse *f* drought; dryness.

séchoir *m* drying room; ~ **à linge** clothes horse.

second *adj* second, in second place; * *m* second; second floor; second in command; * *f* second.

secondaire *adj* secondary.

seconder *vt* to assist, help.

secouer *vt* to shake, toss; **se ~** *vr* to shake o.s.

secourir *vt* to help, assist.

secouriste *mf* first-aid worker.

secours *m* help, assistance; relief; rescue.

secousse *f* jolt, bump.

secret *m* secret; privacy; mystery; * *adj* secret; private; discreet.

secrétaire *mf* secretary; * *m* writing desk.

secrétariat *m* office of secretary; secretariat.

secrètement *adv* secretly.

secréter *vt* to secrete, exude.

sécrétion *f* secretion.

secte *f* sect.

secteur *m* sector, section, district.

section *f* section, division; branch.

sectionner *vt* to sever; to divide into sections.

séculaire *adj* secular, century-old, once a century.

sécurisant *adj* reassuring, lending security.

sécuriser *vt* to make sb feel secure.

sécuritaire *adj* security.

sécurité *f* security; safety.

sédatif *m* sedative; * *adj* sedative.

sédentaire *adj* sedentary; * *m* sedentary.

sédiment *m* sediment.

sédimentation *f* sedimentation.

séducteur *m* seducer -**trice** *f* seductress.

séduction *f* seduction; captivation.

séduire *vt* to seduce; to charm, captivate.

séduisant *adj* seductive; enticing, attractive.

segment *m* segment.

segmenter *vt* to segment.

ségrégation *f* segregation.

seigle *m* rye.

seigneur *m* lord, nobleman; master.

sein *m* breast, bosom; womb; **au ~ de** within.

séisme *m* earthquake, seism.

seize *adj*, *m* sixteen.

seizième *adj*, *mf* sixteenth; **~ment** *adv* in sixteenth place.

séjour *m* stay, sojourn; abode; **salle de ~** living room.

séjourner *vi* to stay, sojourn.

sel *m* salt; wit.

sélecteur *m* selector; gear lever.

sélectif *adj* selective.

sélection *f* choosing, selection.

sélectionner *vt* to select, pick.

sélectivement *adv* selectively.

self-service *m* self-service restaurant.

selle *f* saddle.

selon *prép* according to; pursuant to.

semaine *f* week.

semblable *adj* like, similar, alike; such.

semblant *m* appearance, look; pretence; **faire ~ (de)** to pretend to.

sembler *vi* to seem, appear.

semelle *f* sole.

semence *f* seed; semen.

semer *vt* to sow; to scatter, strew.

semestre *m* half-year; semester.

semestriel *adj* half-yearly; semestral.

semi-conducteur *m* semiconductor.

séminaire *m* seminary; seminar.

semi-remorque *f* trailer, semitrailer.

semis *m* seedling; sowing; seedbed.

semoule *f* semolina.

sénat *m* senate.

sénateur *m* senator.

sénile *adj* senile.

sénilité *f* senility.

sens *m* sense; judgement; consciousness; meaning; direction; **bon ~** good sense.

sensation *f* sensation, feeling.

sensationnel *adj* fantastic, sensational.

sensé *adj* sensible.

sensibiliser *vt* to make sensitive to, heighten awareness of.

sensibilité *f* sensitivity, sensitiveness.

sensible *adj* sensitive; perceptive; appreciable; **~ment** *adv* approximately; noticeably.

sensoriel *adj* sensory.

sensualité *f* sensuality.

sensuel *adj* sensual.

sentence *f* sentence; maxim.

sentencieux *adj* sententious.

sentier *m* path, track.

sentiment *m* feeling, sentiment; emotion.

sentimental *adj* sentimental.

sentimentalisme *m* sentimental-ism.

sentinelle *f* sentry, sentinel.

sentir *vt* to feel; to perceive, guess; to smell.

séparation *f* separation; division; pulling apart.

séparatiste *mf* separatist.

séparément *adv* separately.

séparer *vt* to separate, divide; to pull off; to split; **se ~** *vr* to separate, divide; to part with.

sept *adj, m* seven.

septembre *m* September

septième *adj, mf* seventh; **~ment** *adv* in seventh place.

sépulture *f* sepulture, burial.

séquelle *f* after-effect.

séquence *f* sequence.

séquestre *m* sequestration, confiscation.

séquestrer *vt* to sequester, impound.

serein *adj* serene, calm; **~ement** *adv* serenely.

sérénade *f* serenade.

sérénité *f* serenity, calmness.

sergent *m* sergeant; **~ de ville** police constable.

série *f* series, string; class; rank.

sérieusement *adv* seriously, responsibly.

sérieux *adj* serious; responsible; * *m* seriousness, reliability.

seringue *f* syringe.

serment *m* oath; pledge.

sermon *m* sermon.

sermonner *vt* to lecture, reprimand.

séropositif *adj* HIV positive, seropositive.

serpe *f* billhook, bill.

serpent *m* serpent, snake.

serpenter *vi* to meander, wind.

serpentin *m* coil; streamer.

serre *f* greenhouse; claw.

serré *adj* tight; close, compact.

serrer *vt* to tighten, fasten; to clench; **se ~** *vr* to crowd, huddle.

serrure *f* lock.

serrurerie *f* locksmithing.

serrurier *m* locksmith.

sérum *m* serum.

servante *f* servant, maidservant.

serveur *m* waiter, **-euse** *f* waitress.

serviable *adj* obliging, helpful.

service *m* service; function; department; operation; **rendre ~** to do a favour; **~ militaire** national service.

serviette *f* towel; serviette, napkin.

servile *adj* servile, slavish; **~ment** *adv* servilely, slavishly.

servilité *f* servility.

servir *vi* to be of use, be useful; * *vt* to serve, attend to; **se ~** *vr* to help o.s.; **se ~ de** to use, make use of.

servitude *f* servitude; (*jur*) easement.

sésame *m* sesame.

session *f* session, sitting.

seuil *m* threshold.

seul *adj* alone; single; sole; **~ement** *adv* only; but; solely.

sève *f* sap; pith, vigour.

sévère *adj* severe, austere; **~ment** *adv* severely; strictly.

sévérité *f* severity; strictness.

sévir *vi* to deal severely; to rage, hold sway.

sevrer *vt* to wean; to deprive.

sexe *m* sex; genitals.

sexiste *mf* sexist; * *adj* sexist.

sexualité *f* sexuality.

sexuel *adj* sexual, sex; **~lement** *adv* sexually.

sexy *adj* sexy.

seyant *adj* becoming.

shampooing *m* shampoo.

shooter *vt* to shoot, make a shot.

shopping *m* shopping.

short *m* shorts.

si *adv* so, so much, however much; yes; * *conj* if; whether.

siamois *adj* Siamese.

sida *m* Aids.

sidéral *adj* sidereal.
sidérer *vt* to flabbergast, stagger.
sidérurgie *f* steel metallurgy
sidérurgique *adj* steel-making.
sidérurgiste *mf* steel maker.
siècle *m* century; period.
siège *m* seat, bench; head office.
siéger *vi* to sit; to be located.
sien *pn, f* **sienne**: **le ~** his, its,
  his own, its own, **la sienne**
  her, its, her own, its own, **les
  ~s, les siennes** their, their
  own.
sieste *f* nap, snooze; siesta.
sifflement *m* whistling; hissing.
siffler *vi* to whistle; to hiss; * *vt*
  to whistle for; to hiss, boo.
sifflet *m* whistle; catcall.
sigle *m* abbreviation; acronym.
signal *m* signal, sign.
signalement *m* description, par-
  ticulars.
signaler *vt* to signal, indicate; to
  point out.
signalisation *f* signalling system;
  installing signs.
signature *f* signature; signing.
signe *m* sign; mark; indication;
  symptom.
signer *vt* to sign; to hallmark.
signet *m* bookmark.
significatif *adj* significant, re-
  vealing.
signification *f* significance;
  meaning.
signifier *vt* to mean, signify; to
  make known; to serve notice.
silence *m* silence; stillness.
silencieusement *adv* silently.
silencieux *adj* silent; still.
silhouette *f* silhouette, outline.
silice *f* silica.
silicone *f* silicone.
sillage *m* wake; slipstream; trail.
sillon *m* furrow; fissure.
sillonner *vt* to plough, furrow; to
  criss-cross.
silo *m* silo.
similaire *adj* similar.
similarité *f* similarity.

similitude *f* similitude.
simple *adj* simple; mere; single;
  common; **~ment** *adv* simply,
  merely.
simplicité *f* simplicity; simple-
  ness.
simplification *f* simplification.
simplifier *vt* to simplify.
simpliste *adj* simplistic.
simulation *f* simulation.
simuler *vt* to simulate, feign.
simultané *adj* simultaneous;
  ~ment *adv* simultaneously.
sincère *adj* sincere, honest;
  ~ment *adv* sincerely.
sincérité *f* sincerity, honesty.
singe *m* monkey.
singulariser *vt* to singularise;
  make conspicuous; **se ~** *vr* to
  make o.s. conspicuous.
singularité *f* singularity; peculiarity.
singulier *adj* singular; peculiar;
  remarkable.
singulièrement *adv* singularly;
  remarkably.
sinistre *m* disaster; accident; *
  adj sinister; **~ment** *adv* in a sinister way.
sinistré *m* **-e** *f* disaster victim; *
  adj disaster-stricken.
sinon *conj* otherwise, if not; except.
sinueux *adj* sinuous, winding.
sinus *m* sinus; (*math*) sine.
sinusite *f* sinusitis.
siphon *m* siphon.
sirène *f* mermaid; siren, hooter.
sirop *m* syrup.
sirupeux *adj* syrupy.
sismique *adj* seismic.
site *m* setting, beauty spot.
sitôt *adv* so soon, as soon; **pas de
  ~** not for a while; **~ que** as soon
  as.
situation *f* situation, position;
  state of affairs.
situer *vt* to site, situate; **se ~** *vr*
  to place o.s.; to be situated.
six *adj, m* six.

sixième *adj, mf* sixth; **~ment** *adv* in sixth place.

sketch *m* sketch.

ski *m* ski, skiing.

skier *vi* to ski.

skieur *m* **-euse** *f* skier.

slalom *m* slalom.

slip *m* briefs, panties, swimming trunks.

slogan *m* slogan.

snack(-bar) *m* snack bar.

snob *adj* snobbish.

snobisme *m* snobbery, snobbishness.

sobre *adj* sober, temperate; **~ment** *adv* soberly, temperately.

sobriété *f* sobriety, temperance.

sobriquet *m* nickname.

sociable *adj* sociable; social.

social *adj* social; **~ement** *adv* socially.

social-démocrate *mf* social democrat; * *adj* social democrat.

socialisme *m* socialism.

socialiste *mf* socialist; * *adj* socialist.

sociétaire *mf* member.

société *f* society; company; partnership.

socio-économique *adj* socio-economic.

sociologie *f* sociology.

sociologique *adj* sociological; **~ment** *adv* sociologically.

sociologue *mf* sociologist.

socle *m* pedestal, plinth; base.

socquette *f* ankle sock.

sodium *m* sodium.

sodomie *f* sodomy.

sœur *f* sister; nun.

sofa *m* sofa.

soi *pn* one(self); self; **~-même** oneself, himself, herself, itself; **~-disant** so called.

soie *f* silk.

soif *f* thirst.

soigné *adj* neat, well-kept.

soigner *vt* to look after, care for; **se ~** *vr* to take care of o.s.

soigneusement *adv* neatly; carefully.

soigneux *adj* neat; careful.

soin *m* care; attention; trouble.

soir *m* evening; night.

soirée *f* evening; evening party.

soit *conj* either; or; whether; * *adv* granted; that is to say.

soixantaine *f* about sixty.

soixante *adj, m* sixty.

soixantième *adj, mf* sixtieth.

soja *m* soya.

sol *m* ground; floor; soil.

solaire *adj* solar.

soldat *m* soldier.

solde *f* pay; * *m* balance; clearance sale.

solder *vt* to pay; to settle, discharge; **se ~** *vr*: **se ~ par** to show (profit, loss).

sole *f* sole; hearth.

soleil *m* sun, sunshine; sunflower.

solennel *adj* solemn; **~lement** *adv* solemnly.

solfège *m* musical theory; sol-fa.

solidaire *adj* jointly liable; interdependent; **~ment** *adv* jointly.

solidarité *f* solidarity.

solide *adj* solid; stable; sound; **~ment** *adv* solidly; soundly.

solidifier *vt* **se ~** *vr* to solidify.

solidité *f* solidity; soundness.

soliste *mf* soloist.

solitaire *mf* recluse, hermit; * *adj* solitary, lone; **~ment** *adv* alone.

solitude *f* solitude; loneliness.

sollicitation *f* entreaty, appeal.

solliciter *vt* to seek, solicit; to appeal to.

sollicitude *f* solicitude, concern.

solo *m* solo.

solstice *m* solstice.

soluble *adj* soluble, solvable.

solution *f* solution; solving; answer.

solvable *adj* solvent; creditworthy.

solvant *m* solvent.

somatique *adj* somatic.

sombre *f* dark; gloomy, dismal.

sombrer *vi* to sink, founder.

sommaire *m* summary, argument; * *adj* basic, brief, summary; **~ment** *adv* basically, summarily.

sommation *f* summons; demand.

somme *m* nap, snooze.

sommeil *m* sleep; sleepiness, drowsiness.

sommeiller *vi* to slumber, doze.

sommelier *m* wine waiter.

sommet *m* summit; top; crest; apex.

sommier *m* springs, divan base; ledger (construction).

sommité *f* leading light, eminent person.

somnambule *mf* sleepwalker; * *adj* sleepwalking.

somnifère *m* sleeping pill, soporific.

somnolent *adj* sleepy, drowsy.

somnoler *vi* to doze, drowse.

somptueux *adj* sumptuous, lavish.

son *m* sound; * *adj*, *f* **sa**; *pl* **ses** his, her, its.

sonate *f* sonata.

sondage *m* drilling; probing; sounding.

sonde *f* sounding line; probe; drill.

sonder *vt* to sound; to probe; to drill.

songe *m* dream.

songer *vt* to dream; to imagine; to consider.

songeur *adj* pensive.

sonner *vi* to ring; to go off; * *vt* to ring, sound.

sonnerie *f* ringing, bells; chimes.

sonnette *f* small bell; house-bell.

sonore *adj* resonant, deep-toned.

sonorisation *f* sound recording; sound system.

sonorité *f* sonority, tone; resonance.

sophistiqué *adj* sophisticated.

soporifique *m* sleeping drug; soporific; * *adj* soporific.

soprano *mf* soprano.

sorbet *m* sorbet, water ice.

sorcellerie *f* witchcraft, sorcery.

sorcier *m* sorcerer.

sorcière *f* witch, sorceress.

sordide *adj* sordid, squalid; **~ment** *adv* sordidly, squalidly.

sort *m* fate, destiny, lot.

sortant *adj* outgoing, retiring.

sorte *f* sort, kind, manner.

sortie *f* exit, way out; trip; sortie; outburst; export.

sortilège *m* spell (magical).

sortir *vi* to go out, emerge; to result; to escape; **se ~** *vr* to get out of; to extricate o.s.; **s'en ~** to get over, pull through.

sosie *m* double, second self.

sot *adj*, *f* **-te** silly, foolish; **~tement** *adv* foolishly, stupidly.

sottise *f* stupidity; stupid remark, action.

sou *m* five centimes; cent.

soubresaut *m* jolt; start.

souche *f* stump; stock.

souci *m* worry; concern.

soucier (se) *vr*: **se ~ de** to care about.

soucieux *adj* concerned, worried.

soucoupe *f* saucer.

soudain *adj* sudden, unexpected; **~ement** *adv* suddenly.

soude *f* soda.

souder *vt* to solder; to weld.

soudeur *m* **-euse** *f* solderer; welder.

soudoyer *vt* to bribe, buy over.

soudure *f* soldering, welding.

souffle *m* blow, puff; breath.

soufflé *m* soufflé; flabbergasted.

souffler *vi* to blow; to breathe; to puff.

soufflerie *f* bellows.

soufflet *m* slap in the face; affront; bellows.

souffrance *f* suffering; pain.

souffrant *adj* suffering; in pain.

souffrir *vi* to suffer, be in pain.
souhait *m* wish.
souhaitable *adj* desirable.
souhaiter *vt* to wish for, desire.
souiller *vt* to soil, dirty; to tarnish.
soulagement *m* relief.
soulager *vt* to relieve, soothe.
soulèvement *m* uprising.
soulever *vt* to lift, raise; to excite, stir up; **se ~** *vr* to rise; to revolt.
soulier *m* shoe.
souligner *vt* to underline.
soumettre *vt* to subdue, subjugate; to submit, deliver; **se ~** *vr* to subject o.s. to.
soumis *adj* submissive.
soumission *f* submission.
soupape *f* valve; safety valve.
soupçon *m* suspicion, conjecture; hint.
soupçonner *vt* to suspect, surmise.
soupçonneux *adj* suspicious.
soupe *f* soup.
soupeser *vt* to feel the weight of; to weigh up.
soupière *f* soup tureen.
soupir *m* sigh; gasp.
soupirail *m* basement window.
soupirer *vi* to sigh; to gasp.
souple *adj* supple; pliable; **~ment** *adv* supply, flexibly.
souplesse *f* suppleness; flexibility.
source *f* source; origin; spring.
sourcil *m* eyebrow.
sourd *m* -e *f* deaf person; * *adj* deaf; muted; veiled; **~ement** *adv* dully; silently.
sourdine *f* mute.
sourd(e)-muet(te) *m(f)* deaf-mute; * *adj* deaf and dumb.
souriant *adj* smiling, cheerful.
sourire *m* smile, grin.
souris *f* mouse.
sournois *adj* deceitful; sly; **~ement** *adv* deceitfully.
sous *prép* under, beneath, below.

sous-alimenté *adj* undernourished.
sous-bois *m* undergrowth.
sous-chef *m* second-in-command.
souscrire *vi* to subscribe.
sous-développé *adj* underdeveloped.
sous-directeur *m* **-trice** *f* submanager.
sous-entendre *vt* to imply, infer.
sous-entendu *m* innuendo, understood.
sous-estimer *vt* to underestimate.
sous-jacent *adj* subjacent, underlying.
sous-louer *vt* to sublet.
sous-marin *m* submarine; * *adj* underwater.
sous-multiple *m* submultiple.
sous-officier *m* non-commissioned officer.
sous-préfecture *f* sub-prefecture.
sous-préfet *m* sub-prefect.
soussigné *adj* undersigned.
sous-sol *m* subsoil; basement.
sous-titre *m* subtitle.
sous-titrer *vt* to subtitle.
soustraction *f* subtraction.
soustraire *vt* to subtract; to remove; **se ~** *vr*: **se ~ à** to escape, elude.
sous-traitance *f* subcontracting.
sous-traitant *m* subcontractor.
sous-traiter *vi* to subcontract.
sous-vêtement *m* undergarment.
soutane *f* cassock, soutane.
soute *f* hold; baggage hold.
soutenir *vt* to hold up; to sustain; to endure.
souterrain *m* underground passage; * *adj* underground.
soutien *m* support.
soutien-gorge *m* bra.
soutirer *vt* to extract from.
souvenir *m* memory; recollection; reminder.
souvenir (se) *vr* to remember, recollect.

souvent *adv* often, frequently.

souverain *m* -e *f* sovereign; * *adj* sovereign; supreme; ~ement *adv* supremely.

soyeux *adj* silky.

spacieux *adj* spacious, roomy.

spaghetti *mpl* spaghetti.

sparadrap *m* sticking plaster.

spasme *m* spasm.

spasmophilie *f* spasmophilia.

spatial *adj* spatial; space.

spatule *f* spatula.

spécial *adj* special, particular; ~ement *adv* specially.

spécialisation *f* specialisation.

spécialiser *vt* to specialise; se ~ *vr* to be a specialist in sth.

spécialiste *mf* specialist.

spécialité *f* speciality; specialism.

spécieux *adj* specious.

spécification *f* specification.

spécifier *vt* to specify, determine.

spécifique *adj* specific; ~ment *adv* specifically.

spécimen *m* specimen; sample.

spectacle *m* spectacle, scene.

spectaculaire *adj* spectacular.

spectateur *m* -trice *f* spectator.

spectre *m* ghost.

spéculateur *m* -trice *f* speculator.

spéculation *f* speculation.

spéculer *vi* to speculate.

spéléologie *f* speleology; caving.

spermatozoïde *m* sperm; spermatozoon.

sperme *m* sperm, semen.

sphère *f* sphere.

sphérique *adj* spherical.

sphinx *m* sphinx.

spirale *f* spiral.

spiritisme *m* spiritualism.

spiritualité *f* spirituality.

spirituel *adj* witty; spiritual; ~lement *adv* wittily; spiritually.

splendeur *f* splendour, brilliance.

splendide *adj* splendid, magnificent; ~ment *adv* splendidly.

spongieux *adj* spongy.

sponsoriser *vt* to sponsor.

spontané *adj* spontaneous; ~ment *adv* spontaneously.

sporadique *adj* sporadic.

sport *m* sport.

sportif *m* sportsman, -ive *f* sportswoman; * *adj* sports; competitive; athletic.

square *m* (public) square.

squatter *vi* to squat in.

squelette *m* skeleton.

squelettique *adj* skeleton-like, scrawny.

stabiliser *vt* to stabilise, consolidate; se ~ *vr* to stabilise, become stabilised.

stabilité *f* stability.

stable *adj* stable, steady.

stade *m* stadium; stage.

stage *m* training course; probation.

stagiaire *mf* trainee.

stagnation *f* stagnation.

stagner *vi* to stagnate.

standard *m* standard; switchboard; * *adj* standard.

standardiser *vt* to standardise.

standardiste *mf* switchboard operator.

starter *m* choke.

station *f* station; stage, stop; resort; posture.

stationnaire *adj* stationary.

stationnement *m* parking.

stationner *vi* to park.

station-service *f* service station.

statique *adj* static.

statistique *f* statistics; * *adj* statistical.

statue *f* statue.

statuer *vt* to rule, give a verdict.

statu quo *m* status quo.

statut *m* statute, ordinance; status.

statutaire *adj* statutory; ~ment *adv* statutorally.

stencil *m* stencil.

sténodactylo *mf* shorthand typist.

sténographie *f* shorthand.

stentor *m*: **une voix de ~** stentorian voice.

steppe *f* steppe.

stère *m* stere.

stéréo(phonique) *adj* stereophonic.

stéréotype *m* stereotype.

stérile *adj* sterile, infertile.

stérilet *m* coil, IUD.

stériliser *vt* to sterilise.

stérilité *f* sterility.

sternum *m* breastbone, sternum.

stéroïde *adj* steroidal; * *m* steroid.

stigmate *m* mark, scar; stigmata.

stimulant *adj* stimulating; * *m* stimulant, stimulus.

stimulation *f* stimulation.

stimuler *vt* to stimulate, spur on.

stipuler *vt* to stipulate, specify.

stock *m* stock, supply.

stockage *m* stocking; stockpiling.

stocker *vt* to stock, stockpile.

stoïcisme *m* stoicism.

stoïque *adj* stoical; **~ment** *adv* stoically; * *mf* stoic.

stop *m* stop; stop sign; brakelight.

stopper *vt* to stop, halt; * *vi* to stop, halt.

store *m* blind, shade.

strabisme *m* squinting; strabismus.

strapontin *m* foldaway seat; minor role.

stratégie *f* strategy.

stratégique *adj* strategic; **~ment** *adv* strategically.

stratifié *adj* stratified.

stress *m* stress.

stressant *adj* stressful.

stresser *vt* to cause stress to.

strict *adj* strict, severe; **~ement** *adv* strictly.

strident *adj* strident, shrill.

strié *adj* streaked, striped, ridged.

stroboscope *m* stroboscope.

strophe *f* verse, stanza.

structural *adj* structural.

structure *f* structure.

structurel *adj* structural.

structurer *vt* to structure; **se ~** *vr* to develop a structure.

stuc *m* stucco.

studieux *adj* studious.

studio *m* studio; film theatre.

stupéfaction *f* stupefaction, amazement.

stupéfait *adj* astounded, dumbfounded.

stupéfiant *adj* astounding, amazing; drug, narcotic.

stupéfier *vt* to stupefy; to astound.

stupeur *f* amazement; stupor.

stupide *adj* stupid, foolish; **~ment** *adv* stupidly.

stupidité *f* stupidity.

style *m* style; stylus.

stylet *m* stiletto.

styliste *mf* designer; stylist.

stylo *m* pen.

su *m* knowledge.

suave *adj* suave, smooth.

subalterne *mf* subordinate; * *adj* subordinate.

subconscient *m* subconscious; * *adj* subconscious.

subdiviser *vt* to subdivide.

subdivision *f* subdivision.

subir *vt* to sustain, support; to undergo, suffer.

subit *adj* sudden; **~ement** *adv* suddenly.

subjectif *adj* subjective.

subjectivement *adv* subjectively.

subjectivité *f* subjectivity.

subjonctif *m* subjunctive; * *adj* subjunctive.

subjuguer *vt* to subjugate; to captivate.

sublime *adj* sublime; * *m* sublime.

sublimer *vt* to sublimate.

subliminal *adj* subliminal.

submerger *vt* to submerge, flood; to engulf.

submersible *m* submersible; * *adj* submersible.

subordination *f* subordination.

subordonné *m* **-e** *f* subordinate;
* *adj* subordinate.

subordonner *vt* to subordinate.

subreptice *adj* surreptitious;
~**ment** *adv* surreptitiously.

subséquent *adj* subsequent.

subside *m* grant.

subsidiaire *adj* subsidiary.

subsistance *f* subsistence, maintenance, sustenance.

subsister *vi* to subsist; to live on.

substance *f* substance.

substantiel *adj* substantial;
~**lement** *adv* substantially.

substantif *m* noun, substantive;
* *adj* substantival, nominal.

substituer *vt* to substitute, replace.

substitut *m* substitute.

substitution *f* substitution.

subterfuge *m* subterfuge.

subtil *adj* subtle; ~**ement** *adv* subtly.

subtiliser *vt* to steal, spirit away.

subtilité *f* subtlety.

subvenir *vi*: ~ **à** to provide for.

subvention *f* grant, subsidy.

subventionner *vt* to subsidise.

subversif *adj* subversive.

suc *m* sap; juice.

succéder *vi*: ~ **à** to succeed, follow; * **se** ~ *vr* to succeed one another.

succès *m* success; hit.

successeur *m* successor.

successif *adj* successive.

succession *f* succession; inheritance, estate.

successivement *adv* successively.

succinct *adj* succinct; ~**ement** *adv* succinctly.

succomber *vi* to succumb, give way.

succulent *adj* succulent, delicious.

succursale *f* branch.

sucer *vt* to suck.

sucette *f* lollipop; dummy.

suçon *m* love bite.

sucre *m* sugar.

sucrer *vt* to sugar, sweeten.

sucrerie *f* sugar refinery.

sucrier *m* sugar bowl; * *adj* sugar; sugar-producing.

sud *m* south.

suer *vi* to sweat, perspire.

sueur *f* sweat.

suffire *vi* to suffice, be sufficient;
il suffit de it is enough to, it only takes.

suffisamment *adv* sufficiently, enough.

suffisant *adj* sufficient, adequate.

suffoquer *vi* to choke, suffocate;
* *vt* to choke, stifle.

suffrage *m* suffrage; vote; commendation, approval.

suggérer *vt* to suggest, put forward.

suggestion *f* suggestion.

suicidaire *adj* suicidal; * *mf* person with suicidal tendencies.

suicide *m* suicide.

suicider (se) *vr* to commit suicide.

suie *f* soot.

suif *m* tallow.

suintement *m* oozing; sweating.

suinter *vi* to ooze; to sweat.

suite *f* rest; sequel; continuation; series; connection; progress; **tout de** ~ at once; **deux fois de** ~ two times in a row; **et ainsi de** ~ and so on; **à la suite de** after, behind; **par la** ~ afterwards; **donner** ~ **à** to follow up.

suivant *m* **-e** *f* next one; attendant; * *adj* following, next; * *prép* according to; ~ **que** according to whether.

suivi *adj* steady, regular; widely adopted; * *m* follow-up.

suivre *vt* to follow; to attend, accompany; to exercise; ~ **son cours** to take its course; **à suivre** to be continued; **se** ~ *vr* to follow each other; to be continuous.

sujet *m* subject, topic; ground;

reason; * *adj*: **être ~ à** to be subject to, liable to.

sujétion *f* subjection; constraint.

sulfate *m* sulphate.

sulfater *vt* to apply copper sulphate.

sulfure *m* sulphur.

sulfureux *adj* sulphurous.

sulfurique *adj* sulphuric.

sultan *m* sultan, **-e** *f* sultana.

summum *m* climax, height.

super *m* super, four-star petrol; * *adj* (*fam*) ultra, super.

superbe *adj* superb, splendid; **~ment** *adv* superbly.

supercarburant *m* high-octane petrol.

supercherie *f* trick, trickery.

superficie *f* area, surface.

superficiel *adj* superficial; **~lement** *adv* superficially.

superflu *adj* superfluous.

supérieur *adj* upper; superior; higher, greater; **~ement** *adv* exceptionally well.

supériorité *f* superiority.

superlatif *m* superlative; * *adj* superlative.

superposer *vt* to superpose, stack; to superimpose; **se ~** *vr* to be superimposed.

superposition *f* superposing; superimposition.

supersonique *adj* supersonic.

superstitieux *adj* superstitious.

superstition *f* superstition.

superviser *vt* to supervise.

supplanter *vt* to supplant, oust.

suppléant *m* **-e** *f* substitute, understudy; * *adj* substitute.

supplément *m* supplement; extra charge.

supplémentaire *adj* supplementary, additional.

suppliant *adj* beseeching, entreating.

supplication *f* supplication; entreaty.

supplice *m* corporal punishment; torture.

supplier *vt* to beseech, entreat.

support *m* support, prop; stand.

supporter *vt* to support; to endure, bear.

supporter *m* supporter.

supposer *vt* to suppose; to assume; to imply.

supposition *f* supposition, surmise.

suppositoire *m* suppository.

suppression *f* suppression; deletion; cancellation.

supprimer *vt* to suppress; to cancel.

suppurer *vi* to suppurate.

suprématie *f* supremacy.

suprême *adj* supreme.

sur *prép* on; over, above; into; out of, from.

sûr *adj* sure, certain; secure; **~ de soi** self-assured; **bien ~** of course; **à coup ~** for sure; **~ement** *adv* surely, certainly.

surabondance *f* overabundance.

suranné *adj* outmoded, outdated.

surcharge *f* overloading; excess; surcharge.

surcharger *vt* to overload.

surchauffe *f* overheating.

surcroît *m*: surplus, excess; **de ~** in addition.

surdité *f* deafness.

sureau *m* elder (tree).

surélever *vt* to raise, heighten.

surenchérir *vi* to outbid.

surestimer *vt* to overestimate; to overvalue.

sûreté *f* safety; guarantee, surety; **être en ~** to be safe.

surexcité *adj* overexcited.

surface *f* surface.

surgeler *vt* to deep-freeze.

surgir *vi* to rise, appear; to arise, crop up.

surhomme *m* superman.

surintendant *m* superintendent.

surlendemain *m* day after tomorrow.

surmenage *m* overwork; overtaxing.

surmener *vt* to overwork; **se ~** *vr* to overwork.

surmonter *vt* to surmount, overcome.

surnager *vi* to float.

surnaturel *adj* supernatural.

surnom *m* nickname.

surnommer *vt* to nickname.

surpasser *vt* to surpass, outdo.

surplomb *m* overhang; **en ~** overhanging.

surplomber *vt* to overhang.

surplus *m* surplus, remainder, excess.

surpopulation *f* overpopulation.

surprenant *adj* surprising, amazing.

surprendre *vt* to surprise, amaze.

surprise *f* surprise.

surproduction *f* overproduction.

surréalisme *m* surrealism.

surréaliste *mf* surrealist; * *adj* surrealistic.

sursaut *m* start, jump.

sursauter *vi* to start, jump.

sursis *m* reprieve; deferment.

sursitaire *adj* deferred; suspended.

surtaxe *f* surcharge.

surtout *adv* especially; above all.

surveillance *f* surveillance; supervision; inspection.

surveillant *m* -e *f* warder, guard.

surveiller *vt* to watch; to supervise; to inspect.

survenir *vi* to take place, occur.

survêtement *m* tracksuit.

survie *f* survival.

survivant *m* -e *f* survivor; * *adj* surviving.

survivre *vi* to survive.

survoler *vt* to fly over.

susceptible *adj* sensitive; susceptible; capable; likely; **être ~ de** to be liable to.

susciter *vt* to arouse, incite.

suspect *m* -e *f* suspect; * *adj* suspicious, suspect.

suspecter *vt* to suspect.

suspendre *vt* to hang up; to suspend, defer.

suspendu *adj* hanging; suspended.

suspens *m*: **en ~** in abeyance; shelved.

suspense *m* suspense.

suspension *f* suspension; deferment; adjournment.

suspicieux *adj* suspicious.

suspicion *f* suspicion.

susurrer *vt* to whisper.

suture *f* suture; **points de ~** stitches.

svelte *adj* svelte, slim.

SVP *abrév de* **s'il vous plaît** please.

syllabe *f* syllable.

sylvestre *adj* forest.

symbole *m* symbol.

symbolique *adj* symbolic; token; nominal; **~ment** *adv* symbolically.

symboliser *vt* to symbolise.

symbolisme *m* symbolism.

symétrie *f* symmetry.

symétrique *adj* symmetrical; **~ment** *adv* symmetrically.

sympa *adj invar* (*fam*) nice, friendly.

sympathie *f* liking; fellow feeling; sympathy.

sympathique *adj* likeable, nice; friendly.

sympathisant *m* -e *f* sympathiser; * *adj* sympathising.

sympathiser *vi* to get on well with.

symphonie *f* symphony.

symphonique *adj* symphonic.

symptomatique *adj* symptomatic.

symptôme *m* symptom.

synagogue *f* synagogue.

synchronisation *f* synchronisation.

synchroniser *vt* to synchronise.

syncope *f* blackout, syncope.

syncopé *adj* syncopated.

syndical *adj* trade-union.

syndicalisme m trade unionism.

syndicaliste mf trade unionist; * adj trade union.

syndicat m trade union; association.

syndiquer vt to unionise; **se ~** vr to form a trade union.

syndrome m syndrome.

synonyme m synonym; * adj synonymous.

syntaxe f syntax.

synthèse f synthesis.

synthétique adj synthetic.

synthétiser vt to synthesise.

synthétiseur m synthesiser.

syphilis f syphilis.

systématique adj systematic; **~ment** adv systematically.

système m system.

T

tabac m tobacco.

tabagisme m nicotine addiction.

tabatière f snuffbox; skylight.

table f table; **~ de nuit** bedside table; **~ ronde** round-table conference.

tableau m table; chart; timetable; scene; **~ de bord** dashboard.

tablette f bar; tablet; block.

tablier m apron; pinafore; overall.

tabou m taboo.

tabouret m stool.

tache f mark; stain; spot.

tâche f task, assignment; work.

taché adj stained, blemished.

tâcher vi to endeavour.

tacheté adj spotted; freckled.

tachycardie f tachycardia.

tacite adj tacit; **~ment** adv tacitly.

taciturne adj taciturn, silent.

tact m tact; **avoir du ~** to have tact, be tactful.

tactile adj tactile.

tactique f tactics; * adj tactical.

taffetas m taffeta.

tagliatelles fpl tagliatelli.

taillader vt to slash, gash.

taille f waist; height, stature, size; **de ~** considerable, sizeable; **être de ~ à** to be up to it.

taille-crayons m pencil sharpener.

tailler vt to cut; to carve; to

sharpen; **se ~** vr (fam) to clear off, split.

tailleur m tailor; cutter, hewer.

taillis m copse, coppice.

taire vt to hush up; to conceal; **se ~** vr to be quiet; to fall silent.

talc m talc, talcum powder.

talent m talent, ability.

talentueux adj talented.

talisman m talisman.

talon m heel; end; pile.

talonner vt to follow closely; to hound.

talquer vt to put talcum powder on.

talus m embankment.

tambour m drum; barrel.

tambourin m tambourine.

tambouriner vi to drum; to beat, hammer.

tamis m sieve; riddle.

tamiser vt to sieve; to sift.

tampon m stopper, plug; tampon; buffer.

tamponner vt to mop up; to stamp.

tam-tam m tom-tom; row.

tandem m tandem; duo.

tandis conj: **~ que** while; whereas.

tangent adj tangent, tangential.

tangible adj tangible.

tango m tango.

tanguer vi to pitch (ship).

tanière f den, lair.

tank *m* tank.

tanné *adj* tanned; weathered.

tanner *vt* to tan, weather.

tanneur *m* tanner.

tant *adv* so much; ~ **que** as long as; ~ **soit peu** ever so slightly; ~ **mieux** so much the better; that's a good job; ~ **pis** too bad; ~ **bien que mal** as well as can be expected.

tante *f* aunt.

tantôt *adv* sometimes; this afternoon; shortly.

taon *m* horsefly, gadfly.

tapage *m* din, uproar, racket.

tapageur *adj* noisy, rowdy; showy.

tape *f* slap.

taper *vi* to hit, tap, stamp; to beat down; * *vt* to beat; to slap; to type.

tapioca *m* tapioca.

tapir (se) *vr* to crouch; to hide away.

tapir *m* tapir.

tapis *m* carpet; rug; cloth.

tapisser *vt* to wallpaper; to cover; to carpet.

tapisserie *f* tapestry; tapestry-making; **faire** ~ to be a wall-flower.

tapoter *vt* to pat; to tap; to strum.

taquin *adj* teasing.

taquiner *vt* to tease; to plague.

tarauder *vt* to tap; to torment.

tard *adv* late.

tarder *vi* to delay, put off; to dally.

tardif *adj* late; tardy; slow; backward.

tardivement *adv* late; tardily.

tare *f* tare; defect, flaw.

taré *adj* tainted, corrupt; sickly.

tari *adj* dried up.

tarif *m* tariff; price-list.

tarir *vt* to dry up; to exhaust; **se** ~ *vr* to dry up.

tarot *m* tarot.

tartare *adj* Tartar.

tarte *f* tart, flan.

tartelette *f* tartlet, tart.

tartine *f* slice of buttered bread.

tartiner *vt* to spread with butter, jam, etc.

tartre *m* tartar; fur, scale.

tas *m* heap, pile; lot, set.

tasse *f* cup.

tassement *m* settling, sinking.

tasser *vt* to heap up; **se** ~ *vr* to sink; subside.

tata *f* auntie.

tâter *vt* to feel, try; **se** ~ *vr* to feel o.s.

tâtonnement *m* trial and error; experimentation.

tâtonner *vi* to feel one's way, grope along.

tatouage *m* tattooing; tattoo.

tatouer *vt* to tattoo.

taudis *m* hovel, slum.

taupe *f* mole.

taureau *m* bull.

tauromachie *f* bullfighting.

taux *m* rate; ratio; ~ **de change** exchange rate.

taverne *f* tavern.

taxation *f* taxation, taxing.

taxe *f* tax; duty; rate.

taxer *vt* to tax; to fix the price of.

taxi *m* taxi.

tchin-tchin! *interj* cheers!

te *pn* you, yourself.

technicien *m* -**ne** *f* technician.

technique *f* technique; * *adj* technical; ~**ment** *adv* technically.

technocrate *m* technocrat.

technocratie *f* technocracy.

technologie *f* technology.

technologique *adj* technological.

téflon *m* teflon.

teigne *f* moth; ringworm.

teindre *vt* to dye.

teint *m* complexion, colouring.

teinte *f* tint, colour, shade.

teinter *vt* to tint; to stain.

teinture *f* dye; dyeing.

teinturerie *f* dyeing; dye-works; dry cleaner's.

teinturier *m* -**ère** *f* dyer; dry cleaner.

tel *adj* such; like, similar; **~ quel** such as it is; **en tant que ~** as such, in such a capacity; **il n'y a rien de ~** there's nothing like...

télé *f* TV, telly.

télécarte *f* phonecard.

télécommande *f* remote control.

télécommunication *f* telecommunication.

télécopie *f* facsimile transmission; fax.

télécopieur *m* fax machine.

télédiffusion *f* television broadcasting.

téléphérique *m* cableway; cablecar.

télégramme *m* telegram; cable.

télégraphier *vt* to telegraph, cable.

téléguider *vt* to radio-control.

télématique *f* telematics.

téléobjectif *m* telephoto lens.

télépathie *f* telepathy.

téléphone *m* telephone.

téléphoner *vi* to telephone.

téléphonique *adj* telephone; telephonic.

télescope *m* telescope.

télescopique *adj* telescopic.

télésiège *m* chairlift.

téléski *m* lift, ski tow.

téléspectateur *m* **-trice** *f* television viewer.

téléviseur *m* television set.

télévision *f* television.

télex *m* telex.

tellement *adj* so, so much; **~ de** so many, so much.

téméraire *adj* rash, reckless; **~ment** *adv* rashly; recklessly.

témérité *f* rashness; recklessness.

témoignage *m* testimony; evidence; certificate.

témoigner *vi* to testify.

témoin *m* witness; evidence; proof.

témpérament *m* constitution; temperament; character.

témpérance *f* temperance.

température *f* temperature.

tempéré *adj* temperate; tempered.

tempérer *vt* to temper; to assuage, soothe.

tempête *f* tempest.

temple *m* temple.

tempo *m* tempo, pace.

temporaire *adj* temporary; **~ment** *adv* temporarily.

temporel *adj* worldly, temporal.

temporiser *vi* to temporise, delay.

temps *m* time; while; tense; beat; weather; **de ~ en ~** from time to time; **entre ~** meanwhile.

tenace *adj* tenacious, stubborn, persistent.

ténacité *f* tenacity; stubbornness.

tenaille *f* pincers; tongs.

tenailler *vt* to torture; to rack.

tendance *f* tendency; leaning; trend.

tendancieux *adj* tendentious.

tendinite *f* tendinitis.

tendon *m* tendon, sinew.

tendre *adj* tender, soft; delicate; **~ment** *adv* tenderly, affectionately.

tendresse *f* tenderness; fondness.

tendu *adj* tight; stretched; concentrated; delicate, fraught.

ténèbres *fpl* darkness, gloom.

ténébreux *adj* dark, gloomy.

teneur *f* terms; content; grade.

tenir *vt* to hold, keep; to stock; to run; * *vi* to hold, stay in place; **~ à** to value, care about; **~ de** to take after; **se ~** *vr* to hold on to; to behave; **s'en ~ à** to limit o.s. to, stick to.

tennis *m* tennis; **~ de table** table tennis.

ténor *m* tenor; leading light.

tentacule *m* tentacle.

tentant *adj* tempting, inviting.

tentation *f* temptation.

tentative *f* attempt, bid.

tente *f* tent.

tenter *vt* to tempt.

tenture *f* hanging; curtain.

tenue *f* holding; session; deportment, good behaviour; dress, appearance.

tergal *m* terylene.

tergiverser *vi* to procrastinate, beat about the bush.

terme *m* term; termination, end; word, expression; **au ~ de** at the end of.

terminaison *f* ending.

terminal *adj* terminal; * *m* terminal.

terminer *vt* to terminate; to finish off; **se ~ vr** to terminate; to come to an end.

terminologie *f* terminology.

termite *m* termite.

terne *adj* colourless; lustreless, drab; spiritless.

ternir *vt* to tarnish, dull.

terrain *m* ground, soil, earth; plot; position; site; field.

terrasse *f* terrace.

terrasser *vt* to floor, knock down; to strike down, overcome.

terre *f* earth; world; ground, land; **mettre pied à ~** to land, alight.

terre à terre *adj* down to earth, commonplace.

terreau *m* compost.

terre-plein *m* (*mil*) terreplein; platform; central reservation.

terrer (se) *vr* to crouch down; to lie low, go to ground.

terrestre *adj* land; terrestrial.

terreur *f* terror, dread.

terreux *adj* earthy; dirty; ashen.

terrible *adj* terrible, dreadful; terrific, great; **~ment** *adv* terribly.

terrien *m* countryman; earthling; **-ne** *f* countrywoman; earthling.

terrier *m* burrow; earth; terrier.

terrifiant *adj* terrifying, fearsome.

terrifier *vt* to terrify.

terrine *f* earthenware dish, terrine.

territoire *m* territory, area.

territorial *adj* land, territorial.

terroir *m* land.

terroriser *vt* to terrorise.

terrorisme *m* terrorism.

terroriste *mf* terrorist; * *adj* terrorist.

tertiaire *adj* tertiary.

test *m* test.

testament *m* will, testament.

tester *vt* to test; to make out one's will.

testicule *m* testicle, testis.

tétanos *m* tetanus; lockjaw.

têtard *m* tadpole.

tête *f* head; face; front; top; sense, judgment; **tenir ~** to stand up to sb; **faire la ~** to pout, sulk; **~ de turc** whipping boy; **~ de mort** skull and crossbones; **être en ~** to head.

tête à tête *m* private conversation; **en ~** in the lead.

tétée *f* feeding; nursing.

téter *vt* to suck.

tétine *f* teat; udder; dummy.

téton *m* breast.

têtu *adj* headstrong, stubborn.

texte *m* text.

textile *adj* textile.

textuel *adj* textual, literal, exact; **~lement** *adv* literally; word for word.

texture *f* texture.

thé *m* tea.

théâtral *adj* theatrical, dramatic.

théâtre *m* theatre; drama.

théière *f* teapot.

thématique *adj* thematic.

thème *m* theme.

théologie *f* theology.

théorème *m* theorem.

théoricien *m* **-ne** *f* theoretician, theorist.

théorie *f* theory.

théorique *adj* theoretical; **~ment** *adv* theoretically.

thérapeute *mf* therapist.

thérapie f therapy.
thermal adj thermal; hydropathic.
thermique adj thermal; thermic.
thermomètre m thermometer.
thermos f/m thermos.
thermostat m thermostat.
thésaurus m thesaurus.
thèse f thesis.
thon m tuna.
thoracique adj thoracic; **cage ~** ribcage.
thorax m thorax.
thrombose f thrombosis.
thym m thyme.
thyroïde f thyroid.
tibia m tibia.
tic m twitch, tic; mannerism.
ticket m ticket.
tiède adj lukewarm, tepid.
tien pn, f **tienne**: **le ~, la tienne, les ~s, les tiennes** yours, your own.
tiers adj third; **~-monde** Third World; * m third; third party.
tige f stem, stalk.
tigre m tiger.
tigresse f tigress.
tilleul m lime, linden.
timbale f kettledrum.
timbre m stamp; postmark; bell; tone, timbre.
timbré adj stamped; resonant.
timbrer vt to stamp; to postmark.
timide adj timid, shy; **~ment** adv timidly.
timidité f timidity, shyness.
timonier m (mar) helmsman.
tintamarre m hubbub, uproar.
tintement m ringing; chiming; toll.
tinter vi to ring, toll; to chime.
tique f tick.
tiquer vi to wince.
tir m shooting, firing, fire; shot; **~ à l'arc** archery.
tirade f tirade; monologue.
tirage m drawing, drawing off; printing; circulation; friction.
tiraillement m tugging; pulling.

tirailler vt to tug; to plague; to pester.
tire-bouchon m corkscrew.
tire-fesses m ski tow.
tirelire f moneybox.
tirer vt to pull; to draw; to extract; **se ~** vr (fam) to clear off; **bien s'en ~** to make a good job of sth.
tiret m dash; hyphen.
tireur m **-euse** f gunner, sharpshooter; printer; drawer (cheque).
tiroir m drawer.
tison m brand.
tisonnier m poker.
tissage m weaving.
tisser vt to weave.
tissu m texture, fabric; tissue.
titan m titan.
titane m titanium.
titanesque adj titanic.
titre m title; heading; denomination; claim, right; deed; **à ~ de** by right of; **à juste ~** deservedly, justly; **en ~** titular, acknowledged.
tituber vi to stagger.
titulaire mf incumbent, holder; * adj titular; entitled.
toast m slice of toast; toast; **porter un ~** to drink a toast.
toboggan m toboggan.
toc m tap, knock; sham jewellery etc.; **en ~** imitation, fake.
toi pn you; **~-même** yourself; **c'est à ~** it's your's; it's your turn.
toile f cloth; canvas; sheet.
toilette f cleaning, grooming; washstand; **faire sa ~** to wash oneself; **cabinet de ~** bathroom.
toiser vt to survey; to evaluate.
toison f fleece.
toit m roof; home.
toiture f roof, roofing.
tôle f sheet metal.
tolérable adj tolerable, bearable.
tolérance f tolerance.
tolérant adj tolerant.

tolérer *vt* to tolerate; to put up with.

tomate *f* tomato.

tombe *f* tomb; grave.

tombeau *m* tomb.

tomber *vi* to fall; to sink; to decay; **laisser ~** to drop; **~ malade** to fall sick; **~ amoureux** to fall in love; **~ sur** to come across; **bien/mal ~** to be lucky/unlucky.

tombola *f* tombola.

tome *m* book; volume.

ton *adj*, *f* **ta**, *pl* **tes** your; * *m* tone; pitch; shade.

tonalité *f* tonality; key.

tondeuse *f* clippers, shears; mower.

tondre *vt* to shear, clip; mow.

tonifiant *m* tonic; * *adj* bracing; invigorating.

tonifier *vt* to tone up; to invigorate.

tonique *adj* tonic; fortifying; invigorating *m* tonic.

tonitruant *adj* thundering.

tonnage *m* tonnage; displacement.

tonne *f* ton.

tonneau *m* barrel, cask.

tonnelle *f* bower, arbour.

tonnerre *m* thunder.

tonton *m* *(fam)* uncle.

tonus *m* tone; energy.

top *m* pip, stroke.

topaze *f* topaz.

topographie *f* topography.

toquade *f* infatuation; fad, craze.

toque *f* fur hat; cap.

toquer *vi* to tap, rap.

torche *f* torch.

torcher *vt* to wipe, mop up; **se ~** *vr* to wipe oneself.

torchon *m* cloth; duster.

tordre *vt* to twist, contort; **se ~** *vr* to bend, twist; to sprain.

tordu *adj* twisted, crooked, bent.

tornade *f* tornado.

torpeur *f* torpor.

torpille *f* torpedo.

torpiller *vt* to torpedo.

torréfaction *f* roasting; toasting.

torrent *m* torrent.

torrentiel *adj* torrential.

torride *adj* torrid; scorching.

torsade *f* twist; cable moulding.

torse *m* chest; torso.

torsion *f* twisting; torsion.

tort *m* fault; wrong; prejudice; **avoir ~** to be wrong; **en ~** in the wrong; **à ~ ou à raison** wrongly or rightly; **faire du ~** to harm; **à ~ et à travers** wildly; here, there and everywhere.

torticolis *m* stiff neck; torticollis.

tortiller *vt* to twist; **se ~** *vr* to wriggle; to squirm.

tortionnaire *mf* torturer; * *adj* pertaining to torture.

tortue *f* tortoise.

tortueux *adj* tortuous, winding, meandering.

torture *f* torture.

torturer *vt* to torture.

tôt *adv* early; soon, quickly; **au plus ~** as soon as possible; **plus ~** sooner.

total *adj* total; absolute; **~ement** *adv* totally.

totaliser *vt* to totalise, add up.

totalitaire *adj* totalitarian.

totalitarisme *m* totalitarianism.

totalité *f* totality; whole.

totem *m* totem.

touchant *adj* touching, moving.

touche *f* touch; trial; stroke; key.

toucher *vt* to touch; to feel; * *m* touch, feeling.

touffe *f* tuft, clump.

touffu *adj* bushy, thick.

toujours *adv* always; still; all the same; **pour ~** for ever; **~ est-il que** the fact remains that.

toupet *m* quiff, tuft; cheek.

toupie *f* spinning top.

tour *f* tower; * *m* turn, round; circuit; tour; trick; **faire un ~** to take a stroll; **faire le tour de** to go around; **fermer à double ~** to double-lock; **jouer un ~** to play a trick; **~ à ~** by turns.

tourbe f peat.

tourbillon m whirlwind, whirlpool.

tourbillonner vi to whirl, eddy.

tourisme m tourism.

touriste mf tourist.

touristique adj tourist.

tourment m torment, agony.

tourmente f storm, tempest.

tourmenter vt to rack, torment; **se ~** vr to fret; to worry.

tournage m turning; (cin) shooting.

tournant m bend; turning point; * adj revolving, swivel; winding.

tournedos m fillet steak.

tournée f tour; round.

tourner vt to turn; to round; * vi to turn; to work; to change; **se ~** vr to turn round; to change.

tournesol m sunflower.

tourneur m turner.

tournevis m screwdriver.

tourniquet m tourniquet; turnstile.

tournis m (vet) sturdy, staggers; **avoir le ~** to feel giddy.

tournoi m tournament.

tournoyer vi to whirl, swirl.

tournure f turn; turn of phrase.

tourte f pie.

tourerelle f turtledove.

tourtière f pie tin.

Toussaint f All Saints' Day.

tousser vi to cough.

tout adj, pl **tous**, **toutes** all; whole; every; **~ le monde** everybody; * pn everything; all; **c'est ~** that is all; * m whole, only thing; **pas du ~** not at all; **du ~ au ~** completely; * adv entirely, quite; **~ droit** straight on; **~ à fait** completely, quite; **~ de suite** immediately.

toutefois adv however.

tout-puissant adj all-powerful.

toux f cough.

toxicomane mf drug addict; * adj drug addicted.

toxicomanie f drug addiction.

toxine f toxin.

toxique adj toxic.

trac m nerves, stage fright.

tracas m bustle, turmoil; worry.

tracasser vt to worry; to harass.

trace f track, impression; outline, sketch; vestige, trace.

tracé m layout, plan.

tracer vt to draw, trace; to open up.

trachée f trachea, windpipe.

tract m leaflet, tract.

tractation f transaction; bargaining.

tracteur m tractor.

traction f traction; pulling.

tradition f tradition.

traditionaliste mf traditionalist; * adj traditionalist.

traditionnel adj traditional; usual; **~lement** adv traditionally.

traducteur m **-trice** f translator.

traduction f translation.

traduire vt to translate.

trafic m traffic; trading; dealings.

trafiquant m **-e** f trafficker.

trafiquer vi to fiddle, tamper with.

tragédie f tragedy.

tragédien m **-ne** f tragedian, tragic actor.

tragique adj tragic; **~ment** adv tragically.

trahir vt to betray.

trahison f betrayal, treason.

train m train; pace, rate; **être en ~ de** to be in the act of doing sth.

traînasser vi to dawdle; to loiter.

traîne f dragging; train; **être à la ~** to be in tow.

traîneau m sleigh, sledge.

traînée f trail, track; drag.

traîner vi to lag, dawdle; to drag on; * vt to drag, pull; to protract; **se ~** vr to drag o.s.; to crawl along.

train-train m humdrum routine.

traire vt to milk.

trait m trait, feature; deed; relation; **avoir ~ à** to have reference; **~ d'union** hyphen, connecting link.

traite *f* trade; draft, bill; milking.

traité *m* treaty; treatise, tract.

traitement *m* treatment; salary; processing.

traiter *vt* to treat; to process; * *vi* to treat, negotiate.

traiteur *m* caterer; trader.

traître *m* traitor -sse *f* traitress.

traîtrise *f* treachery, treacherousness.

trajectoire *f* trajectory.

trajet *m* distance; journey; course, path.

trame *f* framework; web.

tramer *vt* to plot; to weave.

trampoline *m* trampoline.

tramway *m* tram, tramway.

tranchant *adj* sharp, cutting.

tranche *f* slice; edge; section.

tranchée *f* trench; cutting.

trancher *vt* to cut, sever; to conclude; to settle; * *vi* to cut; to resolve; to stand out.

tranquille *adj* quiet, tranquil; **~ment** *adv* quietly, tranquilly.

tranquillisant *m* tranquilliser; * *adj* soothing, tranquillising.

tranquilliser *vt* to reassure.

tranquillité *f* tranquillity.

transaction *f* transaction, arrangement.

transatlantique *m* transatlantic liner; * *adj* transatlantic.

transcendant *adj* transcendent; transcendental.

transcender *vt* to transcend.

transcription *f* transcription; copy.

transcrire *vt* to transcribe; copy out.

transe *f* trance.

transept *m* transept.

tranférer *vt* to transfer.

transfert *m* transfer; conveyance.

transfiguration *f* transfiguration.

transfigurer *vt* to transfigure.

transformateur *m* transformer.

transformation *f* transformation.

transformer *vt* to transform, change; **se ~** *vr* to be transformed; to change.

transfuge *mf* defector.

transfuser *vt* to transfuse.

transfusion *f* transfusion.

transgresser *vt* to transgress, infringe.

transgression *f* transgression, infringement.

transi *adj* numb, paralysed.

transiger *vi* to compromise, come to terms.

transistor *m* transistor.

transit *m* transit.

transiter *vi* to pass in transit.

transitif *adj* transitive.

transition *f* transition.

transitoire *adj* transitory.

translucide *adj* translucent.

transmettre *vt* to transmit; to pass on, hand down.

transmissible *adj* transmissible.

transmission *f* transmission; passing on; handing down.

transmuter *vt* to transmute.

transparaître *vi* to show through.

transparence *f* transparency.

transparent *adj* transparent.

transpercer *vt* to pierce; to penetrate.

transpiration *f* transpiration; perspiration.

transpirer *vi* to perspire; to come to light.

transplanter *vt* to transplant.

transport *m* carrying; transport; conveyance; transfer.

transportable *adj* transportable.

transporter *vt* to carry; to transport.

transporteur *m* haulier; carrier.

transposer *vt* to transpose.

transposition *f* transposition.

transsexuel *adj* transsexual.

transvaser *vt* to decant.

transversal *adj* transverse;

~ement *adv* crosswise; transversely.

transvider *vt* to pour into another container. ·

trapèze *m* trapeze.

trapéziste *mf* trapeze artist.

trappe *f* trap door.

trappeur *m* trapper.

trapu *adj* squat; thickset.

traquer *vt* to track; to hunt down.

traumatisant *adj* traumatising.

traumatiser *vt* to traumatise.

traumatisme *m* traumatism.

travail *m* work; job, occupation; labour; *pl* **travaux** work, labour.

travailler *vi* to work; to endeavour; * *vt* to work, shape; to cultivate; to fatigue.

travailleur *m* **-euse** *f* worker; * *adj* diligent; hard-working.

travers *m* breadth; irregularity; fault; **à ~** through, across; **de ~** obliquely, askew; **en ~** across, crosswise.

traversée *f* crossing, going through; traverse.

traverser *vt* to cross, traverse.

traversin *m* bolster.

travesti *m* drag artist; transvestite; * *adj* disguised.

trébucher *vi* to stumble, trip up.

trèfle *m* clover.

tréfonds *m* subsoil, bottom.

treille *f* climbing vine.

treillis *m* trellis; wire mesh.

treize *adj,* m thirteen.

treizième *adj, mf* thirteenth; **~ment** *adv* in thirteenth place.

tréma *m* dieresis.

tremblant *adj* trembling, shaking.

tremblement *m* trembling; shiver; vibration; **~ de terre** earthquake.

trembler *vi* to tremble, shake.

trembloter *vi* to tremble slightly, flicker.

trémousser (se) *vr* to wriggle.

tremper *vt* to soak; to dip; * *vi* to soak; to take part in.

tremplin *m* springboard; ski-jump.

trentaine *f* about thirty.

trente *adj, m* thirty.

trentième *adj, mf* thirtieth.

trépasser *vi* to pass away.

trépidant *adj* pulsating, quivering.

trépied *m* tripod.

trépigner *vi* to stamp one's feet.

très *adv* very; most; very much.

trésor *m* treasure.

trésorerie *f* treasury.

trésorier *m* **-ière** *f* treasurer.

tressaillir *vi* to thrill; to shudder.

tressauter *vi* to start, jump.

tresse *f* plait, braid.

tresser *vt* to plait, braid.

tréteau *m* trestle.

treuil *m* winch.

trêve *f* truce; respite, rest.

tri *m* sorting out; selection; grading.

triage *m* sorting out.

triangle *m* triangle.

triangulaire *adj* triangular.

triathlon *m* triathlon.

tribal *adj* tribal.

tribord *m* starboard.

tribu *f* tribe.

tribunal *m* court, tribunal.

tribune *f* gallery, stand; rostrum.

tribut *m* tribute.

tributaire *adj* dependent, tributary.

tricher *vi* to cheat.

tricheur *m* **-euse** *f* cheater.

trichloréthylène *m* trichlorethylene.

tricolore *adj* three-coloured, tricolour.

tricot *m* jumper; knitting.

tricoter *vt* to knit.

tridimensionnel *adj* three-dimensional.

triennal *adj* triennial; three-yearly.

trier *vt* to sort out; to pick over.

trifouiller *vi* (*fam*) to rummage

about; * *vt* to rummage about in.

trigonométrie *f* trigonometry.

trilingue *adj* trilingual.

trilogie *f* trilogy.

trimer *vi* to slave away.

trimestre *m* quarter; term.

trimestriel *adj* quarterly; three-monthly.

tringle *f* rod.

trinité *f* trinity.

trinquer *vi* to toast; to booze.

trio *m* trio.

triomphal *adj* triumphal; ~**ement** *adv* triumphantly.

triomphant *adj* triumphant.

triomphe *m* triumph, victory.

triompher *vi* to triumph.

triparti, tripartite *adj* tripartite.

tripe *f* tripe; guts.

triple *adj* triple, treble.

tripler *vi* to triple, increase three-fold; * *vt* to triple, treble.

tripoter *vt* to play with, speculate with.

trique *f* cudgel.

triste *adj* sad, melancholy; ~**ment** *adv* sadly.

tristesse *f* sadness; melancholy.

triton *m* triton; tritone.

triturer *vt* to grind up, triturate.

trivial *adj* mundane, trivial; coarse, crude.

trivialité *f* triviality; crudeness.

troc *m* exchange; barter.

troglodyte *m* cave dweller, troglodyte.

trognon *m* core; stalk.

trois *adj*, *m* three.

troisième *adj*, *mf* third; ~**ment** *adv* thirdly.

trombe *f*: ~ **d'eau** cloudburst, downpour; **entrer/sortir en** ~ to dash in/out.

trombone *m* trombone.

trompe *f* trumpet; trunk, snout.

trompe-l'œil *m invar* trompe-l'oeil.

tromper *vt* to deceive, trick; **se** ~ *vr* to be mistaken.

tromperie *f* deception, deceit.

trompette *f* trumpet.

trompettiste *mf* trumpet player.

trompeur *adj* deceitful; deceptive.

tronc *m* trunk, shaft.

tronçon *m* section, part.

tronçonner *vt* to cut up, cut into sections.

tronçonneuse *f* chain saw.

trône *m* throne.

trôner *vi* to sit on the throne.

tronquer *vt* to truncate, curtail.

trop *adv* too; too much, unduly; *m* ~ too much, too many.

trophée *m* trophy.

tropical *adj* tropical.

tropique *m* tropic.

trop-plein *m* overflow; excess.

troquer *vt* to barter, swap.

trot *m* trot.

trotter *vi* to trot; to run about; to toddle.

trottiner *vi* to jog along; to trot along.

trottinette *f* scooter.

trottoir *m* pavement.

trou *m* hole; gap; cavity.

troublant *adj* disturbing, disquieting.

trouble *adj* unclear; murky, suspicious; * *m* disturbance, confusion; disorder.

trouble-fête *mf* spoilsport, killjoy.

troubler *vt* to disturb, disconcert; to cloud, darken; **se** ~ *vr* to become cloudy; to become flustered.

trouer *vt* to make a hole in; to pierce.

trouille *f*: **avoir la** ~ to have the wind up.

troupe *f* troupe; troop, band.

troupeau *m* herd, drove.

trousse *f* case, kit; wallet.

trousseau *m* trousseau; outfit.

trouvaille *f* windfall; inspired idea.

trouver *vt* to find, detect; to think; **se** ~ *vr* to find o.s.; to be located; **il se trouve que** it happens that.

truand *m* (*fam*) gangster; tramp.

truc *m* (*fam*) trick; gadget, thingummy.

truculent *adj* truculent; colourful, vivid.

truelle *f* trowel.

truffe *f* truffle.

truie *f* sow.

truite *f* trout.

truquage *m* rigging, fixing; fiddling.

truquer *vt* to rig, fix; to fiddle.

tsar *m* tsar.

tu *pn* you.

tuant *adj* exhausting; exasperating.

tuba *m* tuba, snorkel.

tube *m* tube, pipe; duct.

tuberculose *f* tuberculosis.

tuer *vt* to kill; **se ~** *vr* to be killed; to kill o.s.

tuerie *f* slaughter.

tueur *m* **-euse** *f* killer.

tuile *f* tile.

tulipe *f* tulip.

tulle *m* tulle.

tuméfié *adj* puffed-up, swollen.

tumeur *f* tumour.

tumulte *m* tumult, commotion.

tumultueux *adj* tumultuous, stormy.

tungstène *m* tungsten.

tunique *f* tunic; smock.

tunnel *m* tunnel.

turban *m* turban.

turbine *f* turbine.

turbo *m* turbo.

turbulence *f* turbulence; excitement.

turbulent *adj* turbulent.

turpitude *f* turpitude, baseness.

tutelle *f* guardianship, supervision.

tuteur *m* **-trice** *f* guardian; * *m* stake, prop.

tutoyer *vt* to address sb as '*tu*'.

tuyau *m* pipe.

tuyauterie *f* piping.

TVA (taxe à la valeur ajoutée) *f* VAT.

tympan *m* eardrum, tympanum.

type *m* type; model; sample; bloke, chap.

typé *adj* typical.

typhoïde *f* typhoid; * *adj* typhoid.

typhon *m* typhoon.

typhus *m* typhus.

typique *adj* typical; **~ment** *adv* typically.

tyran *m* tyrant.

tyrannie *f* tyranny.

tyrannique *adj* tyrannical.

tyranniser *vt* to tyrannise.

U

ulcère *m* ulcer.

ulcérer *vt* to sicken; to embitter.

ultérieur *adj* later, subsequent; **~ement** *adv* later, subsequently.

ultimatum *m* ultimatum.

ultime *adj* ultimate, final.

ultra-violet *m* ultraviolet ray; * *adj* ultraviolet.

un, une *art* a, an; (number) one; **l'~ l'autre, les ~s les autres** one another.

unanime *adj* unanimous; **~ment** *adj* unanimously.

uni *adj* plain, self-coloured; close; smooth; **~ment** *adv* plainly, smoothly.

unification *f* unification; standardisation.

unifier *vt* to unify; to standardise.

uniforme *adj* uniform, regular; * *m* uniform.

uniformément *adv* uniformly, regularly.

uniformité *f* uniformity; regularity.

unilatéral *adj* unilateral.

union *f* union; combination, blending.

unique *adj* only, single; unique; **~ment** *adv* only, solely, exclusively; merely.

unir *vt* to unite; to join; to combine; **s'~** *vr* to unite; to be joined in marriage.

unisson *m* unison; **à l'~** in unison.

unitaire *adj* unitary, unit.

unité *f* unity; unit.

univers *m* universe; world.

universalité *f* universality.

universel *adj* universal; all-purpose; **~lement** *adv* universally.

universitaire *adj* university; * *mf* academic.

université *f* university.

uranium *m* uranium.

urbain *adj* urban, city.

urbanisation *f* urbanisation.

urbaniser *vt* to urbanise.

urbanisme *m* town planning.

urbaniste *mf* town planner.

urée *f* urea.

urgence *f* urgency; emergency.

urgent *adj* urgent.

urinaire *adj* urinary.

urine *f* urine.

uriner *vi* to urinate.

urne *f* ballot box; urn.

urticaire *f* hives, urticaria.

usage *m* use; custom; usage; practice; wear; **faire ~ de** to exercise; to make use of.

usagé *adj* worn, old.

usager *m* -**ère** *f* user.

usé *adj* worn; threadbare; banal, trite.

user *vt* to make use of, enjoy; to wear out; **~ de** to exercise; to employ; **s'~** *vr* to wear out.

usine *f* factory.

usiner *vt* to machine; to manufacture.

usité *adj* in common use, common.

ustensile *m* implement; utensil.

usuel *adj* ordinary; everyday; **~lement** *adv* ordinarily.

usufruit *m* (*jur*) usufruct.

usure *f* usury.

usurier *m* -**ière** *f* usurer.

usurper *vt* to usurp.

utérus *m* womb, uterus.

utile *adj* useful; **~ment** *adv* usefully.

utilisateur *m*, -**trice** *f* user.

utilisation *f* use, utilisation.

utiliser *vt* to use, utilise; to make use of.

utilitaire *adj* utilitarian.

utilité *f* usefulness; use; profit.

utopie *f* utopia.

utopique *adj* utopian.

V

vacance *f* vacancy; **~s** holiday, vacation.

vacancier *m* -**ière** *f* holidaymaker.

vacant *adj* vacant, unoccupied.

vacarme *m* racket, row.

vaccin *m* vaccine.

vaccination *f* vaccination.

vacciner *vt* to vaccinate.

vache *f* cow; cowhide.

vachement *adv* (*fam*) damned, bloody.

vacher *m* -**ère** *f* cowherd.

vacherie *f* (*fam*) rottenness, meanness; nasty remark/trick.

vaciller *vi* to sway, totter; to falter.

va-et-vient *m invar* comings and goings; to and fro.

vagabond *m* **-e** *f* tramp, vagabond.

vagabondage *m* wandering, roaming; (*jur*) vagrancy.

vagabonder *vi* to wander, roam.

vagin *f* vagina.

vaginal *adj* vaginal.

vague *adj* vague, hazy, indistinct; **~ment** vaguely; * *m* vagueness; * *f* wave.

vaguer *vi* to wander, roam.

vaillamment *adv* bravely, courageously.

vaillant *adj* brave, courageous.

vain *adj* vain; empty, hollow; shallow; **en ~** in vain; **~ement** *adv* vainly.

vaincre *vt* to defeat, overcome.

vaincu *adj* defeated, beaten.

vainqueur *m* conqueror, victor.

vaisseau *m* vessel; ship.

vaisselle *f* crockery; dishes; **faire la ~** to do the washing up.

valable *adj* valid, legitimate; worthwhile.

valet *m* valet; servant.

valeur *f* value, worth; security, share; meaning.

valide *adj* able, able-bodied; **~ment** *adv* validly.

valider *vt* to validate.

validité *f* validity.

valise *f* suitcase.

vallée *f* valley.

vallon *m* vale, dale.

vallonné *adj* undulating, hilly.

valoir *vt* to be worth; to be valid; **il vaut mieux** it is better to; **~ la peine** to be worth the trouble.

valoriser *vt* to valorise.

valse *f* waltz.

valser *vi* to waltz.

valve *f* valve.

vampire *m* vampire.

vandale *mf* vandal.

vandalisme *m* vandalism.

vanille *f* vanilla.

vanité *f* vanity, conceit.

vaniteux *adj* vain, conceited.

vanne *f* gate, sluice.

vannerie *f* basketry; wickerwork.

vantard *adj* boastful, bragging.

vantardise *f* boastfulness; boast.

vanter *vt* to praise, vaunt; **se ~** *vr* to boast, brag.

vapeur *f* haze, vapour.

vaporeux *adj* filmy, vaporous.

vaporisateur *m* spray, atomiser.

vaporiser *vt* to spray; to vaporise.

varappe *f* rock-climbing.

variable *adj* variable, changeable.

variante *f* variant; variation.

variation *f* variation, change.

varice *f* varicose vein.

varicelle *f* chickenpox.

varié *adj* varied; variegated; various.

varier *vi* to vary, change; * *vt* to vary.

variété *f* variety, diversity.

variole *f* smallpox.

vasculaire *adj* vascular.

vase *m* vase, bowl; * *f* silt, mud.

vaseline *f* vaseline.

vaseux *adj* woolly, muddled; muddy, silty.

vasistas *m* fanlight.

vaste *adj* vast, huge.

vaudeville *m* vaudeville.

vaudou *m* voodoo.

vaurien *m* **-ne** *f* good-for-nothing.

vautour *m* vulture.

vautrer (se) *vr* to wallow in.

veau *m* calf; veal.

vecteur *m* vector.

vécu *adj* real, true-life; lived; * *m* real-life.

vedette *f* star; (*mar*) launch.

végétal *adj* vegetable.

végétarien *m* **-ne** *f* vegetarian; * *adj* vegetarian.

végétatif *adj* vegetative.

végétation *f* vegetation.

végéter *vi* to vegetate; to stagnate.

véhémence *f* vehemence.

véhément *adj* vehement.

véhicule *m* vehicle.

veille *f* wakefulness; watch; eve.

veillée *f* evening; evening meeting.

veiller *vi* to stay up, sit up.

veilleur *m* watchman.

veilleuse *f* night light; sidelight.

veinard *m* -e *f* lucky person; * *adj* lucky, jammy.

veine *f* vein, seam; inspiration; luck.

vêler *vi* to calve.

velléité *f* vague desire, vague impulse.

vélo *m* bike.

vélodrome *m* velodrome.

vélomoteur *m* moped.

velours *m* velvet.

velouté *adj* velvety, downy.

velu *adj* hairy.

vénal *adj* venal, mercenary.

vendange *f* wine harvest.

vendanger *vt* to harvest grapes from; * *vi* to harvest the grapes.

vendangeur *m* -euse *f* grape-picker.

vendetta *f* vendetta.

vendeur *m* -euse *f* seller, salesperson.

vendre *vt* to sell.

vendredi *m* Friday.

vénéneux *adj* poisonous.

vénérable *adj* venerable.

vénération *f* veneration.

vénérer *vt* to venerate.

vénérien *adj* venereal.

vengeance *f* vengeance, revenge.

venger *vt* to avenge; **se ~** *vr* to avenge o.s.

venimeux *adj* venomous, poisonous; vicious.

venin *m* venom; poison.

venir *vi* to come; to happen; to grow; **~ de** to come from; to derive from; **~ au monde** to be born.

vent *m* wind; breath; emptiness.

vente *f* sale; selling; auction; **en ~** for sale.

ventilateur *m* ventilator, fan.

ventiler *vt* to ventilate; to divide up.

ventouse *f* sucker; suction disc.

ventre *m* stomach, belly; womb.

ventricule *m* ventricle.

ventriloque *mf* ventriloquist; * *adj* ventriloquous.

venue *f* coming.

ver *m* worm; grub; **~ de terre** earthworm.

véracité *f* veracity; truthfulness.

véranda *f* veranda.

verbal *adj* verbal; **~ement** *adv* verbally.

verbe *m* verb; language, word.

verbiage *m* verbiage.

verdeur *f* vigour, vitality.

verdict *m* verdict.

verdir *vi* to go green; * *vt* to turn green.

verdure *f* greenery, verdure.

verge *f* stick, cane.

verger *m* orchard.

verglas *m* black ice.

véridique *adj* truthful, veracious; **~ment** *adv* truthfully.

vérification *f* check; verification.

vérifier *vt* to verify, check; to audit.

véritable *adj* real, genuine; **~ment** *adv* really, genuinely.

vérité *f* truth; truthfulness, sincerity; **en ~** really, actually.

vermeil *adj* vermilion, ruby, cherry; * *m* vermeil.

vermicelle *m* vermicelli.

vermillon *m* vermilion; scarlet.

vermine *f* vermin.

vermisseau *m* small worm.

vermoulu *adj* worm-eaten.

verni *adj* varnished.

vernis *m* varnish; glaze; shine.

vernissage *m* varnishing; glazing.

verre *m* glass; lens; drink.

verrerie *f* glassworks; glass-making.

verrière f window; glass roof.
verrou m bolt.
verrouillage m bolting; locking.
verrouiller vt to bolt; to lock.
verrue f wart, verruca.
vers prép towards; around; about;
* m line, verse.
versatile adj versatile.
verse f: **pleuvoir à ~** to pour
down.
Verseau m Aquarius.
verser vt to pour, shed; to pay;
(mil) to assign.
verset m verse.
version f version.
verso m back.
vert m green; * adj green; **langue
~e** slang; **~ement** adv sharply,
brusquely.
vertébral adj vertebral.
vertèbre f vertebra.
vertical adj vertical; **~ement** adv
vertically.
vertige m vertigo; dizziness.
vertigineux adj vertiginous,
breathtaking.
vertu f virtue; courage; **en ~ de**
in accordance with.
vertueux adj virtuous.
verve f verve, vigour.
verveine f verbena.
vésicule f vesicle; gall bladder.
vessie f bladder.
veste f jacket.
vestiaire m cloakroom; changing-
room.
vestibule m hall, vestibule.
vestige m relic; trace, vestige.
veston m jacket.
vêtement m garment.
vétéran m veteran.
vétérinaire mf veterinary surgeon; * adj veterinary.
vêtir vt to clothe, dress; **se ~** vr to
dress o.s.
veto m veto.
vêtu adj dressed; clad, wearing.
vétuste adj dilapidated, ancient.
veuf m widower; * adj widowed.
veule adj spineless.

veuve f widow; * adj widowed.
vexant adj annoying, vexing.
vexer vt to annoy; to hurt.
viable adj viable.
viaduc m viaduct.
viande f meat.
vibration f vibration.
vibrer vi to vibrate; to quiver.
vibromasseur m vibrator.
vicaire m curate, vicar.
vice m vice; fault, defect.
vice-président m vice-president;
deputy chairman.
vice-versa adv vice versa.
vicieux adj licentious; dissolute;
incorrect.
vicissitude f vicissitude, change,
trial.
vicomte m viscount, **-esse** f vis-
countess.
victime f victim, casualty; **être ~
de** to be the victim of.
victoire f victory.
victorieusement adv victori-
ously.
victorieux adj victorious.
vidange f emptying; waste outlet.
vidanger vt to empty; to drain
off.
vide adj empty, vacant, devoid; *
m vacuum; gap; void.
vidéo f video; * adj invar video.
vidéocassette f videocassette.
vide-ordures m invar rubbish
chute.
vider vt to empty; to drain; to vacate; to gut.
videur m bouncer.
vie f life; living; **être en ~** to be
alive.
vieillard m old man.
vieillesse f old age; the elderly;
oldness.
vieillir vi to get old; * vt to age; to
put years on.
vieillissement m ageing; obsoles-
cence.
vierge f virgin; * adj virgin;
blank; unexposed.

vieux *adj, f* **vieille** old; ancient; obsolete.

vif *adj* alive, lively; quick; eager, passionate.

vigilance *f* vigilance.

vigilant *adj* vigilant.

vigile *m* vigil.

vigne *f* vine; vineyard.

vigneron *m* **-ne** *f* wine grower.

vignette *f* vignette; illustration; seal.

vignoble *m* vineyard.

vigoureusement *adv* vigorously, energetically.

vigoureux *adj* vigorous.

vigueur *f* vigour, strength, energy.

vil *adj* vile; lowly.

vilain *m* naughty boy, **-e** *f* naughty girl.

villa *f* villa, detached house.

village *m* village.

villageois *m* **-e** *f* villager, rustic.

ville *f* town, city.

villégiature *f* holiday; vacation.

vin *m* wine.

vinaigre *m* vinegar.

vinaigrette *f* vinaigrette, oil and vinegar dressing, French dressing.

vindicatif *adj* vindictive.

vingt *adj, m* twenty.

vingtaine *f* about twenty; score.

vingtième *adj, mf* twentieth; **~ment** *adv* in twentieth place.

vinicole *adj* wine, wine-growing.

vinyl *m* vinyl.

viol *m* rape.

violation *f* violation; transgression.

violemment *adv* violently.

violence *f* violence; force, duress.

violent *adj* violent; considerable, excessive.

violer *vt* to violate, desecrate; to rape.

violet *adj* purple, violet; * *m* purple, violet.

violette *f* (*bot*) violet.

violeur *m* rapist.

violon *m* violin.

violoncelle *m* cello, violoncello.

violoncelliste *mf* cello player.

violoniste *mf* violinist.

vipère *f* viper, adder.

virage *m* turn, bend; tacking.

viral *adj* viral.

virement *m* turning, tacking; transfer, clearance.

virer *vt* to transfer; * *vi* to turn, tack.

virevolter *vi* to spin round, pirouette.

virginité *f* virginity; purity.

virgule *f* comma; (*math*) point.

viril *adj* virile; male, masculine; **~ement** *adv* in a virile way.

virilité *f* virility; masculinity.

virtuel *adj* virtual; potential; **~lement** *adv* virtually.

virtuose *mf* virtuoso, master.

virulence *f* virulence, viciousness.

virulent *adj* virulent, vicious.

virus *m* virus.

vis *f* screw.

visa *m* stamp, visa.

visage *m* face; expression.

vis-à-vis *prép*: opposite; **~ de** towards; as regards; * *m* encounter; person opposite; **en ~** opposite each other.

viscéral *adj* visceral; deep-rooted.

viscère *f* viscera; intestines.

viser *vt* to aim, target; to visa.

viseur *m* sight; viewfinder.

visibilité *f* visibility.

visible *adj* visible; evident, obvious; **~ment** *adv* visibly; obviously.

visière *f* peak; eyeshade; visor.

vision *f* eyesight; vision.

visionnaire *mf* visionary; * *adj* visionary.

visite *f* visit; visiting, inspection; visitor.

visiter *vt* to visit; to examine, inspect.

visiteur *m* **-euse** *f* visitor; representative.

vison *m* mink.

visqueux *adj* viscous, thick.

visser *vt* to screw on.

visuel *adj* visual.

vital *adj* vital.

vitalité *f* energy, vitality.

vitamine *f* vitamin.

vite *adv* quickly, fast; soon; * *adj* swift; quick.

vitesse *f* speed, swiftness; gear.

viticole *adj* wine, wine-growing.

viticulteur *m* wine grower.

vitrage *m* glazing; windows.

vitrail *m* stained-glass window.

vitre *f* pane, window.

vitreux *adj* glassy, glazed, vitreous.

vitrier *m* glazier.

vitrine *f* shop window; display cabinet.

vitriol *m* vitriol.

vitupérer *vi* to vituperate, reprimand.

vivace *adj* hardy, perennial; enduring.

vivacité *f* vivacity, liveliness; vividness; acuteness.

vivant *adj* alive, living; lively.

vivement *adv* quickly, briskly; keenly, acutely.

vivier *m* fishpond.

vivifiant *adj* refreshing, invigorating.

vivifier *vt* to enliven, invigorate, refresh.

vivre *vi* to live, be alive; to last, endure; **vive la mariée!** three cheers for the bride; * *vt* to live, spend; to live through.

vivres *mpl* victuals, supplies.

VO (version originale) *f* original version.

vocabulaire *m* vocabulary.

vocal *adj* vocal; **~ement** *adv* vocally.

vocalise *f* singing exercise.

vocation *f* vocation, calling.

vociférer *vi* to vociferate, bawl.

vœu *m* vow; wish.

vogue *f* fashion, vogue; **en ~** in fashion.

voici *prép* here is, here are; ago, past.

voie *f* way, road; means; process; **~ ferrée** railway; **~ d'eau** leak; **en ~ de** in the process of.

voilà *prép* there is, there are; ago; **et ~!** so there!

voile *f* sail; * *m* veil.

voilé *adj* veiled; hazy, blurred.

voiler *vt* to veil, shroud; **se ~** *vr* to wear a veil; to mist over.

voilier *m* sailing boat, yacht.

voir *vt* to see; to deal with; to understand; **avoir à ~ avec** to have to do with; **se ~** *vr* to find o.s.; to show.

voisin *m* **-e** *f* neighbour; fellow; * *adj* neighbouring, next.

voisinage *m* neighbourhood, vicinity.

voiture *f* car; carriage; cart.

voix *f* voice; vote; **parler à ~ basse/haute** to speak in a low/ high voice.

vol *m* flight; flock; **à ~ d'oiseau** as the crow flies.

volaille *f* fowl, poultry.

volant *m* steering wheel; * *adj* flying.

volatile *adj* volatile.

volatiliser *vt* to volatilise; to extinguish; **se ~** *vr* to volatilise; to vanish.

volcan *m* volcano.

volcanique *adj* volcanic.

volée *f* flight; volley; **à la ~** in midair; rashly, at random; **demi-~** half-volley.

voler *vi* to fly; **~ en éclats** to smash into pieces; * *vt* to steal; to rob.

volet *m* shutter; flap, paddle.

voleur *m* **-euse** *f* thief; * *adj* dishonest, thieving.

volley-ball *m* volleyball.

volleyeur *m* **-euse** *f* volleyball player.

volontaire *adj* voluntary; intentional; **~ment** *adv* voluntarily; intentionally.

volonté *f* will, wish; willingness; willpower.

volontiers *adv* willingly; gladly.

volt *m* volt.

volte-face *f invar* volte-face, about-turn; **faire ~** to turn round.

voltige *f* acrobatics; trick riding.

voltiger *vi* to flutter about.

volubile *adj* voluble.

volume *m* volume.

volumineux *adj* voluminous, bulky.

volupté *f* voluptuousness, sensual pleasure.

voluptueux *adj* voluptuous.

volute *f* volute, scroll; wreath.

vomir *vi* to vomit, be sick; * *vt* to vomit, bring up.

vomissement *m* vomiting.

vorace *adj* voracious; **~ment** *adv* voraciously.

voracité *f* voracity, voraciousness.

vos = *pl* **votre**.

votant *m* **-e** *f* voter.

vote *m* vote; voting.

voter *vi* to vote.

votre *adj*, *pl* **vos** your, your own.

vôtre *pn*: **le ~, la ~, les ~s** yours, your own.

vouer *vt* to vow; to devote, dedicate.

vouloir *vt* to want, wish; to require; to try; **~ du mal à** to wish sb harm; **en ~ à** to bear a grudge against sb; **bien ~** to be happy that.

voulu *adj* required; deliberate.

vous *pn* you, yourself.

voûte *f* vault.

voûté *adj* vaulted.

vouvoyer *vt* to use the '*vous*' form.

voyage *m* journey, trip; travelling.

voyager *vi* to travel, journey.

voyageur *m* **-euse** *f* traveller, passenger.

voyant *m* **-e** *f* visionary, seer; * *m* signal light; * *adj* gaudy, showy.

voyelle *f* vowel.

voyeur *m* **-euse** *f* voyeur.

voyou *m* lout, loafer, hoodlum.

vrac *adv*: **en ~** in bulk.

vrai *adj* true, genuine; **~ment** *adv* truly, really.

vraisemblable *adj* likely, probable; **~ment** *adv* probably.

vrille *f* tendril; spiral; **descendre en ~** to come down in a spin.

vrombir *vi* to roar, hum.

vu *adj* seen; considered, regarded; **être bien/mal ~** to be well/poorly thought of; **ni ~ ni connu** you won't discover anything; * *prép* in view of.

vue *f* sight, eyesight; **en ~ de** with a view to; **avoir des ~s sur** to have designs on.

vulgaire *adj* vulgar, crude; **~ment** *adv* vulgarly.

vulgariser *vt* to popularise; to coarsen.

vulgarité *f* vulgarity, coarseness.

vulnérable *adj* vulnerable.

vulve *f* vulva.

W

wagon *m* wagon, truck, freight car; wagonload.

wagon-citerne *m* tanker.

wagon-lit *m* sleeper.

wagon-restaurant *m* restaurant car.

water-polo *m* water polo.

watt *m* watt.

W-C (water-closet) *mpl* lavatory.

week-end *m* weekend.

western *m* western.

whisky *m* whisky.

X

xénophobe *mf* xenophobe; * *adj*
   xenophobic.

xénophobie *f* xenophobia.
xylophone *m* xylophone.

Y

yacht *m* yacht.
yang *m* yang.
yaourt *m* yoghurt.
yard *m* yard.
yeux *pl* = œil.
yin *m* yin.

yoga *m* yoga.
yogi *m* yogi.
yogourt *m* = yaourt.
yo-yo *m* yo-yo.
yucca *m* yucca.
yuppie *mf* yuppy.

Z

zèbre *m* zebra.
zébu *m* zebu.
zèle *m* zeal.
zélé *adj* zealous.
zen *m* Zen.
zénith *m* zenith.
zéro *m* zero, nought, nothing.
zézayer *vi* to lisp.
zigzag *m* zigzag.
zigzaguer *vi* to zigzag.
zinc *m* zinc.
zizanie *f* ill-feeling.
zizi *m* (*fam*) willy.
zodiaque *m* zodiac.

zona *m* shingles.
zone *f* zone, area.
zoo *m* zoo.
zoologie *f* zoology.
zoologiste *mf* zoologist.
zoom *m* zoom; zoom lens.
zoophile *adj* zoophilic, zoo-
   philous.
zozoter *vi* (*fam*) to lisp.
ZUP (zone à urbaniser en
   priorité) *f* urban development
   zone.
zut *interj* damn! rubbish! shut
   up!

Dictionnaire
anglais-français

A

a *art* un, une.
aback *adv* **to be taken ~** *vi* être
décontenancé.
abacus *n* abaque, boulier *m*.
abandon *vt* abandonner, laisser.
abandonment *n* abandon *m*.
abase *vt* avilir; humilier.
abasement *n* avilissement *m*;
humiliation *f*.
abash *vt* couvrir de honte.
abate *vt* baisser; * *vi* baisser; se
calmer.
abatement *n* baisse, réduction *f*.
abbess *n* abbesse *f*.
abbey *n* abbaye *f*.
abbot *n* abbé *m*.
abbreviate *vt* abréger, raccourcir.
abbreviation *n* abréviation *f*.
abdicate *vt* abdiquer; renoncer à.
abdication *n* abdication *f*; renonciation *f*.
abdomen *n* abdomen *m*.
abdominal *adj* abdominal.
abduct *vt* kidnapper, enlever.
abductor *n* abducteur *m*.
abed *adv* au lit.
aberrant *adj* aberrant.
aberration *n* aberration *f*.
abet *vt*: **to aid and ~** être complice de.
abeyance *n* suspension *f*.
abhor *vt* abhorrer, exécrer.
abhorrence *n* exécration, horreur *f*.
abhorrent *adj* exécrable.
abide *vt* supporter, souffrir.
ability *n* capacité, aptitude *f*;
abilities *pl* talents *mpl*.
abject *adj* misérable; abject, méprisable; **~ly** *adv* misérable-
ment.
abjure *vt* abjurer; renoncer à.
ablative *n* (*gr*) ablatif *m*.
ablaze *adj* enflammé.
able *adj* capable; **to be ~** pouvoir.
able-bodied *adj* robuste.

ablution *n* ablution *f*.
ably *adv* habilement.
abnegation *n* renoncement *m*.
abnormal *adj* anormal.
abnormality *n* anomalie *f*.
aboard *adv* à bord.
abode *n* domicile *m*.
abolish *vt* abolir, supprimer.
abolition *n* abolition, suppression
f.
abominable *adj* abominable;
~bly *adv* abominablement.
abomination *n* abomination *f*.
aboriginal *adj* aborigène.
aborigines *npl* aborigènes *mpl*.
abort *vi* avorter.
abortion *n* avortement *m*.
abortive *adj* raté.
abound *vi* abonder; **~ with** abonder en.
about *prep* au sujet de; vers; **I
carry no money ~ me** je n'ai
pas d'argent sur moi; * *adv* çà
et là; **to be ~ to** être sur le point
de; **to go ~** aller de- ci de- là; **to
go ~ a thing** entreprendre quelque chose; **all ~** partout.
above *prep* au-dessus de; * *adv*
au-dessus; **~ all** surtout, principalement; **~ mentioned** men-
tionné ci-dessus.
aboveboard *adj* franc.
abrasion *n* écorchure *f*.
abrasive *adj* abrasif.
abreast *adv* de front.
abridge *vt* abréger, raccourcir.
abridgment *n* abrégement *m*;
version abrégée *f*.
abroad *adv* à l'étranger; **to go ~**
se rendre à l'étranger.
abrogate *vt* abroger.
abrogation *n* abrogation *f*.
abrupt *adj* abrupt; brusque; **~ly**
adv brusquement; rudement.
abscess *n* abcès *m*.
abscond *vi* s'enfuir.

absence *n* absence *f*.
absent *adj* absent; * *vi* s'absenter.
absentee *n* absent *m* -e *f*.
absenteeism *n* absentéisme *m*.
absent-minded *adj* distrait.
absolute *adj* absolu; ~**ly** *adv* absolument.
absolution *n* absolution *f*.
absolutism *n* absolutisme *m*.
absolve *vt* absoudre.
absorb *vt* absorber.
absorbent *adj* absorbant.
absorbent cotton *n* coton hydrophile *m*.
absorption *n* absorption *f*.
abstain *vi* s'abstenir.
abstemious *adj* sobre; ~**ly** *adv* sobrement.
abstemiousness *n* sobriété *f*.
abstinence *n* abstinence *f*.
abstinent *adj* abstinent.
abstract *adj* abstrait; * *n* abrégé *m*; **in the ~** dans l'abstrait.
abstraction *n* abstraction *f*; extraction *f*.
abstractly *adv* abstraitement.
abstruse *adj* abstrus, obscur; ~**ly** *adv* obscurément.
absurd *adj* absurde; ~**ly** *adv* absurdement.
absurdity *n* absurdité *f*.
abundance *n* abondance *f*.
abundant *adj* abondant; ~**ly** *adv* abondamment.
abuse *vt* abuser de; insulter; maltraiter; * *n* abus *m*; injures *fpl*; mauvais traitements *mpl*.
abusive *adj* injurieux; ~**ly** *adv* injurieusement.
abut *vi* être contigu.
abysmal *adj* abominable.
abyss *n* abîme *m*.
acacia *n* acacia *m*.
academic *adj* universitaire; scolaire; théorique.
academician *n* académicien *m* -ne *f*.
academy *n* académie *f*.
accede *vi* accéder.
accelerate *vt* accélérer.

accelerator *n* accélérateur *m*.
acceleration *n* accélération *f*.
accent *n* accent *m*; * *vt* accentuer.
accentuate *vt* accentuer.
accentuation *n* accentuation *f*.
accept *vt* accepter.
acceptable *adj* acceptable.
acceptability *n* acceptabilité *f*.
acceptance *n* acceptation *f*.
access *n* accès *m*.
accessible *adj* accessible.
accession *n* augmentation *f*; accession *f*.
accessory *n* accessoire *m*; (*law*) complice *m*.
accident *n* accident *m*; hasard *m*.
accidental *adj* accidentel; ~**ly** *adv* par hasard.
acclaim *vt* acclamer.
acclamation *n* acclamation *f*.
acclimate *vt* (US) acclimater.
accommodate *vt* loger; accommoder.
accommodating *adj* obligeant.
accommodations *npl* logement *m*.
accompaniment *n* (*mus*) accompagnement *m*.
accompanist *n* (*mus*) accompagnateur *m* -trice *f*.
accompany *vt* accompagner.
accomplice *n* complice *mf*.
accomplish *vt* accomplir.
accomplished *adj* accompli.
accomplishment *n* accomplissement *m*; ~**s** *pl* talents *mpl*.
accord *n* accord *m*; **with one ~** d'un commun accord; **of one's own ~** de son propre chef.
accordance *n*: **in ~ with** conformément à.
according *prep* selon; ~ **as** selon que; ~**ly** *adv* en conséquence.
accordion *n* (*mus*) accordéon *m*.
accost *vt* accoster.
account *n* compte *m*; **on no ~** en aucun cas; **on ~ of** en raison de; **to call to ~** demander des comptes; **to turn to ~** mettre à profit; * *vt* ~ **for** expliquer; représenter.

accountability *n* responsabilité *f*.

accountable *adj* responsable.

accountancy *n* comptabilité *f*.

accountant *n* comptable *mf*.

account book *n* livre *m* de comptes.

account number *n* numéro de compte *m*.

accrue *vi* s'accumuler; revenir.

accumulate *vt* accumuler; * *vi* s'accumuler.

accumulation *n* accumulation *f*.

accuracy *n* exactitude *f*.

accurate *adj* exact; ~ly *adv* exactement.

accursed *adj* maudit.

accusation *n* accusation *f*.

accusative *n* (*gr*) accusatif *m*.

accusatory *adj* accusateur.

accuse *vt* accuser.

accused *n* accusé *m* -e *f*.

accuser *n* accusateur *m* -trice *f*.

accustom *vt* accoutumer.

accustomed *adj* accoutumé.

ace *n* as *m*; **within an ~ of** à deux doigts de.

acerbic *adj* acerbe.

acetate *n* (*chem*) acétate *m*.

ache *n* douleur *f*; * *vi* faire mal.

achieve *vt* réaliser; obtenir.

achievement *n* réalisation *f*; exploit *m*.

acid *adj* acide; aigre; * *n* acide *m*.

acidity *n* acidité *f*.

acknowledge *vt* reconnaître, admettre.

acknowledgment *n* reconnaissance *f*.

acme *n* apogée *m*.

acne *n* acné *f*.

acorn *n* gland *m*.

acoustics *n* acoustique *f*.

acquaint *vt* informer, aviser.

acquaintance *n* connaissance *f*.

acquiesce *vi* acquiescer, consentir.

acquiescence *n* consentement *m*.

acquiescent *adj* consentant.

acquire *vt* acquérir.

acquisition *n* acquisition *f*.

acquit *vt* acquitter.

acquittal *n* acquittement *m*.

acre *n* acre *f*.

acrid *adj* âcre; acerbe.

acrimonious *adj* acrimonieux.

acrimony *n* acrimonie *f*.

across *adv* en travers, d'un côté à l'autre; * *prep* à travers; **to come ~** tomber sur.

act *vt* jouer; * *vi* agir; jouer la comédie; * *n* acte *m*; **~s of the apostles** Actes des Apôtres *mpl*.

acting *adj* intérimaire.

action *n* action *f*; combat *m*.

action replay *n* répétition *f*.

activate *vt* activer.

active *adj* actif; ~ly *adv* activement.

activity *n* activité *f*.

actor *n* acteur *m*.

actress *n* actrice *f*.

actual *adj* réel; concret; ~ly *adv* en fait; réellement.

actuary *n* actuaire *mf*.

acumen *n* perspicacité *f*.

acute *adj* aigu; perspicace; **~ accent** *n* accent aigu *m*; **~ angle** *n* angle aigu *m*; **~ly** *adv* vivement; avec perspicacité.

acuteness *n* finesse *f*, intensité *f*.

ad *n* annonce *f*.

adage *n* adage *m*.

adamant *adj* inflexible.

adapt *vt* adapter, ajuster.

adaptability *n* adaptabilité *f*.

adaptable *adj* adaptable.

adaptation *n* adaptation *f*.

adaptor *n* adaptateur *m*.

add *vt* ajouter; **~ up** additionner.

addendum *n* addendum *m*.

adder *n* vipère *f*.

addict *n* intoxiqué *m* -e *f*.

addiction *n* dépendance *f*.

addictive *adj* qui crée une dépendance.

addition *n* addition *f*.

additional *adj* additionnel; **~ly** *adv* de plus.

additive *n* additif *m*.

address *vt* adresser; s'adresser à;
* *n* adresse *f*; discours *m*.

adduce *vt* mentionner, citer.

adenoids *npl* végétations *fpl*.

adept *adj* expert.

adequacy *n* suffisance *f*; capacité
f.

adequate *adj* adéquat; suffisant;
~**ly** *adv* convenablement; suffisamment.

adhere *vi* adhérer.

adherence *n* adhérence *f*.

adherent *n* adhérent, partisan *m*.

adhesion *n* adhérence *f*; adhésion
f.

adhesive *adj* adhésif.

adhesive tape *n* (*med*) sparadrap
m; papier *m* collant.

adhesiveness *n* adhérence *f*.

adieu *adv* adieu; * *n* adieux *mpl*.

adipose *adj* adipeux.

adjacent *adj* adjacent, contigu.

adjectival *adj* adjectival; ~**ly** *adv*
adjectivalement.

adjective *n* adjectif *m*.

adjoin *vi* être contigu.

adjoining *adj* contigu.

adjourn *vt* reporter, remettre.

adjournment *n* ajournement *m*.

adjudicate *vt* décider; juger.

adjunct *n* subalterne *mf*; annexe
f.

adjust *vt* ajuster, adapter.

adjustable *adj* ajustable, adaptable.

adjustment *n* ajustement *m*; réglage *m*.

adjutant *n* (*mil*) adjudant *m*.

ad lib *vt* improviser.

administer *vt* administrer; distribuer; ~ **an oath** faire prêter
serment.

administration *n* administration
f; gouvernement *m*.

administrative *adj* administratif.

administrator *n* administrateur
m -trice *f*.

admirable *adj* admirable; ~**bly**
adv admirablement.

admiral *n* amiral *m*.

admiralship *n* amirauté *f*.

admiralty *n* ministère de la Marine *m*.

admiration *n* admiration *f*.

admire *vt* admirer.

admirer *n* admirateur *m* -trice *f*.

admiringly *adv* avec admiration.

admissible *adj* admissible.

admission *n* admission, entrée *f*.

admit *vt* admettre; ~ **to** reconnaître, avouer.

admittance *n* admission *f*.

admittedly *adv* il est vrai (que).

admixture *n* mélange *m*.

admonish *vt* admonester, réprimander.

admonition *n* admonestation *f*;
conseil *m*.

admonitory *adj* d'admonestation.

ad nauseam *adv* à saturation.

ado *n* agitation *f*.

adolescence *n* adolescence *f*.

adopt *vt* adopter.

adopted *adj* adoptif.

adoption *n* adoption *f*.

adoptive *adj* adoptif.

adorable *adj* adorable.

adorably *adv* adorablement.

adoration *n* adoration *f*.

adore *vt* adorer.

adorn *vt* orner.

adornment *n* ornement *m*.

adrift *adv* à la dérive.

adroit *adj* adroit, habile.

adroitness *n* adresse *f*.

adulation *n* adulation *f*.

adulatory *adj* adulateur.

adult *adj* adulte; * *n* adulte *mf*.

adulterate *vt* falsifier; * *adj* falsifié.

adulteration *n* falsification *f*.

adulterer *n* adultère *m*.

adulteress *n* adultère *f*.

adulterous *adj* adultère.

adultery *n* adultère *m*.

advance *vt* avancer; * *vi* avancer;
faire des progrès; * *n* avance *f*.

advanced *adj* avancé.

advancement *n* avancement *m*.

advantage *n* avantage *m*; **to take ~ of** profiter de.

advantageous *adj* avantageux; **~ly** *adv* avantageusement.

advantageousness *n* avantage *m*.

advent *n* venue *f*; **Advent** *n* Avent *m*.

adventitious *adj* accidentel.

adventure *n* aventure *f*.

adventurer *n* aventurier *m* -ière *f*.

adventurous *adj* aventureux; **~ly** *adv* aventureusement.

adverb *n* adverbe *m*.

adverbial *adj* adverbial; **~ly** *adv* adverbialement.

adversary *n* adversaire *mf*.

adverse *adj* défavorable, contraire.

adversity *n* adversité *f*; malheur *m*.

advertise *vt* faire de la publicité pour; mettre une annonce pour.

advertisement *n* publicité *f*; annonce *f*.

advertising *n* publicité *f*.

advice *n* conseil *m*; avis *m*.

advisability *n* opportunité *f*.

advisable *adj* prudent, conseillé.

advise *vt* conseiller; aviser.

advisedly *adv* de manière avisée.

advisory *adj* consultatif.

advocacy *n* défense *f*.

advocate *n* avocat *m*; * *vt* plaider pour.

aerial *n* antenne *f*.

aerobics *npl* aérobic *m*.

aerometer *n* aéromètre *m*.

aeroplane *n* avion *m*.

aerosol *n* aérosol *m*.

aerostat *n* aérostat *m*.

afar *adv* au loin; **from ~** de loin.

affability *n* affabilité *f*.

affable *adj* affable; **~bly** *adv* affablement.

affair *n* affaire *f*.

affect *vt* toucher; affecter.

affectation *n* affectation *f*.

affected *adj* affecté; **~ly** *adv* avec affectation.

affectingly *adv* avec émotion.

affection *n* affection *f*.

affectionate *adj* affectueux; **~ly** *adv* affectueusement.

affidavit *n* déclaration sous serment *f*.

affiliate *vt* affilier.

affiliation *n* affiliation *f*.

affinity *n* affinité *f*.

affirm *vt* affirmer, déclarer.

affirmation *n* affirmation *f*.

affirmative *adj* affirmatif; **~ly** *adv* affirmativement.

affix *vt* coller; apposer; * *n* (*gr*) affixe *m*.

afflict *vt* affliger.

affliction *n* affliction *f*.

affluence *n* abondance *f*.

affluent *adj* riche; abondant.

afflux *n* afflux *m*, affluence *f*.

afford *vt* fournir; **to be able to ~** avoir les moyens d'acheter.

affray *n* (*law*) rixe *f*.

affront *n* affront *m*, injure *f*; * *vt* affronter; insulter.

aflame *adv* en flammes.

afloat *adv* à flot.

afore *prep* avant; * *adv* d'abord.

afraid *adj* apeuré; **I am ~** j'ai peur.

afresh *adv* à nouveau.

aft *adv* (*mar*) en poupe.

after *prep* après; * *adv* après; **~ all** après tout.

afterbirth *n* placenta *m*.

after-crop *n* deuxième récolte *f*.

after-effects *npl* répercussions *fpl*.

afterlife *n* vie après la mort *f*.

aftermath *n* conséquences *fpl*.

afternoon *n* après-midi *mf*.

afterpains *npl* tranchées utérines *fpl*.

aftershave *n* après-rasage *m*.

aftertaste *n* arrière-goût *m*.

afterward(s) *adv* ensuite.

again *adv* à nouveau; **~ and ~** de nombreuses fois; **as much ~** encore autant.

against *prep* contre; **~ the grain** à contre fil; de mauvaise volonté.

agate *n* agate *f*.

age *n* âge *m*; vieillesse *f*; **under ~** mineur; * *vt* vieillir.

aged *adj* âgé.

agency *n* agence *f*.

agenda *n* ordre du jour *m*.

agent *n* agent *m*.

agglomerate *vt* agglomérer.

agglomeration *n* agglomération *f*.

aggrandisement *n* avancement *m*.

aggravate *vt* aggraver; énerver.

aggravation *n* aggravation *f*; énervement *m*.

aggregate *n* agrégat *m*.

aggregation *n* agrégation *f*.

aggression *n* agression *f*.

aggressive *adj* agressif.

aggressor *n* agresseur *m*.

aggrieved *adj* offensé.

aghast *adj* horrifié.

agile *adj* agile; adroit.

agility *n* agilité *f*; adresse *f*.

agitate *vt* agiter.

agitation *n* agitation *f*.

agitator *n* agitateur *m* -trice *f*.

ago *adv*: **how long ~?** il y a combien de temps?

agog *adj* en émoi; impatient.

agonising *adj* atroce, angoissant.

agony *n* douleur *f* atroce; angoisse *f*.

agrarian *adj* agraire.

agree *vt* convenir; * *vi* être d'accord.

agreeable *adj* agréable; **~bly** *adv* agréablement; **~ with** conforme à.

agreeableness *n* caractère agréable *m*.

agreed *adj* convenu; **~!** *adv* d'accord!

agreement *n* accord *m*.

agricultural *adj* agricole.

agriculture *n* agriculture *f*.

agriculturist *n* agriculteur *m*.

aground *adv* (*mar*) échoué.

ah! *excl* ah!

ahead *adv* en avant; à l'avance; (*mar*) sur l'avant.

ahoy! *excl* (*mar*) ohé!

aid *vt* aider, secourir; **~ and abet** être complice de; * *n* aide *f*, secours *m*; aide *mf*.

aide-de-camp *n* (*mil*) aide de camp *m*.

AIDS *n* SIDA *m*.

ail *vt* affliger.

ailing *adj* souffrant.

ailment *n* maladie *f*.

aim *vt* pointer; viser; aspirer à;* *n* but *m*; cible *f*.

aimless *adj* sans but; **~ly** à la dérive, sans but.

air *n* air *m*; * *vt* aérer.

air balloon *n* ballon *m*.

airborne *adj* aéroporté.

air-conditioned *adj* climatisé.

air-conditioning *n* climatisation *f*.

aircraft *n* avion *m*.

air cushion *n* coussin d'air *m*.

air force *n* armée de l'air *f*.

air freshener *n* appareil de conditionnement d'air *m*.

air gun *n* carabine à air comprimé *f*.

air hole *n* trou d'aération *m*.

airiness *n* aération, ventilation *f*.

airless *adj* mal aéré, mal ventilé.

airlift *n* pont aérien *m*.

airline *n* ligne aérienne *f*.

airmail *n*: **by ~** par avion.

aeroplane *n* avion *m*.

airport *n* aéroport *m*.

air pump *n* compresseur *m*.

airsick *adj*: **to be ~** avoir le mal de l'air.

airstrip *n* piste d'atterrissage *f*.

air terminal *n* aérogare *f*.

airtight *adj* hermétique.

airy *adj* aéré; léger.

aisle *n* nef d'église *f*.

ajar *adj* entrouvert.

akimbo *adj* les poings sur les hanches.

akin *adj* ressemblant.

alabaster *n* albâtre *m*; * *adj* d'albâtre.

alacrity *n* vivacité *f*.

alarm n alarme f; * vt alarmer; inquiéter.

alarm bell n sonnette d'alarme f.

alarmist n alarmiste mf.

alas adv hélas.

albeit conj bien que.

album n album m.

alchemist n alchimiste m.

alchemy n alchimie f.

alcohol n alcool m.

alcoholic adj alcoolisé; * n alcoolique mf.

alcove n alcôve f.

alder n aulne m.

ale n bière f.

alehouse n taverne, brasserie f.

alert adj vigilant; vif; * n alerte f.

alertness n vigilance f; vivacité f.

algae npl algues fpl.

algebra n algèbre f.

algebraic adj algébrique.

alias adj alias.

alibi n (law) alibi m.

alien adj étranger; * n étranger m -ère f; extra-terrestre mf.

alienate vt aliéner.

alienation n aliénation f.

alight vi mettre pied à terre; * adj en feu.

align vt aligner.

alike adj semblable, égal; * adv de la même façon.

alimentary n (med) digestif m.

alimony n (law) pension f alimentaire.

alive adj en vie, vivant; actif.

alkali n alcali m.

alkaline adj alcalin.

all adj tout; * adv totalement; ~ at once, ~ of a sudden soudain; ~ the same cependant; ~ the better tant mieux; not at ~! pas du tout!; il n'y a pas de quoi!; once and for ~ une fois pour toutes; * n tout m.

allay vt apaiser.

all clear n feu vert m.

allegation n allégation f.

allege vt alléguer.

allegiance n loyauté, fidélité f.

allegorical adj allégorique; ~ly adv allégoriquement.

allegory n allégorie f.

allegro n (mus) allegro m.

allergy n allergie f.

alleviate vt alléger.

alleviation n allègement m.

alley n ruelle f.

alliance n alliance f.

allied adj allié.

alligator n alligator m.

alliteration n allitération f.

all-night adj ouvert toute la nuit.

allocate vt allouer.

allocation n allocation f.

allot vt assigner.

allow vt permettre; accorder; ~ for tenir compte de.

allowable adj admissible, permis.

allowance n allocation f; concession f.

alloy n alliage m.

all right adv bien.

all-round adj complet.

allspice n piment m de la Jamaïque.

allude vi faire allusion à.

allure n charme, attrait m.

alluring adj attrayant; ~ly adv avec charme.

allurement n attrait m.

allusion n allusion f.

allusive adj allusif; ~ly adv par allusion.

alluvial adj alluvial.

ally n allié m -e f; * vt allier.

almanac n almanach m.

almighty adj omnipotent, tout-puissant.

almond n amande f.

almond-milk n lait d'amandes m.

almond tree n amandier m.

almost adv presque.

alms n aumône f.

aloft prep en l'air; en haut.

alone *adj* seul; * *adv* seul; **to leave ~** laisser tranquille.

along *adv* le long (de); **~ side** à côté.

aloof *adj* distant.

aloud *adj* à voix haute.

alphabet *n* alphabet *m*.

alphabetical *adj* alphabétique; **~ly** *adv* par ordre alphabétique, alphabétiquement.

alpine *adj* alpin.

already *adv* déjà.

also *adv* aussi.

altar *n* autel *m*.

altarpiece *n* retable *m*.

alter *vt* modifier.

alteration *n* modification *f*.

altercation *n* altercation *f*.

alternate *adj* alterné; * *vt* alterner; **~ly** *adv* alternativement.

alternating *adj* alterné.

alternation *n* alternance *f*.

alternator *n* alternateur *m*.

alternative *n* alternative *f*; * *adj* alternatif; **~ly** *adv* sinon.

although *conj* bien que, malgré.

altitude *n* altitude *f*.

altogether *adv* complètement.

alum *n* alun *m*.

aluminium *n* aluminium *m*.

aluminous *adj* alumineux.

always *adv* toujours.

a.m. *adv* du matin.

amalgam *n* amalgame *m*.

amalgamate *vt* amalgamer; *vi* s'amalgamer.

amalgamation *n* amalgamation *f*.

amanuensis *n* copiste *mf*.

amaryllis *n* (*bot*) amaryllis *f*.

amass *vt* accumuler, amasser.

amateur *n* amateur *m*.

amateurish *adj* d'amateur.

amatory *adj* amoureux; galant.

amaze *vt* stupéfier.

amazement *n* stupéfaction *f*.

amazing *adj* stupéfiant; **~ly** *adv* incroyablement.

amazon *n* amazone *f*.

ambassador *n* ambassadeur *m*.

ambassadress *n* ambassadrice *f*.

amber *n* ambre *m*; * *adj* ambré.

ambidextrous *adj* ambidextre.

ambient *adj* ambiant.

ambiguity *n* ambiguïté *f*.

ambiguous *adj* ambigu; **~ly** *adv* de manière ambiguë.

ambition *n* ambition *f*.

ambitious *adj* ambitieux; **~ly** *adv* ambitieusement.

amble *vi* marcher tranquillement.

ambulance *n* ambulance *f*.

ambush *n* embuscade *f*; **to lie in ~** être embusqué; * *vt* tendre une embuscade à.

ameliorate *vt* améliorer.

amelioration *n* amélioration *f*.

amenable *adj* responsable.

amend *vt* modifier; amender.

amendable *adj* réparable, corrigible.

amendment *n* modification *f*; amendement *m*.

amends *npl* compensation *f*.

amenities *npl* commodités *fpl*.

America *n* Amérique *f*.

American *adj* américain.

amethyst *n* améthyste *f*.

amiability *n* amabilité *f*.

amiable *adj* aimable.

amiableness *n* amabilité *f*.

amiably *adv* aimablement.

amicable *adj* amical; **~bly** *adv* amicalement.

amid(st) *prep* entre, parmi.

amiss *adv*: **something's ~** quelque chose ne va pas.

ammonia *n* ammoniaque *m*.

ammunition *n* munitions *fpl*.

amnesia *n* amnésie *f*.

amnesty *n* amnistie *f*.

among(st) *prep* entre, parmi.

amoral *adj* amoral.

amorous *adj* amoureux; **~ly** *adv* amoureusement.

amorphous *adj* informe.

amount *n* montant *m*; quantité *f*; * *vi* s'élever (à).

amp(ere) *n* ampère *m*.
amphibian *n* amphibie *m*.
amphibious *adj* amphibie.
amphitheatre *n* amphithéâtre *m*.
ample *adj* spacieux; abondant, gros.
ampleness *n* abondance *f*.
amplification *n* amplification *f*.
amplifier *n* amplificateur *m*.
amplify *vt* amplifier.
amplitude *n* amplitude *f*.
amply *adv* amplement.
amputate *vt* amputer.
amputation *n* amputation *f*.
amulet *n* amulette *f*.
amuse *vt* distraire, divertir.
amusement *n* distraction *f*, divertissement *m*.
amusing *adj* divertissant; **~ly** *adv* de manière divertissante.
an *art* un, une.
anachronism *n* anachronisme *m*.
anaemia *n* anémie *f*.
anaemic *adj* (*med*) anémique.
anaesthetic *n* anesthésique *m*.
analog *adj* (*comput*) analogique.
analogous *adj* analogue.
analogy *n* analogie *f*.
analyse *vt* analyser.
analysis *n* analyse *f*.
analyst *n* analyste *mf*.
analytical *adj* analytique; **~ly** *adv* analytiquement.
anarchic *adj* anarchique.
anarchist *n* anarchiste *mf*.
anarchy *n* anarchie *f*.
anatomical *adj* anatomique; **~ly** *adv* anatomiquement.
anatomise *vt* disséquer.
anatomy *n* anatomie *f*.
ancestor *n* ancêtre *mf*.
ancestral *adj* ancestral.
ancestry *n* ascendance *f*.
anchor *n* ancre *f*; * *vi* jeter l'ancre.
anchorage *n* ancrage *m*.
anchovy *n* anchois *m*.
ancient *adj* ancien, antique; **~ly** *adv* anciennement.
ancillary *adj* auxiliaire.

and *conj* et.
anecdotal *adj* anecdotique.
anecdote *n* anecdote *f*.
anemone *n* (*bot*) anémone *f*.
anew *adv* de nouveau.
angel *n* ange *m*.
angelic *adj* angélique.
anger *n* colère *f*; * *vt* mettre en colère, irriter.
angle *n* angle *m*; * *vi* pêcher à la ligne.
angled *adj* anguleux.
angler *n* pêcheur à la ligne *m*.
anglicism *n* anglicisme *m*.
angling *n* pêche à la ligne *f*.
angrily *adv* avec colère.
angry *adj* en colère, irrité.
anguish *n* angoisse *f*.
angular *adj* angulaire.
angularity *n* caractère anguleux *m*.
animal *n adj* animal *m*.
animate *vt* animer; * *adj* vivant.
animated *adj* animé.
animation *n* animation *f*.
animosity *n* animosité *f*.
animus *n* haine *f*.
anise *n* anis *m*.
aniseed *n* graine d'anis *f*.
ankle *n* cheville *f*; **~bone** astragale *m*.
annals *n* annales *fpl*.
annex *vt* annexer; * *n* annexe *f*.
annexation *n* annexion *f*.
annihilate *vt* annihiler, anéantir.
annihilation *n* anéantissement *m*.
anniversary *n* anniversaire (de) *m*.
annotate *vt* annoter.
annotation *n* annotation *f*.
announce *vt* annoncer.
announcement *n* annonce *f*.
announcer *n* présentateur *m* -trice *f*.
annoy *vt* ennuyer.
annoyance *n* ennui *m*.
annoying *adj* ennuyeux.
annual *adj* annuel; **~ly** *adv* annuellement.

annuity *n* rente viagère *f*.

annul *vt* annuler, abroger.

annulment *n* annulation *f*.

annunciation *n* annonciation *f*.

anodyne *adj* calmant.

anoint *vt* oindre.

anomalous *adj* anormal.

anomaly *n* anomalie, irrégularité *f*.

anon *adv* = **anonymous**.

anonymity *n* anonymat *m*.

anonymous *adj* anonyme; **~ly** *adv* anonymement.

anorexia *n* anorexie *f*.

another *adj* un autre; **one ~** l'un l'autre.

answer *vt* répondre à; **~ for** répondre de; **~ to** répondre à; * *n* réponse *f*.

answerable *adj* responsable.

answering machine *n* répondeur téléphonique *m*.

ant *n* fourmi *f*.

antagonise *vt* provoquer.

antagonism *n* antagonisme *m*; rivalité *f*.

antagonist *n* antagoniste *mf*.

antarctic *adj* antarctique.

anteater *n* fourmilier *m*.

antecedent *n*: **~s** *pl* antécédents *mpl*.

antechamber *n* antichambre *f*.

antedate *vt* antidater.

antelope *n* antilope *f*.

antenna *n* antenne *f*.

anterior *adj* antérieur, précédent.

anthem *n* hymne *m*.

anthill *n* fourmilière *f*.

anthology *n* anthologie *f*.

anthracite *n* anthracite *m*.

anthropology *n* anthropologie *f*.

antiaircraft *adj* antiaérien.

antibiotic *n* antibiotique *m*.

antibody *n* anticorps *m*.

Antichrist *n* Antéchrist *m*.

anticipate *vt* prévoir.

anticipation *n* attente *f*; prévision *f*.

anticlockwise *adv* dans le sens contraire des aiguilles d'une montre.

antidote *n* antidote *m*.

antifreeze *n* antigel *m*.

antimony *n* antimoine *m*.

antipathy *n* antipathie *f*.

antipodes *npl* antipodes *fpl*.

antiquarian *n* antiquaire *mf*.

antiquated *adj* vieux; suranné.

antique *n* meuble *m* ancien.

antiquity *n* antiquité *f*.

antiseptic *adj* antiseptique.

antisocial *adj* antisocial.

antithesis *n* antithèse *f*.

antler *n* corne *f*.

anvil *n* enclume *f*.

anxiety *n* anxiété *f*; désir *m*.

anxious *adj* anxieux; **~ly** *adv* anxieusement.

any *adj pn* n'importe quel, n'importe quelle; un, une; tout; **~body** quelqu'un; n'importe qui; personne; **~how** de toute façon; de n'importe quelle manière; **~more** plus; **~place** n'importe où; nulle part; **~thing** quelque chose; n'importe quoi; rien.

apace *adv* rapidement.

apart *adv* séparément.

apartment *n* appartement *m*.

apartment house *n* immeuble *m*.

apathetic *adj* apathique.

apathy *n* apathie *f*.

ape *n* singe *m*; * *vt* singer.

aperture *n* ouverture *f*.

apex *n* sommet *m*; apex *m*.

aphorism *n* aphorisme *m*.

apiary *n* rucher *m*.

apiece *adv* chacun, chacune.

aplomb *n* aplomb *m*.

Apocalypse *n* Apocalypse *f*.

apocrypha *npl* apocryphes *mpl*.

apocryphal *adj* apocryphe.

apologetic *adj* d'excuse.

apologise *vt* excuser.

apologist *n* apologiste *mf*.

apology *n* apologie, défense *f*.

apoplexy *n* apoplexie *f*.

apostle *n* apôtre *m*.

apostolic *adj* apostolique.

apostrophe *n* apostrophe *f*.
apotheosis *n* apothéose *f*.
appall *vt* horrifier, atterrer.
appalling *adj* horrible.
apparatus *n* appareil *m*.
apparel *n* vêtements *mpl*.
apparent *adj* évident, apparent; ~ly *adv* apparemment.
apparition *n* apparition, vision *f*.
appeal *vi* faire appel; * *n* (*law*) appel *m*.
appealing *adj* attrayant.
appear *vi* paraître.
appearance *n* apparence *f*.
appease *vt* apaiser.
appellant *n* (*law*) appelant *m*.
append *vt* annexer.
appendage *n* appendice *m*.
appendicitis *n* appendicite *f*.
appendix *n* appendice *m*.
appertain *vi* appartenir (à).
appetising *adj* appétissant.
appetite *n* appétit *m*.
applaud *vt vi* applaudir.
applause *n* applaudissements *mpl*.
apple *n* pomme *f*.
apple pie *n* tourte aux pommes *f*; **in ~ order** parfaitement en ordre.
apple tree *n* pommier *m*.
appliance *n* appareil *m*.
applicability *n* applicabilité *f*.
applicable *adj* applicable.
applicant *n* candidat *m* -e *f*.
application *n* application *f*; candidature *f*.
applied *adj* appliqué.
apply *vt* appliquer; * *vi* s'adresser.
appoint *vt* nommer.
appointee *n* personne nommée *f*.
appointment *n* rendez-vous *m*; nomination *f*.
apportion *vt* répartir.
apportionment *n* répartition *f*.
apposite *adj* approprié, juste.
apposition *n* apposition *f*.
appraisal *n* estimation *f*.
appraise *vt* évaluer.
appreciable *adj* appréciable, sensible.

appreciably *adv* sensiblement.
appreciate *vt* apprécier; être conscient de.
appreciation *n* appréciation *f*.
appreciative *adj* reconnaissant.
apprehend *vt* appréhender.
apprehension *n* appréhension *f*; arrestation *f*.
apprehensive *adj* appréhensif.
apprentice *n* apprenti *m*; * *vt* mettre en apprentissage.
apprenticeship *n* apprentissage *m*.
apprise *vt* informer.
approach *vi* (s')approcher; * *vt* (s')approcher de; * *n* approche *f*.
approachable *adj* accessible, approchable.
approbation *n* approbation *f*.
appropriate *vt* s'approprier; * *adj* approprié, adéquat.
approval *n* approbation *f*.
approve (of) *vt* approuver.
approximate *vi* s'approcher; * *adj* approximatif; ~ly *adv* approximativement.
approximation *n* approximation *f*.
apricot *n* abricot *m*.
April *n* avril *m*.
apron *n* tablier *m*.
apse *n* abside *f*.
apt *adj* idéal; susceptible; ~ly *adv* opportunément.
aptitude *n* aptitude *f*.
aqualung *n* scaphandre autonome *m*.
aquarium *n* aquarium *m*.
Aquarius *n* Verseau *m* (signe du zodiaque).
aquatic *adj* aquatique.
aqueduct *n* aqueduc *m*.
aquiline *adj* aquilin.
arabesque *n* arabesque *f*.
arable *adj* arable.
arbiter *n* arbitre *m* (de la mode).
arbitrariness *n* caractère arbitraire *m*.
arbitrary *adj* arbitraire.
arbitrate *vt* arbitrer.

arbitration n arbitrage m.
arbitrator n arbitre m.
arbour n tonnelle f.
arcade n galerie f.
arch n arc m; * adj malicieux.
archaic adj archaïque.
archangel n archange m.
archbishop n archevêque m.
archbishopric n archevêché m.
archeological adj archéologique.
archeology n archéologie f.
archer n archer m.
archery n tir à l'arc m.
architect n architecte mf.
architectural adj architectural.
architecture n architecture f.
archives npl archives fpl.
archivist n archiviste mf.
archly adv malicieusement.
archway n arcade, voûte f.
arctic adj arctique.
ardent adj ardent; ~ly adv ardemment.
ardour n ardeur f.
arduous adj ardu, difficile.
area n région f; domaine m.
arena n arène f.
arguably adv peut-être, sans doute.
argue vi se disputer; * vt soutenir.
argument n argument m; dispute f.
argumentation n argumentation f.
argumentative adj raisonneur.
aria n (mus) aria f.
arid adj aride.
aridity n aridité f.
Aries n Bélier m (signe du zodiaque).
aright adv correctement; to set ~ rectifier.
arise vi se lever; survenir.
aristocracy n aristocratie f.
aristocrat n aristocrate mf.
aristocratic adj aristocratique; ~ally adv aristocratiquement.
arithmetic n arithmétique f.
arithmetical adj arithmétique; ~ly adv arithmétiquement.

ark n arche f.
arm n bras m; arme f; * vt armer; * vi (s')armer.
armament n armement m.
armchair n fauteuil m.
armed adj armé.
armful n brassée f.
armhole n emmanchure f.
armistice n armistice m.
armour n armure f.
armoured car n voiture blindée f.
armoury n arsenal m.
armpit n aisselle f.
armrest n accoudoir m.
army n armée f.
aroma n arôme m.
aromatic adj aromatique.
around prep autour de; * adv autour.
arouse vt éveiller; exciter.
arraign vt traduire en justice.
arraignment n accusation f; procès criminel m.
arrange vt arranger, organiser.
arrangement n arrangement m.
arrant adj fieffé.
array n série f.
arrears npl arriéré m; retard m.
arrest n arrestation f; * vt arrêter.
arrival n arrivée f.
arrive vi arriver.
arrogance n arrogance f.
arrogant adj arrogant; ~ly adv avec arrogance.
arrogate vt s'arroger.
arrogation n usurpation f.
arrow n flèche f.
arsenal n (mil) arsenal m.
arsenic n arsenic m.
arson n incendie criminel m.
art n art m.
arterial adj artériel.
artesian well n puits artésien m.
artery n artère f.
artful adj malin, astucieux.
artfulness n astuce f; habileté f.
art gallery n musée d'art m.
arthritis n arthrite f.
artichoke n artichaut m.
article n article m.

articulate *vt* articuler.

articulated *adj* articulé.

articulation *n* articulation *f*.

artifice *n* artifice *m*.

artificial *adj* artificiel; **~ly** *adv* artificiellement.

artificiality *n* caractère artificiel *m*.

artillery *n* artillerie *f*.

artisan *n* artisan *m*.

artist *n* artiste *mf*.

artistic *adj* artistique.

artistry *n* habileté *f*.

artless *adj* naturel, simple; **~ly** *adv* naturellement, simplement.

artlessness *n* simplicité *f*, naturel *m*.

art school *n* école des beaux-arts *f*.

as *conj* comme; pendant que; aussi; **~ for**, **~ to** quant à.

asbestos *n* asbeste *m*, amiante *f*.

ascend *vi* monter.

ascendancy *n* ascendant *m*.

ascension *n* ascension *f*.

ascent *n* montée *f*.

ascertain *vt* établir.

ascetic *adj* ascétique; * *n* ascète *mf*.

ascribe *vt* attribuer.

ash *n* (*bot*) frêne *m*; cendre *f*.

ashbin *n* poubelle *f*.

ashamed *adj* honteux.

ashore *adv* à terre; **to go ~** débarquer.

ashtray *n* cendrier *m*.

Ash Wednesday *n* mercredi des Cendres *m*.

aside *adv* de côté.

ask *vt* demander; **~ after** demander des nouvelles de; **~ for** demander; **~ out** inviter à sortir.

askance *adv* avec méfiance.

askew *adv* de côté.

asleep *adj* endormi; **to fall ~** s'endormir.

asparagus *n* asperge *f*.

aspect *n* aspect *m*.

aspen *n* (*bot*) tremble *m*.

aspersion *n* calomnie *f*.

asphalt *n* asphalte *m*.

asphyxia *n* (*med*) asphyxie *f*.

asphyxiate *vt* asphyxier.

asphyxiation *n* asphyxie *f*.

aspirant *n* aspirant *m* -e *f*.

aspirate *vt* aspirer; * *n* aspirée *f*.

aspiration *n* aspiration *f*.

aspire *vi* aspirer, désirer.

aspirin *n* aspirine *f*.

ass *n* âne *m*; **she ~** ânesse *f*.

assail *vt* assaillir, attaquer.

assailant *n* assaillant, agresseur *m*.

assassin *n* assassin *m*.

assassinate *vt* assassiner.

assassination *n* assassinat *m*.

assault *n* assaut *m*; agression *f*; * *vt* agresser.

assemblage *n* assemblage *m*.

assemble *vt* assembler; * *vi* s'assembler.

assembly *n* assemblée *f*.

assembly line *n* chaîne de montage *f*.

assent *n* assentiment *m*; * *vi* donner son assentiment.

assert *vt* soutenir; affirmer.

assertion *n* assertion *f*.

assertive *adj* péremptoire.

assess *vt* évaluer.

assessment *n* évaluation *f*.

assessor *n* assesseur *m*.

assets *npl* biens *mpl*.

assiduous *adj* assidu; **~ly** *adv* assidûment.

assign *vt* assigner.

assignation *n* rendez-vous *m*; (*law*) cession *f*.

assignment *n* (*law*) cession *f*; mission *f*.

assimilate *vt* assimiler.

assimilation *n* assimilation *f*.

assist *vt* assister, aider; secourir.

assistance *n* assistance, aide *f*; secours *m*.

assistant *n* aide *mf*, assistant *m* -e *f*.

associate *vt* associer; * *adj* associé; * *n* associé *m* -e *f*.

association *n* association *f*.

assonance *n* assonance *f.*
assorted *adj* assorti.
assortment *n* assortiment *m.*
assuage *vt* calmer, adoucir.
assume *vt* assumer; supposer.
assumption *n* supposition *f*;
 Assumption *n* Assomption *f.*
assurance *n* assurance *f.*
assure *vt* assurer.
assuredly *adv* assurément.
asterisk *n* astérisque *m.*
astern *adv* (*mar*) en poupe.
asthma *n* asthme *m.*
asthmatic *adj* asthmatique.
astonish *vt* surprendre, stupéfier.
astonishing *adj* stupéfiant; **~ly**
 adv incroyablement.
astonishment *n* surprise, stupéfaction *f.*
astound *vt* ébahir.
astray *adv*: **to go ~** s'égarer; **to**
 lead ~ détourner du droit chemin.
astride *adv* à califourchon.
astringent *adj* astringent.
astrologer *n* astrologue *mf.*
astrological *adj* astrologique.
astrology *n* astrologie *f.*
astronaut *n* astronaute *mf.*
astronomer *n* astronome *mf.*
astronomical *adj* astronomique.
astronomy *n* astronomie *f.*
astute *adj* malin.
asylum *n* asile, refuge *m.*
at *prep* à; en; **~ once** tout de suite;
 ~ all du tout; **~ all events** en
 tout cas; **~ first** au début,
 d'abord; **~ last** enfin.
atheism *n* athéisme *m.*
atheist *n* athée *mf.*
athlete *n* athlète *mf.*
athletic *adj* athlétique.
atlas *n* atlas *m.*
atmosphere *n* atmosphère *f.*
atmospheric *adj* atmosphérique.
atom *n* atome *m.*
atom bomb *n* bombe atomique *f.*
atomic *adj* atomique.
atone *vt* expier.
atonement *n* expiation *f.*

atop *adv* en haut.
atrocious *adj* atroce; **~ly** *adv*
 atrocement.
atrocity *n* atrocité, énormité *f.*
atrophy *n* (*med*) atrophie *f.*
attach *vt* joindre.
attaché *n* attaché *m* -e *f.*
attachment *n* attachement *m.*
attack *vt* attaquer; * *n* attaque *f.*
attacker *n* attaquant *m* -e *f.*
attain *vt* atteindre, obtenir.
attainable *adj* accessible.
attempt *vt* essayer; * *n* essai *m*,
 tentative *f.*
attend *vt* servir; assister à; **~ to**
 s'occuper de; * *vi* faire attention.
attendance *n* service *m*; assistance *f*; présence *f.*
attendant *n* serviteur *m.*
attention *n* attention *f*; soin *m.*
attentive *adj* attentif; **~ly** *adv*
 attentivement.
attenuate *vt* atténuer.
attest *vt* attester.
attic *n* grenier *m.*
attire *n* atours *mpl.*
attitude *n* attitude *f.*
attorney *n* avocat *m.*
attract *vt* attirer.
attraction *n* attraction *f*; attrait
 m.
attractive *adj* attrayant.
attribute *vt* attribuer; * *n* attribut *m.*
attrition *n* usure *f.*
auburn *adj* auburn.
auction *n* vente aux enchères *f.*
auctioneer *n* commissaire-
 priseur *m.*
audacious *adj* audacieux, téméraire; **~ly** *adv* audacieusement.
audacity *n* audace, témérité *f.*
audible *adj* audible; **~ly** *adv*
 audiblement.
audience *n* audience *f*; auditoire
 m.
audit *n* audit *m*; * *vt* vérifier.
auditor *n* vérificateur(-trice) de
 comptes *m(f)*; auditeur *m* -trice
 f.

auditory *adj* auditif.

augment *vt vi* augmenter.

augmentation *n* augmentation *f*.

August *n* août *m*.

august *adj* auguste, majestueux.

aunt *n* tante *f*.

au pair *n* (jeune fille) au pair *f*.

aura *n* aura *f*.

auspices *npl* auspices *mpl*.

auspicious *adj* favorable, propice; **~ly** *adv* favorablement.

austere *adj* austère, sévère; **~ly** *adv* austèrement.

austerity *n* austérité *f*.

authentic *adj* authentique; **~ly** *adv* authentiquement.

authenticate *vt* légaliser.

authenticity *n* authenticité *f*.

author *n* auteur *m*.

authoress *n* femme auteur *f*.

authorisation *n* autorisation *f*.

authorise *vt* autoriser.

authoritarian *adj* autoritaire.

authoritative *adj* autoritaire; **~ly** *adv* autoritairement.

authority *n* autorité *f*.

authorship *n* paternité *f* (d'un livre).

auto *n* voiture *f*.

autocrat *n* autocrate *mf*.

autocratic *adj* autocratique.

autograph *n* autographe *m*.

automated *adj* automatisé.

automatic *adj* automatique.

automaton *n* automate *m*.

autonomy *n* autonomie *f*.

autopsy *n* autopsie *f*.

autumn *n* automne *m*.

autumnal *adj* automnal.

auxiliary *adj* auxiliaire.

avail *vt*: **to ~ oneself of** profiter de; * *n*: **to no ~** en vain.

available *adj* disponible.

avalanche *n* avalanche *f*.

avarice *n* avarice *f*.

avaricious *adj* avare.

avenge *vt* venger.

avenue *n* avenue *f*.

aver *vt* affirmer, déclarer.

average *vt* atteindre la moyenne de; * *n* moyenne *f*, moyen terme *m*.

aversion *n* aversion *f*, dégoût *m*.

avert *vt* détourner, écarter.

aviary *n* volière *f*.

avoid *vt* éviter; échapper à.

avoidable *adj* évitable.

await *vt* attendre.

awake *vt* réveiller; * *vi* se réveiller; * *adj* éveillé.

awakening *n* réveil *m*.

award *vt* attribuer; * *n* prix *m*; décision *f*.

aware *adj* conscient; au courant.

awareness *n* conscience *f*.

away *adv* absent; loin; **~!** va-t-en!; allez-vous-en! **far and ~** de loin.

away game *n* match à l'extérieur *m*.

awe *n* peur, crainte *f*.

awe-inspiring, awesome *adj* terrifiant; imposant.

awful *adj* horrible, terrible; **~ly** *adv* horriblement, terriblement.

awhile *adv* un moment.

awkward *adj* gauche, maladroit; délicat; **~ly** *adv* maladroitement.

awkwardness *n* maladroitesse *f*; difficulté *f*.

awl *n* alêne *f*.

awning *n* (*mar*) taud *m*.

awry *adv* de travers.

axe *n* hache *f*; * *vt* licencier; supprimer.

axiom *n* axiome *m*.

axis *n* axe *m*.

axle *n* axe *m*.

ay(e) *excl* oui.

B

baa *n* bêlement *m*; * *vi* bêler.

babble *vi* bavarder, babiller; ~, **babbling** *n* bavardage, babillage *m*.

babbler *n* bavard *m*.

babe, baby *n* bébé, enfant en bas-âge *m*; nourrisson *m*.

baboon *n* babouin *m*.

babyhood *n* petite enfance *f*.

babyish *adj* enfantin; puéril.

baby carriage *n* voiture d'enfant *f*.

baby linen *n* layette *f*.

bachelor *n* célibataire *m*; (diplôme) licencié *m* -e *f*.

bachelorship *n* célibat *m*.

back *n* dos *m*; * *adv* en arrière, à l'arrière; **a few years** ~ il y a quelques années, quelques années en arrière; * *vt* soutenir, appuyer, renforcer.

backbite *vt* médire de, sur.

backbiter *n* détracteur *m* -trice *f*.

backbone *n* colonne vertébrale, épine dorsale *f*.

backdate *vt* antidater.

backdoor *n* porte de derrière *f*.

backer *n* partisan *m* -e *f*.

backgammon *n* (jeu de) jacquet *m*.

background *n* fond *m*.

backlash *n* réaction violente *f*.

backlog *n* accumulation de travail en retard *f*.

back number *n* vieux numéro (magazine, journal) *m*.

backpack *n* sac à dos *m*.

back payment *n* rappel de salaire *m*.

backside *n* derrière *m*.

back-up lights *npl* (auto) feux de marche arrière *mpl*.

backward *adj* rétrograde; retardé; lent; * *adv* en arrière.

bacon *n* lard *m*.

bad *adj* mauvais, de mauvaise qualité; méchant; malade; **~ly** *adv* mal.

badge *n* plaque *f*, insigne *m*, badge *m*; symbole *m*; signe *m*.

badger *n* blaireau *m*; * *vt* harceler.

badminton *n* badminton *m*.

badness *n* mauvaise qualité *f*; méchanceté *f*.

baffle *vt* déconcerter, confondre.

bag *n* sac *m*; valise *f*.

baggage *n* bagages *mpl*; équipement *m*.

bagpipe *n* cornemuse *f*.

bail *n* mise en liberté sous caution, caution *f*; * *vt* mettre en liberté sous caution; mettre en dépôt.

bailiff *n* huissier *m*; régisseur *m*.

bait *vt* tourmenter; appâter; * *n* appât *m*; amorce *f*.

baize *n* serge *f*.

bake *vt* faire cuire au four.

bakery *n* boulangerie *f*.

baker *n* boulanger *m* -ère *f*; **~'s dozen** treize à la douzaine.

baking *n* cuisson *f*; fournée *f*.

baking powder *n* levure *f*.

balance *n* balance *f*; équilibre *m*; solde d'un compte *m*; **to lose one's** ~ perdre l'équilibre; * *vt* peser; peser le pour et le contre; solder; équilibrer.

balance sheet *n* bilan *m*.

balcony *n* balcon *m*.

bald *adj* chauve.

baldness *n* calvitie *f*.

bale *n* balle *f*; * *vt* emballer; écoper.

baleful *adj* sinistre, funeste, maléfique; **~ly** *adv* sinistrement.

ball *n* balle *f*; boule *f*; ballon *m*.

ballad *n* ballade *f*.

ballast *n* lest *m*; * *vt* lester.

ballerina *n* ballerine *f*.

ballet n ballet m.

ballistic adj balistique.

balloon n montgolfière f, aérostat m.

ballot n scrutin m; vote m; * vi voter au scrutin.

ballpoint (pen) n stylo à bille m.

ballroom n salle de bal f.

balm, balsam n baume m.

balmy adj balsamique, parfumé; doux.

balustrade n balustrade f.

bamboo n bambou m.

bamboozle vt (fam) embobiner.

ban n interdiction f; * vt interdire.

banal adj banal.

banana n banane f.

band n bande f; reliure f; courroie de transmission f; orchestre m.

bandage n bande f, bandage m; * vt bander.

bandaid n pansement m adhésif.

bandit n bandit m.

bandstand n kiosque à musique m.

bandy vt avoir des mots.

bandy-legged adj aux jambes arquées.

bang n coup violent, claquement m, détonation f; * vt frapper violemment; claquer.

bangle n bracelet m.

bangs npl (US) frange (courte et droite) f.

banish vt bannir, exiler, chasser, expatrier.

banishment n exil, bannissement m.

banister(s) n(pl) rampe d'escalier f.

banjo n banjo m.

bank n rive f; remblai m; banque f; banc m; digue f; * vt déposer de l'argent à la banque; ~ **on** compter sur.

bank account n compte en banque m.

bank card n carte bancaire f.

banker n banquier m -ière f.

banking n opérations bancaires fpl.

banknote n billet de banque m.

bankrupt adj failli; * n failli m.

bankruptcy n banqueroute, faillite f.

bank statement n relevé de compte m.

banner n bannière f; étendard m.

banquet n banquet m.

baptise vt baptiser.

baptism n baptême m.

baptismal adj de baptême, baptismal.

baptistery n baptistère m.

bar n bar m; barre f; obstacle m; (law) barreau m; * vt empêcher; interdire; exclure.

barbarian n barbare mf; * adj barbare, cruel.

barbaric adj barbare.

barbarism n (gr) barbarisme m; barbarie f.

barbarity n barbarie, atrocité f.

barbarous adj barbare, cruel.

barbecue n barbecue m.

barber n coiffeur (pour hommes) m.

bar code n code barres m.

bard n barde m; poète m.

bare adj nu, dépouillé; simple; pur; * vt dénuder, découvrir.

barefaced adj éhonté, impudent.

barefoot(ed) adj aux pieds nus.

bareheaded adj nu-tête.

barelegged adj aux jambes nues.

barely adv à peine, tout juste.

bareness n nudité f.

bargain n affaire f; contrat, marché m; occasion f; * vi conclure un marché; négocier; ~ **for** s'attendre à.

barge n péniche f.

baritone n (mus) baryton m.

bark n écorce f; aboiement m; * vi aboyer.

barley n orge m.

barmaid n serveuse f.

barman n barman m.

barn n grange f; étable f.

barnacle n anatife m, bernacle f.

barometer n baromètre m.

baron n baron m.
baroness n baronne f.
baronial adj de baron.
barracks npl caserne f.
barrage n barrage m; (fig) torrent m.
barrel n tonneau, fût m; canon de fusil m.
barrelled adj (firearms) à canons.
barrel organ n orgue de Barbarie m.
barren adj stérile, infertile, improductif.
barricade n barricade f; barrière f; * vt barricader, barrer.
barrier n barrière f; obstacle m.
barring adv excepté, sauf.
barrow n brouette f.
bartender n barman m.
barter vi faire du troc; * vt troquer, échanger.
base n base f; partie inférieure f; pied m; point de départ m; * vt fonder sur; * adj vil, abject.
baseball n baseball m.
baseless adj sans fondement, injustifié.
basement n sous-sol m.
baseness n bassesse, vilenie f.
bash vt frapper.
bashful adj timide, modeste; ~ly adv timidement.
basic adj fondamental, de base; ~ally adv fondamentalement.
basilisk n (zool) basilic m.
basin n cuvette f; lavabo m.
basis n base f; fondement m.
bask vi se prélasser.
basket n panier m, corbeille f.
basketball n basket-ball m.
bass n (mus) contrebasse f.
bassoon n basson m.
bass viol n viole de gambe f.
bass voice n voix de basse f.
bastard n, adj bâtard m.
bastardy n bâtardise f.
baste vt arroser la viande de son jus; bâtir.

basting n bâti m; jus (de viande) m; rossée f.
bastion n (mil) bastion m.
bat n chauve-souris f.
batch n fournée f.
bath n bain m.
bathe vt (vi) (se) baigner.
bathing suit n maillot de bain m.
bathos n platitudes (dans un texte littéraire) fpl.
bathroom n salle de bain f.
baths npl piscine f.
bathtub n baignoire f.
baton n matraque f.
battalion n (mil) bataillon m.
batter vt battre; frapper, martyriser; * n pâte à frire f.
battering ram n (mil) bélier m.
battery n pile, batterie f.
battle n bataille f; combat m; * vi se battre, combattre.
battle array n ordre de bataille m.
battlefield n champ de bataille m.
battlement n remparts mpl.
battleship n cuirassé m.
bawdy adj paillard.
bawl vi brailler, (fam) gueuler.
bay n baie f; laurier m; * vi aboyer, hurler; * adj bai.
bayonet n baïonnette f.
bay window n fenêtre en saillie f.
bazaar n bazar m.
be vi être.
beach n plage f.
beacon n phare, signal lumineux m.
bead n perle f; ~s npl chapelet m.
beagle n beagle m.
beak n bec m.
beaker n gobelet m.
beam n rayon m; poutre f; * vi rayonner, resplendir.
bean n haricot m; **French** ~ haricot m vert.
beansprouts npl germes de soja mpl.
bear vt porter, supporter, produire; * vi se diriger.
bear n ours m; **she** ~ ourse f.

bearable *adj* supportable.

beard *n* barbe *f*.

bearded *adj* barbu.

bearer *n* porteur *m* -euse *f*; arbre fructifère *m*.

bearing *n* relation *f*; maintien, port *m*.

beast *n* bête *f*; brute *f*; ~ **of burden** bête de somme *f*.

beastliness *n* bestialité, brutalité *f*.

beastly *adj* bestial, brutal; abominable; * *adv* terriblement.

beat *vt* battre; * *vi* battre, palpiter; * *n* battement *m*; pulsation *f*.

beatific *adj* béatifique; béat.

beatify *vt* béatifier, sanctifier.

beating *n* correction, raclée *f*; battement *m*.

beatitude *n* béatitude *f*.

beautiful *adj* beau, belle, magnifique; ~**ly** *adv* à la perfection, merveilleusement.

beautify *vt* embellir; décorer.

beauty *n* beauté *f*; ~ **salon** *n* institut de beauté *m*; ~ **spot** *n* site touristique *m*.

beaver *n* castor *m*.

because *conj* parce que; * *prép*: ~ **of** en raison de.

beckon *vi* faire signe.

become *vt* convenir, aller à; * *vi* devenir, se faire.

becoming *adj* convenable, seyant.

bed *n* lit *m*.

bedclothes *npl* couvertures et draps *mpl*.

bedding *n* literie *f*.

bedecked *adj* orné.

bedlam *n* maison *f* de fous; chahut *m*.

bed-post *n* colonne de lit *f*.

bedridden *adj* cloué au lit; grabataire.

bedroom *n* chambre *f*.

bedspread *n* dessus-de-lit *m* invar.

bedtime *n* heure d'aller au lit *f*.

bee *n* abeille *f*.

beech *n* hêtre *m*.

beef *n* bœuf (viande) *m*.

beefburger *n* hamburger *m*.

beefsteak *n* bifteck *m*.

beehive *n* ruche *f*.

beeline *n* ligne droite *f*.

beer *n* bière *f*.

beeswax *n* cire *f*.

beet *n* betterave *f*.

beetle *n* scarabée *m*.

befall *vi* arriver, survenir; * *vt* arriver à.

befit *vt* convenir à.

before *adv, prep* avant; devant; * *conj* avant de, avant que.

beforehand *adv* à l'avance, au préalable.

befriend *vt* traiter en ami; aider.

beg *vt* mendier; solliciter; supplier; * *vi* demander la charité.

beget *vt* engendrer.

beggar *n* mendiant *m* -e *f*.

begin *vt vi* commencer.

beginner *n* débutant *m* -e *f*; novice *mf*.

beginning *n* commencement, début *m*, origine *f*.

begrudge *vt* donner à contrecœur; envier.

behalf *n* faveur *f*, intérêt *m*; nom *m*, part *f*.

behave *vi* se comporter, se conduire.

behavior *n* conduite *f*; comportement *m*.

behead *vt* décapiter.

behind *prep* derrière; * *adv* derrière, par-derrière, en arrière.

behold *vt* voir; contempler; observer.

behove *vi* (*impers*) incomber à.

beige *adj* beige.

being *n* existence *f*; être *m*.

belated *adj* tardif.

belch *vi* éructer; * *vt* vomir; * *n* éructation *f*, rot *m*.

belfry *n* beffroi, clocher *m*.

belie *vt* démentir, tromper.

belief *n* foi, croyance *f*; conviction, opinion *f*, credo *m*.

believable *adj* croyable.

believe *vt* croire; * *vi* penser, croire.

believer *n* croyant *m* -e *f*; adepte *mf*, partisan *m* -e *f*.

belittle *vt* rabaisser.

bell *n* cloche *f*.

bellicose *adj* belliqueux.

belligerent *adj* belligérant.

bellow *vi* beugler, mugir; hurler; * *n* beuglement, mugissement *m*.

bellows *npl* soufflet *m*.

belly *n* ventre *m*.

bellyful *n* ventrée *f*; ras-le-bol *m*.

belong *vi* appartenir à.

belongings *npl* affaires *fpl*.

beloved *adj* chéri, bien-aimé.

below *adv* en dessous, en bas; * *prep* sous, au-dessous de, en dessous.

belt *n* ceinture *f*.

beltway *n* (US) périphérique *m*.

bemoan *vt* déplorer; pleurer.

bemused *adj* déconcerté.

bench *n* banc *m*.

bend *vt* courber, plier; incliner; * *vi* se courber, s'incliner; * *n* courbe *f*.

beneath *adv* au-dessous; * *prep* sous, au-dessous de.

benediction *n* bénédiction *f*.

benefactor *n* bienfaiteur *m* -trice *f*.

benefice *n* bénéfice *m*; bénéfice ecclésiastique *m*.

beneficent *adj* bienfaisant.

beneficial *adj* profitable, salutaire, utile.

beneficiary *n* bénéficiaire *mf*.

benefit *n* intérêt, avantage *m*; profit *m*; bienfait *m*; * *vt* profiter à; * *vi* bénéficier.

benefit night *n* soirée de bienfaisance *f*.

benevolence *n* bienveillance *f*; générosité *f*.

benevolent *adj* bienveillant; de bienfaisance.

benign *adj* bienveillant, doux, affable; bénin.

bent *n* penchant *m*.

benzine *n* (*chem*) benzine *f*.

bequeath *vt* léguer à.

bequest *n* legs *m*.

bereave *vt* priver.

bereavement *n* perte *f*; deuil *m*.

beret *n* béret *m*.

berry *n* baie *f*.

berserk *adj* fou furieux.

berth *n* (*mar*) couchette *f*.

beseech *vt* supplier, implorer, conjurer.

beset *vt* assaillir.

beside(s) *prep* à côté de; excepté; * *adv* de plus, en outre.

besiege *vt* assiéger, assaillir.

best *adj* le meilleur, la meilleure; * *adv* le mieux; * *n* le meilleur, le mieux *m*.

bestial *adj* bestial, brutal; **~ly** *adv* bestialement.

bestiality *n* bestialité, brutalité *f*.

bestow *vt* accorder, conférer; consacrer.

bestseller *n* best-seller *m*.

bet *n* pari *m*; * *vt* parier.

betray *vt* trahir.

betrayal *n* trahison *f*.

betroth *vt* promettre en mariage.

betrothal *n* fiançailles *fpl*.

better *adj adv* meilleur, mieux; **so much the ~** tant mieux; * *vt* améliorer.

betting *n* pari *m*.

between *prep* entre;* *adv* au milieu.

bevel *n* biseau *m*.

beverage *n* boisson *f*.

bevy *n* bande *f*, groupe *m*.

beware *vi* prendre garde.

bewilder *vt* déconcerter, dérouter.

bewilderment *n* perplexité *f*.

bewitch *vt* ensorceler, enchanter.

beyond *prep* au-delà de; au-dessus de; plus de; sauf; * *adv* au-delà, plus loin.

bias *n* préjugé *m*; tendance, inclination *f*.

bib *n* bavoir *m*.
Bible *n* Bible *f*.
biblical *adj* biblique.
bibliography *n* bibliographie *f*.
bicarbonate of soda *n* bicarbonate de soude *m*.
bicker *vi* se chamailler.
bicycle *n* bicyclette *f*.
bid *vt* ordonner, commander; offrir; * *n* offre, tentative *f*.
bidding *n* ordre *m*; enchère, offre *f*.
bide *vt* attendre, supporter.
biennial *adj* biennal, bisannuel.
bifocals *npl* verres à double foyer *mpl*.
bifurcated *adj* divisé en deux branches.
big *adj* grand, gros; important.
bigamist *n* bigame *mf*.
bigamy *n* bigamie *f*.
Big Dipper *n* Grande Ourse *f*.
bigheaded *adj* frimeur.
bigness *n* grandeur, grosseur *f*.
bigot *n* fanatique *mf*.
bigoted *adj* fanatique.
bike *n* vélo *m*.
bikini *n* bikini *m*.
bilberry *n* airelle *f*.
bile *n* bile *f*.
bilingual *adj* bilingue.
bilious *adj* bilieux.
bill *n* bec (d'oiseau) *m*; addition *f*; billet *m*.
billboard *n* panneau d'affichage *m*.
billet *n* logement *m*.
billfold *n* (US) portefeuille *m*.
billiards *npl* billard *m*.
billiard table *n* table de billard *f*.
billion *n* milliard *m*.
billy *n* (US) matraque *f*.
bin *n* coffre *m*.
bind *vt* attacher; lier; entourer; relier.
binder *n* relieur *m* -euse *f*.
binding *n* reliure *f*, extra-fort *m*.
binge *n* beuverie, bringue *f*.
bingo *n* loto *m*.
biochemistry *n* biochimie *f*.

binoculars *npl* jumelles *fpl*.
biographer *n* biographe *mf*.
biographical *adj* biographique.
biography *n* biographie *f*.
biological *adj* biologique.
biology *n* biologie *f*.
biped *n* bipède *m*.
birch *n* bouleau *m*.
bird *n* oiseau *m*.
bird's-eye view *n* vue d'ensemble *f*.
bird-watcher *n* ornithologue *mf*.
birth *n* naissance *f*.
birth certificate *n* extrait de naissance *m*.
birth control *n* limitation des naissances *f*.
birthday *n* anniversaire *m*.
birthplace *n* lieu de naissance *m*.
birthright *n* droit de naissance *m*.
biscuit *n* biscuit *m*.
bisect *vt* couper en deux.
bishop *n* évêque *m*.
bison *n* bison *m*.
bit *n* morceau *m*; peu *m*.
bitch *n* chienne *f*; (*fig*) plainte *f*.
bite *vt* mordre; ~ **the dust** (*fam*) mordre la poussière; * *n* morsure *f*.
bitter *adj* amer, âpre; cuisant, acerbe; glacial; ~**ly** *adv* amèrement; avec amertume; âprement.
bitterness *n* amertume *f*; rancœur *f*.
bitumen *n* bitume *m*.
bizarre *adj* étrange, bizarre.
blab *vi* jacasser; lâcher le morceau.
black *adj* noir, obscur; * *n* noir *m*.
blackberry *n* mûre *f*.
blackbird *n* merle *m*.
blackboard *n* tableau (noir) *m*.
blacken *vt* noircir, ternir.
black ice *n* verglas *m*.
blackjack *n* vingt-et-un *m*.
blackleg *n* jaune *m* (pendant une grève).
blacklist *n* liste noire *f*.
blackmail *n* chantage *m*; * *vt* faire chanter.
black market *n* marché noir *m*.

blackness *n* couleur noire *f*; obscurité *f*; noirceur *f*.

black pudding *n* boudin *m*.

black sheep *n* brebis galeuse *f*.

blacksmith *n* forgeron *m*.

blackthorn *n* épine noire *f*.

bladder *n* vessie *f*.

blade *n* lame *f*.

blame *vt* blâmer; * *n* faute *f*.

blameless *adj* irréprochable; ~**ly** *adv* irréprochablement.

blanch *vt* blanchir.

bland *adj* affable, suave; doux; apaisant.

blank *adj* blanc; vide, déconcerté; * *n* blanc *m*.

blank check *n* chèque en blanc *m*.

blanket *n* couverture *f*.

blare *vi* retentir.

blase *adj* blasé.

blaspheme *vt* blasphémer.

blasphemous *adj* blasphématoire.

blasphemy *n* blasphème *m*.

blast *n* souffle d'air *m*; explosion *f*; * *vt* faire sauter.

blast-off *n* lancement *m*, mise à feu *f*.

blatant *adj* flagrant.

blaze *n* flamme *f*; * *vi* flamber; resplendir.

bleach *vt* blanchir; décolorer; * *vi* blanchir; * *n* eau de Javel *f*.

bleached *adj* blanchi; décoloré.

bleachers *npl* gradins *mpl*.

bleak *adj* morne, lugubre, glacial, désolé.

bleakness *n* froid *m*; austérité *f*.

bleary(-eyed) *adj* larmoyant.

bleat *n* bêlement *m*; * *vi* bêler.

bleed *vt vi* saigner.

bleeding *n* saignement *m*.

bleeper *n* bip *m*.

blemish *vt* gâter; ternir; * *n* tache *f*; infamie *f*.

blend *vt* mélanger.

bless *vt* bénir.

blessing *n* bénédiction *f*; bienfait *m*.

blight *vt* détruire.

blind *adj* aveugle; ~ **alley** *n* impasse *f*; * *vt* aveugler; éblouir; * *n* aveugle *mf*; (**Venetian**) ~ store vénitien *m*.

blinders *npl* (US) œillères *fpl*.

blindfold *vt* bander les yeux de; ~**ed** *adj* les yeux bandés.

blindly *adv* à l'aveuglette, aveuglément.

blindness *n* cécité *f*.

blind side *n* côté faible de quelqu'un *m*.

blind spot *n* angle mort *m*.

blink *vi* clignoter.

blinkers *npl* clignotants *mpl*.

bliss *n* bonheur extrême *m*; félicité *f*.

blissful *adj* heureux; béat, bienheureux; ~**ly** *adv* heureusement.

blissfulness *n* bonheur extrême *m*, félicité *f*.

blister *n* ampoule *f*, cloque *f*; * *vi* se couvrir de cloques.

blitz *n* bombardement aérien *m*.

blizzard *n* tempête de neige *f*.

bloated *adj* gonflé, boursouflé, bouffi.

blob *n* goutte, tache *f*.

bloc *n* bloc *m*.

block *n* bloc *m*; encombrement, blocage *m*; pâté de maisons *m*; ~ (**up**) *vt* bloquer.

blockade *n* blocus *m*· * *vt* faire le blocus, bloquer.

blockage *n* obstruction *f*.

blockbuster *n* grand succès *m*.

blockhead *n* lourdaud, sot, crétin *m*.

blond *adj* blond; * *n* blond *m* -e *f*.

blood *n* sang *m*.

blood donor *n* donneur(-euse) de sang *m(f)*.

blood group *n* groupe sanguin *m*.

bloodhound *n* limier *m*.

bloodily *adv* cruellement.

bloodiness *n* (*fig*) cruauté *f*.

bloodless *adj* exangue, anémié; sans effusion de sang.

blood poisoning *n* empoisonnement du sang *m*.

blood pressure *n* pression artérielle *f*.

bloodshed *n* effusion de sang *f*; carnage *m*.

bloodshot *adj* injecté de sang.

bloodstream *n* système sanguin *m*.

bloodsucker *n* sangsue *f*; (*fig*) vampire *m*.

blood test *n* analyse de sang *f*.

bloodthirsty *adj* sanguinaire.

blood transfusion *n* transfusion sanguine *f*.

blood vessel *n* veine *f*; vaisseau sanguin *m*.

bloody *adj* sanglant, ensanglanté; cruel; ~ **minded** *adj* pas commode, buté.

bloom *n* fleur *f*; (also *fig*); * *vi* éclore, fleurir.

blossom *n* fleur *f*.

blot *vt* tacher; sécher; effacer; * *n* tache *f*.

blotchy *adj* marbré; couvert de taches.

blotting pad *n* buvard *m*.

blotting paper *n* papier buvard *m*.

blouse *n* chemisier *m*.

blow *vi* souffler; sonner; * *vt* souffler; faire voler; jouer de; ~ **up** exploser; * *n* coup *m*.

blowout *n* éclatement *m*.

blowpipe *n* sarbacane *f*.

blubber *n* blanc de baleine *m*; * *vi* pleurnicher.

bludgeon *n* gourdin *m*; matraque *f*.

blue *adj* bleu.

bluebell *n* campanule *f*.

bluebottle *n* (*bot*) bleuet *m*; mouche bleue *f*.

blueness *n* bleu *m*.

blueprint *n* (*fig*) projet *m*.

bluff *n* esbrouffe *f*; * *vt* faire de l'esbrouffe.

bluish *adj* bleuâtre.

blunder *n* gaffe *f*; * *vi* faire une gaffe.

blunt *adj* émoussé, obtus; direct; * *vt* émousser.

bluntly *adv* carrément; sans ménagements.

bluntness *n* brusquerie, rudesse *f*.

blur *n* image *f* floue; * *vt* brouiller.

blurt out *vt* laisser échapper.

blush *n* rougeur *f*; fard à joues *m*; * *vi* rougir.

blustery *adj* de tempête, violent.

boa *n* boa *m* (serpent).

boar *n* verrat *m*; **wild** ~ sanglier *m*.

board *n* planche *f*; table *f*; conseil *m*; * *vt* monter à bord de.

boarder *n* pensionnaire *mf*.

boarding card *n* carte d'embarquement *f*.

boarding house *n* internat *m*; pension (de famille) *f*.

boarding school *n* pensionnat *m*.

boast *vi* se vanter; * *n* vantardise *f*; rodomontade *f*.

boastful *adj* vantard.

boat *n* bateau *m*; canot *m*; barque *f*.

boating *n* canotage *m*; promenade en bateau *f*.

bobsleigh *n* bobsleigh *m*.

bode *vt* présager, augurer.

bodice *n* corsage *m*.

bodily *adj adv* physique(ment).

body *n* corps *m*; cadavre *m*; **any** ~ n'importe qui; **every** ~ tout le monde.

body-building *n* culturisme *m*.

bodyguard *n* garde du corps *m*.

bodywork *n* (*auto*) carrosserie *f*.

bog *n* marécage *m*.

boggy *adj* marécageux.

bogus *adj* faux.

boil *vi* bouillir; * *vt* faire bouillir; * *n* furoncle *m*; ébullition *f*.

boiled egg *n* œuf à la coque *m*.

boiled potatoes *npl* pommes de terre à l'eau *fpl*.

boiler *n* casserole *f*; chaudière *f*.

boiling point *n* point d'ébullition *m*.

boisterous *adj* bruyant; turbu-lent; tumultueux; **~ly** *adv* bruyamment, tumultueusement.

bold *adj* audacieux, téméraire, osé, hardi; **~ly** *adv* audacieuse-ment, hardiment.

boldness *n* intrépidité *f*; audace *f*; effronterie *f*.

bolster *n* traversin *m*; * *vt* soute-nir.

bolt *n* verrou *m*; * *vt* verrouiller, fermer au verrou.

bomb *n* bombe *f*; **~ disposal** dé-minage *m*.

bombard *vt* (*phys*) bombarder.

bombardier *n* bombardier *m*.

bombardment *n* bombardement *m*.

bombshell *n* (*fig*) bombe *f*.

bond *n* lien *m*; attache *f*; engage-ment *m*; obligation *f*.

bondage *n* esclavage, asservisse-ment *m*.

bond holder *n* obligataire *mf*.

bone *n* os *m*; * *vt* désosser.

boneless *adj* désossé, sans os.

bonfire *n* feu (de joie) *m*.

bonnet *n* bonnet *m*.

bonny *adj* joli.

bonus *n* prime *f*.

bony *adj* osseux.

boo *vt* huer.

booby trap *n* mine *f*.

book *n* livre *m*; **to bring to ~** *vt* obliger à rendre des comptes.

bookbinder *n* relieur(-euse) de livres *m(f)*.

bookcase *n* bibliothèque *f*.

bookkeeper *n* comptable *mf*.

bookkeeping *n* comptabilité *f*.

bookmaking *n* prise des paris *f*.

bookmarker *n* signet *m*.

bookseller *n* libraire *mf*.

bookstore *n* librairie *f*.

bookworm *n* rat de bibliothèque *m*.

boom *n* grondement *m*; essor *m*; * *vi* gronder.

boon *n* bienfait *m*, aubaine *f*; fa-veur *f*.

boor *n* rustre *m*; brute *f*.

boorish *adj* rustre, rustique.

boost *n* stimulation *f*; * *vt* stimu-ler.

booster *n* propulseur *m*.

boot *n* botte *f*; coffre *m*; **to ~** *adv* de plus, de surcroît.

booth *n* cabine *f*; baraque *f*.

booty *n* butin *m*.

booze *vi* se saôuler; * *n* alcool *m*.

border *n* bord *m*; bordure *f*; lisière *f*; frontière *f*; * *vt* border, avoisi-ner.

borderline *n* limite *f*.

bore *vt* forer, percer; ennuyer; * *n* perceuse *f*; calibre *m*; raseur *m*.

boredom *n* ennui *m*.

boring *adj* ennuyeux.

born *adj* né; originaire.

borrow *vt* emprunter.

borrower *n* emprunteur *m* -euse *f*.

bosom *n* sein *m*, poitrine *f*.

bosom friend *n* ami(e) intime *m(f)*.

boss *n* chef *m*; patron(ne) *m(f)*.

botanic(al) *adj* botanique.

botanist *n* botaniste *mf*.

botany *n* botanique *f*.

botch *vt* cochonner.

both *pn* tou(te)s les deux, l'un(e) et l'autre; * *adj* les deux; * *conj* à la fois; autant que.

bother *vt* ennuyer, déranger; * *n* ennui, problème *m*.

bottle *n* bouteille *f*; * *vt* mettre en bouteille.

bottleneck *n* embouteillage *m*; goulot *m*.

bottle-opener *n* ouvre-bouteille *m invar*.

bottom *n* fond *m*; fondement *m*; * *adj* du bas; dernier.

bottomless *adj* sans fond, inson-dable; inépuisable.

bough *n* branche *f*; rameau *m*.

boulder *n* gros galet *m*.

bounce *vi* rebondir; bondir, faire des bonds; * *n* bond, rebond *m*.

bound *n* limite *f*; saut *m*; répercussion *f*; * *vi* bondir, sauter; * *adj* à destination de.

boundary *n* limite *f*; frontière *f*.

boundless *adj* illimité, infini.

bounteous, bountiful *adj* abondant; prodigue, généreux; bienfaisant.

bounty *n* libéralité, générosité *f*.

bouquet *n* bouquet *m*.

bourgeois *adj* bourgeois.

bout *n* attaque *f*; accès *m*; combat *m*.

bovine *adj* bovin.

bow *vt* incliner, baisser; * *vi* se courber; faire une révérence; * *n* salut *m*, révérence *f*.

bow *n* arc *m*; archet *m*; nœud *m*.

bowels *npl* intestins *mpl*; entrailles *fpl*.

bowl *n* bol, saladier *m*; boule *f*; * *vi* jouer aux boules.

bowling *n* boules *fpl*.

bowling alley *n* bowling *m*.

bowling green *n* terrain de boules *m*.

bowstring *n* corde (d'arc) *f*.

bow tie *n* nœud papillon *m*.

box *n* boîte, caisse *f*; loge *f*; ~ **on the ear** gifle *f*; * *vt* mettre en boîte; * *vi* boxer.

boxer *n* boxeur *m*.

boxing *n* boxe *f*.

boxing gloves *npl* gants de boxe *mpl*.

boxing ring *n* ring *m*.

box office *n* guichet *m*.

box-seat *n* place à côté du siège du cocher *f*.

boy *n* garçon *m*.

boycott *vt* boycotter; * *n* boycottage *m*.

boyfriend *n* petit ami *m*.

boyish *adj* d'enfant, puéril; de garçon.

bra *n* soutien-gorge *m*.

brace *n* attache *f*; bretelle *f*; appareil dentaire *m*.

bracelet *n* bracelet *m*

bracken *n* (*bot*) fougère *f*.

bracket *n* tranche *f*; parenthèse *f*; crochet *m*; * ~ **with** *vt* réunir par une accolade; mettre ensemble.

bracing *adj* vivifiant, tonifiant.

brag *n* fanfaronnade *f*; * *vi* se vanter, fanfaronner.

braid *n* tresse *f*; * *vt* tresser.

brain *n* cerveau *m*; tête *f*; * *vt* assommer, défoncer le crâne à.

brainchild *n* invention personnelle *f*.

brainwash *vt* faire un lavage de cerveau à.

brainwave *n* idée lumineuse *f*.

brainy *adj* intelligent.

brainless *adj* stupide.

brake *n* frein *m*; * *vi* freiner.

brake fluid *n* liquide de frein *m*.

brake light *n* feu de stop *m*.

bramble *n* ronce *f*.

bran *n* son *m*.

branch *n* branche *f*; ramification *f*; * *vi* se ramifier.

branch line *n* (*rail*) ligne d'embranchement *f*.

brand *n* marque *f*; marque au fer *f*; * *vt* marquer au fer.

brandish *vt* brandir.

brand-new *adj* flambant-neuf.

brandy *n* cognac *m*.

brash *adj* grossier; impertinent.

brass *n* cuivre *m*.

brassiere *n* soutien-gorge *m*.

brat *n* môme, gosse *mf*.

bravado *n* bravade *f*.

brave *adj* courageux, brave, vaillant; * *vt* braver; * *n* brave *m*; ~**ly** *adv* bravement, courageusement.

bravery *n* bravoure *f*; courage *m*; magnificence *f*.

brawl *n* bagarre, rixe *f*; * *vi* se bagarrer.

brawn *n* muscle *m*; fromage de tête *m*.

bray *vi* braire; * *n* braiment *m*.

braze *vt* souder au laiton.

brazen *adj* de cuivre; impudent, effronté; * *vi* crâner.

brazier *n* brasero *m*.

breach n rupture f; brèche f; violation f.

bread n pain m; (also fig); **brown ~** pain bis m.

breadbox n panière f.

breadcrumbs npl chapelure f.

breadth n largeur f.

breadwinner n soutien de famille m.

break vt casser; briser; violer; interrompre; * vi se casser; **~ into** entrer par effraction; **~ out** s'échapper; * n cassure, rupture f; interruption f; **~ of day** point du jour m, aube f.

breakage n casse f.

breakdown n panne f; dépression nerveuse f.

breakfast n petit déjeuner m; * vi déjeuner.

breaking n bris m; violation f; fracture f.

breakthrough n percée, innovation f.

breakwater n digue f.

breast n poitrine f, sein m; cœur m.

breastbone n sternum m.

breastplate n pectoral m; plastron m.

breaststroke n brasse f.

breath n haleine f; respiration f; souffle m.

breathe vt vi respirer; exhaler.

breathing n respiration f; souffle m.

breathing space n moment de répit m.

breathless adj hors d'haleine.

breathtaking adj stupéfiant.

breed n race, espèce f; * vt élever, engendrer; produire; éduquer; * vi se reproduire.

breeder n éleveur m -euse f.

breeding n élevage m; éducation f.

breeze n brise f.

breezy adj frais.

brethren npl frères mpl.

breviary n bréviaire m.

brevity n brièveté f; concision f.

brew vt faire infuser; brasser; comploter * vi infuser; se tramer; * n infusion f.

brewer n brasseur m.

brewery n brasserie f.

briar, brier n ronce f; églantier m.

bribe n pot-de-vin m; * vt acheter, soudoyer.

bribery n corruption f.

bric-a-brac n bric-à-brac m.

brick n brique f; * vt bâtir en briques.

bricklayer n maçon m.

bridal adj de noces, nuptial.

bride n mariée f.

bridegroom n marié m.

bridesmaid n demoiselle d'honneur f.

bridge n pont m; arête du nez f; chevalet m; **~ (over)** vt relier par un pont.

bridle n bride f; frein m; * vt brider; réfréner.

brief adj bref, concis, succint; * n affaire f; résumé m.

briefcase n serviette f.

briefly adv brièvement, en peu de mots.

brigade n (mil) brigade f.

brigadier n (mil) général de brigade m.

brigand n bandit, brigand m.

bright adj clair, brillant, éclatant; **~ly** adv avec éclat.

brighten vt faire briller; * vi s'éclairer.

brightness n éclat, brillant m.

brilliance n éclat m.

brilliant adj éclatant; génial; **~ly** adv avec éclat.

brim n bord m.

brimful adj plein jusqu'au bord.

bring vt apporter; amener; persuader; **~ about** entraîner, provoquer; **~ forth** produire; provoquer; **~ up** élever.

brink n bord m.

brisk adj vif, rapide, frais.

brisket *n* poitrine *f* (de bœuf).

briskly *adj* vivement; rapidement.

bristle *n* poil *m*; soie *f*; * *vi* se hérisser.

bristly *adj* hérissé.

brittle *adj* cassant, fragile.

broach *vt* aborder.

broad *adj* large.

broadbeans *npl* fèves *fpl*.

broadcast *n* émission *f*; * *vt vi* diffuser, émettre.

broadcasting *n* radiodiffusion *f*; émission de télévision *f*.

broaden *vt* élargir; * *vi* s'élargir.

broadly *adv* généralement.

broad-minded *adj* tolérant, aux idées larges.

broadness *n* largeur *f*.

broadside *n* flanc (d'un navire) *m*; attaque *f* cinglante.

broadways *adv* en large, dans le sens de la largeur.

brocade *n* brocart *m*.

broccoli *n* brocoli *m*.

brochure *n* brochure *f*, dépliant *m*.

brogue *n* accent *m* du terroir.

broil *vt* griller.

broken *adj* cassé; interrompu; ~ English mauvais anglais *m*.

broker *n* courtier *m*.

brokerage *n* courtage *m*.

bronchial *adj* des bronches.

bronchitis *n* bronchite *f*.

bronze *n* bronze *m*; * *vt* bronzer, brunir.

brooch *n* broche *f*.

brood *vi* couver; ruminer; * *n* couvée *f*; nichée *f*.

brood-hen *n* couveuse *f*.

brook *n* ruisseau *m*.

broom *n* genêt *m*; balai *m*.

broomstick *n* manche à balai *m*.

broth *n* bouillon de viande et de légumes *m*.

brothel *n* bordel *m*.

brother *n* frère *m*.

brotherhood *n* fraternité *f*.

brother-in-law *n* beau-frère *m*.

brotherly *adj* fraternel; *adv* fraternellement.

brow *n* sourcil *m*; front *m*; sommet *m*.

browbeat *vt* intimider.

brown *adj* marron; brun; ~ paper *n* papier d'emballage *m*; ~ sugar *n* cassonnade *f*; * *n* marron *m*; * *vt* brunir.

browse *vt* parcourir; * *vi* paître.

bruise *vt* faire un bleu à; * *n* bleu *m*, ecchymose *f*.

brunette *n* brune *f*.

brunt *n* choc *m*.

brush *n* brosse *f*; pinceau *m*; accrochage *m*; * *vt* brosser.

brushwood *n* broussailles *fpl*; brindilles *fpl*.

brusque *adj* brusque.

Brussels sprout *n* chou de Bruxelles *m*.

brutal *adj* brutal; ~ly *adv* brutalement.

brutalise *vt* brutaliser.

brutality *n* brutalité *f*.

brute *n* brute *f*; * *adj* bestial, féroce.

brutish *adj* brutal, bestial; féroce; ~ly *adv* brutalement.

bubble *n* bulle *f*; * *vi* faire des bulles, bouillonner; pétiller.

bubblegum *n* bubble-gum *m*.

bucket *n* seau *m*.

buckle *n* boucle *f*; * *vt* attacher, boucler; * *vi* se déformer.

bucolic *adj* bucolique.

bud *n* bourgeon, bouton *m*; * *vi* bourgeonner.

Buddhism *n* bouddhisme *m*.

budding *adj* en bouton.

buddy *n* copain *m*.

budge *vi* bouger, remuer; céder.

budgerigar *n* perruche *f*.

budget *n* budget *m*.

buff *n* mordu *m*.

buffalo *n* bison *m*.

buffers *npl* (rail) pare-chocs *m invar*.

buffet *n* buffet *m*; * *vt* gifler; frapper.

buffoon n bouffon m.

bug n punaise f.

bugbear n épouvantail, croque-mitaine m.

bugle(horn) n clairon m.

build vt construire, bâtir.

builder n constructeur m; entrepreneur m.

building n bâtiment m; immeuble, édifice m.

building society n organisme de crédit immobilier m.

bulb n bulbe m; oignon m.

bulbous adj bulbeux.

bulge vi se renfler; * n gonflement, renflement m.

bulk n masse f; volume m; grosseur f; majeure partie f; **in ~ en gros.**

bulky adj volumineux; encombrant.

bull n taureau m.

bulldog n bouledogue m.

bulldozer n bulldozer m.

bullet n balle f.

bulletin board n panneau d'affichage m.

bulletproof adj pare-balles, blindé.

bullfight n corrida f.

bullfighter n torero m.

bullfighting n tauromachie f.

bullion n or en barre m.

bullock n bouvillon m.

bullring n arène f.

bull's-eye n centre de la cible m.

bully n tyran m; * vt tyraniser.

bulwark n rempart m.

bum n clochard m.

bumblebee n bourdon m.

bump n heurt m; secousse f; bosse f; * vt heurter.

bumpkin n rustre m; plouc m.

bumpy adj cahoteux, bosselé.

bun n petit pain m; chignon m.

bunch n botte f; groupe m.

bundle n paquet m, liasse f; ballot m; fagot m; * vt empaqueter, mettre en liasse.

bung n bonde f; * vt boucher.

bungalow n bungalow m.

bungle vt bousiller; * vi faire mal les choses.

bunion n (med) oignon m.

bunk n couchette f.

bunker n abri m; bunker m.

buoy n (mar) bouée f.

buoyancy n flottabilité f; optimisme m.

buoyant adj flottable; gai, enjoué.

burden n charge f; fardeau m; * vt charger.

bureau n commode f; bureau m.

bureaucracy n bureaucratie f.

bureaucrat n bureaucrate mf.

burglar n cambrioleur m -euse f.

burglar alarm n signal d'alarme, signal antivol m.

burglary n cambriolage m.

burial n enterrement m; obsèques fpl.

burial place n lieu de sépulture m.

burlesque n caricature, parodie f; * adj burlesque, caricatural.

burly adj robuste, de forte carrure.

burn vt brûler; incendier, mettre le feu à; * vi brûler; * n brûlure f.

burner n brûleur m.

burning adj brûlant.

burrow n terrier m; * vi se terrer.

bursar n intendant(e) m(f).

burst vi éclater; **~ into tears** éclater en sanglots; **~ out laughing** éclater de rire; * vt **~ into** faire irruption dans; * n éclatement m; explosion f.

bury vt enterrer, inhumer.

bus n (auto)bus m.

bush n buisson, taillis m.

bushy adj touffu, plein de buissons.

busily adv activement, avec empressement.

business n entreprise f; commerce m; affaires fpl; activité f.

businesslike adj sérieux.

businessman *n* homme d'affaires *m*.

business trip *n* voyage d'affaires *m*.

businesswoman *n* femme d'affaires *f*.

bust *n* buste *m*.

bus-stop *n* arrêt d'autobus *m*.

bustle *vi* s'affairer; s'activer; * *n* remue-ménage *m*; animation *f*.

bustling *adj* animé.

busy *adj* occupé; actif.

busybody *n* mouche du coche *f*.

but *conj* mais; sauf, excepté, seulement.

butcher *n* boucher *m* -ère *f*; * *vt* abattre, massacrer.

butcher's (shop) *n* boucherie *f*.

butchery *n* boucherie *f*, carnage *m*.

butler *n* majordome *m*.

butt *n* butte *f*; mégot *m*; * *vt* donner un coup de tête à.

butter *n* beurre *m*; * *vt* beurrer.

buttercup *n* (*bot*) bouton d'or *m*.

butterfly *n* papillon *m*.

buttermilk *n* babeurre *m*.

buttocks *npl* fesses *fpl*.

button *n* bouton *m*; * *vt* boutonner.

buttonhole *n* boutonnière *f*.

buttress *n* contre-fort *m*; soutien *m*; * *vt* soutenir.

buxom *adj* bien en chair.

buy *vt* acheter.

buyer *n* acheteur *m* -euse *f*.

buzz *n* bourdonnement, murmure *m*; * *vi* bourdonner.

buzzard *n* buse *f*.

buzzer *n* interphone *m*.

by *prep* à côté de, près de; par; de; ~ **and** ~ bientôt; ~ **the** ~ à propos; ~ **much** de loin; ~ **all means** certainement; * *adv* près.

bygone *adj* passé.

by-law *n* arrêté municipal *m*.

bypass *n* route de contournement *f*.

by-product *n* sous-produit *m*.

by-road *n* chemin de traverse *m*.

bystander *n* spectateur *m* -trice *f*, badaud *m* -e *f*.

byte *n* (*comput*) octet *m*.

byword *n* proverbe, dicton *m*.

C

cab *n* taxi *m*.

cabbage *n* chou *m*.

cabin *n* cabine *f*; cabane *f*.

cabinet *n* conseil des ministres *m*; meuble de rangement *m*; console *f*.

cabinet-maker *n* ébéniste *m*.

cable *n* (*mar*) câble *m*.

cable car *n* téléphérique *m*.

cable television *n* télévision par câble *f*.

caboose *n* (*mar*) coquerie *f*.

cabstand *n* station de taxis *f*.

cache *n* cachette *f*.

cackle *vi* caqueter, jacasser; * *n* caquetage *m*; jacasserie *f*.

cactus *n* cactus *m*.

cadence *n* (*mus*) cadence *f*.

cadet *n* cadet *m*.

cadge *vt* taper (*fam*).

café *n* café *m*.

cafeteria *n* cafétéria *f*.

caffein(e) *n* caféine *f*.

cage *n* cage *f*; prison *f*; * *vt* mettre en cage; emprisonner.

cagey *adj* circonspect.

cajole *vt* cajoler.

cake *n* gâteau *m*.

calamitous *adj* calamiteux, catastrophique.

calamity *n* calamité *f*, désastre *m*.

calculable *adj* calculable.

calculate *vt* calculer, compter.

calculation *n* calcul *m*.

calculator *n* calculatrice *f.*

calculus *n* (*math*, *med*) calcul *m.*

calendar *n* calendrier *m.*

calf *n* veau *m*; vachette *f*; mollet *m.*

calibre *n* calibre *m.*

calisthenics *npl* gymnastique rythmique *f.*

call *vt* appeler; appeler au téléphone; convoquer; ~ **for** demander, nécessiter; aller chercher quelqu'un; ~ **on** rendre visite à; ~ **attention** demander l'attention; ~ **names** insulter; * *n* appel *m*; cri *m*; visite *f*; nomination *f*; vocation *f*; profession *f.*

caller *n* visiteur *m* -euse *f.*

calligraphy *n* calligraphie *f.*

calling *n* profession, vocation *f.*

callous *adj* dur; insensible.

calm *n* calme *m*, tranquillité *f*; * *adj* calme, tranquille; * *vt* calmer; apaiser; ~**ly** *adv* calmement.

calmness *n* calme *m*, tranquillité *f.*

calorie *n* calorie *f.*

calumny *n* calomnie *f.*

Calvary *n* Calvaire *m.*

calve *vi* vêler, mettre bas.

Calvinist *n* calviniste *mf.*

camel *n* chameau *m.*

cameo *n* camée *m.*

camera *n* appareil photographique *m*; caméra *f.*

cameraman *n* cameraman, cadreur *m.*

camomile *n* camomille *f.*

camouflage *n* camouflage *m.*

camp *n* camp *m*; * *vi* camper.

campaign *n* campagne *f*; * *vi* faire campagne.

campaigner *n* militant, candidat en campagne électorale *m.*

camper *n* campeur *m* -euse *f.*

camphor *n* camphre *m.*

campsite *n* camping *m.*

can *v aux* pouvoir; * *n* boîte de conserve *f.*

canal *n* conduit *m*; canal *m.*

cancel *vt* annuler.

cancellation *n* annulation *f.*

cancer *n* cancer *m.*

Cancer *n* Cancer *m* (signe du zodiaque).

cancerous *adj* cancéreux.

candid *adj* candide, simple, sincère; ~**ly** *adv* candidement, franchement.

candidate *n* candidat(e) *m(f).*

candied *adj* confit.

candle *n* bougie *f*; cierge *m.*

candlelight *n* lueur d'une bougie *f.*

candlestick *n* bougeoir *m.*

candour *n* candeur *f*; sincérité *f.*

candy *n* bonbon *m.*

cane *n* canne *f*; bâton *m.*

canine *adj* canin.

canister *n* boîte *f* métallique.

cannabis *n* cannabis *m.*

cannibal *n* cannibale *mf*; anthropophage *mf.*

cannibalism *n* cannibalisme *m.*

cannon *n* canon *m.*

cannonball *n* boulet de canon *m.*

canny *adj* rusé; prudent.

canoe *n* canoë *m.*

canon *n* canon *m*; règle *f*; ~**law** droit canon *m.*

canonisation *n* canonisation *f.*

canonise *vt* canoniser.

can opener *n* ouvre-boîte *m.*

canopy *n* baldaquin *m*, marquise *f.*

cantankerous *adj* acariâtre, atrabilaire.

canteen *n* cantine *f.*

canter *n* petit galop *m.*

canvas *n* toile *f.*

canvass *vt* sonder, examiner; débattre; * *vi* solliciter des voix; faire du démarchage.

canvasser *n* prospecteur *m* -trice *f*, démarcheur *m* -euse *f.*

canyon *n* canyon *m.*

cap *n* casquette *f.*

capability *n* capacité, aptitude, faculté *f*; potentiel *m.*

capable *adj* capable.

capacitate *vt* rendre capable.
capacity *n* capacité, aptitude *f*; potentiel *m*.
cape *n* cap, promontoire *m*.
caper *n* cabriole *f*; gambade *f*; * *vi* cabrioler; gambader.
capillary *adj* capillaire.
capital *adj* capital; principal; * *n* capital *m*; capitale *f*; majuscule *f*.
capitalise *vt* capitaliser; ~ **on** profiter de.
capitalism *n* capitalisme *m*.
capitalist *n* capitaliste *mf*.
capital punishment *n* peine de mort, peine capitale *f*.
Capitol *n* Capitole *m*.
capitulate *vi* capituler.
capitulation *n* capitulation *f*.
caprice *n* caprice *m*.
capricious *adj* capricieux; ~ly *adv* capricieusement.
Capricorn *n* Capricorne *m* (signe du zodiaque).
capsize *vt* (mar) chavirer.
capsule *n* capsule *f*.
captain *n* capitaine *m*.
captaincy, captainship *n* grade de capitaine *m*; statut de capitaine *m*.
captivate *vt* captiver.
captivation *n* fascination *f*.
captive *n* captif *m* -ive *f*, prisonnier *m* -ière *f*.
captivity *n* captivité *f*.
capture *n* capture *f*; * *vt* prendre, capturer.
car *n* voiture *f*, automobile *f*; wagon *m*.
carafe *n* carafe *f*.
caramel *n* caramel *m*.
carat *n* carat *m*.
caravan *n* caravane *f*.
caraway *n* (bot) cumin *m*.
carbohydrates *npl* hydrates de carbone *mpl*.
carbon *n* carbone *m*.
carbon copy *n* copie carbone *f*, double carbone *m*.
carbonise *vt* carboniser.

carbon paper *n* papier carbone *m*.
carbuncle *n* escarboucle *f*; furoncle *m*, tumeur maligne *f*.
carburettor *n* carburateur *m*.
carcass *n* cadavre *m*.
card *n* carte *f*.
cardboard *n* carton *m*.
card game *n* jeu de cartes *m*.
cardiac *adj* cardiaque.
cardinal *adj* cardinal, principal; * *n* cardinal *m*.
card table *n* table de jeu *f*.
care *n* soin *m*; souci *m*; * *vi* se soucier de, être concerné par; **what do I ~?** qu'est-ce que cela peut me faire?; ~ **for** *vt* soigner; aimer.
career *n* carrière *f*; cours *m*; * *vi* aller à toute vitesse.
carefree *n* insouciant.
careful *adj* soigneux, consciencieux, prudent; ~ly *adv* soigneusement.
careless *adj* insouciant, négligent; indolent; ~ly *adv* négligemment.
carelessness *n* négligence, indifférence *f*.
caress *n* caresse *f*; * *vt* caresser.
caretaker *n* gardien *m* -ne *f*, concierge *mf*.
car-ferry *n* ferry *m*.
cargo *n* cargaison de navire *f*.
car hire *n* location de voiture *f*.
caricature *n* caricature *f*; * *vt* caricaturer.
caries *n* carie *f*.
caring *adj* aimant; humanitaire.
Carmelite *n* carmélite *f*.
carnage *n* carnage *m*.
carnal *adj* charnel; sensuel; ~ly *adv* charnellement.
carnation *n* œillet *m*.
carnival *n* carnaval *m*.
carnivorous *adj* carnivore.
carol *n* chant *m* (de Noël).
carpenter *n* charpentier *m*; ~'s bench banc de menuisier *m*.
carpentry *n* charpenterie *f*.

carpet n tapis m; * vt recouvrir d'un tapis; moquetter.

carpeting n moquette f.

carriage n port m; voiture f; wagon m.

carriage-free adj franco de port.

carrier n porteur, transporteur m.

carrier pigeon n pigeon voyageur m.

carrion n charogne f.

carrot n carotte f.

carry vt porter; transporter; conduire; * vi porter; ~ **the day** être victorieux; ~ **on** continuer.

cart n charrette f; chariot m; * vt charrier.

cartel n cartel m.

carthorse n cheval de trait m.

Carthusian n chartreux m.

cartilage n cartilage m.

cartload n charretée f.

carton n pot m; boîte f.

cartoon n dessin animé m.

cartridge n cartouche f.

carve vt tailler, sculpter, ciseler.

carving n sculpture f.

carving knife n couteau à découper m.

car wash n station de nettoyage pour voitures f.

case n boîte f; valise f; cas m; étui m; enveloppe f; **in** ~ au cas où.

cash n espèces fpl; * vt encaisser.

cash card n carte bancaire f.

cash dispenser n distributeur automatique de billets m.

cashier n caissier m -ière f.

cashmere n cachemire m.

casing n chambranle m; enveloppe f.

casino n casino m.

cask n tonneau, fût m.

casket n cercueil m.

casserole n cocotte f.

cassette n cassette f.

cassette player, recorder n lecteur de cassettes, magnétophone m.

cassock n soutane f.

cast vt jeter, lancer; couler; * n coup m; moule m.

castanets npl castagnettes fpl.

castaway n réprouvé, paria m.

caste n caste f.

castigate vt punir sévèrement.

casting vote n voix prépondérante f.

cast iron n fonte f.

castle n château m.

castor oil n huile de ricin f.

castrate vt castrer.

castration n castration f.

cast steel n acier fondu m.

casual adj accidentel, fortuit; ~**ly** adv par hasard, fortuitement.

casualty n victime f, mort m -e f.

cat n chat m, chatte f.

catalogue n catalogue m.

catalyst n catalyseur m.

cataplasm n cataplasme m.

catapult n catapulte f.

cataract n cataracte f.

catarrh n rhume m; catarrhe m.

catastrophe n catastrophe f.

catcall n sifflet m.

catch vt attraper, saisir; prendre; surprendre; ~ **cold** attraper froid; ~ **fire** prendre feu; * n prise f; capture f; (mus) canon m; attrape f.

catching adj contagieux, communicatif.

catchphrase n rengaine f.

catchword n slogan m.

catchy adj qui attire l'attention; accrocheur.

catechise vt cathéchiser; interroger.

catechism n catéchisme m.

categorical adj catégorique; ~**ly** adv catégoriquement.

categorise vt classer par catégories.

category n catégorie f.

cater vi approvisionner en nourriture.

caterer n fournisseur, traiteur m.

catering n restauration f.

caterpillar n chenille f.

catgut n boyau de chat m.
cathedral n cathédrale f.
catholic adj n catholique mf.
Catholicism n catholicisme m.
cattle n bétail m.
cattle show n exposition bovine f.
caucus n réunion d'un comité électoral f.
cauliflower n chou-fleur m.
cause n cause f; raison f; motif m; procès m; * vt causer.
causeway n chaussée f.
caustic adj n caustique m/f.
cauterise vt cautériser.
caution n prudence, précaution f; avertissement m; * vt avertir.
cautionary adj d'avertissement.
cautious adj prudent, circonspect.
cavalier adj cavalier.
cavalry n cavalerie f.
cave n grotte f; caverne f.
caveat n avertissement m; mise en garde f; (law) notification f.
cavern n caverne f.
cavernous adj caverneux.
cavity n cavité f.
cease vt cesser, arrêter; * vi cesser.
ceasefire n cessez-le-feu m.
ceaseless adj incessant, continuel; ~ly adv continuellement.
cedar n cèdre m.
cede vt (law) céder.
ceiling n plafond m.
celebrate vt célébrer, fêter.
celebration n fête f.
celebrity n célébrité f.
celery n céleri m.
celestial adj céleste, divin.
celibacy n célibat m.
celibate adj célibataire.
cell n cellule f.
cellar n cave f; cellier m.
cello n violoncelle m.
cellophane n cellophane f.
cellular adj cellulaire.
cellulose n (chem) cellulose f.
cement n ciment m; (also fig); * vt cimenter.

cemetery n cimetière m.
cenotaph n cénotaphe m.
censor n censeur m, critique mf.
censorious adj sévère, critique.
censorship n censure f.
censure n censure, critique f; * vt censurer, condamner; critiquer.
census n recensement m.
cent n centime m.
centenarian n centenaire mf.
centenary n centenaire m; * adj centenaire.
centennial adj centenaire.
centigrade n centigrade m.
centilitre n centilitre m.
centimetre n centimètre m.
centipede n mille-pattes m invar.
central adj central; ~ly adv de façon centralisée; dans le centre.
centralise vt centraliser.
centre n centre m; * vt centrer; concentrer; * vi se concentrer.
centrifugal adj centrifuge.
century n siècle m.
ceramic adj en céramique.
cereals npl céréales fpl.
cerebral adj cérébral.
ceremonial adj n cérémonial m; rituel m.
ceremonious adj cérémonieux; ~ly adv solennellement.
ceremony n cérémonie f; cérémonies fpl.
certain adj certain, sûr; ~ly adv certainement, sans aucun doute.
certainty, certitude n certitude, conviction f.
certificate n certificat, acte m.
certification n authentification f.
certified mail n envoi avec accusé de réception m.
certify vt certifier, assurer.
cervical adj cervical.
cesarean section, ~ operation n (med) césarienne f.
cessation n cessation f.

cesspool *n* cloaque *m*; fosse d'aisances *f*.

chafe *vt* irriter; frotter.

chaff *n* menue paille *f*.

chaffinch *n* pinson *m*.

chagrin *n* dépit *m*.

chain *n* chaîne *f*; série, suite *f*; * *vt* enchaîner; attacher avec une chaîne.

chain reaction *n* réaction en chaîne *f*.

chainstore *n* grand magasin à succursales *m*.

chair *n* chaise *f*; * *vt* présider.

chairman *n* président *m*.

chalice *n* calice *m*.

chalk *n* craie *f*.

challenge *n* défi *m*; * *vt* défier.

challenger *n* provocateur *m* -trice *f*.

challenging *adj* provocateur.

chamber *n* pièce *f*; chambre *f*.

chambermaid *n* femme de chambre *f*.

chameleon *n* caméléon *m*.

chamois leather *n* peau de chamois *f*.

champagne *n* champagne *m*.

champion *n* champion *m* -ne *f*; * *vt* défendre.

championship *n* championnat *m*.

chance *n* hasard *m*; chance *f*; occasion *f*; by ~ par hasard; * *vt* faire par hasard.

chancellor *n* chancelier *m*.

chancery *n* chancellerie *f*.

chandelier *n* lustre *m*.

change *vt* changer; * *vi* changer, se transformer; * *n* changement *m*, modification *f*; variété *f*; change *m*.

changeable *adj* changeant, variable; inconstant.

changeless *adj* constant, immuable.

changing *adj* variable, changeant.

channel *n* canal *m*; chaîne *f*; * *vt* canaliser.

chant *n* chant *m* scandé; * *vt* scander.

chaos *n* chaos *m*.

chaotic *adj* chaotique.

chapel *n* chapelle *f*.

chaplain *n* chapelain *m*.

chapter *n* chapitre *m*.

char *vt* carboniser.

character *n* caractère *m*; personnage *m*.

characterise *vt* caractériser.

characteristic *adj* caractéristique; ~ally *adv* typiquement.

characterless *adj* sans caractère.

charade *n* charade *f*.

charcoal *n* charbon de bois *m*.

charge *vt* charger; accuser; * *n* fardeau *m*; accusation *f*; (*mil*) attaque *f*; prix *m*.

chargeable *adj* passible.

charge card *n* carte de crédit *f*.

charitable *adj* caritatif; charitable; ~bly *adv* charitablement.

charity *n* charité, bienfaisance *f*; aumône *f*.

charlatan *n* charlatan *m*.

charm *n* charme *m*; attrait *m*; * *vt* charmer, enchanter.

charming *adj* charmant.

chart *n* carte de navigation *f*; diagramme *m*.

charter *n* charte *f*; privilège *m*; * *vt* affréter.

charter flight *n* vol charter *m*.

chase *vt* donner la chasse à; poursuivre; * *n* chasse *f*.

chasm *n* abîme *m*.

chaste *adj* chaste; pur; sobre.

chasten *vt* châtier, corriger.

chastise *vt* châtier, punir, corriger.

chastisement *n* châtiment *m*.

chastity *n* chasteté, pureté *f*.

chat *vi* causer; * *n* petite conversation *f*, bavardage *m*.

chatter *vi* bavarder; jacasser; * *n* bavardage *m*; jacasserie *f*.

chatterbox *n* moulin à paroles *m*, pipelette *f*.

chatty *adj* bavard.

chauffeur *n* chauffeur *m*.
chauvinist *n* chauvin *m* -e *f*.
cheap *adj* bon marché, peu cher;
~**ly** *adv* bon marché.
cheapen *vt* baisser le prix de.
cheaper *adj* moins cher.
cheat *vt* tromper, frauder; * *n*
fraude, tricherie *f*; tricheur *m* -
euse *f*.
check *vt* vérifier; contrôler; réprimer, enrayer; stopper; enregistrer; * *n* contrôle *m*.
checkmate *n* échec et mat *m*.
checkout *n* caisse *f*.
checkpoint *n* poste de contrôle
m.
checkroom *n* (US) consigne *f*.
checkup *n* bilan de santé *m*.
cheek *n* joue *f*; culot (*fam*) *m*.
cheekbone *n* pommette *f*.
cheer *n* gaieté *f*; joie *f*; applaudissement *m*; * *vt* réconforter,
égayer.
cheerful *adj* gai, enjoué, joyeux;
~**ly** *adv* gaiement.
cheerfulness, cheeriness *n*
gaieté *f*; bonne humeur *f*.
cheese *n* fromage *m*.
chef *n* chef (de cuisine) *m*.
chemical *adj* chimique.
chemist *n* chimiste *mf*; pharmacien *m* -ne *f*.
chemistry *n* chimie *f*.
cheque *n* chèque *m*.
cheque account *n* compte courant *m*.
chequerboard *n* échiquier *m*.
chequered *adj* à carreaux.
cherish *vt* chérir, aimer.
cheroot *n* petit cigare *m*.
cherry *n* cerise *f*; * *adj* vermeil.
cherrytree *n* cerisier *m*.
cherub *n* chérubin *m*.
chess *n* échecs *mpl*.
chessboard *n* échiquier *m*.
chessman *n* pièce de jeu d'échecs
f.
chest *n* poitrine *f*; cage thoracique *f*; ~ **of drawers** commode *f*.
chestnut *n* châtaigne *f*.

chestnut tree *n* châtaigner *m*.
chew *vt* mâcher, mastiquer.
chewing gum *n* chewing-gum *m*.
chic *adj* chic.
chicanery *n* chicane, chicanerie *f*.
chick *n* poussin *m*; (*fig*) poulette
(*fam*) *f*, nana (*fam*) *f*.
chicken *n* poulet *m*.
chickenpox *n* varicelle *f*.
chickpea *n* pois chiche *m*.
chicory *n* chicorée *f*.
chide *vt* gronder, réprimander.
chief *adj* principal, en chef; ~**ly**
adv principalement; * *n* chef *m*.
chief executive *n* directeur général *m*.
chieftain *n* chef *m* (de tribu).
chiffon *n* mousseline de soie *f*.
chilblain *n* engelure *f*.
child *n* enfant *m*; **from a** ~ tout
enfant; **with** ~ enceinte.
childbirth *n* accouchement *m*.
childhood *n* enfance *f*.
childish *adj* enfantin, puéril; ~**ly**
adv puérilement.
childishness *n* enfantillage *m*,
puérilité *f*.
childless *adj* sans enfants.
childlike *adj* d'enfant.
children *npl* de **child**: enfants
mpl.
chill *adj* froid, frais, *f* fraîche; * *n*
froid *m*; * *vt* refroidir; glacer.
chilly *adj* froid, très frais.
chime *n* carillon *m*; harmonie *f*; *
vi sonner; s'accorder.
chimney *n* cheminée *f*.
chimpanzee *n* chimpanzé *m*.
chin *n* menton *m*.
china(ware) *n* porcelaine *f*.
chink *n* fente *f*; tintement *m*; * *vi*
tinter.
chip *vt* ébrécher; * *vi* s'ébrécher;
* *n* fragment, éclat *m*; puce *f*;
frite *f*.
chiropodist *n* pédicure *mf*.
chirp *vi* pépier, gazouiller; * *n*
pépiement, gazouillis *m*.
chirping *n* chant des oiseaux *m*.
chisel *n* ciseau *m*; * *vt* ciseler.

chitchat n bavardage, papotage m.

chivalrous adj chevaleresque.

chivalry n chevalerie f.

chives npl ciboulette f.

chlorine n chlore m.

chloroform n chloroforme m.

chock-full adj plein à craquer, comble.

chocolate n chocolat m.

choice n choix m, préférence f; assortiment m; sélection f; * adj de choix, de qualité.

choir n chœur m.

choke vt étrangler; étouffer.

cholera n choléra m.

choose vt choisir, élire.

chop vt trancher, couper, hacher; * n côtelette f; ~s pl (sl) babines fpl.

chopper n hélicoptère m.

chopping block n billot m.

chopsticks npl baguettes fpl.

choral adj choral.

chord n corde f, (mus) accord m.

chore n corvée f; travail routinier m.

chorist, chorister n choriste mf.

chorus n chœur m.

Christ n Jésus-Christ.

christen vt baptiser.

Christendom n christianisme m; chrétienté f.

christening n baptême m.

Christian adj n chrétien m -ne f; ~ name prénom m.

Christianity n christianisme m; chrétienté f.

Christmas n Noël f.

Christmas card n carte de Noël f.

Christmas Eve n veille de Noël f.

chrome n chrome m.

chronic adj chronique.

chronicle n chronique f.

chronicler n chroniqueur m.

chronological adj chronologique; ~ly adv chronologiquement.

chronology n chronologie f.

chronometer n chronomètre m.

chubby adj potelé.

chuck vt lancer, jeter.

chuckle vi rire, glousser.

chug vi souffler, haleter.

chum n copain m, copine f.

chunk n gros morceau m.

church n église f.

churchyard n cimetière m.

churlish adj fruste, grossier; hargneux.

churn n baratte f; * vt baratter.

cider n cidre m.

cigar n cigare m.

cigarette n cigarette f.

cigarette case n étui à cigarettes m.

cigarette end n mégot m.

cigarette holder n fume-cigarette m invar.

cinder n braise f.

cinema n cinéma m.

cinnamon n cannelle f.

cipher n chiffre m (code).

circle n cercle m; groupe m; * vt encercler; tourner autour de * vi décrire des cercles.

circuit n circuit m; tour m; tournée f.

circuitous adj détourné, indirect.

circular adj circulaire; * n circulaire f.

circulate vi circuler.

circulation n circulation f.

circumcise vt circoncire.

circumcision n circoncision f.

circumference n circonférence f.

circumflex n accent circonflexe m.

circumlocution n circonlocution f.

circumnavigate vt contourner.

circumnavigation n circumnavigation f.

circumscribe vt circonscrire.

circumspect adj circonspect.

circumspection n circonspection f.

circumstance n circonstance, situation f.

circumstantial adj circonstancié; accessoire.

circumstantiate *vt* détailler.

circumvent *vt* circonvenir.

circumvention *n* évitement *m*; tricherie *f*.

circus *n* cirque *m*.

cistern *n* citerne *f*.

citadel *n* citadelle *f*.

citation *n* citation *f*.

cite *vt* citer.

citizen *n* citoyen *m* -ne *f*.

citizenship *n* citoyenneté *f*.

city *n* ville *f*.

civic *adj* civique.

civil *adj* civil, courtois; **~ly** *adv* poliment.

civil defence *n* défense passive *f*.

civil engineer *n* ingénieur des travaux publics *m*.

civilian *n* civil *m* -e *f*.

civilisation *n* civilisation *f*.

civilise *vt* civiliser.

civility *n* civilité, courtoisie *f*.

civil law *n* droit civil *m*.

civil war *n* guerre civile *f*.

clad *adj* vêtu, habillé.

claim *vt* revendiquer, réclamer; * *n* demande *f*; réclamation *f*.

claimant *n* demandeur *m*.

clairvoyant *n* voyant *m* -e *f*.

clam *n* palourde *f*.

clamber *vi* grimper (avec difficulté).

clammy *adj* moite.

clamour *n* clameur *f*, cris *mpl*; * *vi* vociférer, crier.

clamp *n* attache *f*; * *vt* serrer; imposer; **~ down on** resserrer le contrôle.

clan *n* clan, groupe *m*.

clandestine *adj* clandestin.

clang *n* bruit métallique *m*; * *vi* faire un bruit métallique.

clap *vt vi* applaudir.

clapping *n* applaudissements *mpl*.

claret *n* vin rouge de Bordeaux *m*.

clarification *n* clarification *f*, éclaircissement *m*.

clarify *vt* clarifier, éclaircir.

clarinet *n* clarinette *f*.

clarity *n* clarté *f*.

clash *vi* se heurter; s'entrechoquer; * *n* choc *m*; affrontement *m*.

clasp *n* fermoir *m*; boucle *f*; étreinte *f*; * *vt* agrafer; étreindre.

class *n* classe *f*; catégorie *f*; * *vt* classer, classifier.

classic(al) *adj* classique; * *n* auteur classique *m*.

classification *n* classification *f*.

classified advertisement *n* petite annonce *f*.

classify *vt* classifier, classer.

classmate *n* camarade de classe *mf*.

classroom *n* salle de classe *f*.

clatter *vi* résonner; cliqueter; * *n* cliquetis *m*.

clause *n* (*gram*) proposition *f*; clause *f*.

claw *n* griffe *f*; serre *f*; pince *f*; * *vt* griffer; agripper.

clay *n* argile *m*.

clean *adj* propre; net; * *vt* nettoyer.

cleaning *n* nettoyage *m*.

cleanliness *n* propreté, pureté *f*.

cleanly *adj* propre; * *adv* proprement, nettement.

cleanness *n* propreté *f*.

cleanse *vt* nettoyer.

clear *adj* clair; net; transparent; évident; * *adv* distinctement; * *vt* clarifier, éclaircir; dégager; disculper; * *vi* s'éclaircir.

clearance *n* déblaiement *m*; autorisation *f*.

clear-cut *adj* net.

clearly *adv* clairement; manifestement.

cleaver *n* couperet *m*.

clef *n* (*mus*) clé *f*.

cleft *n* fissure, crevasse *f*.

clemency *n* clémence *f*.

clement *adj* clément.

clenched *adj* serré.

clergy *n* clergé *m*.

clergyman *n* ecclésiastique *m*.

clerical *adj* clérical, ecclésiastique.

clerk *n* ecclésiastique *m*; employé *m*.

clever *adj* intelligent; habile; astucieux; **~ly** *adv* intelligemment, habilement.

click *vt* claquer; * *vi* faire un bruit sec.

client *n* client *m* -e *f*.

cliff *n* falaise *f*.

climate *n* climat *m*.

climatic *adj* climatique.

climax *n* point culminant *m*, apogée *m*.

climb *vt* grimper, escalader; * *vi* grimper, escalader.

climber *n* alpiniste *mf*.

climbing *n* alpinisme *m*.

clinch *vt* serrer fort.

cling *vi* s'accrocher (à), se cramponner (à); adhérer, (se) coller.

clinic *n* clinique *f*.

clink *vt* faire tinter; * *vi* tinter, résonner; * *n* tintement *m*.

clip *vt* couper; * *n* clip *m*; pince *f*.

clipping *n* coupure *f*.

clique *n* clique *f*.

cloak *n* cape *f*; prétexte *m*; * *vt* masquer.

cloakroom *n* vestiaire *m*.

clock *n* horloge *f*.

clockwork *n* mécanisme d'horloge *m*; * *adj* précis.

clod *n* motte (de terre) *f*.

clog *n* sabot *m*; * *vi* se boucher.

cloister *n* cloître *m*.

close *vt* fermer; clore, conclure; terminer; * *vi* se fermer; * *n* fin *f*; conclusion *f*; * *adj* proche; étroit; ajusté; dense; réservé; * *adv* de près; **~ by** tout près.

closed *adj* fermé.

closely *adv* étroitement; de près.

closeness *n* proximité *f*; fidélité, exactitude *f*; intimité *f*; minutie *f*.

closet *n* placard *m*.

close-up *n* gros plan *m*.

closure *n* fermeture *f*; clôture *f*.

clot *n* caillot *m*; grumeau *m*.

cloth *n* tissu *m*; chiffon *m*; toile *f*; clergé *m*.

clothe *vt* habiller, vêtir.

clothes *npl* vêtements *mpl*; linge *m*; **bed ~** draps et couvertures *mpl*.

clothes basket *n* panière à linge *f*.

clotheshorse *n* séchoir à linge *m*.

clothesline *n* corde à linge *f*.

clothespin *n* pince à linge *f*.

clothing *n* vêtements *mpl*.

cloud *n* nuage *m*; nuée *f*; * *vt* rendre trouble; assombrir; * *vi* se couvrir; s'obscurcir.

cloudiness *n* nébulosité *f*; obscurité *f*.

cloudy *adj* nuageux, nébuleux; obscur; sombre, trouble.

clout *n* coup de poing *m*.

clove *n* clou de girofle *m*.

clover *n* trèfle *m*.

clown *n* clown *m*.

club *n* matraque *f*; club *m*.

club car *n* wagon-bar *m* (1ère classe).

clue *n* indice *m*, indication *f*; idée *f*.

clump *n* massif *m*.

clumsily *adv* gauchement.

clumsiness *n* gaucherie *f*.

clumsy *adj* gauche, maladroit; lourd.

cluster *n* bouquet *m*; grappe *f*; groupe *m*; * *vt* grouper; * *vi* se rassembler.

clutch *n* prise *f*; embrayage *m*; * *vt* empoigner, agripper.

clutter *vt* encombrer.

coach *n* autocar *m*; wagon *m*; entraîneur *m*; * *vt* entraîner, donner des cours particuliers à.

coach trip *n* excursion en car *f*.

coagulate *vt* coaguler; agglutiner; * *vi* se coaguler; s'agglutiner.

coal *n* charbon *m*.

coalesce *vi* s'unir, se fondre.

coalfield *n* gisement charbonnier *m*.

coalition *n* coalition *f*.

coalman *n* charbonnier *m*.

coalmine *n* mine de charbon, houillère *f*.

coarse *adj* rude; grossier; ~**ly** *adv* grossièrement.

coast *n* côte *f*.

coastal *adj* côtier.

coastguard *n* gendarmerie maritime *f*, garde-côte *m*.

coastline *n* littoral *m*.

coat *n* manteau *m*; pelage *m*; couche *f*; * *vt* enduire, revêtir.

coat hanger *n* cintre *m*.

coating *n* revêtement *m*.

coax *vt* cajôler.

cob *n* épi de maïs *m*.

cobbler *n* cordonnier *m*.

cobbles, cobblestones *npl* pavés ronds *mpl*.

cobweb *n* toile d'araignée *f*.

cocaine *n* cocaïne *f*.

cock *n* coq *m*; (*zool*) mâle *m*; * *vt* armer; dresser.

cock-a-doodle-doo *n* cocorico *m*.

cockcrow *n* chant du coq *m*.

cockerel *n* jeune coq *m*.

cockfight(ing) *n* combat de coqs *m*.

cockle *n* (*zool*) coque *f*.

cockpit *n* cabine de pilotage *f*.

cockroach *n* cafard *m*.

cocktail *n* cocktail *m*.

cocoa *n* cacao *m*.

coconut *n* noix de coco *f*.

cocoon *n* cocon *m*.

cod *n* morue *f*.

code *n* code *m*; indicatif *m*.

cod-liver oil *n* huile de foie de morue *f*.

coefficient *n* coefficient *m*.

coercion *n* coercition, contrainte *f*.

coexistence *n* coexistence *f*.

coffee *n* café *m*.

coffee break *n* pause-café *f*.

coffee house *n* café *m*.

coffeepot *n* cafetière *f*.

coffee table *n* table basse *f*.

coffer *n* coffre *m*; caisse *f*.

coffin *n* cercueil *m*.

cog *n* dent d'engrenage *f*.

cogency *n* puissance, force *f*.

cogent *adj* convaincant, puissant; ~**ly** *adv* d'une manière convaincante.

cognac *n* cognac *m*.

cognate *adj* apparenté.

cognisance *n* connaissance *f*; compétence *f*.

cognisant *adj* instruit; (*law*) compétent.

cognition *n* connaissance *f*; cognition *f*.

cogwheel *n* roue dentée *f*.

cohabit *vi* cohabiter.

cohabitation *n* cohabitation *f*.

cohere *vi* se tenir; être cohérent.

coherence *n* cohérence *f*.

coherent *adj* cohérent; logique.

cohesion *n* cohésion *f*.

cohesive *adj* cohésif.

coil *n* rouleau *m*; bobine *f*; * *vt* enrouler.

coin *n* pièce de monnaie *f*; * *vt* frapper.

coincide *vi* coïncider.

coincidence *n* coïncidence *f*.

coincident *adj* coïncident.

coke *n* coke *m*.

colander *n* passoire *f*.

cold *adj* froid; indifférent; ~**ly** *adv* froidement; avec froideur; * *n* froid *m*; rhume *m*.

cold-blooded *adj* insensible.

coldness *n* froideur *f*.

cold sore *n* bouton de fièvre *m*.

coleslaw *n* salade de chou cru *f*.

colic *n* coliques *fpl*.

collaborate *vi* collaborer.

collaboration *n* collaboration *f*.

collapse *vi* s'écrouler; * *n* écroulement; (*med*) évanouissement *m*.

collapsible *adj* pliant.

collar *n* col *m*.

collarbone *n* clavicule *f*.

collate *vt* collationner, confronter.

collateral *adj* concomitant; parallèle; * *n* nantissement *m*.

collation *n* collation *f*.

colleague *n* collègue *mf*, confrère *m*, consœur *f*.

collect *vt* rassembler; collectionner.

collection *n* collection *f*.

collective *adj* collectif; **~ly** collectivement.

collector *n* collectionneur *m* -euse *f*.

college *n* faculté *f*.

collide *vi* entrer en collision, se heurter.

collision *n* collision *f*, heurt *m*.

colloquial *adj* familier; parlé; **~ly** *adv* familièrement.

colloquialism *n* expression familière *f*.

collusion *n* collusion *f*.

colon *n* deux-points *m invar*; (*med*) colon *m*.

colonel *n* (*mil*) colonel *m*.

colonial *adj* colonial.

colonise *vt* coloniser.

colonist *n* colon *m*.

colony *n* colonie *f*.

colossal *adj* colossal.

colossus *n* colosse *m*.

colour *n* couleur *f*; prétexte *m*; **~s** *pl* drapeau *m*; * *vt* colorer; * *vi* se colorer.

colour-blind *adj* daltonien.

colourful *adj* coloré.

colouring *n* teint *m*; coloris *m*.

colourless *adj* sans couleur, incolore.

colour television *n* télévision en couleur *f*.

colt *n* poulain *m*.

column *n* colonne *f*.

columnist *n* chroniqueur *m*.

coma *n* coma *m*.

comatose *adj* comateux.

comb *n* peigne *m*; * *vt* peigner.

combat *n* combat *m*; **single ~** duel *m*; * *vt* combattre.

combatant *n* combattant *m* -e *f*.

combative *adj* combatif.

combination *n* combinaison, association *f*.

combine *vt* combiner; * *vi* s'unir.

combustion *n* combustion *f*.

come *vi* venir; **~ across, ~ upon** *vt* rencontrer par hasard, tomber sur; **~ by** *vt* obtenir; **~ down**
vi descendre; se résumer à, baisser (prices); **~ from** *vt* provenir de; être originaire de; **~ in for** *vt* être l'objet de; **~ into** *vt* hériter de; **~ round, ~ to** *vi* revenir à soi; **~ up with** *vt* suggérer.

comedian *n* comédien *m*; comique *m*.

comedienne *n* comédienne *f*; comique *f*.

comedy *n* comédie *f*.

comet *n* comète *f*.

comfort *n* confort *m*; aises *fpl*; commodités *fpl*; consolation *f*; * *vt* réconforter; soulager; consoler.

comfortable *adj* confortable; réconfortant.

comfortably *adv* confortablement; agréablement.

comforter *n* personne qui réconforte *f*; édredon *m*.

comic(al) *adj* comique; **~ly** *adv* comiquement.

coming *n* venue, arrivée *f*; * *adj* à venir.

comma *n* (*gr*) virgule *f*.

command *vt* ordonner, commander; * *n* ordre *m*.

commander *n* commandant *m*.

commandment *n* commandement *m*.

commando *n* commando *m*.

commemorate *vt* commémorer.

commemoration *n* commémoration *f*.

commence *vt vi* commencer.

commencement *n* commencement *m*.

commend *vt* recommander, confier à; louer.

commendable *adj* louable.

commendably *adv* élogieusement.

commendation *n* louange *f*; recommandation *f*.

commensurate *adj* proportionné.

comment *n* commentaire *m*; * *vt* commenter.

commentary *n* commentaire *m*; observation *f*.

commentator *n* commentateur *m* -trice *f*.

commerce *n* commerce *m*, affaires *fpl*; relations *fpl*.

commercial *adj* commercial.

commiserate *vt* compatir.

commiseration *n* commisération, pitié *f*.

commissariat *n* (*mil*) intendance *f*, ravitaillement *m*.

commission *n* commission *f*; * *vt* commissionner; commander.

commissioner *n* commissionnaire, coursier *m*.

commit *vt* commettre; confier à; engager.

commitment *n* engagement *m*.

committee *n* comité *m*.

commodity *n* produit *m*, denrée *f*.

common *adj* commun; ordinaire; **in ~** en commun; * *n* terrain communal *m*.

commoner *n* roturier *m* -ière *f*.

common law *n* droit coutumier *m*.

commonly *adv* communément, généralement.

commonplace *n* lieux communs *mpl*; * *adj* banal.

common sense *n* bon sens *m*.

Commonwealth *n* Commonwealth *m*.

commotion *n* vacarme *m*; perturbation *f*.

commune *vi* discuter avec sincérité.

communicable *adj* communicable, transmissible.

communicate *vt* communiquer, transmettre; * *vi* communiquer.

communication *n* communication *f*.

communicative *adj* communicatif.

communion *n* communion *f*.

communiqué *n* communiqué *m*.

communism *n* communisme *m*.

communist *n* communiste *mf*.

community *n* communauté *f*.

community centre *n* centre social *m*.

community chest *n* fonds commun *m*.

commutable *adj* interchangeable, permutable.

commutation ticket *n* carte d'abonnement *f*.

commute *vt* échanger.

compact *adj* compact, serré, dense; * *n* accord, contrat *m*; **~ly** *adv* de façon compacte; en peu de mots.

compact disc *n* disque compact *m*.

companion *n* compagnon *m*, compagne *f*.

companionship *n* camaraderie *f*; compagnie *f*.

company *n* compagnie, fréquentation *f*; société *f*.

comparable *adj* comparable.

comparative *adj* comparatif; **~ly** *adv* comparativement.

compare *vt* comparer.

comparison *n* comparaison *f*.

compartment *n* compartiment *m*.

compass *n* boussole *f*.

compassion *n* compassion *f*.

compassionate *adj* compatissant.

compatibility *n* compatibilité *f*.

compatible *adj* compatible.

compatriot *n* compatriote *mf*.

compel *vt* contraindre, obliger, forcer.

compelling *adj* irrésistible.

compensate *vt* compenser.

compensation *n* compensation *f*; dédommagement *m*.

compère *n* animateur *m* -trice *f*.

compete *vi* rivaliser (avec), faire concurrence (à).

competence *n* compétence *f*; aptitude *f*.

competent *adj* compétent; suffisant; **~ly** *adv* avec compétence.

competition *n* compétition *f*; concurrence *f*.

243

competitive *adj* concurrentiel, compétitif.

competitor *n* concurrent *m* -e *f*.

compilation *n* compilation *f*.

compile *vt* compiler.

complacency *n* suffisance *f*.

complacent *adj* suffisant.

complain *vi* se plaindre; déposer une plainte.

complaint *n* plainte *f*; réclamation *f*.

complement *n* complément *m*.

complementary *adj* complémentaire.

complete *adj* complet; achevé; ~**ly** *adv* complètement; * *vt* achever, mener à bien, compléter.

completion *n* achèvement *m*.

complex *adj* complexe.

complexion *n* teint *m*; aspect *m*.

complexity *n* complexité *f*.

compliance *n* conformité *f*; soumission *f*.

compliant *adj* docile, soumis.

complicate *vt* compliquer.

complication *n* complication *f*.

complicity *n* complicité *f*.

compliment *n* compliment *m*; * *vt* complimenter.

complimentary *adj* flatteur; à titre gracieux.

comply *vi* se soumettre, se plier, se conformer.

component *adj* composant.

compose *vt* composer; constituer.

composed *adj* calme, posé.

composer *n* auteur *m*; compositeur *m* -trice *f*.

composite *adj* composite, composé.

composition *n* composition *f*.

compositor *n* compositeur *m* -trice *f*.

compost *n* compost *m*.

composure *n* maîtrise de soi *f*, calme *m*, sang-froid *m*.

compound *vt* composer, combiner; * *adj* *n* composé *m*.

comprehend *vt* comprendre; englober.

comprehensible *adj* compréhensible; ~**ly** *adv* intelligiblement.

comprehension *n* compréhension *f*; inclusion *f*.

comprehensive *adj* global; complet; compréhensif; ~**ly** *adv* globalement.

compress *vt* comprimer, concentrer; * *n* compresse *f*.

comprise *vt* comprendre, embrasser.

compromise *n* compromis *m*; * *vt* compromettre; * *vi* adopter un compromis.

compulsion *n* contrainte *f*; compulsion *f*.

compulsive *adj* compulsif; ~**ly** *adv* compulsivement.

compulsory *adj* obligatoire.

compunction *n* remords, scrupule *m*.

computable *adj* computable, calculable.

computation *n* computation *f*, calcul *m*.

compute *vt* calculer.

computer *n* ordinateur *m*.

computerise *vt* traiter par ordinateur, informatiser.

computer programming *n* programmation *f*.

computer science *n* informatique *f*.

comrade *n* camarade *mf*, compagnon *m*, compagne *f*.

comradeship *n* camaraderie *f*.

con *vt* duper; * *n* duperie *f*.

concave *adj* concave.

concavity *n* concavité *f*.

conceal *vt* cacher, dissimuler.

concealment *n* dissimulation *f*; recel *m*.

concede *vt* concéder, accorder.

conceit *n* vanité *f*; trait d'esprit *m*.

conceited *adj* vaniteux, prétentieux.

conceivable *adj* concevable.

conceive *vt* concevoir; * *vi* concevoir.

concentrate *vt* concentrer.

concentration *n* concentration *f*.

concentration camp *n* camp de concentration *m*.

concentric *adj* concentrique.

concept *n* concept *m*.

conception *n* conception *f*.

concern *vt* concerner, toucher; * *n* affaire *f*; souci *m*.

concerning *prep* en ce qui concerne, concernant.

concerto *n* concerto *m*.

concession *n* concession *f*.

conciliate *vt* concilier.

conciliation *n* conciliation *f*.

conciliatory *adj* conciliateur, conciliant.

concise *adj* concis, succinct; ~ly *adv* avec concision.

conclude *vt* conclure; décider; déduire.

conclusion *n* conclusion, déduction *f*; fin *f*.

conclusive *adj* décisif, concluant; ~ly *adv* de façon concluante.

concoct *vt* confectionner, fabriquer.

concoction *n* préparation *f*; élaboration *f*.

concomitant *adj* concomitant.

concord *n* entente, harmonie *f*.

concordance *n* accord *m*.

concordant *adj* concordant.

concourse *n* rassemblement *m*; carrefour *m*; foule *f*.

concrete *n* béton *m*; * *vt* bétonner.

concubine *n* concubine *f*.

concur *vi* coïncider; s'entendre.

concurrence *n* consentement *m*, coïncidence *f*; union *f*.

concurrently *adv* simultanément.

concussion *n* commotion *f*.

condemn *vt* condamner; désapprouver.

condemnation *n* condamnation *f*.

condensation *n* condensation *f*.

condense *vt* condenser.

condescend *vi* condescendre; daigner.

condescending *adj* condescendant.

condescension *n* condescendance *f*.

condiment *n* condiment *m*.

condition *vt* conditionner; * *n* condition, situation *f*; état *m*.

conditional *adj* conditionnel, hypothétique; ~ly *adv* conditionnellement.

conditioned *adj* conditionné.

conditioner *n* après-shampoing *m*.

condolences *npl* condoléances *fpl*.

condom *n* préservatif *m*.

condominium *n* condominium *m*, copropriété *f*.

condone *vt* pardonner, fermer les yeux sur.

conducive *adj* propice, opportun.

conduct *n* conduite *f*; comportement *m*; * *vt* conduire, mener.

conductor *n* receveur *m*; chef d'orchestre *m*; conducteur *m*.

conduit *n* conduit *m*; tuyau *m*.

cone *n* cône *m*.

confection *n* sucrerie, confiserie *f*; confection *f*.

confectioner *n* confiseur *m* -euse *f*.

confectioner's (shop) *n* confiserie *f*; pâtisserie *f*.

confederacy *n* confédération *f*.

confederate *vi* se confédérer; * *adj* *n* confédéré *m*.

confer *vt* *vi* conférer.

conference *n* conférence *f*.

confess *vt* confesser; * *vi* se confesser.

confession *n* confession *f*.

confessional *n* confessionnal *m*.

confessor *n* confesseur *m*.

confidant *n* confident *m* -e *f*.

confide *vt* confier; ~ in se confier à.

confidence *n* confiance *f*; assurance *f*.

confidence trick *n* abus de confiance *m*, escroquerie *f*.

confident *adj* confiant, assuré, sûr (de soi).

confidential *adj* confidentiel.

configuration *n* configuration *f*.

confine *vt* limiter; emprisonner.

confinement *n* détention *f*; alitement *m*.

confirm *vt* confirmer; ratifier.

confirmation *n* confirmation *f*; ratification *f*; corroboration *f*.

confirmed *adj* invétéré, endurci.

confiscate *vt* confisquer.

confiscation *n* confiscation *f*.

conflagration *n* incendie *m*; conflagration *f*.

conflict *n* conflit *m*; lutte *f*; dispute *f*.

conflicting *adj* contradictoire.

confluence *n* confluence *f*; rencontre *f*.

conform *vt* conformer, adapter; * *vi* se conformer (à), s'adapter (à).

conformity *n* conformité *f*, accord *m*.

confound *vt* confondre.

confront *vt* confronter; affronter.

confrontation *n* affrontement *m*, confrontation *f*.

confuse *vt* confondre; embarrasser; embrouiller.

confusing *adj* déroutant.

confusion *n* confusion *f*; désordre *m*.

congeal *vt* solidifier, congeler; * *vi* se solidifier, se congeler.

congenial *adj* sympathique; similaire.

congenital *adj* congénital.

congested *adj* encombré, congestionné.

congestion *n* encombrement *m*, congestion *f*.

conglomerate *vt* conglomérer, agglomérer; * *adj* aggloméré; * *n* (*com*) conglomérat *m*.

conglomeration *n* conglomération *f*.

congratulate *vt* complimenter, féliciter.

congratulations *npl* félicitations *fpl*.

congratulatory *adj* de félicitations.

congregate *vt* rassembler, réunir.

congregation *n* assemblée *f*, rassemblement *m*.

congress *n* congrès *m*; conférence *f*.

congressman *n* membre du Congrès *m*.

congruity *n* congruence *f*.

congruous *adj* congru, approprié.

conic(al) *adj* conique.

conifer *n* conifère *m*.

coniferous *adj* (*bot*) conifère.

conjecture *n* conjecture, supposition *f*; * *vt* conjecturer, supposer.

conjugal *adj* conjugal.

conjugate *vt* (*gr*) conjuguer.

conjugation *n* conjugaison *f*.

conjunction *n* conjonction *f*; union *f*.

conjuncture *n* conjoncture *f*; occasion *f*.

conjure *vt* conjurer; exorciser.

conjurer *n* magicien *m* -ne *f*, illusionniste *mf*.

con man *n* escroc *m*.

connect *vt* relier, joindre, rattacher.

connection *n* liaison, connexion *f*.

connivance *n* connivence *f*.

connive *vi* fermer les yeux (sur); être de connivence.

connoisseur *n* connaisseur *m* -euse *f*.

conquer *vt* conquérir; vaincre.

conqueror *n* vainqueur *m*; conquérant *m*.

conquest *n* conquête *f*.

conscience *n* conscience *f*.

conscientious *adj* consciencieux; de conscience; ~**ly** *adv* consciencieusement.

conscious *adj* conscient; intentionnel; ~**ly** *adv* consciemment, sciemment.

consciousness *n* conscience *f.*

conscript *n* conscrit *m.*

conscription *n* conscription *f.*

consecrate *vt* consacrer.

consecration *n* consécration *f.*

consecutive *adj* consécutif; ~ly *adv* consécutivement.

consensus *n* consensus *m.*

consent *n* consentement *m*; assentiment *m*; * *vi* consentir.

consequence *n* conséquence *f*; importance *f.*

consequent *adj* consécutif; ~ly *adv* par conséquent.

conservation *n* conservation *f.*

conservative *adj* conservateur.

conservatory *n* conservatoire *m.*

conserve *vt* conserver; * *n* conserve *f.*

consider *vt* considérer, examiner; * *vi* penser, délibérer.

considerable *adj* considérable; important; ~bly *adv* considérablement.

considerate *adj* prévenant, attentionné; prudent; ~ly *adv* avec prévenance; prudemment.

consideration *n* considération *f*; réflexion *f*; estime *f*; rémunération *f.*

considering *conj* étant donné que; ~ that vu que; étant donné que.

consign *vt* confier, remettre, expédier.

consignment *n* expédition *f*, envoi *m.*

consist *vi* consister (en).

consistency *n* consistance *f*; cohérence *f*; constance *f.*

consistent *adj* constant; cohérent; compatible; ~ly *adv* régulièrement.

consolable *adj* consolable.

consolation *n* consolation *f*; réconfort *m.*

consolatory *adj* consolateur.

console *vt* consoler.

consolidate *vt* consolider, grouper; * *vi* se consolider.

consolidation *n* consolidation *f.*

consonant *adj* en accord; * *n* (*gr*) consonne *f.*

consort *n* consort *m*; associé *m* -e *f.*

conspicuous *adj* voyant, manifeste; notable; ~ly *adv* manifestement.

conspiracy *n* conspiration *f.*

conspirator *n* conspirateur *m* -trice *f.*

conspire *vi* conspirer.

constancy *n* constance, fermeté d'âme *f*; persévérance *f.*

constant *adj* constant; persévérant; ~ly *adv* constamment.

constellation *n* constellation *f.*

consternation *n* consternation *f.*

constipated *adj* constipé.

constituency *n* électorat *m*; circonscription *f.*

constituent *n* composant *m*; * *adj* constituant.

constitute *vt* constituer; établir.

constitution *n* constitution *f.*

constitutional *adj* constitutionnel.

constrain *vt* contraindre, forcer, obliger.

constraint *n* contrainte *f.*

constrict *vt* serrer; gêner.

construct *vt* construire, bâtir.

construction *n* construction *f.*

construe *vt* interpréter, analyser.

consul *n* consul *m.*

consular *adj* consulaire.

consulate, consulship *n* consulat *m.*

consult *vt* consulter; * *vi* (se) consulter.

consultation *n* consultation, délibération *f.*

consume *vt* consommer; dissiper; consumer, brûler; * *vi* se consommer.

consumer *n* consommateur *m* -trice *f.*

consumer goods *npl* biens de consommation *mpl.*

consumerism *n* consumérisme *m.*

consumer society *n* société de consommation *f*.

consummate *vt* consommer, accomplir; perfectionner; * *adj* accompli, consommé.

consummation *n* consommation *f*; perfection *f*.

consumption *n* consommation *f*.

contact *n* contact *m*.

contact lenses *npl* lentilles de contact *fpl*.

contagious *adj* contagieux.

contain *vt* contenir, renfermer; refréner.

container *n* récipient *m*.

contaminate *vt* contaminer; ~d *adj* contaminé.

contamination *n* contamination *f*.

contemplate *vt* contempler.

contemplation *n* contemplation *f*.

contemplative *adj* contemplatif.

contemporaneous,contemporary *adj* contemporain.

contempt *n* mépris, dédain *m*.

contemptible *adj* méprisable, vil; ~ly *adv* vilement.

contemptuous *adj* méprisant, dédaigneux; ~ly *adv* dédaigneusement.

contend *vi* combattre, lutter; * *vt* affirmer.

content *adj* content, satisfait; * *vt* contenter, satisfaire; * *n* contentement *m*; ~s *pl* contenu *m*; table des matières *f*.

contentedly *adv* avec contentement.

contention *n* querelle, altercation *f*.

contentious *adj* litigieux; querelleur; ~ly *adv* en chicanant.

contentment *n* contentement *m*, satisfaction *f*.

contest *vt* contester, discuter, disputer; * *n* concours *m*; altercation *f*.

contestant *n* concurrent *m* -e *f*.

context *n* contexte *m*.

contiguous *adj* contigu, voisin.

continent *adj* continent, chaste; * *n* continent *m*.

continental *adj* continental.

contingency *n* contingence *f*; événement imprévu *m*; éventualité *f*.

contingent *n* contingent *m*; * *adj* contingent, éventuel; ~ly fortuitement.

continual *adj* continuel; ~ly *adv* continuellement.

continuation *n* continuation, reprise, suite *f*.

continue *vt vi* continuer.

continuity *n* continuité *f*.

continuous *adj* continu; ~ly *adv* sans interruption.

contort *vt* tordre, déformer.

contortion *n* contorsion *f*.

contour *n* contour *m*.

contraband *n* contrebande *f*; * *adj* de contrebande.

contraception *n* contraception *f*.

contraceptive *n* contraceptif *m*; * *adj* contraceptif.

contract *vt* contracter; * *vi* se contracter; * *n* contrat *m*.

contraction *n* contraction *f*.

contractor *n* entrepreneur *m*.

contradict *vt* contredire.

contradiction *n* contradiction *f*.

contradictory *adj* contradictoire.

contraption *n* gadget, bidule (*fam*) *m*.

contrariness *n* esprit de contradiction *m*.

contrary *adj* contraire, opposé; * *n* contraire *m*; **on the ~** au contraire.

contrast *n* contraste *m*; * *vt* contraster, mettre en contraste.

contrasting *adj* contrasté, opposé.

contravention *n* infraction *f*.

contributary *adj* contributif.

contribute *vt* contribuer.

contribution *n* contribution *f*; cotisation *f*.

contributor *n* souscripteur (-trice), collaborateur(-trice) *m(f)*.

contributory *adj* contribuant.

contrite *adj* contrit, repentant.

contrition *n* contrition *f*, repentir *m*.

contrivance *n* dispositif *m*; invention *f*.

contrive *vt* inventer, combiner; trouver le moyen de.

control *n* contrôle *m*; maîtrise *f*; autorité *f*; * *vt* maîtriser; réguler; contrôler; gouverner.

control room *n* salle des commandes *f*.

control tower *n* tour de contrôle *f*.

controversial *adj* polémique.

controversy *n* polémique *f*.

contusion *n* contusion *f*.

conundrum *n* énigme *f*.

conurbation *n* conurbation *f*.

convalesce *vi* être en convalescence.

convalescence *n* convalescence *f*.

convalescent *adj* convalescent.

convene *vt* convoquer; réunir; * *vi* se réunir.

convenience *n* commodité, convenance *f*.

convenient *adj* commode, pratique; qui convient; ~ly *adv* commodément.

convent *n* couvent *m*.

convention *n* convention *f*; contrat *m*; assemblée *f*.

conventional *adj* conventionnel.

converge *vi* converger.

convergence *n* convergence *f*.

convergent *adj* convergent.

conversant *adj* au courant; compétent.

conversation *n* conversation *f*.

converse *vi* converser.

conversely *adv* inversement, réciproquement.

conversion *n* conversion; transformation *f*.

convert *vt* convertir; * *n* converti *m* -e *f*.

convertible *adj* convertible; * *n*

décapotable *f*.

convex *adj* convexe.

convexity *n* convexité *f*.

convey *vt* transporter; transmettre, communiquer.

conveyance *n* transport *m*; transfert *m*; cession *f*.

conveyancer *n* notaire *m*.

convict *vt* déclarer coupable; * *n* détenu *m* -e *f*.

conviction *n* condamnation *f*; conviction *f*.

convince *vt* convaincre, persuader.

convincing *adj* convaincant.

convincingly *adv* de façon convaincante.

convivial *adj* jovial.

conviviality *n* jovialité *f*.

convoke *vt* convoquer.

convoy *n* convoi *m*.

convulse *vt* ébranler, convulser.

convulsion *n* convulsion *f*; bouleversement *m*; forte agitation *f*.

convulsive *adj* convulsif; ~ly *adv* convulsivement.

coo *vt* *vi* roucouler.

cook *n* cuisinier *m* -ière *f*; * *vt* cuire; falsifier; * *vi* faire la cuisine, cuisiner.

cookbook *n* livre de cuisine *m*.

cooker *n* cuisinière *f*.

cookery *n* cuisine *f*.

cookie *n* gâteau *m* sec.

cool *adj* frais; calme; * *n* fraîcheur *f*; * *vt* rafraîchir, refroidir.

coolly *adv* fraîchement; de sang-froid.

coolness *n* fraîcheur *f*; froideur *f*; sang-froid *m*.

cooperate *vi* coopérer.

cooperation *n* coopération *f*.

cooperative *adj* coopératif.

coordinate *vt* coordonner.

coordination *n* coordination *f*.

cop *n* (*fam*) flic *m*.

copartner *n* coassocié *m* -e *f*.

cope *vi* se débrouiller.

copier *n* photocopieuse *f*.

copious *adj* copieux, abondant;

~ly *adv* abondamment.
copper *n* cuivre *m*.
coppice, copse *n* taillis *m*.
copulate *vi* copuler.
copy *n* copie *f*; reproduction *f*; exemplaire *m*; * *vt* copier; imiter.
copybook *n* cahier *m*.
copying machine *n* photocopieuse *f*.
copyist *n* copiste *mf*.
copyright *n* droit d'auteur *m*.
coral *n* corail *m*.
coral reef *n* récif de corail *m*.
cord *n* cordon *m*, corde *f*.
cordial *adj* cordial, chaleureux; **~ly** *adv* cordialement.
corduroy *n* velours côtelé *m*.
core *n* trognon *m*; noyau, centre, cœur *m*.
cork *n* liège *m*; bouchon *m*; * *vt* boucher.
corkscrew *n* tire-bouchon *m*.
corn *n* maïs *m*; grain *m*; blé *m*.
corncob *n* épi de maïs *m*.
cornea *n* cornée *f*.
corned beef *n* corned-beef *m*.
corner *n* coin *m*; angle *m*.
cornerstone *n* pierre angulaire *f*.
cornet *n* cornet *m*.
cornfield *n* champ de maïs *m*.
cornflakes *npl* flocons de maïs, cornflakes *mpl*.
cornice *n* corniche *f*.
cornstarch *n* (US) farine de maïs *f*.
corollary *n* corollaire *m*.
coronary *n* infarctus *m*.
coronation *n* couronnement *m*.
coroner *n* coroner *m*.
coronet *n* couronne *f*.
corporal *n* caporal *m*.
corporate *adj* en commun; d'entreprise.
corporation *n* corporation *f*; société par actions *f*.
corporeal *adj* corporel.
corps *n* (*mil*) corps *m*.
corpse *n* cadavre *m*.

corpulent *adj* corpulent.
corpuscle *n* corpuscule *m*; électron *m*.
corral *n* corral *m*.
correct *vt* corriger; rectifier; * *adj* correct, juste; **~ly** *adv* correctement.
correction *n* correction *f*; rectification *f*.
corrective *adj* correcteur, correctif; * *n* rectificatif *m*.
correctness *n* correction *f*.
correlation *n* corrélation *f*.
correlative *adj* corrélatif.
correspond *vi* correspondre.
correspondence *n* correspondance *f*.
correspondent *adj* correspondant; * *n* correspondant *m* -e *f*.
corridor *n* couloir, corridor *m*.
corroborate *vt* corroborer.
corroboration *n* corroboration *f*.
corroborative *adj* qui corrobore.
corrode *vt* corroder.
corrosion *n* corrosion *f*.
corrosive *adj n* corrosif *m*.
corrugated iron *n* tôle ondulée *f*.
corrupt *vt* corrompre; * *vi* se corrompre, se pourrir; * *adj* corrompu; dépravé.
corruptible *adj* corruptible.
corruption *n* corruption *f*; dépravation *f*.
corruptive *adj* qui corrompt.
corset *n* corset *m*, gaine *f*.
cortege *n* cortège *m*.
cosily *adv* confortablement, douillettement.
cosmetic *adj n* cosmétique *m*.
cosmic *adj* cosmique.
cosmonaut *n* cosmonaute *mf*.
cosmopolitan *adj* cosmopolite.
cosset *vt* dorloter.
cost *n* prix, coût *m*; * *vi* coûter.
costly *adj* coûteux, cher.
costume *n* costume *m*.
cottage *n* cottage *m*.
cotton *n* coton *m*.
cotton candy *n* barbe à papa *f*.

cotton mill *n* filature de coton *f*.

cotton wool *n* coton hydrophile *m*.

couch *n* canapé, divan *m*.

couchette *n* couchette *f*.

cough *n* toux *f*; * *vi* tousser.

council *n* conseil *m*.

councillor *n* membre du conseil *m*; conseiller *m* -ère *f*.

counsel *n* conseil *m*; avocat *m*.

counsellor *n* conseiller *m* -ère *f*; avocat *m*.

count *vt* compter, dénombrer; calculer; ~ **on** compter sur; * *n* compte *m*; calcul *m*; chef d'accusation *m*; comte *m*.

countdown *n* compte à rebours *m*.

countenance *n* visage *m*; aspect *m*; mine *f*.

counter *n* comptoir *m*; pion *m*.

counteract *vt* contrecarrer; neutraliser; contrebalancer.

counterbalance *vt* contrebalancer; compenser; * *n* contrepoids *m*.

counterfeit *vt* contrefaire; * *adj* faux.

countermand *vt* annuler.

counterpart *n* contrepartie *f*; homologue *mf*.

counterproductive *adj* qui va à l'encontre du but visé.

countersign *vt* contresigner.

countess *n* comtesse *f*.

countless *adj* innombrable.

countrified *adj* rustique; campagnard.

country *n* pays *m*; patrie *f*; campagne *f*; région *f*; * *adj* rustique; campagnard.

country house *n* maison de campagne *f*.

countryman *n* campagnard *m*; compatriote *m*.

county *n* comté *m*.

coup *n* coup *m* d'État.

coupé *n* coupé *m*.

couple *n* couple *m*; **a** ~ **of** deux; * *vt* unir, associer.

couplet *n* distique *m*; couplet *m*.

coupon *n* coupon *m*, bon *m*.

courage *n* courage *m*.

courageous *adj* courageux; ~**ly** *adv* courageusement.

courier *n* messager *m*; guide *m*.

course *n* cours *m*; route *f*; chemin *m*; plat *m*; marche à suivre *f*; **of** ~ bien sûr, naturellement.

court *n* cour *f*; tribunal *m*; * *vt* courtiser; solliciter.

courteous *adj* courtois; poli; ~**ly** *adv* courtoisement.

courtesan *n* courtisane *f*.

courtesy *n* courtoisie *f*.

courthouse *n* palais de justice *m*.

courtly *adj* élégant, raffiné.

court-martial *n* conseil de guerre *m*.

courtroom *n* salle de tribunal *f*.

courtyard *n* cour *f*.

cousin *n* cousin *m* -e *f*; **first** ~ cousin(e) germain(e) *m(f)*.

cove *n* (*mar*) crique, anse *f*.

covenant *n* contrat *m*; convention *f*; * *vi* convenir, stipuler par contrat.

cover *n* couverture *f*; abri *m*; prétexte *m*; * *vt* (re)couvrir; dissimuler; protéger.

coverage *n* reportage *m*, couverture *f*.

coveralls *npl* bleu de travail *m*.

covering *n* couverture *f*; couche *f*.

cover letter *n* lettre explicative *f*.

covert *adj* voilé; caché, secret; ~**ly** *adv* secrètement.

cover-up *n* dissimulation *f*.

covet *vt* convoiter.

covetous *adj* avide, cupide.

cow *n* vache *f*.

coward *n* lâche *mf*.

cowardice *n* lâcheté *f*.

cowardly *adj* lâche; *adv* lâchement.

cowboy *n* cowboy *m*.

cower *vi* se tapir.

cowherd *n* vacher *m*.

coy *adj* timide; coquet; évasif; ~**ly** *adv* évasivement.

coyness *n* timidité *f*; modestie *f*.

cozy *adj* douillet.

crab *n* crabe *m*.

crab-apple *n* pomme sauvage *f*; **crab-apple tree** *n* pommier sauvage *m*.

crack *n* craquement *m*; fente, fissure *f*; * *vt* fêler, craquer; ~ **down on** sévir; * *vi* se fêler; craquer.

cracker *n* pétard *m*; biscuit salé *m*.

crackle *vi* crépiter, pétiller.

crackling *n* crépitement *m*; friture *f*.

cradle *n* berceau *m*; * *vt* bercer.

craft *n* habileté *f*; métier manuel *m*; barque *f*.

craftily *adv* astucieusement.

craftiness *n* astuce, ruse *f*.

craftsman *n* artisan *m*.

craftsmanship *n* artisanat *m*.

crafty *adj* astucieux, rusé.

crag *n* rocher escarpé *m*.

cram *vt* bourrer; fourrer; * *vi* s'entasser.

crammed *adj* bourré.

cramp *n* crampe *f*; * *vt* entraver.

cramped *adj* à l'étroit.

crampon *n* crampon *m*.

cranberry *n* canneberge *f*.

crane *n* grue *f*.

crash *vi* s'écraser; * *n* fracas *m*; collision *f*.

crash helmet *n* casque *m*.

crash landing *n* atterrissage en catastrophe *m*.

crass *adj* grossier, crasse.

crate *n* caisse *f*; cageot *m*.

crater *n* cratère *m*.

cravat *n* foulard *m*, cravate *f*.

crave *vt* avoir extrêmement besoin de.

craving *n* désir extrême *m*, soif *f*.

crawfish *n* écrevisse *f*.

crawl *vi* ramper; ~ **with** grouiller de.

crayfish *n* écrevisse *f*.

crayon *n* crayon de couleur *m*.

craze *n* manie *f*, engouement *m*.

craziness *n* folie *f*.

crazy *adj* fou.

creak *vi* grincer, craquer.

cream *n* crème *f*; * *adj* crème.

creamy *adj* crémeux.

crease *n* pli *m*; * *vt* froisser.

create *vt* créer; causer.

creation *n* création *f*.

creative *adj* créatif.

creator *n* créateur *m* -trice *f*.

creature *n* créature *f*.

credence *n* créance *f*; crédit *m*.

credentials *npl* lettres de créance *fpl*; preuves d'identité *fpl*.

credibility *n* crédibilité *f*.

credible *adj* crédible.

credit *n* crédit *m*; honneur *m*; reconnaissance *f*; * *vt* croire, reconnaître; créditer.

creditable *adj* estimable, honorable; ~**bly** *adv* honorablement.

credit card *n* carte de crédit *f*.

creditor *n* créancier *m* -ière *f*.

credulity *n* crédulité *f*.

credulous *adj* crédule; ~**ly** *adv* avec crédulité.

creed *n* credo *m*.

creek *n* ruisseau *m*.

creep *vi* ramper; avancer lentement.

creeper *n* (*bot*) plante grimpante *f*.

creepy *adj* terrifiant, qui donne la chair de poule.

cremate *vt* incinérer.

cremation *n* incinération, crémation *f*.

crematorium *n* crématoire *m*.

crescent *adj* croissant; * *n* croissant de lune *m*.

cress *n* cresson *m*.

crest *n* crête *f*.

crested *adj* à crête.

crestfallen *adj* découragé, abattu.

crevasse *n* crevasse *f*.

crevice *n* fissure, lézarde *f*.

crew *n* bande, équipe *f*; équipage *m*.

crib *n* berceau *m*; mangeoire *f*.

cricket *n* grillon *m*.

crime *n* crime *m*; délit *m*.

criminal *adj* criminel; ~**ly** *adv* criminellement; * *n* criminel *m* -le *f*.

criminality *n* criminalité *f*.

crimson *adj n* cramoisi *m*.

cripple *n*, *adj* invalide *mf*; * *vt* estropier; (*fig*) paralyser.

crisis *n* crise *f*.

crisp *adj* frais; croquant.

crispness *n* croquant *m*.

criss-cross *adj* entrecroisé.

criterion *n* critère *m*.

critic *n* critique *m*.

critical *adj* critique; exigeant, sévère; ~**ly** *adv* d'un œil critique; sévèrement.

criticise *vt* critiquer.

criticism *n* critique *f*.

croak *vi* coasser, croasser.

crochet *n* crochet *m*; * *vt* faire au crochet; *vi* faire du crochet.

crockery *n* poterie *f*.

crocodile *n* crocodile *m*.

crony *n* copain *m* (copine *f*) de longue date.

crook *n* escroc *m*; filou *m*.

crooked *adj* tordu; malhonnête.

crop *n* culture *f*; récolte *f*; * *vt* récolter.

cross *n* croix *f*; croisement *m*; * *adj* de mauvaise humeur, fâché; * *vt* traverser, croiser; ~ **over** traverser.

crossbar *n* barre transversale *f*.

crossbreed *n* hybride *m*.

cross-country *n* cross-country *m*.

cross-examine *vt* soumettre à un contre-interrogatoire.

crossfire *n* feux croisés *mpl*.

crossing *n* traversée *f*; passage pour piétons *m*.

cross-purpose *n* malentendu *m*; quiproquo *m*; **to be at ~s** comprendre (quelqu'un) de travers.

cross-reference *n* renvoi *m*, référence *f*.

crossroad *n* carrefour *m*.

crosswalk *n* (US) passage clouté *m*.

crotch *n* entre-jambes *m*.

crouch *vi* s'accroupir, se tapir.

crow *n* corbeau *m*; chant du coq *m*; * *vi* chanter victoire.

crowd *n* foule *f*; monde *m*; * *vt* entasser; * *vi* s'entasser.

crown *n* couronne *f*; sommet *m*; * *vt* couronner.

crown prince *n* prince héritier *m*.

crucial *adj* crucial.

crucible *n* creuset *m*.

crucifix *n* crucifix *m*.

crucifixion *n* crucifixion *f*.

crucify *vt* crucifier.

crude *adj* brut, grossier; ~**ly** *adv* crûment.

cruel *adj* cruel; ~**ly** *adv* cruellement.

cruelty *n* cruauté *f*.

cruet *n* huilier-vinaigrier *m*.

cruise *n* croisière *f*; * *vi* croiser.

cruiser *n* croiseur *m*.

crumb *n* miette *f*.

crumble *vt* émietter; effriter; * *vi* s'émietter; se désintégrer.

crumple *vt* froisser.

crunch *vt* croquer; * *n* (*fig*) crise *f*.

crunchy *adj* croquant.

crusade *n* croisade *f*.

crush *vt* écraser; opprimer; * *n* cohue *f*.

crust *n* croûte *f*.

crusty *adj* croustillant; hargneux, bourru.

crutch *n* béquille *f*.

crux *n* cœur *m* (d'une question).

cry *vt vi* crier; pleurer; * *n* cri *m*; sanglot *m*.

crypt *n* crypte *f*.

cryptic *adj* énigmatique.

crystal *n* cristal *m*.

crystal-clear *adj* clair comme de l'eau de roche.

crystalline *adj* cristallin; pur.

crystallise *vi* se cristalliser; * *vt* cristalliser.

cub *n* petit *m* (animal).

cube *n* cube *m*.

cubic *adj* cubique.

cuckoo *n* coucou *m*.

cucumber *n* concombre *m*.

cud *n*: to chew the ~ ruminer (*also fig*).

cuddle *vt* embrasser; * *vi* s'enlacer; * *n* étreinte *f*, câlin *m*.

cudgel *n* gourdin *m*, trique *f*.

cue *n* queue de billard *f*.

cuff *n* manchette *f*; revers de pantalon *m*.

culinary *adj* culinaire.

cull *vt* sélectionner; éliminer.

culminate *vi* culminer.

culmination *n* point culminant *m*.

culpability *n* culpabilité *f*.

culpable *adj* coupable; blâmable; ~**bly** *adv* coupablement.

culprit *n* coupable *mf*.

cult *n* culte *m*.

cultivate *vt* cultiver; améliorer, perfectionner.

cultivation *n* culture *f*.

cultural *adj* culturel.

culture *n* culture *f*.

cumbersome *adj* encombrant; lourd, pesant.

cumulative *adj* cumulatif.

cunning *adj* astucieux, rusé; ~**ly** *adv* astucieusement; habilement; * *n* astuce, finesse *f*.

cup *n* tasse, coupe *f*; (*bot*) corolle *f*.

cupboard *n* placard *m*.

curable *adj* guérissable.

curate *n* vicaire *m*.

curator *n* conservateur *m*; curateur *m*.

curb *n* frein *m*; bord du trottoir *m*; * *vt* freiner, juguler, modérer.

curd *n* lait caillé *m*.

curdle *vt* cailler, figer; *vi* se cailler, se figer.

cure *n* remède *m*; cure *f*; * *vt* guérir.

curfew *n* couvre-feu *m*.

curing *n* salaison *f*.

curiosity *n* curiosité *f*.

curious *adj* curieux; ~**ly** *adv* avec curiosité; curieusement.

curl *n* boucle de cheveux *f*; * *vt*

boucler; friser; * *vi* friser.

curling iron *n*, **curling tongs** *npl* fer à friser *m*.

curly *adj* frisé, bouclé.

currant *n* raisin *m* sec.

currency *n* monnaie *f*; circulation *f*; cours *m*.

current *adj* courant; actuel; * *n* cours *m*; tendance *f*; courant *m*.

current affairs *npl* actualité *f*; problèmes actuels *mpl*.

currently *adv* actuellement.

curriculum vitae *n* curriculum vitae *m*.

curry *n* curry *m*.

curse *vt* maudire; * *vi* jurer; * *n* malédiction *f*.

cursor *n* curseur *m*.

cursory *adj* superficiel; hâtif.

curt *adj* succinct; sec.

curtail *vt* réduire; écourter.

curtain *n* rideau *m*.

curtain rod *n* tringle à rideaux *f*.

curtsy *n* révérence *f*; * *vi* faire une révérence.

curvature *n* courbure *f*.

curve *vt* courber; * *n* courbe *f*.

cushion *n* coussin *m*.

custard *n* crème anglaise *f*.

custodian *n* gardien *m* -ne *f*.

custody *n* garde *f*; emprisonnement *m*.

custom *n* coutume *f*, usage *m*.

customary *adj* habituel, coutumier, ordinaire.

customer *n* client *m* -e *f*.

customs *npl* douane *f*.

customs duty *n* droits de douane *mpl*.

customs officer *n* douanier *m*.

cut *vt* découper; couper; tailler; réduire; blesser; ~ **short** écourter; interrompre; ~ **a tooth** percer une dent; * *vi* couper; se couper; * *n* coupe *f*; coupure *f*; réduction *f*; ~ **and dried** *adj* arrangé.

cutback *n* réduction *f*.

cute *adj* mignon.

cutlery n couverts mpl.
cutlet n côtelette f.
cut-rate adj à prix réduit.
cut-throat n assassin m; * adj acharné.
cutting n coupure f; * adj coupant; tranchant.
cyanide n cyanure m.
cycle n cycle m; bicyclette f; * vi aller à bicyclette.
cycling n cyclisme m.

cyclist n cycliste mf.
cyclone n cyclone m.
cygnet n jeune cygne m.
cylinder n cylindre m; rouleau m.
cylindric(al) adj cylindrique.
cymbals n cymbale f.
cynic(al) adj cynique; sceptique; * n cynique mf.
cynicism n cynisme m.
cypress n cyprès m.
cyst n kyste m.
czar n tsar m.

D

dab n petit peu m; touche f.
dabble vi barboter.
Dacron n dacron m.
dad(dy) n papa m.
daddy-long-legs n (zool) cousin m.
daffodil n narcisse m, jonquille f.
dagger n poignard m.
daily adj quotidien; * adv quotidiennement, tous les jours; * n quotidien m.
daintily adv délicatement.
daintiness n élégance f; délicatesse f.
dainty adj délicat; élégant.
dairy n laiterie f.
dairy farm n laiterie f.
dairy produce n produits laitiers mpl.
daisy n marguerite f.
daisy wheel n marguerite f.
dale n vallée f.
dally vi traîner.
dam n barrage m; * vt endiguer.
damage n dommage m; tort m; * vt endommager; faire du tort à.
damask n damas m; * adj damassé.
dame n dame f; fille f.
damn vt condamner; * adj maudit.
damnable adj maudit; ~bly adv terriblement.
damnation n damnation f.
damning adj accablant.

damp adj humide; * n humidité f; * vt humidifier.
dampen vt humidifier.
dampness n humidité f.
damson n prune de Damas f.
dance n danse f; soirée dansante f; * vt vi danser.
dance hall n dancing m.
dancer n danseur m -euse f.
dandelion n pissenlit m.
dandruff n pellicules fpl.
dandy adj génial.
danger n danger m.
dangerous adj dangereux; ~ly adv dangereusement.
dangle vi pendre.
dank adj humide.
dapper adj soigné.
dappled adj tacheté.
dare vi oser; * vt défier.
daredevil n casse-cou m invar.
daring n audace f; * adj audacieux; ~ly adv audacieusement.
dark adj sombre, obscur; * n obscurité f; ignorance f.
darken vt assombrir, obscurcir; * vi s'assombrir, s'obscurcir.
dark glasses npl lunettes de soleil fpl.
darkness n obscurité f.
darkroom n chambre noire f.
darling n, adj chéri m -e f.
darn vt repriser.
dart n dard m.

darts *n* jeu de fléchettes *m*.

dash *vi* se dépêcher; * *n* goutte *f*; tiret, trait *m*; **at one ~** tout d'un coup.

dashboard *n* tableau de bord *m*.

dashing *adj* impétueux; élégant.

dastardly *adj* infâme.

data *n* données *fpl*.

database *n* base de données *f*.

data processing *n* traitement de données *m*.

date *n* date *f*; rendez-vous *m*; (*bot*) datte *f*; * *vt* dater; sortir avec.

dated *adj* démodé.

dative *n* (*gr*) datif *m*.

daub *vt* barbouiller.

daughter *n* fille *f*; **~ in-law** belle-fille *f*.

daunting *adj* décourageant.

dawdle *vi* traîner.

dawn *n* aube *f*; * *vi* se lever.

day *n* jour *m*, journée *f*; **by ~** de jour; **~ by ~** de jour en jour.

daybreak *n* aube *f*.

day laborer *n* (US) journalier *m*.

daylight *n* lumière du jour, lumière naturelle *f*; **~ saving time** *n* heure d'été *f*.

daytime *n* journée *f*, jour *m*.

daze *vt* étourdir.

dazed *adj* étourdi.

dazzle *vt* éblouir.

dazzling *adj* éblouissant.

deacon *n* diacre *m*.

dead *adj* mort; **~wood** *n* bois mort *m*; **~ silence** *n* silence de mort *m*; **the ~** *npl* les morts *mpl*.

dead-drunk *adj* ivre-mort.

deaden *vt* amortir.

dead heat *n* arrivée ex-aequo *f*.

deadline *n* date limite *f*.

deadlock *n* impasse *f*.

deadly *adj* mortel; * *adv* terriblement.

dead march *n* marche funèbre *f*.

deadness *n* inertie *f*.

deaf *adj* sourd.

deafen *vt* assourdir.

deaf-mute *n* sourd(e)-muet(te) *mf*.

deafness *n* surdité *f*.

deal *n* accord *m*; marché *m*; **a great ~** beaucoup; **a good ~** pas mal; * *vt* distribuer, donner; * *vi* **~ in** être dans le commerce de; **~ with** avoir affaire à.

dealer *n* commerçant *m*; trafiquant *m*; donneur *m*.

dealings *npl* rapports *mpl*; transactions *fpl*.

dean *n* doyen *m*.

dear *adj* **~ly** *adv* cher.

dearness *n* cherté *f*.

dearth *n* pénurie *f*.

death *n* mort *f*.

deathbed *n* lit de mort *m*.

deathblow *n* coup mortel *m*.

death certificate *n* acte de décès *m*.

death penalty *n* peine de mort *f*.

death throes *npl* agonie *f*.

death warrant *n* condamnation à mort *f*.

debacle *n* débâcle *f*.

debar *vt* exclure.

debase *vt* dégrader.

debasement *n* dégradation *f*.

debatable *adj* discutable.

debate *n* débat *m*; * *vt* discuter; examiner.

debauched *adj* débauché.

debauchery *n* débauche *f*.

debilitate *vt* débiliter.

debit *n* débit *m*; * *vt* (*com*) débiter.

debt *n* dette *f*; **to get into ~** s'endetter.

debtor *n* débiteur *m* -trice *f*.

debunk *vt* démystifier.

decade *n* décennie *f*.

decadence *n* décadence *f*.

decaffeinated *adj* décaféiné.

decanter *n* carafe *f*.

decapitate *vt* décapiter.

decapitation *n* décapitation *f*.

decay *vi* décliner; pourrir; * *n* déclin *m*; pourrissement *m*; carie *f*.

deceased *adj* décédé.

deceit *n* tromperie *f*.

deceitful *adj* trompeur; **~ly** *adv* faussement.

deceive *vt* tromper.

December *n* décembre *m*.

decency *n* décence *f*; pudeur *f*.

decent *adj* décent; bien, bon; ~ly *adv* décemment.

deception *n* tromperie *f*.

deceptive *adj* trompeur.

decibel *n* décibel *m*.

decide *vt* decider; * *vi* se décider.

decided *adj* décidé.

decidedly *adv* décidément.

deciduous *adj* (*bot*) à feuilles caduques.

decimal *adj* décimal.

decimate *vt* décimer.

decipher *vt* déchiffrer.

decision *n* décision, détermination *f*.

decisive *adj* décisif; ~ly *adv* avec décision.

deck *n* pont *m*; * *vt* orner.

deckchair *n* chaise longue *f*.

declaim *vt vi* déclamer.

declamation *n* déclamation *f*.

declaration *n* déclaration *f*.

declare *vt* déclarer.

declension *n* déclinaison *f*.

decline *vt* (*gr*) décliner; refuser; * *vi* décliner; * *n* déclin *m*; décadence *f*.

declutch *vi* débrayer.

decode *vt* décoder.

decompose *vt* décomposer.

decomposition *n* décomposition *f*.

decor *n* décor *m*; décoration *f*.

decorate *vt* décorer, orner.

decoration *n* décoration *f*.

decorative *adj* décoratif.

decorator *n* décorateur *m* -trice *f*.

decorous *adj* bienséant, convenable; ~ly *adv* convenablement.

decorum *n* décorum *m*.

decoy *n* leurre *m*.

decrease *vt* diminuer; * *n* diminution *f*.

decree *n* décret *m*; * *vt* décréter; ordonner.

decrepit *adj* décrépit.

decry *vt* décrier.

dedicate *vt* dédier; consacrer.

dedication *n* dédicace *f*; consacration *f*.

deduce *vt* déduire, conclure.

deduct *vt* déduire, soustraire.

deduction *n* déduction *f*.

deed *n* action *f*; exploit *m*.

deem *vt* juger, considérer.

deep *adj* profond.

deepen *vt* approfondir.

deep-freeze *n* congélateur *m*.

deeply *adv* profondément.

deepness *n* profondeur *f*.

deer *n* cerf *m*.

deface *vt* défigurer.

defacement *n* défiguration *f*.

defamation *n* diffamation *f*.

default *n* défaut *m*; manque *m*; * *vi* manquer à ses engagements.

defaulter *n* (*law*) défaillant *m* -e *f*.

defeat *n* défaite *f*; * *vt* vaincre; frustrer.

defect *n* défaut *m*.

defection *n* désertion *f*.

defective *adj* défectueux.

defend *vt* défendre; protéger.

defendant *n* accusé *m* -e *f*.

defense *n* défense *f*; protection *f*.

defenseless *adj* sans défense.

defensive *adj* défensif; ~ly *adv* défensivement.

defer *vt* déférer.

deference *n* déférence *f*.

deferential *adj* respectueux.

defiance *n* défi *m*.

defiant *adj* provocant.

deficiency *n* défaut *m*; manque *m*.

deficient *adj* insuffisant.

deficit *n* déficit *m*.

defile *vt* souiller.

definable *adj* définissable.

define *vt* définir.

definite *adj* sûr; précis; ~ly *adv* sans aucun doute.

definition *n* définition *f*.

definitive *adj* définitif; ~ly *adv* définitivement.

deflate *vt* dégonfler.

deflect *vt* dévier.
deflower *vt* déflorer.
deform *vt* déformer.
deformity *n* déformité *f*.
defraud *vt* escroquer.
defray *vt* payer.
defrost *vt* dégivrer; décongeler.
defroster *n* dégivreur *m*.
deft *adj* habile; ~**ly** *adv* habilement.
defunct *adj* défunt.
defuse *vt* désamorcer.
degenerate *vi* dégénérer; * *adj*
dégénéré.
degeneration *n* dégénération *f*.
degradation *n* dégradation *f*.
degrade *vt* dégrader.
degree *n* degré *m*; diplôme *m*.
dehydrated *adj* déshydraté.
de-ice *vt* dégivrer.
deign *vi* daigner.
deity *n* divinité *f*.
dejected *adj* découragé.
dejection *n* découragement *m*.
delay *vt* retarder; * *n* retard *m*.
delectable *adj* délectable.
delegate *vt* déléguer; * *n* délégué
m -e *f*.
delegation *n* délégation *f*.
delete *vt* effacer.
deliberate *vt* examiner; * *adj* délibéré; ~**ly** *adv* délibérément,
exprès.
deliberation *n* délibération *f*.
deliberative *adj* délibérant.
delicacy *n* délicatesse *f*.
delicate *adj* délicat; ~**ly** *adv* délicatement.
delicious *adj* délicieux, exquis;
~**ly** *adv* délicieusement.
delight *n* délice *m*; enchantement
m; * *vt* enchanter; * *vi* adorer.
delighted *adj* enchanté.
delightful *adj* charmant; ~**ly** *adv*
merveilleusement.
delineate *vt* décrire; délimiter.
delineation *n* tracé *m*.
delinquency *n* délinquance *f*.
delinquent *n* délinquant *m* -e *f*.
delirious *adj* délirant.

delirium *n* délire *m*.
deliver *vt* livrer; délivrer; prononcer.
deliverance *n* libération *f*.
delivery *n* livraison *f*; accouchement *m*.
delude *vt* tromper.
deluge *n* déluge *m*.
delusion *n* tromperie *f*; illusion *f*.
delve *vi* creuser; chercher.
demagogue *n* démagogue *m*.
demand *n* demande *f*; * *vt* exiger;
réclamer.
demanding *adj* exigeant.
demarcation *n* démarcation *f*.
demean *vi* s'abaisser.
demeanor *n* conduite *f*, comportement *m*.
demented *adj* dément.
demise *n* disparition *f*.
democracy *n* démocratie *f*.
democrat *n* démocrate *mf*.
democratic *adj* démocratique.
demolish *vt* démolir.
demolition *n* démolition *f*.
demon *n* démon, diable *m*.
demonstrable *adj* démontrable;
~**bly** *adv* manifestement.
demonstrate *vt* démontrer, prouver; * *vi* manifester.
demonstration *n* démonstration
f; manifestation *f*.
demonstrative *adj* démonstratif.
demonstrator *n* manifestant *m*
-e *f*.
demoralisation *n* démoralisa-
tion *f*.
demoralise *vt* démoraliser.
demote *vt* rétrograder.
demur *vi* émettre une objection;
rechigner.
demure *adj* réservé; ~**ly** *adv* avec
réserve.
den *n* antre *m*.
denatured alcohol *n* alcool dénaturé *m*.
denial *n* dénégation *f*.
denims *npl* jean *m*.
denomination *n* valeur *f*; dénomination *f*.

denominator *n* (*math*) dénominateur *m*.

denote *vt* dénoter, indiquer.

denounce *vt* dénoncer.

dense *adj* dense, épais.

density *n* densité *f*.

dent *n* bosse *f*; * *vt* cabosser.

dental *adj* dentaire.

dentifrice *n* dentifrice *m*.

dentist *n* dentiste *mf*.

dentistry *n* dentisterie *f*.

denture *n* dentier *m*.

denude *vt* dénuder, dépouiller.

denunciation *n* dénonciation *f*.

deny *vt* nier.

deodorant *n* déodorant *m*.

deodorise *vt* déodoriser.

depart *vi* partir.

department *n* département *m*; service *m*.

department store *n* grand magasin *m*.

departure *n* départ *m*.

departure lounge *n* salle d'embarquement *f*.

depend *vi* dépendre; ~ **on/upon** compter sur.

dependable *adj* fiable; sûr.

dependant *n* personne à charge *f*.

dependency *n* dépendance *f*.

dependent *adj* dépendant.

depict *vt* dépeindre, décrire.

depleted *adj* réduit.

deplorable *adj* déplorable, lamentable; ~**bly** *adv* déplorablement.

deplore *vt* déplorer, lamenter.

deploy *vt* (*mil*) déployer.

depopulated *adj* dépeuplé.

depopulation *n* dépopulation *f*.

deport *vt* déporter; expulser.

deportation *n* déportation *f*; expulsion *f*.

deportment *n* comportement *m*.

deposit *vt* déposer; * *n* dépôt *m*; caution *f*.

deposition *n* déposition *f*.

depositor *n* déposant *m* -e *f*.

depot *n* dépôt *m*.

deprave *vt* dépraver, corrompre.

depraved *adj* dépravé.

depravity *n* dépravation *f*.

deprecate *vt* désapprouver.

depreciate *vi* se déprécier.

depreciation *n* dépréciation *f*.

depredation *n* déprédation *f*.

depress *vt* déprimer.

depressed *adj* déprimé.

depression *n* dépression *f*.

deprivation *n* privation *f*.

deprive *vt* priver.

deprived *adj* défavorisé.

depth *n* profondeur *f*.

deputation *n* députation *f*.

depute *vt* députer, déléguer.

deputise *vi* remplacer.

deputy *n* remplaçant *m* -e *f*; député *m*; délégué *m* -e *f*.

derail *vt* faire dérailler.

deranged *adj* dérangé.

derby *n* chapeau melon *m*.

derelict *adj* abandonné, en ruines.

deride *vt* se moquer de.

derision *n* dérision *f*.

derisive *adj* ridicule; moqueur.

derivable *adj* déductible.

derivation *n* dérivation *f*.

derivative *n* dérivé *m*.

derive *vt vi* dériver.

derogatory *adj* désobligeant.

derrick *n* derrick *m*.

descant *n* (*mus*) déchant *m*.

descend *vi* descendre.

descendant *n* descendant *m* -e *f*.

descent *n* descente *f*.

describe *vt* décrire.

description *n* description *f*.

descriptive *adj* descriptif.

descry *vt* distinguer.

desecrate *vt* profaner.

desecration *n* profanation *f*.

desert *n* désert *m*; * *adj* désert; * *vt* abandonner; déserter.

deserter *n* déserteur *m*.

desertion *n* désertion *f*.

deserve *vt* mériter.

deservedly *adv* à juste titre.

deserving *adj* méritant.

déshabillé *n* déshabillé *m*.

desideratum *n* desideratum *m*.

design *vt* concevoir; dessiner; * *n* dessein *m*; design *m*; dessin *m*.

designate *vt* désigner.

designation *n* désignation *f*.

designedly *adv* exprès, délibérément.

designer *n* créateur *m* -trice *f*; styliste *mf*.

desirability *n* avantage *m*; attrait *m*.

desirable *adj* désirable.

desire *n* désir *m*; * *vt* désirer.

desirous *adj* désireux.

desist *vi* abandonner.

desk *n* bureau *m*.

desolate *adj* désert, désolé.

desolation *n* désolation *f*.

despair *n* désespoir *m*; * *vi* se désespérer.

despairingly *adj* désespérément.

despatch = dispatch.

desperado *n* bandit *m*.

desperate *adj* désespéré; ~ly *adv* désespérément; extrêmement.

desperation *n* désespoir *m*.

despicable *adj* méprisable.

despise *vt* mépriser.

despite *prep* malgré.

despoil *vt* dépouiller.

despondency *n* abattement *m*.

despondent *adj* abattu.

despot *n* despote *m*.

despotic *adj* despotique; ~ally *adv* despotiquement.

despotism *n* despotisme *m*.

dessert *n* dessert *m*.

destination *n* destination *f*.

destine *vt* destiner.

destiny *n* destin, sort *m*.

destitute *adj* indigent.

destitution *n* indigence *f*.

destroy *vt* détruire.

destruction *n* destruction *f*.

destructive *adj* destructeur.

desultory *adj* irrégulier; sans méthode.

detach *vt* séparer, détacher.

detachable *adj* détachable.

detachment *n* (*mil*) détachement *m*.

detail *n* détail *m*; **in** ~ en détail; * *vt* détailler.

detain *vt* retenir; détenir.

detect *vt* détecter.

detection *n* détection *f*; découverte *f*.

detective *n* détective *m*.

detector *n* détecteur *m*.

detention *n* détention *f*.

deter *vt* dissuader.

detergent *n* détergent *m*.

deteriorate *vt* détériorer.

deterioration *n* détérioration *f*.

determination *n* détermination *f*.

determine *vt* déterminer, décider.

determined *adj* déterminé.

deterrent *n* force de dissuasion *f*.

detest *vt* détester.

detestable *adj* détestable.

dethrone *vt* détrôner.

dethronement *n* détrônement *m*.

detonate *vi* détoner.

detonation *n* détonation *f*.

detour *n* déviation *f*.

detract *vi* nuire à.

detriment *n* détriment *m*.

detrimental *adj* préjudiciable.

deuce *n* deux *m*; égalité *f*.

devaluation *n* dévaluation *f*.

devalue *vt* dévaluer.

devastate *vt* dévaster.

devastating *adj* dévastateur.

devastation *n* dévastation *f*.

develop *vt* développer.

development *n* développement *m*.

deviate *vi* dévier.

deviation *n* déviation *f*.

device *n* mécanisme *m*.

devil *n* diable, démon *m*.

devilish *adj* diabolique; ~ly *adv* diaboliquement.

devious *adj* tortueux.

devise *vt* inventer; concevoir.

devoid *adj* dépourvu.

devolve *vt* déléguer.

devote *vt* consacrer.

devoted *adj* dévoué.

devotee *n* partisan *m* -e *f*.

devotion *n* dévotion *f*.

devotional *adj* dévot.

devour *vt* dévorer.

devout *adj* dévot, pieux; **~ly** *adv* pieusement.

dew *n* rosée *f*.

dewy *adj* couvert de rosée; ingénu.

dexterity *n* dextérité *f*.

dexterous *adj* adroit, habile.

diabetes *n* diabète *m*.

diabetic *n* diabétique *mf*.

diabolic *adj* diabolique; **~ally** *adv* diaboliquement.

diadem *n* diadème *m*.

diagnosis *n* (*med*) diagnostic *m*.

diagnostic *adj* diagnostique; * *npl* **-s** diagnostic *m*.

diagonal *adj* diagonal; **~ly** *adv* diagonalement; * *n* diagonale *f*.

diagram *n* diagramme *m*.

dial *n* cadran *m*.

dial code *n* code *m*.

dialect *n* dialecte *m*.

dialogue *n* dialogue *m*.

dial tone *n* tonalité *f*.

diameter *n* diamètre *m*.

diametrical *adj* diamétral; **~ly** *adv* diamétralement; * *n* diagonale *f*.

diamond *n* diamant *m*.

diamond-cutter *n* tailleur de diamant *m*.

diamonds *npl* (cards) carreaux *mpl*.

diaper *n* couche *f*.

diaphragm *n* diaphragme *m*.

diarrhoea *n* diarrhée *f*.

diary *n* journal *m*.

dice *npl* dés *mpl*.

dictate *vt* dicter; * *n* ordre *m*.

dictation *n* dictée *f*.

dictatorial *adj* dictatorial.

dictatorship *n* dictature *f*.

diction *n* diction *f*

dictionary *n* dictionnaire *m*.

didactic *adj* didactique.

die *vi* mourir; **~ away** s'affaiblir; **~ down** s'éteindre.

die *n* (*sing de* **dice**) dé *m*.

diehard *n* réactionnaire *mf*.

diesel *n* diesel *m*.

diet *n* diète *f*; régime *m*; * *vi* être au régime.

dietary *adj* diététique.

differ *vi* différer.

difference *n* différence *f*.

different *adj* différent; **~ly** *adv* différemment.

differentiate *vt* différencier.

difficult *adj* difficile.

difficulty *n* difficulté *f*.

diffidence *n* timidité *f*; manque d'assurance *m*.

diffident *adj* timide; mal assuré; **~ly** *adv* avec timidité.

diffraction *n* diffraction *f*.

diffuse *vt* diffuser, répandre; * *adj* diffus.

diffusion *n* diffusion *f*.

dig *vt* creuser; * *n* coup *m*.

digest *vt* digérer.

digestible *adj* digestible.

digestion *n* digestion *f*.

digestive *adj* digestif.

digger *n* excavatrice *f*.

digit *n* chiffre *m*.

digital *adj* digital; numérique.

dignified *adj* digne.

dignitary *n* dignitaire *m*.

dignity *n* dignité *f*.

digress *vi* faire une digression.

digression *n* digression *f*.

dike *n* digue *f*.

dilapidated *adj* délabré.

dilapidation *n* délabrement *m*.

dilate *vt* dilater; * *vi* se dilater.

dilemma *n* dilemme *m*.

diligence *n* assiduité *f*.

diligent *adj* assidu; **~ly** *adv* avec assiduité.

dilute *vt* diluer.

dim *adj* indistinct; faible; sombre; * *vt* affaiblir; troubler.

dime *n* pièce de dix cents *f*.

dimension *n* dimension *f*.

diminish *vt* *vi* diminuer.

diminution *n* diminution *f*.

diminutive *n* diminutif *m*.

dimly *adv* indistinctement; faiblement.

dimmer *n* interrupteur d'intensité *m*.

dimple *n* fossette *f*.

din *n* vacarme *m*. .

dine *vi* dîner.

diner *n* restaurant (économique) *m*; dîneur *m* -euse *f*.

dinghy *n* canot pneumatique *f*.

dingy *adj* sale; miteux.

dinner *n* dîner *m*.

dinner time *n* heure du dîner *f*.

dinosaur *n* dinosaure *m*.

dint *n*: by ~ of à force de.

diocese *n* diocèse *m*.

dip *vt* tremper.

diphtheria *n* diphtérie *f*.

diphthong *n* diphtongue *f*.

diploma *n* diplôme *m*.

diplomacy *n* diplomatie *f*.

diplomat *n* diplomate *m*.

diplomatic *adj* diplomatique.

dipsomania *n* dipsomanie *f*.

dipstick *n* (auto) jauge *f*.

dire *adj* atroce, affreux.

direct *adj* direct; * *vt* diriger.

direction *n* direction *f*; instruction *f*.

directly *adj* directement; immédiatement.

director *n* directeur *m* -trice *f*.

directory *n* annuaire *m*.

dirt *n* saleté *f*.

dirtiness *n* saleté *f*.

dirty *adj* sale.

disability *n* incapacité *f*; infirmité *f*.

disabled *adj* infirme.

disabuse *vt* détromper.

disadvantage *n* désavantage *m*; * *vt* désavantager.

disadvantageous *adj* désavantageux.

disaffected *adj* mécontent.

disagree *vi* ne pas être d'accord.

disagreeable *adj* désagréable; ~bly *adv* désagréablement.

disagreement *n* désaccord *m*.

disallow *vt* rejeter.

disappear *vi* disparaître.

disappearance *n* disparition *f*.

disappoint *vt* décevoir.

disappointed *adj* déçu.

disappointing *adj* décevant.

disappointment *n* déception *f*.

disapproval *n* désapprobation *f*.

disapprove *vt* désapprouver.

disarm *vt* désarmer.

disarmament *n* désarmement *m*.

disarray *n* désordre *m*.

disaster *n* désastre *m*.

disastrous *adj* désastreux.

disband *vt* disperser.

disbelief *n* incrédulité *f*.

disbelieve *vt* ne pas croire.

disburse *vt* débourser.

discard *vt* jeter.

discern *vt* discerner, percevoir.

discernible *adj* perceptible.

discerning *adj* perspicace.

discernment *n* perspicacité *f*.

discharge *vt* décharger; régler (une dette); remplir; * *n* décharge *f*; règlement *m*.

disciple *n* disciple *m*.

discipline *n* discipline *f*; * *vt* discipliner.

disclaim *vt* nier.

disclaimer *n* dénégation *f*.

disclose *vt* révéler.

disclosure *n* révélation *f*.

disco *n* discothèque *f*.

discoloration *n* décoloration *f*.

discolour *vt* décolorer.

discomfort *n* incommodité *f*.

disconcert *vt* déconcerter.

disconnect *vt* débrancher.

disconsolate *adj* inconsolable; ~ly *adv* inconsolablement.

discontent *n* mécontentement *m*; * *adj* mécontent.

discontented *adj* mécontent.

discontinue *vt* interrompre.

discord *n* discorde *f*.

discordant *adj* discordant.

discount *n* escompte *m*; remise *f*; * *vt* escompter.

discourage *vt* décourager.

discouraged *adj* découragé.

discouragement *n* découragement *m*.

discouraging *adj* décourageant.
discourse *n* discours *m*.
discourteous *adj* discourtois; **~ly** *adv* de manière discourtoise.
discourtesy *n* manque de courtoisie *m*.
discover *vt* découvrir.
discovery *n* découverte *f*.
discredit *vt* discréditer.
discreditable *adj* peu honorable.
discreet *adj* discret; **~ly** *adv* discrètement.
discrepancy *n* contradiction *f*.
discretion *n* discrétion *f*.
discretionary *adj* discrétionnaire.
discriminate *vt* distinguer; discriminer.
discrimination *n* discrimination *f*.
discursive *adj* discursif.
discuss *vt* discuter.
discussion *n* discussion *f*.
disdain *vt* dédaigner; * *n* dédain, mépris *m*.
disdainful *adj* dédaigneux, méprisant; **~ly** *adv* dédaigneusement, avec mépris.
disease *n* maladie *f*.
diseased *adj* malade.
disembark *vt vi* débarquer.
disembarkation *n* (*mil*) débarquement *m*.
disenchant *vt* désenchanter.
disenchanted *adj* désenchanté.
disenchantment *n* désenchantement *m*.
disengage *vt* dégager.
disentangle *vt* démêler.
disfigure *vt* défigurer.
disgrace *n* honte *f*; scandale *m*; * *vt* déshonorer.
disgraceful *adj* honteux; scandaleux; **~ly** *adv* honteusement.
disgruntled *adj* mécontent.
disguise *vt* déguiser; * *n* déguisement *m*.
disgust *n* dégoût *m*; * *vt* dégoûter.
disgusting *adj* dégoûtant.
dish *n* plat *m*; assiette *f*; * *vt* servir dans un plat; **~ up** servir.

dishcloth *n* torchon à vaisselle *m*.
dishearten *vt* démoraliser.
dishevelled *adj* ébouriffé.
dishonest *adj* malhonnête; **~ly** *adv* malhonnêtement.
dishonesty *n* malhonnêteté *f*.
dishonour *n* déshonneur *m*; * *vt* déshonorer.
dishonourable *adj* déshonorable; **~bly** *adv* de manière déshonorante.
dishtowel *n* torchon à vaisselle *m*.
dishwarmer *n* chauffe-plats *m*.
dishwasher *n* lave-vaisselle *m*; plongeur *m* -euse *f*.
disillusion *vt* désillusionner.
disillusioned *adj* désillusionné.
disincentive *n* élément dissuasif *m*.
disinclination *n* aversion *f*.
disinclined *adj* peu enclin.
disinfect *vt* désinfecter.
disinfectant *n* désinfectant *m*.
disinherit *vt* déshériter.
disintegrate *vi* se désintégrer.
disinterested *adj* désintéressé; **~ly** *adv* de manière désintéressée.
disjointed *adj* déréglé; décousu.
disk *n* disque *m*; disquette *f*.
diskette *n* disque *m*, disquette *f*.
dislike *n* aversion *f*; * *vt* ne pas aimer.
dislocate *vt* disloquer.
dislocation *n* dislocation *f*.
dislodge *vt* déloger.
disloyal *adj* déloyal; **~ly** *adv* déloyalement.
disloyalty *n* déloyauté *f*.
dismal *adj* triste, lugubre.
dismantle *vt* démonter.
dismay *n* consternation *f*.
dismember *vt* démembrer.
dismiss *vt* renvoyer; écarter.
dismissal *n* renvoi *m*; rejet *m*.
dismount *vt* désarçonner; * *vi* descendre.
disobedience *n* désobéissance *f*.
disobedient *adj* désobéissant.
disobey *vt* désobéir.

disorder n désordre m.
disorderly adj en désordre, confus.
disorganisation n désorganisation f.
disorganised adj désorganisé.
disorientated adj désorienté.
disown vt renier.
disparage vt dénigrer.
disparaging adj désobligeant.
disparity n disparité f.
dispassionate adj impartial; calme.
dispatch vt envoyer; * n envoi m; dépêche f.
dispel vt dissiper.
dispensary n dispensaire m.
dispense vt dispenser; distribuer.
disperse vt disperser.
dispirited adj démoralisé.
displace vt déplacer.
display vt exposer; faire preuve de; * n exposition f; déploiement m.
displeased adj mécontent.
displeasure n mécontentement m.
disposable adj à jeter.
disposal n disposition f.
dispose vt disposer.
disposed adj disposé.
disposition n disposition f.
dispossess vt déposséder.
disproportionate adj disproportionné.
disprove vt réfuter.
dispute n dispute f; controverse f; * vt mettre en cause.
disqualify vt exclure; disqualifier.
disquiet n inquiétude f.
disquieting adj inquiétant.
disquisition n dissertation f.
disregard vt ne pas tenir compte de; mépriser; * n dédain m.
disreputable adj de mauvaise réputation.
disrespect n irrévérence f.
disrespectful adj irrespectueux; ~ly adv irrespectueusement.
disrobe vt dévêtir.

disrupt vt interrompre.
disruption n interruption f.
dissatisfaction n mécontentement m.
dissatisfied adj mécontent.
dissect vt disséquer.
dissection n dissection f.
disseminate vt disséminer.
dissension n dissension f.
dissent vi être en dissension; * n dissension f.
dissenter n dissident m -e f.
dissertation n thèse f.
dissident n dissident m -e f.
dissimilar adj dissemblable.
dissimilarity n dissemblance f.
dissimulation n dissimulation f.
dissipate vt dissiper.
dissipation n dissipation f.
dissociate vt dissocier.
dissolute adj dissolu.
dissolution n dissolution f.
dissolve vt dissoudre; * vi se dissoudre.
dissonance n dissonance f.
dissuade vt dissuader.
distance n distance f; **at a** ~ de loin; * vt distancer.
distant adj distant.
distaste n dégoût m.
distasteful adj désagréable.
distend vt distendre.
distil vt distiller.
distillation n distillation f.
distillery n distillerie f.
distinct adj distinct; ~ly adv distinctement.
distinction n distinction f.
distinctive adj distinctif.
distinctness n clarté f.
distinguish vt distinguer; discerner.
distort vt déformer.
distorted adj déformé.
distortion n distortion f.
distract vt distraire.
distracted adj distrait; ~ly adj distraitement.
distraction n distraction f; confusion f.

distraught *adj* éperdu.

distress *n* souffrance *f*; détresse *f*; * *vt* désoler; affliger.

distressing *adj* affligeant.

distribute *vt* distribuer, répartir.

distribution *n* distribution *f*.

distributor *n* distributeur *m*.

district *n* district *m*.

district attorney *n* procureur de la République *m*.

distrustful *adj* méfiant.

disturb *vt* déranger.

disturbance *n* dérangement *m*; trouble *m*.

disturbed *adj* troublé.

disturbing *adj* troublant.

disuse *n* désuétude *f*.

disused *adj* abandonné.

ditch *n* fossé *m*.

dither *vi* hésiter.

ditto *adv* idem.

ditty *n* chansonnette *f*.

diuretic *adj* (*med*) diurétique.

dive *vi* plonger.

diver *n* plongeur *m* -euse *f*.

diverge *vi* diverger.

divergence *n* divergence *f*.

divergent *adj* divergent.

diverse *adj* divers, différent; ~ly *adv* différemment.

diversion *n* diversion *f*.

diversity *n* diversité *f*.

divert *vt* dévier; divertir.

divest *vt* dénuder; dépouiller.

divide *vt* diviser; * *vi* se diviser.

dividend *n* dividende *m*.

dividers *npl* (*math*) compas à pointes sèches *m*.

divine *adj* divin.

divinity *n* divinité *f*.

diving *n* plongeon *m*.

diving board *n* plongeoir *m*.

divisible *adj* divisible.

division *n* (*math*) division *f*.

divisor *n* (*math*) diviseur *m*.

divorce *n* divorce *m*; * *vi* divorcer.

divorced *adj* divorcé.

divulge *vt* divulguer.

dizziness *n* vertige *m*.

dizzy *adj* pris de vertige.

DJ *n* disc-jockey, DJ *m*.

do *vt* faire.

docile *adj* docile.

dock *n* dock *m*; * *vi* entrer aux docks.

docker *n* docker *m*.

dockyard *n* chantier *m* naval.

doctor *n* docteur *m*.

doctrinal *adj* doctrinal.

doctrine *n* doctrine *f*.

document *n* document *m*.

documentary *adj* documentaire.

dodge *vt* esquiver.

doe *n* biche *f*; ~ **rabbit** lapine *f*.

dog *n* chien *m*.

dogged *adj* tenace; ~ly *adv* tenacement.

dog kennel *n* refuge pour chiens *m*.

dogmatic *adj* dogmatique; ~ly *adv* dogmatiquement.

doings *npl* faits *mpl*.

do-it-yourself *n* bricolage *m*.

doleful *adj* lugubre, triste.

doll *n* poupée *f*.

dollar *n* dollar *m*.

dolphin *n* dauphin *m*.

domain *n* domaine *m*.

dome *n* dôme *m*.

domestic *adj* domestique.

domesticate *vt* domestiquer.

domestication *n* domestication *f*.

domesticity *n* domesticité *f*.

domicile *n* domicile *m*.

dominant *adj* dominant.

dominate *vi* dominer.

domination *n* domination *f*.

domineer *vi* dominer.

domineering *adj* autoritaire.

dominion *n* domination *f*.

dominoes *npl* domino *m*.

donate *vt* donner, faire don de.

donation *n* donation *f*.

done *p*, *adj* fait; cuit.

donkey *n* âne *m*.

donor *n* donneur *m*; donateur *m*.

doodle *vi* gribouiller.

doom *n* sort *m*.

door *n* porte *f*.

doorbell n sonnette f.

door handle n poignée de porte f.

doorman n portier m.

doormat n paillasson m.

doorplate n plaque f.

doorstep n pas de porte m.

doorway n entrée f.

dormant adj latent; dormant.

dormer window n lucàrne f.

dormitory n dortoir m.

dormouse n loir m.

dosage n dose f; dosage m.

dose n dose f; * vt doser; donner une dose à.

dossier n dossier m.

dot n point m.

dote vi adorer.

dotingly adv avec adoration.

double adj double; * vt doubler; * n double m.

double bed n lit m à deux places.

double-breasted adj croisé.

double chin n double menton m.

double-dealing n duplicité f.

double-edged adj à double tranchant.

double entry n (com) comptabilité en partie double f.

double-lock vt fermer à double tour.

double room n chambre pour deux f.

doubly adv doublement.

doubt n doute m; * vt douter de.

doubtful adj douteux.

doubtless adv indubitablement.

dough n pâte f.

douse vt éteindre.

dove n colombe f.

dovecot n colombier m.

dowdy adj mal habillé.

down n duvet m; * prep en bas; **to sit ~** s'asseoir; **upside ~** à l'envers.

downcast adj démoralisé; baissé.

downfall n ruine f.

downhearted adj découragé.

downhill adv en descendant, dans la descente.

down payment n acompte m.

downpour n grosse averse f.

downright adj manifeste.

downstairs adv en bas.

down-to-earth adj pratique; terre à terre.

downtown adv dans le centre, en ville.

downward(s) adv vers le bas.

dowry n dot f.

doze vi somnoler.

dozen n douzaine f.

dozy adj somnolent.

drab adj gris; morne.

draft n brouillon m; traite f.

drag vt tirer; * n drague f; ennui m.

dragnet n seine f; filet m.

dragon n dragon m.

dragonfly n libellule f.

drain vt drainer; vider; * n tuyau d'écoulement m.

drainage n drainage m.

drainboard n égouttoir m.

drainpipe n tuyau d'écoulement m.

drake n canard mâle m.

dram n petit verre m.

drama n drame m.

dramatic adj dramatique; **~ally** adv dramatiquement.

dramatise vt dramatiser.

dramatist n dramaturge mf.

drape vt draper.

drapes npl tentures fpl.

drastic adj radical.

draught n courant d'air m.

draughts npl jeu de dames m.

draughty adj exposé aux courants d'air.

draw vt tirer; dessiner; **~ nigh** s'approcher.

drawback n désavantage, inconvénient m.

drawer n tiroir m.

drawing n dessin m.

drawing board n planche à dessin f.

drawing room n salon m.

drawl vi parler d'une voix traînante.

dread *n* terreur *f*; * *vt* redouter, craindre.

dreadful *adj* horrible; **~ly** *adv* horriblement.

dream *n* rêve *m*; * *vt vi* rêver.

dreary *adj* triste, morne.

dredge *vt* draguer.

dregs *npl* lie *f*.

drench *vt* tremper.

dress *vt* habiller; panser; * *vi* s'habiller; * *n* robe *f*.

dresser *n* buffet *m*.

dressing *n* pansement *m*; sauce *f*.

dressing gown *n* peignoir *m*.

dressing room *n* loge *f*; garde-robe *f*.

dressing table *n* coiffeuse *f*.

dressmaker *n* couturier *m* -ière *f*.

dressy *adj* élégant.

dribble *vi* tomber goutte à goutte.

dried *adj* séché.

drift *n* amoncellement *m*; courant *m*; sens *m*; * *vi* aller à la dérive.

driftwood *n* bois flottant *m*.

drill *n* perceuse *f*; (*mil*) exercice *m*; * *vt* percer.

drink *vt vi* boire; * *n* boisson *f*.

drinkable *adj* potable; buvable.

drinker *n* buveur *m* -euse *f*.

drinking bout *n* beuverie *f*.

drinking water *n* eau potable *f*.

drip *vi* goutter; * *n* goutte *f*; goutte-à-goutte *m*.

dripping *n* graisse *f*.

drive *vt* conduire; pousser; * *vi* conduire; * *n* promenade en voiture *f*; allée, entrée *f*.

drivel *n* imbécilités *fpl*; * *vi* baver; dire des imbécilités.

driver *n* conducteur *m* -trice *f*; chauffeur *m*.

driveway *n* allée, entrée *f*.

driving *n* conduite *f*.

driving instructor *n* moniteur (-trice) d'auto-école *m(f)*.

driving licence *n* permis *m* de conduire.

driving school *n* auto-école *f*.

driving test *n* examen *m* du permis de conduire.

drizzle *vi* bruiner.

droll *adj* drôle.

drone *n* bourdonnement *m*.

droop *vi* tomber.

drop *n* goutte *f*; * *vt* laisser tomber; * *vi* tomber; **~ out** se retirer; abandonner.

drop-out *n* marginal *m*.

dropper *n* compte-gouttes *m invar*.

dross *n* scories *fpl*.

drought *n* sécheresse *f*.

drove *n*: **in ~s** en troupe.

drown *vt* noyer; * *vi* se noyer.

drowsiness *n* somnolence *f*.

drowsy *adj* somnolent.

drudgery *n* corvée *f*.

drug *n* drogue *f*; * *vt* droguer.

drug addict *n* drogué *m* -e *f*.

druggist *n* pharmacien *m* -ne *f*.

drugstore *n* pharmacie *f*.

drum *n* tambour *m*; * *vi* jouer du tambour.

drum majorette *n* majorette *f*.

drummer *n* batteur *m*.

drumstick *n* baguette de tambour *f*.

drunk *adj* ivre.

drunkard *n* ivrogne *mf*.

drunken *adj* ivre.

drunkenness *n* ivresse *f*.

dry *adj* sec; * *vt* faire sécher; * *vi* sécher.

dry-cleaning *n* nettoyage à sec *m*.

dry-goods store *n* (US) mercerie *f*.

dryness *n* sécheresse *f*.

dry rot *n* pourriture *f*.

dual *adj* double.

dual-purpose *adj* à double emploi.

dubbed *adj* doublé.

dubious *adj* douteux.

duck *n* canard *m*; * *vt vi* plonger.

duckling *n* caneton *m*.

dud *adj* nul; faux.

due *adj* dû, *f* due; * *adv* exactement; * *n* droit *m*; chose due *f*.
duel *n* duel *m*.
duet *n* (*mus*) duo *m*.
dull *adj* terne; insipide; gris; * *vt*
ternir; atténuer.
duly *adv* dûment; en temps voulu.
dumb *adj* muet; ~ly *adv* sans dire
un mot.
dumbbell *n* haltère *m*; (US)
abruti *m*.
dumbfounded *adj* interloqué.
dummy *n* mannequin *m*; prête-
nom *m*.
dump *n* tas *m*; * *vt* jeter; laisser
tomber.
dumping *n* (*com*) dumping *m*.
dumpling *n* boulette de pâte *f*.
dumpy *adj* boulot;-te *f*.
dunce *n* cancre *m*.
dune *n* dune *f*.
dung *n* fumier *m*.
dungarees *npl* salopette *f*.
dungeon *n* donjon *m*; cachot *m*.
dupe *n* dupe *f*; * *vt* duper.
duplex *n* duplex *m*.
duplicate *n* duplicata *m*; copie *f*;
* *vt* dupliquer.
duplicity *n* duplicité *f*.
durability *n* durabilité *f*.
durable *adj* durable.
duration *n* durée *f*.
during *prep* pendant.

dusk *n* crépuscule *m*.
dust *n* poussière *f*; * *vt* épousseter.
duster *n* chiffon *m*.
dusty *adj* poussiéreux.
Dutch courage *n* courage puisé
dans la boisson *m*.
duteous *adj* fidèle, loyal.
dutiful *adj* obéissant, soumis; ~ly
adv avec obéissance.
duty *n* devoir *m*; obligation *f*.
duty-free *adj* hors taxe.
dwarf *n* nain *m*, naine *f*; * *vt* rapetisser.
dwell *vi* habiter, vivre.
dwelling *n* habitation *f*; domicile
m.
dwindle *vi* diminuer.
dye *vt* teindre; * *n* teinture *f*.
dyer *n* teinturier *m*.
dyeing *n* teinturerie *f*; teinture *f*.
dye-works *npl* teinturerie *f*.
dying *p*, *adj* mourant, agonisant;
* *n* mort *f*.
dynamic *adj* dynamique.
dynamics *n* dynamique *f*.
dynamite *n* dynamite *f*.
dynamiter *n* dynamiteur *m* -euse
f.
dynamo *n* dynamo *f*.
dynasty *n* dynastie *f*.
dysentery *n* dysenterie *f*.
dyspepsia *n* (*med*) dyspepsie *f*.
dyspeptic *adj* dyspeptique.

E

each *pn* chacun(e); ~ **other** les
un(e)s les autres.
eager *adj* enthousiaste; ardent;
~ly *adv* avec enthousiasme; ardemment.
eagerness *n* enthousiasme *m*;
ardeur *f*; désir *m*.
eagle *n* aigle *m*.
eagle-eyed *adj* aux yeux d'aigle.
aglet *n* aiglon *m*.

ear *n* oreille *f*; ouïe *f*; by ~ en im-
provisant.
earache *n* mal d'oreille *m*.
eardrum *n* tympan *m*.
early *adj* premier; *adv* tôt, de
bonne heure.
earmark *vt* (*fig*) désigner.
earn *vt* gagner.
earnest *adj* sérieux; ~ly *adv* sérieusement.

earnestness *n* sérieux *m*.

earnings *npl* revenus *mpl*.

earphones *npl* écouteurs *mpl*.

earring *n* boucle d'oreille *f*.

earth *n* terre *f*; * *vt* brancher à la terre.

earthen *adj* de terre.

earthenware *n* poterie *f*.

earthquake *n* tremblement de terre *m*.

earthworm *n* ver de terre *m*.

earthy *adj* terreux; truculent.

earwig *n* perce-oreille *m*.

ease *n* aise *f*; facilité *f*; **at ~** à l'aise; * *vt* apaiser; soulager.

easel *n* chevalet *m*.

easily *adv* facilement.

easiness *n* facilité *f*.

east *n* est *m*; orient *m*.

Easter *n* Pâques *fpl*.

Easter egg *n* œuf de Pâques *m*.

easterly *adv* d'est.

eastern *adj* de l'est, oriental.

eastward(s) *adv* vers l'est.

easy *adj* facile; commode; **~ going** décontracté.

easy chair *n* fauteuil *m*.

eat *vt vi* manger.

eatable *adj* comestible; mangeable; * **~s** *npl* vivres *mpl*.

eaves *npl* avant-toit *m*.

eau de Cologne *n* eau *f* de Cologne.

eavesdrop *vt* espionner; écouter discrètement.

ebb *n* reflux *m*; * *vi* refluer; décliner.

ebony *n* ébène *f*.

eccentric *adj* excentrique.

eccentricity *n* excentricité *f*.

ecclesiastic *adj* ecclésiastique.

echo *n* écho *m*; * *vi* résonner.

eclectic *adj* éclectique.

eclipse *n* éclipse *f*; * *vt* éclipser.

ecology *n* écologie *f*.

economic(al) *adj* économique; économe.

economics *npl* économie *f*.

economise *vt* économiser.

economist *n* économiste *mf*.

economy *n* économie *f*.

ecstasy *n* extase *f*.

ecstatic *adj* extatique; **~ally** *adv* avec extase.

eczema *n* eczéma *m*.

eddy *n* tourbillon *m*; * *vi* tourbillonner.

edge *n* fil *m*; pointe *f*; bord *m*; acrimonie *f*; * *vt* border; affiler.

edgeways, edgewise *adv* de côté.

edging *n* bordure *f*.

edgy *adj* nerveux.

edible *adj* mangeable; comestible.

edict *n* édit *m*; décret *m*.

edification *n* édification *f*.

edifice *n* édifice *m*.

edify *vt* édifier.

edit *vt* diriger; rédiger; couper.

edition *n* édition *f*.

editor *n* directeur *m* -trice *f*; rédacteur *m* -trice *f*.

editorial *adj* rédactionnel; * *n* éditorial *m*.

educate *vt* éduquer; instruire.

education *n* éducation *f*; instruction *f*.

eel *n* anguille *f*.

eerie *adj* inquiétant; surnaturel.

efface *vt* effacer.

effect *n* effet *m*; réalité *f*; **~s** *npl* biens *mpl*; * *vt* effectuer.

effective *adj* efficace; effectif; **~ly** *adv* effectivement, en effet.

effectiveness *n* efficacité *f*.

effectual *adj* efficace; **~ly** *adv* efficacement.

effeminacy *n* caractère efféminé *m*.

effeminate *adj* efféminé.

effervescence *n* effervescence *f*.

effete *adj* (*bot*) stérile; faible.

efficacy *n* efficacité *f*.

efficiency *n* efficacité *f*.

efficient *adj* efficace.

effigy *n* effigie *f*.

effort *n* effort *m*.

effortless *adj* sans effort.

effrontery *n* effronterie *f*.

effusive *adj* chaleureux; expansif.

egg *n* œuf *m*; * ~ **on** *vt* encourager.

eggcup *n* coquetier *m*.

eggplant *n* (US) aubergine *f*.

eggshell *n* coquille d'œuf *f*.

ego(t)ism *n* égoïsme *m*.

ego(t)ist *n* égoïste *mf*.

ego(t)istical *adj* égoïste.

eiderdown *n* édredon *m*.

eight *adj n* huit *m*.

eighteen *adj n* dix-huit *m*.

eighteenth *adj n* dix-huitième *mf*.

eighth *adj n* huitième *mf*.

eightieth *adj n* quatre-vingtième *mf*.

eighty *adj n* quatre-vingt.

either *pn* n'importe lequel, n'importe laquelle; * *conj* ou, soit.

ejaculate *vi* s'exclamer; éjaculer.

ejaculation *n* exclamation *f*; éjaculation *f*.

eject *vt* éjecter, expulser.

ejection *n* éjection, expulsion *f*.

ejector seat *n* siège éjectable *m*.

eke *vt* augmenter; prolonger.

elaborate *vt* élaborer; * *adj* élaboré; compliqué; ~**ly** *adv* avec soin.

elapse *vi* s'écouler.

elastic *adj* élastique.

elasticity *n* élasticité *f*.

elated *adj* exultant.

elation *n* exultation *f*.

elbow *n* coude *m*; * *vt* pousser du coude.

elbow-room *n* espace *m*; (*fig*) liberté, latitude *f*.

elder *n* sureau *m*; * *adj* aîné.

elderly *adj* d'un âge avancé.

elders *npl* anciens *mpl*.

eldest *adj* aîné.

elect *vt* élire; choisir; * *adj* élu; choisi.

election *n* élection *f*; choix *m*.

electioneering *n* propagande électorale *f*.

elective *adj* facultatif; électif.

elector *n* électeur *m* -trice *f*.

electoral *adj* électoral.

electorate *n* électorat *m*.

electric(al) *adj* électrique.

electric blanket *n* couverture électrique *f*.

electric cooker *n* cuisinière électrique *f*.

electric fire *n* radiateur électrique *m*.

electrician *n* électricien *m*.

electricity *n* électricité *f*.

electrify *vt* électriser.

electron *n* électron *m*.

electronic *adj* électronique; ~**s** *npl* électronique *f*.

elegance *n* élégance *f*.

elegant *adj* élégant; ~**ly** *adv* élégamment.

elegy *n* élégie *f*.

element *n* élément *m*.

elemental, elementary *adj* élémentaire.

elephant *n* éléphant *m*.

elephantine *adj* lourd.

elevate *vt* élever, hausser.

elevation *n* élévation *f*; hauteur *f*.

elevator *n* ascenseur *m*.

eleven *adj n* onze *m*.

eleventh *adj n* onzième *mf*.

elf *n* elfe *m*.

elicit *vt* tirer, obtenir.

eligibility *n* éligibilité *f*.

eligible *adj* éligible.

eliminate *vt* éliminer, écarter.

elk *n* élan *m*.

elliptic(al) *adj* elliptique.

elm *n* orme *m*.

elocution *n* élocution *f*.

elocutionist *n* professeur d'élocution *m*.

elongate *vt* allonger.

elope *vi* s'échapper, s'enfuir.

elopement *n* fugue, évasion *f*.

eloquence *n* éloquence *f*.

eloquent *adj* éloquent; ~**ly** *adv* éloquemment.

else *pn* autre.

elsewhere *adv* ailleurs.

elucidate *vt* élucider, expliquer.

elucidation *n* élucidation, explication *f*.

elude *vt* éluder; éviter.

elusive, elusory *adj* insaisissable.

emaciated *adj* émacié.

emanate (from) *vi* émaner (de).

emancipate *vt* émanciper; affranchir.

emancipation *n* émancipation *f*; affranchissement *m*.

embalm *vt* embaumer.

embankment *n* talus *m*; quai *m*.

embargo *n* embargo *m*.

embark *vt* embarquer.

embarkation *n* embarcation *f*.

embarrass *vt* embarrasser.

embarrassed *adj* embarrassé.

embarrassing *adj* embarrassant.

embarrassment *n* embarras *m*.

embassy *n* ambassade *f*.

embed *vt* enchâsser; intégrer.

embellish *vt* embellir, orner.

embellishment *n* ornement *m*.

ember *n* braise *f*.

embezzle *vt* détourner.

embezzlement *n* détournement de fonds *m*.

embitter *vt* rendre amer.

emblem *n* emblème *m*.

emblematic(al) *adj* emblématique, symbolique.

embodiment *n* (*law*) incorporation *f*; incarnation *f*.

embody *vt* (*law*) incorporer; incarner.

embrace *vt* étreindre; comprendre; * *n* étreinte *f*.

embroider *vt* broder.

embroidery *n* broderie *f*.

embroil *vt* impliquer.

embryo *n* embryon *m*.

emendation *n* correction *f*.

emerald *n* émeraude *f*.

emerge *vi* émerger; apparaître.

emergency *n* urgence *f*.

emergency cord *n* sonnette d'alarme *f*.

emergency exit *n* sortie de secours *f*.

emergency landing *n* atterrissage forcé *m*.

emergency meeting *n* réunion extraordinaire *f*.

emery *n* émeri *m*.

emigrant *n* émigré *m* -e *f*.

emigrate *vi* émigrer.

emigration *n* émigration *f*.

eminence *n* hauteur *f*; éminence, excellence *f*.

eminent *adj* élevé; éminent, distingué; **~ly** *adv* éminemment.

emission *n* émission *f*.

emit *vt* émettre.

emoluments *npl* émoluments *mpl*.

emotion *n* émotion *f*.

emotional *adj* émotionnel; ému.

emotive *adj* émotif.

emperor *n* empereur *m*.

emphasis *n* emphase *f*.

emphasise *vt* souligner, accentuer.

emphatic *adj* emphatique; **~ally** *adv* avec emphase.

empire *n* empire *m*.

employ *vt* employer.

employee *n* employé *m* -e *f*.

employer *n* employeur *m*.

employment *n* emploi, travail *m*.

emporium *n* grand magasin *m*.

empress *n* impératrice *f*.

emptiness *n* vide *m*; futilité *f*.

empty *adj* vide; vain; * *vt* vider.

empty-handed *adj* les mains vides.

emulate *vt* imiter.

emulsion *n* émulsion *f*.

enable *vt* permettre.

enact *vt* promulguer; représenter.

enamel *n* émail *m*; * *vt* émailler.

enamour *vt* s'éprendre de.

encamp *vi* camper.

encampment *n* campement *m*.

encase *vt* entourer.

enchant *vt* enchanter.

enchanting *adj* enchanteur.

enchantment *n* enchantement *m*.

encircle *vt* encercler.

enclose *vt* entourer; inclure, joindre.

enclosure *n* clôture *f*; enceinte *f*.

encompass *vt* comprendre.

encore *adv* encore.

encounter *n* rencontre *f*; combat *m*; * *vt* rencontrer..

encourage *vt* encourager.

encouragement *n* encouragement *m*.

encroach *vi* empiéter (sur).

encroachment *n* empiètement *m*.

encrusted *adj* incrusté.

encumber *vt* embarrasser.

encumbrance *n* embarras *m*.

encyclical *adj* encyclique.

encyclopedia *n* encyclopédie *f*.

end *n* fin *f*; extrémité *f*; bout *m*; dessein *m*; **to that ~** afin que; **to no ~** en vain; **on ~** debout; * *vt* terminer, conclure; * *vi* terminer.

endanger *vt* mettre en danger.

endear *vt* faire aimer.

endearing *adj* attachant.

endearment *n* expression de tendresse *f*.

endeavour *vi* s'efforcer, tenter; * *n* effort *m*.

endemic *adj* endémique.

ending *n* fin, conclusion *f*; dénouement *m*; terminaison *f*.

endive *n* (*bot*) endive *f*.

endless *adj* infini, perpétuel; **~ly** *adv* sans fin, perpétuellement.

endorse *vt* endosser; approuver.

endorsement *n* endos *m*; approbation *f*.

endow *vt* doter.

endowment *n* dotation *f*.

endurable *adj* supportable.

endurance *n* endurance *f*; patience *f*.

endure *vt* supporter; * *vi* durer.

endways, endwise *adv* debout.

enemy *n* ennemi *mf*.

energetic *adj* énergique, vigoureux.

energy *n* énergie, force *f*.

enervate *vt* débiliter.

enfeeble *vt* affaiblir.

enfold *vt* envelopper.

enforce *vt* mettre en vigueur.

enforced *adj* forcé.

enfranchise *vt* émanciper.

engage *vt* aborder; engager.

engaged *adj* fiancé; occupé.

engagement *n* engagement *m*; combat *m*; fiançailles *fpl*; **~ ring** *n* bague de fiançailles *f*.

engaging *adj* attrayant.

engender *vt* engendrer; produire.

engine *n* moteur *m*; locomotive *f*.

engine driver *n* conducteur *m*.

engineer *n* ingénieur *m*; mécanicien *m*.

engineering *n* ingénierie *f*.

engrave *vt* graver.

engraving *n* gravure *f*.

engrossed *adj* absorbé.

engulf *vt* submerger.

enhance *vt* améliorer; réhausser.

enigma *n* énigme *f*.

enjoy *vt* aimer; jouir de; **~ o.s.** s'amuser.

enjoyable *adj* agréable; amusant.

enjoyment *n* plaisir *m*; jouissance *f*.

enlarge *vt* agrandir; étendre; dilater.

enlargement *n* agrandissement *m*; extension *f*; dilatation *f*.

enlighten *vt* éclairer.

enlightened *adj* éclairé.

Enlightenment *n*: **the ~** le Siècle des lumières *m*.

enlist *vt* recruter.

enlistment *n* recrutement *m*.

enliven *vt* animer; égayer.

enmity *n* inimitié *f*; haine *f*.

enormity *n* énormité *f*; atrocité *f*.

enormous *adj* énorme; **~ly** *adv* énormément.

enough *adv* suffisamment; assez; * *n* assez *m*.

enounce *vt* déclarer.

enquire *vt* = inquire.

enrage *vt* rendre furieux.

enrapture *vt* enchanter, enthousiasmer.

enrich *vt* enrichir; orner.

enrichment *n* enrichissement *m*.
enrol *vt* enrôler; inscrire.
enrolment *n* inscription *f*.
en route *adv* en route.
ensign *n* (*mil*) drapeau *m*; porte-étendard *m*; (*mar*) pavillon *m*.
enslave *vt* asservir.
ensue *vi* s'ensuivre.
ensure *vt* assurer.
entail *vt* impliquer, entraîner.
entangle *vt* emmêler, embrouiller.
entanglement *n* emmêlement *m*.
enter *vt* entrer dans; inscrire; ~ **for** se présenter à; ~ **into** commencer; faire partie de.
enterprise *n* entreprise *f*.
enterprising *adj* entreprenant.
entertain *vt* divertir; recevoir; avoir.
entertainer *n* artiste *mf*.
entertaining *adj* divertissant, amusant.
entertainment *n* divertissement, passe-temps *m*.
enthralled *adj* captivé.
enthralling *adj* captivant.
enthrone *vt* introniser.
enthusiasm *n* enthousiasme *m*.
enthusiast *n* enthousiaste *mf*.
enthusiastic *adj* enthousiaste.
entice *vt* tenter; séduire.
entire *adj* entier, complet; parfait; ~**ly** *adv* entièrement.
entirety *n* intégralité *f*.
entitle *vt* intituler; conférer un droit à.
entitled *adj* intitulé; **to be ~ to** avoir le droit de.
entity *n* entité *f*.
entourage *n* entourage *m*.
entrails *npl* entrailles *fpl*.
entrance *n* entrée *f*; admission *f*.
entrance examination *n* examen d'entrée *m*.
entrance fee *n* droit d'inscription *m*.
entrance hall *n* vestibule *m*.
entrance ramp *n* bretelle d'accès *f*.

entrant *n* participant *m* -e *f*; candidat *m* -e *f*.
entrap *vt* piéger.
entreat *vt* implorer, supplier.
entreaty *n* supplication, prière *f*.
entrepreneur *n* entrepreneur *m*.
entrust *vt* confier.
entry *n* entrée *f*.
entry phone *n* interphone *m*.
entwine *vt* entrelacer.
enumerate *vt* énumérer.
enunciate *vt* énoncer.
enunciation *n* énonciation *f*.
envelop *vt* envelopper.
envelope *n* enveloppe *f*.
enviable *adj* enviable.
envious *adj* envieux; ~**ly** *adv* avec envie.
environment *n* environnement *m*.
environmental *adj* relatif à l'environnement.
environs *npl* environs *mpl*.
envisage *vt* envisager.
envoy *n* envoyé *m* -e *f*.
envy *n* envie *f*; * *vt* envier.
ephemeral *adj* éphémère.
epic *adj* épique; * *n* récit épique *m*.
epidemic *adj* épidémique; * *n* épidémie *f*.
epilepsy *n* épilepsie *f*.
epileptic *adj* épileptique.
epilogue *n* épilogue *m*.
Epiphany *n* Epiphanie *f*.
episcopacy *n* épiscopat *m*.
episcopal *adj* épiscopal.
episcopalian *n* épiscopalien *m* -ne *f*.
episode *n* épisode *m*.
epistle *n* épître *f*.
epistolary *adj* épistolaire.
epithet *n* épithète *f*.
epitome *n* modèle *m*; résumé *m*.
epitomise *vt* incarner; résumer.
epoch *n* époque *f*.
equable *adj* uniforme; ~**bly** *adv* uniformément.
equal *adj* égal; semblable; * *n* égal *m* -e *f*; * *vt* égaler.
equalise *vt* égaliser.

equaliser *n* point égalisateur *m*.

equality *n* égalité *f*.

equally *adv* également.

equanimity *n* équanimité *f*.

equate *vt* comparer; assimiler.

equation *n* équation *f*.

equator *n* équateur *m*.

equatorial *adj* équatorial.

equestrian *adj* équestre.

equilateral *adj* équilatéral.

equilibrium *n* équilibre *m*.

equinox *n* équinoxe *m*.

equip *vt* équiper.

equipment *n* équipement *m*.

equitable *adj* équitable, impartial; **~bly** *adv* équitablement.

equity *n* équité, justice, impartialité *f*.

equivalent *adj n* équivalent *m*.

equivocal *adj* équivoque, ambigu; **~ly** *adv* d'une manière équivoque.

equivocate *vt* équivoquer, user d'équivoques.

equivocation *n* faux-fuyants *mpl*.

era *n* ère *f*.

eradicate *vt* supprimer; extirper.

eradication *n* suppression *f*; extirpation *f*.

erase *vt* effacer; gommer.

eraser *n* gomme *f*.

erect *vt* ériger; élever; * *adj* droit, debout.

erection *n* érection *f*; structure *f*.

ermine *n* hermine *f*.

erode *vt* éroder; ronger.

erotic *adj* érotique.

err *vi* se tromper.

errand *n* message *m*; commission *f*.

errand boy *n* garçon de courses, messager *m*.

errata *npl* errata *m*.

erratic *adj* changeant; irrégulier.

erroneous *adj* erroné, faux; **~ly** *adv* erronément, faussement.

error *n* erreur *f*.

erudite *adj* érudit.

erudition *n* érudition *f*.

erupt *vi* entrer en éruption; faire éruption.

eruption *n* éruption *f*.

escalate *vi* monter en flèche; s'intensifier.

escalation *n* montée en flèche *f*; intensification *f*.

escalator *n* escalier roulant *m*.

escapade *n* fredaine *f*.

escape *vt* éviter; échapper à; * *vi* s'évader, s'échapper; * *n* évasion, fuite *f*; **to make one's ~** prendre la fuite.

escapism *n* évasion de la réalité *f*.

eschew *vt* fuir; éviter.

escort *n* escorte *f*; * *vt* escorter.

esoteric *adj* ésotérique.

especial *adj* spécial; **~ly** *adv* spécialement.

espionage *n* espionnage *m*.

esplanade *n* (*mil*) esplanade *f*.

espouse *vt* épouser.

essay *n* essai *m*.

essence *n* essence *f*.

essential *n* essentiel *m*; * *adj* essentiel, principal; **~ly** *adv* essentiellement.

establish *vt* établir; fonder; démontrer.

establishment *n* établissement *m*; fondation *f*; institution *f*.

estate *n* état *m*; domaine *m*; biens *mpl*.

esteem *vt* estimer; apprécier; * *n* estime *f*; considération *f*.

esthetic *adj* esthétique; **~s** *npl* esthétique *f*.

estimate *vt* estimer; évaluer.

estimation *n* estimation, évaluation *f*; opinion *f*.

estrange *vt* éloigner, séparer.

estranged *adj* séparé.

estrangement *n* séparation *f*; distance *f*.

estuary *n* estuaire *m*.

etch *vt* graver à l'eau forte.

etching *n* gravure à l'eau forte *f*.

eternal *adj* éternel, perpétuel; **~ly** *adv* éternellement.

eternity *n* éternité *f*.

ether *n* éther *m*.

ethical *adj* éthique, moral; **~ly** *adv* éthiquement.

ethics *npl* éthique *f*.

ethnic *adj* ethnique.

ethos *n* génie *m*, esprit *m*.

etiquette *n* étiquette *f*.

etymological *adj* étymologique.

etymologist *n* étymologiste *mf*.

etymology *n* étymologie *f*.

Eucharist *n* Eucharistie *f*.

eulogy *n* éloge *m*.

eunuch *n* eunuque *m*.

euphemism *n* euphémisme *m*.

evacuate *vt* évacuer.

evacuation *n* évacuation *f*.

evade *vt* éviter; échapper à.

evaluate *vt* évaluer.

evangelic(al) *adj* évangélique.

evangelist *n* évangéliste *m*.

evaporate *vt* faire évaporer; * *vi* s'évaporer; se volatiliser.

evaporated milk *n* lait condensé *m*.

evaporation *n* évaporation *f*.

evasion *n* dérobade *f*.

evasive *adj* évasif; **~ly** *adv* évasivement.

eve *n* veille *f*.

even *adj* égal; uni; pair; * *adv* même; encore; * *vt* égaliser; unir; * *vi*: **~ out** s'égaliser.

even-handed *adj* impartial, équitable.

evening *n* soir *m*, soirée *f*.

evening class *n* cours du soir *m*.

evening dress *n* robe du soir *f*; tenue de soirée *f*.

evenly *adv* également; uniment.

evenness *n* égalité *f*; uniformité *f*; régularité *f*; impartialité *f*.

event *n* événement *m*; épreuve *f*.

eventful *adj* mouvementé.

eventual *adj* final; **~ly** *adv* finalement, en fin de comptes.

eventuality *n* éventualité *f*.

ever *adv* toujours; jamais; déjà; **for ~ and ~** pour toujours; **~ since** depuis.

evergreen *adj* à feuilles persistantes; * *n* arbre à feuilles persistantes *m*.

everlasting *adj* éternel.

evermore *adv* toujours.

every *adj* chacun, chacune; **~ where** partout; **~ thing** tout; **~ one**, **~ body** tout le monde.

evict *vt* expulser.

eviction *n* expulsion *f*.

evidence *n* évidence *f*; témoignage *m*; preuve *f*; * *vt* témoigner de.

evident *adj* évident; manifeste; **~ly** *adv* manifestement, de toute évidence.

evil *adj* mauvais; malveillant; * *n* mal *m*.

evil-minded *adj* malintentionné.

evocative *adj* évocateur.

evoke *vt* évoquer.

evolution *n* évolution *f*.

evolve *vt* développer; * *vi* se développer, évoluer.

ewe *n* brebis *f*.

exacerbate *vt* exacerber.

exact *adj* exact; * *vt* exiger.

exacting *adj* exigeant.

exaction *n* exaction *f*; extorsion *f*.

exactly *adj* exactement.

exactness, exactitude *n* exactitude *f*.

exaggerate *vt* exagérer.

exaggeration *n* exagération *f*.

exalt *vt* exalter; élever.

exaltation *n* exaltation *f*; élévation *f*.

exalted *adj* exalté; élevé.

examination *n* examen *m*.

examine *vt* examiner.

examiner *n* examinateur *m* -trice *f*.

example *n* exemple *m*.

exasperate *vt* exaspérer, irriter.

exasperation *n* exaspération, irritation *f*.

excavate *vt* exhumer, creuser.

excavation *n* excavation *f*.

exceed *vt* excéder, dépasser.

exceedingly *adv* trop; extrêmement.

excel *vt* surpasser; *vi* exceller.

excellence *n* excellence *f*; supériorité *f*.

Excellency *n* Excellence (titre) *f*.

excellent *adj* excellent; ~**ly** *adv* excellemment, admirablement.

except *vt* excepter, exclure; ~**(ing)** *prep* excepté, à l'exception de.

exception *n* exception *f*.

exceptional *adj* exceptionnel.

excerpt *n* extrait *m*.

excess *n* excès *m*.

excessive *adj* excessif; ~**ly** *adv* excessivement.

exchange *vt* échanger; permuter; * *n* échange *m*; change *m*.

exchange rate *n* taux de change *m*.

excise *n* taxe *f*.

excitability *n* excitabilité *f*.

excitable *adj* excitable.

excite *vt* exciter; animer; enthousiasmer; stimuler.

excited *adj* animé, enthousiaste; excité.

excitement *n* animation *f*, enthousiasme *m*.

exciting *adj* passionnant; stimulant.

exclaim *vi* s'exclamer.

exclamation *n* exclamation *f*.

exclamation mark *n* point d'exclamation *m*.

exclamatory *adj* exclamatif.

exclude *vt* exclure.

exclusion *n* exclusion *f*; exception *f*.

exclusive *adj* exclusif; ~**ly** *adv* exclusivement.

excommunicate *vt* excommunier.

excommunication *n* excommunion *f*.

excrement *n* excrément *m*.

excruciating *adj* atroce, horrible.

exculpate *vt* disculper; justifier.

excursion *n* excursion *f*; digression *f*.

excusable *adj* excusable.

excuse *vt* excuser; pardonner; * *n* excuse *f*.

execute *vt* exécuter.

execution *n* exécution *f*.

executioner *n* bourreau *m*.

executive *adj* exécutif.

executor *n* exécuteur testamentaire *m*.

exemplary *adj* exemplaire.

exemplify *vt* exemplifier.

exempt *adj* exempt.

exemption *n* exemption *f*.

exercise *n* exercice *m*; * *vi* prendre de l'exercice; * *vt* exercer; montrer.

exercise book *n* cahier *m*.

exert *vt* employer, exercer; ~ **o.s.** s'efforcer.

exertion *n* effort *m*.

exhale *vt* exhaler; expirer.

exhaust *n* échappement *m*; * *vt* épuiser.

exhausted *adj* épuisé.

exhaustion *n* épuisement *m*.

exhaustive *adj* exhaustif, complet.

exhibit *vt* exhiber; montrer; * *n* (*law*) pièce à conviction *f*.

exhibition *n* exposition, présentation *f*.

exhilarating *adj* stimulant, grisant.

exhilaration *n* joie *f* intense.

exhort *vt* exhorter.

exhortation *n* exhortation *f*.

exhume *vt* exhumer, déterrer.

exile *n* exil *m*; * *vt* exiler, déporter.

exist *vi* exister.

existence *n* existence *f*.

existent *adj* existant.

existing *adj* actuel, présent.

exit *n* sortie *f*; * *vi* sortir.

exit ramp *n* bretelle d'accès *f*.

exodus *n* exode *m*.

exonerate *vt* disculper; décharger.

exoneration *n* disculpation *f*; décharge *f*.

exorbitant *adj* exorbitant, excessif.

exorcise *vt* exorciser.

exorcism *n* exorcisme *m*.

exotic *adj* exotique.

expand *vt* étendre; dilater.

expanse *n* étendue *f*.

expansion *n* expansion *f*.

expansive *adj* expansif.

expatriate *vt* expatrier.

expect *vt* attendre; espérer; penser.

expectance, expectancy *n* attente *f*; espoir *m*.

expectant *adj* d'attente.

expectant mother *n* femme enceinte *f*.

expectation *n* expectative *f*; attente *f*.

expediency *n* convenance *f*; opportunité *f*.

expedient *adj* opportun; * *n* expédient *m*; **~ly** *adv* de manière opportune.

expedite *vt* accélérer; expédier.

expedition *n* expédition *f*.

expeditious *adj* expéditif; **~ly** *adv* de manière expéditive.

expel *vt* expulser.

expend *vt* dépenser; utiliser.

expendable *adj* jetable; consommable.

expenditure *n* dépense *f*.

expense *n* dépense *f*; coût *m*.

expense account *n* frais *mpl* de représentation.

expensive *adj* cher; coûteux; **~ly** *adv* de manière coûteuse.

experience *n* expérience *f*; pratique *f*; * *vt* ressentir, éprouver; connaître.

experienced *adj* expérimenté.

experiment *n* expérience *f*; * *vi* expérimenter.

experimental *adj* expérimental; **~ly** *adv* expérimentalement.

expert *adj* expert.

expertise *n* compétences *fpl*.

expiration *n* expiration *f*.

expire *vi* expirer.

explain *vt* expliquer.

explanation *n* explication *f*.

explanatory *adj* explicatif.

expletive *adj* explétif.

explicable *adj* explicable.

explicit *adj* explicite; **~ly** *adv* explicitement.

explode *vt* faire exploser; *vi* exploser.

exploit *vt* exploiter; * *n* exploit *m*.

exploitation *n* exploitation *f*.

exploration *n* exploration *f*.

exploratory *adj* exploratoire.

explore *vt* explorer, examiner; sonder.

explorer *n* explorateur *m* -trice *f*.

explosion *n* explosion *f*.

explosive *adj n* explosif *m*.

exponent *n* (*math*) exposant *m*.

export *vt* exporter.

export, exportation *n* exportation *f*.

exporter *n* exportateur *m* -trice *f*.

expose *vt* exposer; dévoiler.

exposed *adj* exposé.

exposition *n* exposition *f*; interprétation *f*.

expostulate *vi* faire des remonstrances.

exposure *n* exposition *f*; temps de pose *m*; cliché *m*.

exposure meter *n* photomètre *m*.

expound *vt* exposer; interpréter.

express *vt* exprimer; * *adj* exprès; * *n* exprès *m*; (*rail*) rapide *m*.

expression *n* expression *f*; locution *f*.

expressionless *adj* inexpressif.

expressive *adj* expressif; **~ly** *adv* d'une manière expressive.

expressly *adv* expressément.

expressway *n* autoroute *f*.

expropriate *vt* exproprier.

expropriation *n* (*law*) expropriation *f*.

expulsion *n* expulsion *f*.

expurgate *vt* expurger.

exquisite *adj* exquis; **~ly** *adv* exquisément.

extant *adj* (US) existant.

extempore adv à l'improviste.

extemporise vi improviser.

extend vt étendre; élargir; * vi s'étendre.

extension n extension f.

extensive adj étendu; important; **~ly** adv considérablement.

extent n extension f.

extenuate vt atténuer.

extenuating adj atténuant.

exterior adj n extérieur m.

exterminate vt exterminer; supprimer.

extermination n extermination f; suppression f.

external adj externe; **~ly** adv extérieurement; **~s** npl apparence f.

extinct adj disparu; éteint.

extinction n extinction f.

extinguish vt éteindre; supprimer.

extinguisher n extincteur m.

extirpate vt extirper.

extol vt louer, exalter.

extort vt extorquer; arracher.

extortion n extorsion f.

extortionate adj exorbitant.

extra adv particulièrement; n supplément m.

extract vt extraire; * n extrait m.

extraction n extraction f; origine f.

extracurricular adj périscolaire.

extradite vt extrader.

extradition n (law) extradition f.

extramarital adj extérieur au mariage.

extramural adj extra-muros.

extraneous adj superflu; sans rapport.

extraordinarily adv extraordinairement.

extraordinary adj extraordinaire.

extravagance n extravagance f; gaspillage m.

extravagant adj extravagant; exorbitant; gaspilleur; **~ly** adv de manière extravagante; en gaspillant.

extreme adj extrême; suprême; ultime; * n extrême m; **~ly** adv extrêmement.

extremist adj n extrémiste mf.

extremity n extrémité f.

extricate vt extirper, démêler.

extrinsic(al) adj extrinsèque.

extrovert adj n extraverti m -e f.

exuberance n exubérance f.

exuberant adj exubérant; **~ly** adv avec exubérance.

exude vi exsuder.

exult vi exulter, triompher.

exultation n exultation f.

eye n œil m; * vt regarder, observer; lorgner.

eyeball n globe oculaire m.

eyebrow n sourcil m.

eyelash n cil m.

eyelid n paupière f.

eyesight n vue f.

eyesore n monstruosité f.

eyetooth n canine f.

eyewitness n témoin oculaire m.

eyrie n aire f, nid m d'aigle.

F

fable n fable f; légende f.

fabric n tissu m.

fabricate vt fabriquer; inventer.

fabrication n fabrication f; invention f.

fabulous adj fabuleux; **~ly** adv fabuleusement.

facade n façade f.

face n visage m, figure f; surface f; façade f; mine f; apparence f; * vt faire face à; affronter; **~ up to** faire face à.

face cream n crème pour le visage f.

face-lift n lifting m.

face powder n poudre de riz f.

facet n facette f.

facetious adj facétieux, plaisant, spirituel; **~ly** adv facétieusement.

face value n valeur nominale f.

facial adj facial.

facile adj facile; superficiel.

facilitate vt faciliter.

facility n facilité f; équipement m, infrastructure f.

facing n revers m; * prep en face de.

facsimile n fac-similé m.

fact n fait m; réalité f; **in ~** en fait.

faction n faction f; dissension f.

factor n facteur m.

factory n usine f.

factual adj factuel, basé sur les faits.

faculty n faculté f; le corps enseignant m.

fad n engouement m.

fade vi se faner; perdre son éclat.

fail vt échouer à; omettre; manquer à ses engagements envers; * vi échouer; faiblir; manquer.

failing n défaut m.

failure n échec m; panne f; raté m; faillite f; manquement m.

faint vi s'évanouir, défaillir; * n évanouissement m; * adj faible; **~ly** adv faiblement.

fainthearted adj timide, timoré, pusillanime.

faintness n faiblesse f; légéreté f.

fair adj beau; blond; clair; favorable; juste, équitable; considérable; passable; * adv loyalement; * n foire f.

fairly adv équitablement; absolument.

fairness n beauté f; justice f.

fair play n fair-play, franc-jeu m.

fairy n fée f.

fairy tale n conte de fées m.

faith n foi f; croyance f; fidélité f.

faithful adj fidèle, loyal; **~ly** adv fidèlement.

faithfulness n fidélité, loyauté f.

fake n falsification f; imposteur m; * adj faux; * vt feindre; falsifier.

falcon n faucon m.

falconry n fauconnerie f.

fall vi tomber; s'effondrer; diminuer, baisser; **~ asleep** s'endormir; **~ back** reculer; **~ back on** avoir recours à; **~ behind** être à la traîne; **~ down** tomber; **~ for** se faire avoir; tomber amoureux de; **~ in** s'effondrer; **~ short** échouer; **~ sick** tomber malade; **~ in love** tomber amoureux; **~ off** tomber; diminuer; **~ out** se produire; se quereller; * n chute f; automne m.

fallacious adj fallacieux, trompeur; **~ly** adv d'une manière fallacieuse.

fallacy n erreur f; sophisme m; tromperie f.

fallibility n faillibilité f.

fallible adj faillible.

fallout n retombées fpl.

fallout shelter n abri antiatomique m.

fallow adj en jachère; **~ deer** n daim m.

false adj faux; **~ly** adv faussement.

false alarm n fausse alerte f.

falsehood, falseness n mensonge m; fausseté f.

falsify vt falsifier.

falsity n fausseté f.

falter vi vaciller; faiblir.

faltering adj chancelant.

fame n réputation f; renommée, notoriété f.

famed adj célèbre.

familiar adj familier; domestique; **~ly** adv familièrement.

familiarise vt familiariser.

familiarity n familiarité f.

family n famille f.

family business n affaire de famille f.

family doctor n médecin de famille m.

famine *n* famine *f*; disette *f*.

famished *adj* affamé.

famous *adj* célèbre, fameux; **~ly** *adv* fameusement.

fan *n* éventail *m*; ventilateur *m*; jeune admirateur *m* -trice *f*; * *vt* éventer; attiser.

fanatic *adj n* fanatique *mf*.

fanaticism *n* fanatisme *m*.

fan belt *n* courroie de ventilateur *f*.

fanciful *adj* fantasque, capricieux; **~ly** *adv* capricieusement.

fancy *n* fantaisie, imagination *f*; caprice *m*; * *vt* avoir envie de; s'imaginer.

fancy goods *npl* nouveautés *fpl*.

fancydress ball *n* bal masqué *m*.

fanfare *n* (*mus*) fanfare *f*.

fang *n* croc *m*.

fantastic *adj* fantastique; excentrique; **~ally** *adv* fantastiquement.

fantasy *n* imagination *f*.

far *adv* loin; * *adj* lointain, éloigné; **~ and away** de très loin; **~ off** lointain.

faraway *adj* lointain.

farce *n* farce *f*.

farcical *adj* grotesque.

fare *n* prix (du voyage) *m*; tarif *m*; nourriture *f*; voyageur *m* -euse *f*; client *m* -e *f*.

farewell *n* adieu *m*; **~!** *excl* adieu!

farm *n* ferme *f*, exploitation agricole *f*; * *vt* cultiver.

farmer *n* fermier *m*; agriculteur *m*.

farmhand *n* ouvrier agricole *m*.

farmhouse *n* ferme *f*.

farming *n* agriculture *f*.

farmland *n* terres arables *fpl*.

farmyard *n* cour de ferme *f*.

far-reaching *adj* d'une grande portée, considérable.

fart *n* (*sl*) pet *m*; * *vi* péter.

farther *adv* plus loin; * *adj* plus éloigné.

farthest *adv* le plus lointain; le plus loin; au plus.

fascinate *vt* fasciner, captiver.

fascinating *adj* fascinant.

fascination *n* fascination *f*; charme *m*.

fascism *n* fascisme.

fashion *n* manière, façon *f*; forme *f*; coutume *f*; mode *f*; style *m*; **people of ~** personnes élégantes *fpl*; * *vt* façonner, confectionner.

fashionable *adj* à la mode; chic; **the ~ world** le beau monde; **~bly** *adv* à la mode.

fashion show *n* défilé de mode *m*.

fast *vi* jeûner; * *n* jeûne *m*; * *adj* rapide; ferme, stable; * *adv* rapidement; fermement; solidement.

fasten *vt* attacher; fixer; attribuer; * *vi* se fixer, s'attacher.

fastener, fastening *n* attache *f*; fermoir *m*.

fast food *n* restauration rapide *f*.

fastidious *adj* minutieux, méticuleux; **~ly** *adv* minutieusement.

fat *adj* gros, gras; * *n* graisse *f*.

fatal *adj* mortel; néfaste; **~ly** *adv* mortellement.

fatalism *n* fatalisme *m*.

fatalist *n* fataliste *mf*.

fatality *n* accident mortel *m*, fatalité *f*.

fate *n* destin, sort *m*.

fateful *adj* fatidique.

father *n* père *m*.

fatherhood *n* paternité *f*.

father-in-law *n* beau-père *m*.

fatherland *n* patrie *f*.

fatherly   *adj*   (*adv*) paternel(lement).

fathom *n* brasse (mesure) *f*; * *vt* sonder; pénétrer.

fatigue *n* fatigue *f*; * *vt* fatiguer, lasser.

fatten *vt vi* engraisser.

fatty *adj* gras, graisseux.

fatuous *adj* imbécile, stupide, niais.

faucet *n* (US) robinet *m*.

fault *n* défaut *m*, faute *f*; délit *m*; faille *f*.

faultfinder *n* chicaneur *m* -euse *f*.

faultless *adj* irréprochable.

faulty *adj* défectueux.

fauna *n* faune *f*.

faux pas *n* impair *m*.

favour *n* faveur *f*; approbation *f*; avantage *m*; * *vt* favoriser, préférer.

favourable *adj* favorable, propice; **~bly** *adv* favorablement.

favoured *adj* favorisé.

favourite *n* favori *m*; * *adj* favori.

favouritism *n* favoritisme *m*.

fawn *n* faon *m*; * *vi* flatter servilement.

fawningly *adv* d'une flatterie servile.

fax *n* télécopieur, fax *m*; télécopie *f*, fax *m*; * *vt* envoyer par fax, télécopier.

fear *vt* craindre; * *n* crainte *f*.

fearful *adj* effrayant; craintif, peureux; **~ly** *adv* terriblement; craintivement.

fearless *adj* intrépide, courageux; **~ly** *adv* courageusement.

fearlessness *n* intrépidité *f*.

feasibility *n* faisabilité *f*.

feasible *adj* faisable, réalisable.

feast *n* festin, banquet *m*; fête *f*; * *vi* banqueter.

feat *n* exploit *m*; prouesse *f*.

feather *n* plume *f*;.

feather bed *n* lit de plumes *m*.

feature *n* caractéristique *f*; trait *m*; * *vi* figurer.

feature film *n* long métrage *m*.

February *n* février *m*.

federal *adj* fédéral.

federalist *n* fédéraliste *mf*.

federate *vt* fédérer; * *vi* se fédérer.

federation *n* fédération *f*.

fed-up *adj*: **to be ~** en avoir marre.

fee *n* honoraires *mpl*; frais *mpl*.

feeble *adj* faible, frêle.

feebleness *n* faiblesse *f*.

feebly *adv* faiblement.

feed *vt* nourrir; alimenter; **~ on** se nourrir de; * *vi* manger; se nourrir; * *n* nourriture *f*; alimentation *f*.

feedback *n* réaction *f*, répercussion *f*.

feel *vt* sentir; toucher; croire; **~ around** tâtonner, fouiller; * *n* sensation *f*; toucher *m*.

feeler *n* antenne *f*; (*fig*) tentative *f*.

feeling *n* sensation *f*; sentiment *m*.

feelingly *adv* avec émotion.

feign *vt* inventer; feindre, simuler.

feline *adj* félin.

fellow *n* homme, type *m*; membre *m*.

fellow citizen *n* concitoyen *m* -enne *f*.

fellow countryman *n* compatriote *m*.

fellow feeling *n* sympathie *f*.

fellow men *npl* semblables *mpl*.

fellowship *n* camaraderie *f*; association *f*.

fellow student *n* copain (copine) de fac *m(f)*.

fellow traveller *n* compagnon (compagne) de voyage *m(f)*.

felon *n* criminel *m* -le *f*.

felony *n* crime *m*.

felt *n* feutre *m*.

felt-tip pen *n* feutre *m*.

female *n* femelle *f*; * *adj* de sexe féminin, femelle.

feminine *adj* féminin.

feminist *n* féministe *mf*.

fen *n* marais *m*.

fence *n* barrière *f*; clôture *f*; * *vt* clôturer; * *vi* faire de l'escrime.

fencing *n* escrime *f*.

fender *n* pare-chocs *m invar*.

fennel *n* (*bot*) fenouil *m*.

ferment *n* agitation *f*; * *vi* fermenter.

fern *n* (*bot*) fougère *f*.

ferocious *adj* féroce; **~ly** *adv* férocement.

ferocity *n* férocité *f.*

ferret *n* furet *m*; * *vt* fureter; **~out** découvrir, dénicher.

ferry *n* bac *m*; ferry *m*; * *vt* transporter.

fertile *adj* fertile, fécond.

fertilise *vt* fertiliser.

fertiliser *n* engrais *m.*

fertility *n* fertilité, fécondité *f.*

fervent *adj* fervent; ardent; **~ly** *adv* avec ferveur.

fervid *adj* ardent, véhément.

fervor *n* ferveur, ardeur *f.*

fester *vi* suppurer; s'envenimer.

festival *n* fête *f*; festival *m.*

festive *adj* de fête.

festivity *n* fête *f*, réjouissances *fpl.*

fetch *vt* aller chercher.

fetching *adj* charmant, séduisant.

fête *n* fête *f.*

fetid *adj* fétide, nauséabond.

fetus *n* fœtus *m.*

feud *n* rivalité *f*, dissension *f.*

feudal *adj* féodal.

feudalism *n* féodalité *f.*

fever *n* fièvre *f.*

feverish *adj* fiévreux.

few *adj* peu; **a ~** quelques; **~ and far between** rares.

fewer *adj* moins (de); * *adv* moins.

fewest *adj* le moins (de).

fiancé *n* fiancé *m.*

fiancée *n* fiancée *f.*

fib *n* bobard *m*; * *vi* raconter des bobards.

fibre *n* fibre *f.*

fibreglass *n* fibre de verre *f.*

fickle *adj* volage, inconstant.

fiction *n* fiction *f*; invention *f.*

fictional *adj* fictif.

fictitious *adj* fictif, imaginaire; feint; **~ly** *adv* fictivement.

fiddle *n* violon *m*; combine *f*; * *vi* jouer du violon.

fiddler *n* violoneux *m.*

fidelity *n* fidélité, loyauté *f.*

fidget *vi* s'agiter, s'impatienter.

fidgety *adj* agité, remuant.

field *n* champ *m*; étendue *f*; domaine *m.*

field day *n* (*mil*) jour de grandes manœuvres *m.*

fieldmouse *n* mulot *m.*

fieldwork *n* recherches sur le terrain *fpl.*

fiend *n* démon *m*; mordu *m.*

fiendish *adj* diabolique.

fierce *adj* féroce, violent; acharné, furieux; **~ly** *adv* férocement

fierceness *n* férocité, fureur *f.*

fiery *adj* ardent; fougueux.

fifteen *adj n* quinze *m.*

fifteenth *adj n* quinzième *mf.*

fifth *adj n* cinquième *mf*; **~ly** *adv* cinquièmement.

fiftieth *adj n* cinquantième *mf.*

fifty *adj n* cinquante *m.*

fig *n* figue *f.*

fight *vt vi* se battre (contre); combattre; lutter; * *n* bataille *f*; combat *m*; lutte *f.*

fighter *n* combattant *m*; lutteur *m*; chasseur *m.*

fighting *n* combat *m.*

fig-leaf *n* feuille de figuier *f.*

fig tree *n* figuier *m.*

figurative *adj* figuratif; **~ly** *adv* figurativement.

figure *n* figure *f*; forme, silhouette *f*; image *f*; chiffre *m*; * *vi* figurer; avoir du sens; **~ out** comprendre.

figurehead *n* figure de proue *f.*

filament *n* filament *m*; fibre *f.*

filch *vt* chiper.

filcher *n* voleur *m* -euse *f.*

file *n* file *f*; liste *f*; (*mil*) colonne, rangée *f*; lime *f*; dossier *m*; fichier *m*; * *vt* enregistrer; limer; classer; déposer; * *vi* **~ in/out** entrer/sortir en file; **~ past** défiler devant.

filing cabinet *n* classeur (meuble) *m.*

fill *vt* remplir; **~ in** remplir; **~ up** remplir (jusqu'au bord).

fillet n filet m.

fillet steak n filet de bœuf m.

filling station n station-service f.

fillip n (fig) coup de fouet m.

filly n pouliche f.

film n pellicule f; film f; cellophane m; * vt filmer; * vi s'embuer.

film star n vedette de cinéma f.

filmstrip n film m.

filter n filtre m; * vt filtrer.

filter-tipped adj à bout filtre.

filth(iness) n immondice, ordure f; saleté, crasse f.

filthy adj crasseux, dégoûtant.

fin n nageoire f.

final adj dernier; définitif; ~ly adv finalement.

finale n finale m.

finalise vt parachever, rendre définitif.

finalist n finaliste mf.

finance n finance f.

financial adj financier.

financier n financier m.

find vt trouver, découvrir; ~ out découvrir; démasquer; ~ o.s. se retrouver; * n trouvaille f.

findings npl résultats mpl, conclusions fpl; verdict m.

fine adj fin; pur; aigu; raffiné; beau, f belle; délicat; subtil; élégant; * n amende f; * vt infliger une amende à.

fine arts npl beaux arts mpl.

finely adv magnifiquement.

finery n parure f.

finesse n finesse, subtilité f.

finger n doigt m; * vt toucher, manier.

fingernail n ongle m.

fingerprint n empreinte digitale f.

fingertip n bout du doigt m.

finicky adj pointilleux, difficile.

finish vt finir, terminer, achever; ~ off finir; ~ up terminer; * vi: ~ up se retrouver.

finishing line n ligne d'arrivée f.

finishing school n école privée (pour jeunes filles) f.

finite adj fini.

fir n sapin m

fire n feu m; incendie m; * vt mettre le feu à; incendier; tirer; * vi s'enflammer, faire feu.

fire alarm n alarme d'incendie f.

firearm n arme à feu f.

fireball n boule de feu f.

fire department n pompiers mpl.

fire engine n voiture de pompiers f.

fire escape n escalier de secours m.

fire extinguisher n extincteur m.

firefly n luciole f.

fireman n pompier m.

fireplace n cheminée f, foyer m.

fireproof adj ignifugé.

fireside n coin du feu m.

fire station n caserne de pompiers f.

firewater n eau de vie f.

firewood n bois de chauffage m.

fireworks npl feu d'artifice m.

firing n fusillade f.

firing squad n peloton d'exécution m.

firm adj ferme, solide; constant; * n (com) compagnie f; ~ly adv fermement.

firmament n firmament m.

firmness n fermeté f; résolution f.

first adj premier; * adv premièrement; at ~ d'abord; ~ly adv en premier lieu.

first aid n premiers secours mpl.

first-aid kit n trousse de premiers secours f.

first-class adj de première classe, de première catégorie.

first-hand adj de première main.

First Lady n (US) première dame, femme du président d'un pays f.

first name n prénom m.

first-rate adj de première qualité.

fiscal adj fiscal.

fish *n* poisson *m*; * *vi* pêcher.
fishbone *n* arête *f*.
fisherman *n* pêcheur *m*.
fish farm *n* entreprise de pisci-culture *f*.
fishing *n* pêche *f*.
fishing line *n* ligne de pêche *f*.
fishing rod *n* canne à pêche *f*.
fishing tackle *n* attirail de pêche *m*.
fish market *n* marché au poisson *m*.
fishseller *n* poissonnier *m* -ière *f*.
fishstore *n* poissonnerie *f*.
fishy *adj* (*fig*) suspect.
fissure *n* fissure, crevasse *f*.
fist *n* poing *m*.
fit *n* accès *m*, attaque *f*; crise *f*; * *adj* en forme; capable; adapté à, qui convient; * *vt* aller à; ajuster, adapter; ~ **out** équiper; * *vi* (bien) aller; ~ **in** s'accorder avec; être en harmonie avec.
fitment *n* meuble encastré *m*.
fitness *n* forme physique *f*; aptitude *f*.
fitted carpet *n* moquette *f*.
fitted kitchen *n* cuisine encastrée *f*.
fitter *n* monteur *m*.
fitting *adj* qui convient, approprié, juste; * *n* accessoire *m*; ~**s** *pl* installations *fpl*.
five *adj n* cinq *m*.
five spot *n* (*sl*) (US) billet *m* de cinq dollars.
fix *vt* fixer, établir; ~ **up** arranger.
fixation *n* obsession *f*.
fixed *adj* fixe.
fixings *npl* garniture *f*; accessoires *mpl*.
fixture *n* (sport) rencontre *f*.
fizz *vi* pétiller.
fizzy *adj* gazeux.
flabbergasted *adj* abasourdi.
flabby *adj* mou, *f* molle, flasque.
flaccid *adj* flasque, mou, *f* molle.
flag *n* drapeau *m*; (*bot*) iris *m*; * *vi* s'affaiblir.

flagpole *n* mât *m* de drapeau.
flagrant *adj* flagrant.
flagship *n* vaisseau amiral *m*.
flagstop *n* (US) arrêt *m* facultatif.
flair *n* flair *m*; talent *m*.
flak *n* tir antiaérien *m*; critiques *fpl*.
flake *n* flocon *m*; paillette *f*; * *vi* s'effriter, s'écailler.
flaky *adj* floconneux; friable.
flamboyant *adj* flamboyant; ostentatoire.
flame *n* flamme *f*; ardeur *f*.
flamingo *n* flamant *m*.
flammable *adj* inflammable.
flank *n* flanc *m*; (*also mil*); * *vt* flanquer.
flannel *n* flanelle *f*.
flap *n* battement *m*; rabat *m*; * *vt vi* battre.
flare *vi* luire, briller; ~ **up** s'embraser; se mettre en colère; éclater; * *n* flamme *f*.
flash *n* éclat *m*; éclair *m*; * *vt* faire briller; allumer.
flashbulb *n* ampoule de flash *f*.
flash cube *n* cube de flash *m*.
flashlight *n* lampe *f* de poche.
flashy *adj* tape-à-l'œil, voyant.
flask *n* flasque *f*; flacon *m*.
flat *adj* plat; uniforme; insipide; * *n* plaine *f*; plat *m*; (*mus*) bémol *m*; ~**ly** *adv* horizontalement; platement; également; catégoriquement.
flatness *n* égalité *f*; monotonie *f*.
flatten *vt* aplanir; aplatir.
flatter *vt* flatter.
flattering *adj* flatteur.
flattery *n* flatterie *f*.
flatulence *n* (*med*) flatulence *f*.
flaunt *vt* étaler, afficher.
flavour *n* saveur *m*; * *vt* parfumer; assaisonner.
flavoured *adj* savoureux; parfumé.
flavourless *adj* insipide.
flaw *n* défaut *m*; imperfection *f*.
flawless *adj* parfait.

flax *n* lin *m*.

flea *n* puce *f*.

flea bite *n* piqûre de puce *f*.

fleck *n* petite tache *f*; particule *f*.

flee *vt* fuir de; * *vi* s'enfuir; fuir.

fleece *n* toison *f*; * *vt* (*sl*) tondre.

fleet *n* flotte *f*; (autos) parc *m*.

fleeting *adj* fugace, fugitif.

flesh *n* chair *f*.

flesh wound *n* blessure superficielle *f*.

fleshy *adj* charnu.

flex *n* cordon *m*; * *vt* fléchir.

flexibility *n* flexibilité *f*.

flexible *adj* flexible, souple.

flick *n* petit coup *m*; * *vt* donner un petit coup à.

flicker *vt* vaciller; trembloter.

flier *n* aviateur *m* -trice *f*.

flight *n* vol *m*; fuite *f*; volée *f*; (*fig*) envolée *f*.

flight attendant *n* steward *m*, hôtesse de l'air *f*.

flight deck *n* cabine de pilotage *f*.

flimsy *adj* léger; fragile.

flinch *vi* sourciller.

fling *vt* lancer, jeter.

flint *n* silex *m*.

flip *vt* lancer.

flippant *adj* désinvolte, cavalier.

flipper *n* nageoire *f*.

flirt *vi* flirter; * *n* charmeur *m* -euse *f*.

flirtation *n* flirt *f*.

flit *vi* voler, voleter.

float *vt* faire flotter; lancer; * *vi* flotter; * *n* flotteur *m*; char (de carnaval) *m*; provision *f*.

flock *n* troupeau *m*; volée *f*; foule *f*; * *vi* affluer.

flog *vt* fustiger.

flogging *n* fustigation, flagellation *f*.

flood *n* inondation *f*; marée haute *f*; déluge *m*; * *vt* inonder.

flooding *n* inondation *f*.

floodlight *n* projecteur *m*.

floor *n* sol *m*; plancher *m*; étage *m*; * *vt* parqueter; déconcerter.

floorboard *n* planche *f*.

floor lamp *n* lampadaire *m*.

floor show *n* spectacle de cabaret *m*.

flop *n* four, fiasco *m*.

floppy *adj* lâche; * *n* disquette *f*.

flora *n* flore *f*.

floral *adj* floral.

florescence *n* floraison *f*.

florid *adj* fleuri.

florist *n* fleuriste *mf*.

florist's (shop) *n* boutique de fleuriste *f*.

flotilla *n* (*mar*) flotille *f*.

flounder *n* flet *m*; * *vi* patauger.

flour *n* farine *f*.

flourish *vi* fleurir; prospérer; * *n* fioriture *f*; (*mus*) fioriture *f*.

flourishing *adj* florissant.

flout *vt* mépriser, se moquer de.

flow *vi* couler; circuler; monter (marée); ondoyer; * *n* flux *m*; écoulement *m*; flot *m*.

flow chart *n* organigramme *m*.

flower *n* fleur *f*; * *vi* fleurir.

flowerbed *n* parterre de fleurs *m*.

flowerpot *n* pot de fleurs *m*.

flowery *adj* fleuri.

flower show *n* exposition de fleurs *f*.

fluctuate *vi* fluctuer.

fluctuation *n* fluctuation *f*.

fluency *n* aisance *f*.

fluent *adj* coulant; facile; **~ly** *adv* couramment.

fluff *n* peluche *f*; **~y** *adj* duveteux.

fluid *adj n* fluide *m*.

fluidity *n* fluidité *f*.

fluke *n* (*sl*) veine *f*.

fluoride *n* fluorure *m*.

flurry *n* rafale *f*; agitation *f*.

flush *vt*: **to ~ out** nettoyer à grande eau; * *vi* rougir; * *n* rougeur *f*; éclat *m*.

flushed *adj* rouge.

fluster *vt* énerver.

flustered *adj* énervé.

flute *n* flûte *f*.

flutter *vi* voleter; s'agiter; * *n* agitation *f*; émoi *m*.

flux *n* flux *m*.

fly *vt* piloter; transporter par avion; * *vi* voler; fuir; ~ **away/ off** s'envoler; * *n* mouche *f*; braguette *f*.

flying *n* aviation *f*.

flying saucer *n* soucoupe volante *f*.

flypast *n* défilé aérien *m*.

flysheet *n* feuille volante *f*.

foal *n* poulain *m*.

foam *n* écume *f*; * *vi* écumer.

foam rubber *n* caoutchouc mousse *m*.

foamy *adj* écumeux.

focus *n* foyer *m*; centre *m*.

fodder *n* fourrage *m*.

foe *n* ennemi *m* -e *f*, adversaire *mf*.

fog *n* brouillard *m*.

foggy *adj* brumeux.

fog light *n* feu de brouillard *m*.

foible *n* point faible *m*.

foil *vt* déjouer; * *n* papier d'aluminium *m*; fleuret *m*.

fold *n* pli *m*; parc à moutons *m*; * *vt* plier; ~ **up** faire faillite; * *vi*: ~ **up** plier, replier.

folder *n* chemise *f*; dépliant *m*.

folding *adj* pliant.

folding chair *n* chaise pliante *f*.

foliage *n* feuillage *m*.

folio *n* folio *m*.

folk *n* gens *mpl*.

folklore *n* folklore *m*.

folk song *n* chant folklorique *m*.

follow *vt* suivre; ~ **up** suivre; exploiter; * *vi* suivre, s'ensuivre, résulter.

follower *n* serviteur *m*; disciple *mf*, partisan *m* -e *f*; adhérent *m* -e *f*; admirateur *m* -trice *f*.

following *adj* suivant; * *n* partisans *mpl*.

folly *n* folie, extravagance *f*.

foment *vt* fomenter.

fond *adj* affectueux; **to be** ~ **of** aimer; ~**ly** *adv* affectueusement.

fondle *vt* caresser.

fondness *n* prédilection *f*; affection *f*.

font *n* fonts baptismaux *mpl*.

food *n* nourriture *f*.

food mixer *n* mixer *m*.

food poisoning *n* intoxication alimentaire *f*.

food processor *n* robot *m* ménager.

foodstuffs *npl* denrées alimentaires *fpl*.

fool *n* imbécile *mf*, idiot *m* -e *f*; * *vt* duper.

foolhardy *adj* téméraire.

foolish *adj* idiot, insensé; ~**ly** *adv* bêtement.

foolproof *adj* infaillible.

foolscap *n* papier ministre *m*.

foot *n* pied *m*; patte *f*; **on** *or* **by** ~ à pied.

footage *n* métrage *m*.

football *n* football *m*; ballon de football *m*.

footballer *n* footballeur *m* -euse *f*.

footbrake *n* frein à pied *m*.

footbridge *n* passerelle *f*.

foothills *npl* contreforts *mpl*.

foothold *n* prise (pour le pied) *f*.

footing *n* prise (pour le pied) *f*; statut *m*; situation *f*; plan *m*.

footlights *npl* feux de la rampe *mpl*.

footman *n* valet de pied *m*; soldat d'infanterie *m*.

footnote *n* note (de bas de page) *f*.

footpath *n* sentier *m*.

footprint *n* empreinte (de pas) *f*.

footsore *adj* aux pieds endoloris.

footstep *n* pas *m*.

footwear *n* chaussures *fpl*.

for *prep* pour; en raison de; pendant; * *conj* car; **as** ~ **me** quant à moi; **what** ~? pourquoi?; pourquoi faire?

forage *n* fourrage *m*; * *vt* fourrager; fouiller.

foray *n* incursion *f*.

forbid *vt* interdire, défendre; empêcher; **God** ~! pourvu que non!

forbidding *adj* menaçant; sévère.

force *n* force *f*; puissance, vigueur *f*; violence *f*; **~s** *pl* forces armées *fpl*; * *vt* forcer, obliger, contraindre; imposer.

forced *adj* forcé.

forced march *n* (*mil*) marche forcée *f*.

forceful *adj* énergique.

forceps *n* forceps *m*.

forcible *adj* énergique, vigoureux, puissant; **~bly** *adv* énergiquement, avec véhémence.

ford *n* gué *m*; * *vt* passer à gué.

fore *n*: **to the ~** en évidence.

forearm *n* avant-bras *m*.

foreboding *n* pressentiment *m*.

forecast *vt* prévoir; * *n* prévision *f*.

forecourt *n* avant-cour *f*.

forefather *n* aïeul, ancêtre *m*.

forefinger *n* index *m*.

forefront *n*: **in the ~ of** au premier plan de.

forego *vt* renoncer à, s'abstenir de.

foregone *adj* passé; anticipé.

foreground *n* premier plan *m*.

forehead *n* front *m*.

foreign *adj* étranger.

foreigner *n* étranger *m* -ère *f*.

foreign exchange *n* devises *fpl*.

foreleg *n* patte de devant *f*.

foreman *n* contremaître *m*; (*law*) premier juré *m*.

foremost *adj* principal.

forenoon *n* matinée *f*.

forensic *adj* médico-légal.

forerunner *n* précurseur *m*; signe avant-coureur *m*.

foresee *vt* prévoir.

foreshadow *vt* présager.

foresight *n* prévoyance *f*; prescience *f*.

forest *n* forêt *f*.

forestall *vt* anticiper; prévenir.

forester *n* garde forestier *m*.

forestry *n* sylviculture *f*.

foretaste *n* avant-goût *m*.

foretell *vt* prédire.

forethought *n* prévoyance *f*; préméditation *f*.

forever *adv* toujours; un temps infini.

forewarn *vt* avertir, prévenir.

foreword *n* préface *f*.

forfeit *n* amende *f*; confiscation *f*; * *vt* perdre.

forge *n* forge *f*; usine métallurgique *f*; * *vt* forger; contrefaire * *vi*: **~ ahead** aller de l'avant.

forger *n* faussaire *mf*.

forgery *n* contrefaçon *f*.

forget *vt vi* oublier.

forgetful *adj* étourdi; négligent.

forgetfulness *n* étourderie *f*; négligence *f*.

forget-me-not *n* (*bot*) myosotis *m*.

forgive *vt* pardonner.

forgiveness *n* pardon *m*; indulgence *f*.

fork *n* fourchette *f*; fourche *f*; * *vi* bifurquer; **~ out** (*sl*) casquer.

forked *adj* fourchu.

fork-lift truck *n* chariot élévateur *m*.

forlorn *adj* malheureux, abandonné.

form *n* forme *f*; formule *f*; formulaire *m*; formalité *f*; moule *m*; * *vt* former.

formal *adj* formel; méthodique; cérémonieux; **~ly** *adv* formellement.

formality *n* formalité *f*; cérémonie *f*.

format *n* format *m*; * *vt* formater.

formation *n* formation *f*.

formative *adj* formateur *m* -trice *f*.

former *adj* précédent, ancien; **~ly** *adv* autrefois, jadis.

formidable *adj* effrayant, terrible.

formula *n* formule *f*.

formulate *vt* formuler.

forsake *vt* abandonner, renoncer à.

fort *n* fort *m*.

forte n fort m.

forthcoming adj prochain; sociable.

forthright adj franc.

forthwith adv immédiatement, tout de suite.

fortieth adj n quarantième mf.

fortification n fortification f.

fortify vt fortifier, renforcer.

fortitude n stoïcisme m; courage m.

fortnight n quinze jours mpl; deux semaines fpl; * adj ~ly bimensuel; * adv ~ly tous les quinze jours.

fortress n (mil) forteresse f.

fortuitous adj fortuit; imprévu; ~ly adv fortuitement.

fortunate adj chanceux; ~ly adv heureusement.

fortune n chance f, sort m; fortune f.

fortune-teller n diseuse de bonne aventure f.

forty adj n quarante m.

forum n forum m, tribune f.

forward adj avancé; précoce; présomptueux; ~(s) adv en avant, vers l'avant; * vt transmettre; promouvoir; expédier.

forwardness n précocité f; effronterie f.

fossil adj fossilisé; * n fossile m.

foster vt encourager.

foster child n enfant adoptif m.

foster father n père adoptif m.

foster mother n mère adoptive f.

foul adj infect, ignoble; vil, déloyal; ~ copy n copie illisible f; ~ly adv salement; ignoblement; * vt polluer.

foul play n jeu déloyal m; meurtre m.

found vt fonder, créer; établir; édifier; fondre.

foundation n foundation f; fondement m.

founder n fondateur m -trice f; fondeur m; * vi (mar) couler.

foundling n enfant trouvé(e) mf.

foundry n fonderie f.

fount, fountain n fontaine f.

fountainhead n source, origine f.

four adj n quatre m.

fourfold adj quadruple.

four-poster (bed) n lit à baldaquin m.

foursome n groupe de quatre personnes m.

fourteen adj n quatorze m.

fourteenth adj n quatorzième mf.

fourth adj n quatrième mf; * n quart m; ~ly adv quatrièmement.

fowl n volaille f.

fox n renard f; (fig) rusé m.

foyer n vestibule m.

fracas n rixe f.

fraction n fraction f.

fracture n fracture f; * vt fracturer.

fragile adj fragile; frêle.

fragility n fragilité f; faiblesse, délicatesse f.

fragment n fragment m.

fragmentary adj fragmentaire.

fragrance n parfum m.

fragrant adj parfumé, odorant; ~ly adv en exhalant un parfum.

frail adj frêle, fragile.

frailty n fragilité f; faiblesse f.

frame n charpente f; châssis m, armature f; cadre m; structure f; monture f; * vt encadrer; concevoir; construire; former.

frame of mind n état d'esprit m.

framework n charpente f; structure f, cadre m.

franchise n droit de vote m; franchise f.

frank adj franc, direct.

frankly adv franchement.

frankness n franchise f.

frantic adj frénétique, effréné.

fraternal adj ~ly adv fraternel(lement).

fraternise vi fraterniser.

fraternity n fraternité f.

fratricide n fratricide mf.

fraud n fraude, tromperie f.
fraudulence n caractère frauduleux m.
fraudulent adj frauduleux; ~ly adv frauduleusement.
fraught adj accablé, tendu.
fray n rixe, bagarre, querelle f.
freak n caprice m; phénomène m.
freckle n tache de rousseur f.
freckled adj couvert de taches de rousseur.
free adj libre; autonome; gratuit; dégagé; * vt affranchir; libérer; débarrasser.
freedom n liberté f.
freehold n propriété libre f.
free-for-all n mêlée générale f.
free gift n prime f.
free kick n coup franc m.
freelance adj indépendant; * adv en indépendant.
freely adv librement; franchement; libéralement.
freemason n franc-maçon m.
freemasonry n franc-maçonnerie f.
freepost n port payé m.
free-range adj de plein air.
freethinker n libre-penseur m -euse f.
freethinking n libre pensée f.
free trade n libre échange m.
freeway n (US) autoroute f.
freewheel vi rouler en roue libre.
free will n libre arbitre m.
freeze vi geler; * vt congeler; geler.
freeze-dried adj lyophilisé.
freezer n congélateur m.
freezing adj gelé.
freezing point n point de congélation m.
freight n cargaison f; fret m.
freighter n affréteur m.
freight train n train de marchandises m.
French bean n haricot vert m.
French fries npl frites fpl.
French window n porte-fenêtre f.
frenzied adj fou, frénétique.

frenzy n frénésie f; folie f.
frequency n fréquence f.
frequent adj fréquent; ~ly adv fréquemment; * vt fréquenter.
fresco n fresque f.
fresh adj frais; nouveau, récent; ~ water n eau douce f.
freshen vt rafraîchir; * vi se rafraîchir.
freshly adv nouvellement; récemment.
freshman n nouveau m, nouvelle f.
freshness n fraîcheur f.
freshwater adj d'eau douce.
fret vi s'agiter, se tracasser.
friar n moine m.
friction n friction f.
Friday n vendredi m; **Good** ~ Vendredi Saint m.
friend n ami m -e f.
friendless adj sans amis.
friendliness n amitié, bienveillance f.
friendly adj amical.
friendship n amitié f.
frieze n frise f.
frigate n (mar) frégate f.
fright n peur, frayeur f.
frighten vt effrayer.
frightened adj effrayé, apeuré.
frightening adj effrayant.
frightful adj épouvantable, effroyable; ~ly adv affreusement, effroyablement.
frigid adj froid, glacé; frigide; ~ly adv froidement.
fringe n frange f.
fringe benefits npl avantages mpl en nature.
frisk vt fouiller.
frisky adj vif, fringant.
fritter vt: to ~ away gaspiller.
frivolity n frivolité f.
frivolous adj frivole, léger.
frizz vt friser.
frizzle vt vi grésiller.
frizzy adj frisé.
fro adv: **to go to and** ~ aller et venir.

frock *n* robe *f*.

frog *n* grenouille *f*.

frolic *vi* folâtrer, gambader.

frolicsome *adj* folâtre, gai.

from *prep* de; depuis; à partir de.

front *n* avant, devant *m*; façade *f*; front *m*; * *adj* de devant; premier.

frontal *adj* de front.

front door *n* porte d'entrée *f*.

frontier *n* frontière *f*.

front page *n* première page *f*.

front-wheel drive *n* (*auto*) traction avant *f*.

frost *n* gel *m*; gelée *f*; * *vt* geler.

frostbite *n* engelure *f*.

frostbitten *adj* gelé.

frosted *adj* gelé, givré.

frosty *adj* glacial; givré.

froth *n* écume *f*; * *vi* écumer.

frothy *adj* mousseux, écumeux.

frown *vt* froncer les sourcils; * *n* froncement de sourcils *m*.

frozen *adj* gelé.

frugal *adj* frugal; économique; simple; ~ly *adv* frugalement.

fruit *n* fruit *m*.

fruiterer *n* fruitier *m* -ière *f*.

fruiterer's (shop) *n* fruiterie *f*.

fruitful *adj* fécond, fertile; fructueux, utile; ~ly *adv* fructueusement.

fruitfulness *n* fertilité *f*; caractère fructueux *m*.

fruition *n* réalisation *f*.

fruit juice *n* jus de fruit *m*.

fruitless *adj* stérile; infécond; ~ly *adv* vainement, inutilement.

fruit salad *n* salade de fruits *f*.

fruit tree *n* arbre fruitier *m*.

frustrate *vt* contrecarrer; frustrer; énerver.

frustrated *adj* frustré.

frustration *n* frustration *f*.

fry *vt* frire.

frying pan *n* poêle *f*.

fuchsia *n* (*bot*) fuchsia *m*.

fudge *n* caramel *m* mou.

fuel *n* combustible, carburant *m*.

fuel tank *n* réservoir à carburant *m*.

fugitive *adj n* fugitif *m* -ive *f*.

fugue *n* (*mus*) fugue *f*.

fulcrum *n* pivot *m*.

fulfill *vt* accomplir; réaliser.

fulfillment *n* accomplissement *m*.

full *adj* plein, rempli; complet; * *adv* pleinement, entièrement.

full-blown *adj* complet.

full-length *adj* en pied; de long métrage.

full moon *n* pleine lune *f*.

fullness *n* plénitude *f*; abondance *f*.

full-scale *adj* grandeur nature; total, complet.

full-time *adj* à plein temps.

fully *adv* pleinement, entièrement.

fully-fledged *adj* diplômé, qualifié.

fulsome *adj* exagéré.

fumble *vi* manier gauchement; farfouiller.

fume *vi* exhaler des vapeurs; rager, fumer; * ~s *npl* exhalaisons *fpl*.

fumigate *vt* fumiger.

fun *n* amusement *m*; plaisir *m*; **to have** ~ (bien) s'amuser.

function *n* fonction *f*.

functional *adj* fonctionnel.

fund *n* fonds *m*; * *vt* financer.

fundamental *adj* fondamental; ~ly *adv* fondamentalement.

funeral service *n* service *m* funèbre.

funeral *n* enterrement *m*.

funereal *adj* funèbre, lugubre.

fungus *n* champignon *m*; moisissure *f*.

funnel *n* entonnoir *m*; cheminée *f*.

funny *adj* amusant; curieux.

fur *n* fourrure *f*.

fur coat *n* manteau de fourrure *m*.

furious *adj* furieux; déchaîné; ~ly *adv* furieusement.

furlong *n* mesure de longueur (220 yards = 201 mètres), furlong *m*.

furnace n fourneau m; chaudière f.

furnish vt meubler; fournir; pourvoir.

furnishings npl ameublement m.

furniture n meubles mpl.

furrow n sillon m; * vt sillonner; rider.

furry adj à poil.

further adj supplémentaire; plus lointain; * adv plus loin, plus avant; en outre; de plus; * vt faire avancer; favoriser; promouvoir.

further education n formation f postscolaire.

furthermore adv de plus.

furthest adv le plus loin, le plus éloigné.

furtive adj furtif; secret; ~ly adv furtivement.

fury n fureur f; furie f; colère f.

fuse vt fondre; faire sauter; * vi fondre, sauter; * n fusible m; amorce f.

fuse box n boîte à fusibles f.

fusion n fusion f.

fuss n tapage m; histoires fpl.

fussy adj tatillon, chipoteur.

futile adj futile, vain.

futility n futilité f.

future adj futur; * n futur m; avenir m.

fuzzy adj flou, confus; crépu.

G

gab n (fam) bavardage m.

gabble vi baragouiner; * n charabia m.

gable n pignon m.

gadget n gadget m.

gaffe n gaffe f, bévue f.

gag n bâillon m; blague f; * vt bâillonner.

gaiety n gaieté f.

gaily adv gaiement.

gain n gain m; bénéfice m; * vt gagner; atteindre.

gait n démarche f; maintien m.

gala n gala m.

galaxy n galaxie f.

gale n grand vent m.

gall n bile f; fiel m.

gallant adj galant.

gall bladder n vésicule biliaire f.

gallery n galerie f.

galley n galère f; (mar) cuisine f.

gallon n gallon m (mesure).

gallop n galop m; * vi galoper.

gallows n potence f.

gallstone n calcul biliaire m.

galore adv en abondance.

galvanise vt galvaniser.

gambit n stratagème m.

gamble vi jouer; spéculer; * n risque m; pari m.

gambler n joueur m -euse f.

gambling n jeu m (d'argent).

game n jeu m; divertissement m; partie f; gibier m; * vi jouer.

gamekeeper n garde-chasse m.

gaming n jeu m (d'argent).

gammon n jambon m.

gamut n (mus) gamme f.

gander n jars m.

gang n gang m, bande f.

gangrene n gangrène f.

gangster n gangster m.

gangway n passerelle f.

gap n trou m; vide m; intervalle, écart m.

gape vi être bouche bée; bâiller.

gaping adj béant.

garage n garage m.

garbage n ordures fpl.

garbage can n poubelle f.

garbage man n éboueur m.

garbled adj confus.

garden n jardin m.

garden hose n tuyau d'arrosage m.

gardener n jardinier m -ière f.

gardening n jardinage m.

gargle vi se gargariser.

gargoyle n gargouille f.

garish adj tapageur.

garland n guirlande f.

garlic n ail m.

garment n vêtement m.

garnish vt garnir, décorer; * n garniture f.

garret n mansarde f.

garrison n (mil) garnison f; * vt (mil) mettre en garnison; protéger d'une garnison.

garrote vt étrangler, garrotter.

garrulous adj locace, bavard.

garter n jarretelle f.

gas n gaz m; essence f.

gas burner n brûleur à gaz m.

gas cylinder n bouteille de gaz f.

gaseous adj gazeux.

gas fire n radiateur à gaz m.

gash n entaille f; fente f; * vt entailler.

gasket n joint d'étanchéité m.

gasp vi haleter; * n halètements mpl.

gas mask n masque à gaz m.

gas meter n compteur à gaz m.

gasoline n (US) essence f.

gas pedal n (US) accélérateur m.

gas ring n brûleur à gaz m.

gas station n (US) poste d'essence m.

gassy adj gazeux.

gas tap n robinet de gaz m.

gastric adj gastrique.

gastronomic adj gastronomique.

gasworks npl usine à gaz f.

gate n porte f; portail m.

gateway n porte f.

gather vt rassembler; ramasser; comprendre; * vi se rassembler.

gathering n réunion f; récolte f.

gauche adj gauche, maladroit.

gaudy adj criard.

gauge n calibre m; écartement m; * vt mesurer; calibrer.

gaunt adj décharné.

gauze n gaze f.

gay adj gai; vif; homosexuel.

gaze vi contempler, considérer; * n regard m.

gazelle n gazelle f.

gazette n gazette f.

gazetteer n répertoire géographique m.

gear n équipement m, matériel m; appareil m; affaires fpl; vitesse f.

gearbox n boîte de vitesses f.

gear shift n levier de vitesse m.

gear wheel n roue d'engrenage f.

gel n gel m.

gelatin(e) n gélatine f.

gelignite n gélignite f.

gem n pierre précieuse f; perle f.

Gemini n Gémeaux mpl (signe du zodiaque).

gender n genre m.

gene n gène m.

genealogical adj généalogique.

genealogy n généalogie f.

general adj général; commun, usuel; in ~ en général; ~ly adv généralement; * n général m; générale f.

general delivery n (US) poste restante f.

general election n élections générales fpl.

generalisation n généralisation f.

generalise vt généraliser.

generality n généralité; majeure partie f.

generate vt engendrer; produire; causer.

generation n génération f.

generator n générateur m.

generic adj générique.

generosity n générosité, libéralité f.

generous adj généreux.

genetics npl génétique f.

genial adj cordial; doux.

genitals npl organes génitaux mpl.

genitive n (gr) génitif m.

genius n génie m.

genteel adj distingué.

gentle adj doux, f douce, modéré.

gentleman *n* gentleman *m*.
gentleness *n* douceur *f*.
gently *adv* doucement.
gentry *n* aristocratie *f*.
gents *n* toilettes pour hommes *fpl*.
genuflexion *n* génuflexion *f*.
genuine *adj* authentique; sincère; **~ly** *adv* authentiquement; sincèrement.
genus *n* genre *m*.
geographer *n* géographe *mf*.
geographical *adj* géographique.
geography *n* géographie *f*.
geological *adj* géologique.
geologist *n* géologue *mf*.
geology *n* géologie *f*.
geometric(al) *adj* géométrique.
geometry *n* géométrie *f*.
geranium *n* (*bot*) géranium *m*.
geriatric *n* malade gériatrique *mf*; * *adj* gériatrique.
germ *n* (*bot*) germe *m*.
germinate *vi* germer.
gesticulate *vi* gesticuler.
gesture *n* geste *m*.
get *vt* avoir; obtenir; atteindre; gagner; attraper; * *vi* devenir; aller; **~ the better** avoir l'avantage, surpasser.
geyser *n* geyser *m*; chauffe-eau *m invar*.
ghastly *adj* affreux; sinistre.
gherkin *n* cornichon *m*.
ghost *n* fantôme, spectre *m*.
ghostly *adj* spectral.
giant *n* géant *m* -e *f*.
gibberish *n* charabia *m*; sornettes *fpl*.
gibe *vi* se moquer; * *n* moquerie *f*.
giblets *npl* abattis (de volaille) *mpl*.
giddiness *n* vertige *m*.
giddy *adj* vertigineux.
gift *n* cadeau *m*; don *m*; talent *m*.
gifted *adj* talentueux; doué.
gift voucher *n* bon-cadeau *m*.
gigantic *adj* gigantesque.
giggle *vi* rire bêtement.
gild *vt* dorer.
gilding, gilt *n* dorure *f*.

gill *n* quart de pinte *m*; **~s** *pl* branchies *fpl*.
gilt-edged *adj* de premier ordre.
gimmick *n* truc *m*.
gin *n* gin *m*.
ginger *n* gingembre *m*.
gingerbread *n* pain d'épice *m*.
ginger-haired *adj* roux, *f* rousse.
giraffe *n* girafe *f*.
girder *n* poutre *f*.
girdle *n* gaine *f*; ceinture *f*.
girl *n* fille *f*.
girlfriend *n* amie *f*; petite amie *f*.
girlish *adj* de fille.
giro *n* virement *m*.
girth *n* sangle *f*; circonférence *f*.
gist *n* essence *f*.
give *vt* donner; offrir; prononcer; faire; consacrer; **~ away** offrir; trahir; révéler; **~ back** rendre; **~ in** *vi* céder; *vt* remettre; **~ off** dégager; **~ out** distribuer; **~ up** *vi* abandonner; *vt* renoncer à.
gizzard *n* gésier *m*.
glacial *adj* glacial.
glacier *n* glacier *m*.
glad *adj* joyeux, content; **I am ~ to see that** je me réjouis de voir que; **~ly** *adv* avec joie, avec plaisir.
gladden *vt* réjouir.
gladiator *n* gladiateur *m*.
glamour *n* attrait *m*, séduction *f*.
glamorous *adj* attrayant, séduisant.
glance *n* regard *m*; * *vi* regarder; jeter un coup d'œil.
glancing *adj* oblique.
gland *n* glande *f*.
glare *n* éclat *m*; regard féroce *m*; * *vi* éblouir, briller; lancer des regards indignés.
glaring *adj* éclatant; évident; furieux.
glass *n* verre *m*; longue-vue *f*; miroir *m*; **~es** *pl* lunettes *fpl*; * *adj* en verre.
glassware *n* verrerie *f*.
glassy *adj* vitreux, cristallin.

glaze *vt* vitrer; vernisser.

glazier *n* vitrier *m*.

gleam *n* rayon *m*; * *vi* rayonner, briller.

gleaming *adj* brillant.

glean *vt* glaner.

glee *n* joie *f*; exultation *f*.

glen *n* vallée *f*.

glib *adj* facile; volubile; **~ly** *adv* facilement; volubilement.

glide *vi* glisser; planer.

gliding *n* vol plané *m*.

glimmer *n* lueur *f*; * *vi* luire.

glimpse *n* aperçu *m*; vision *f*; * *vt* entrevoir.

glint *vi* briller, scintiller.

glisten, glitter *vi* luire, briller.

gloat *vi* exulter.

global *adj* global; mondial.

globe *n* globe *m*; sphère *f*.

gloom, gloominess *n* obscurité *f*; mélancolie, tristesse *f*; **~ily** *adv* sombrement; tristement.

gloomy *adj* sombre, obscur; triste, mélancolique.

glorification *n* glorification *f*.

glorify *vt* glorifier, célébrer.

glorious *adj* glorieux, illustre; **~ly** *adv* glorieusement.

glory *n* gloire, célébrité *f*.

gloss *n* glose *f*; lustre *m*; * *vt* gloser, interpréter; lustrer; **~ over** passer sur.

glossary *n* glossaire *m*.

glossy *adj* lustré, brillant.

glove *n* gant *m*.

glove compartment *n* boîte à gants *f*.

glow *vi* rougeoyer; rayonner; * *n* rougeoiment *m*; éclat *m*; feu *m*.

glower *vi* lancer des regards noirs.

glue *n* colle *f*; * *vt* coller.

gluey *adj* gluant, visqueux.

glum *adj* abattu, triste.

glut *n* surabondance *f*.

glutinous *adj* glutineux.

glutton *n* glouton *m* -ne *f*.

gluttony *n* gloutonnerie *f*.

glycerine *n* glycérine *f*.

gnarled *adj* noueux.

gnash *vt*: **to ~ one's teeth** grincer des dents.

gnat *n* moucheron *m*.

gnaw *vt* ronger.

gnome *n* gnome *m*.

go *vi* aller; s'en aller, partir; disparaître; se perdre; **~ ahead** continuer; **~ away** s'en aller; **~ back** repartir; **~ by** passer; **~ for** *vt* se lancer sur; aimer; **~ in** entrer; **~ off** s'en aller, partir; se passer; se gâter; **~ on** continuer; se passer; **~ out** sortir; s'éteindre; **~ up** monter.

goad *n* aiguillon *m*; * *vt* aiguillonner; stimuler.

go-ahead *adj* entreprenant; * *n* feu vert *m*.

goal *n* but, objectif *m*.

goalkeeper *n* gardien de but *m*.

goalpost *n* poteau de but *m*.

goatherd *n* chevrier *m* -ière *f*.

gobble *vt* engloutir, avaler.

go-between *n* intermédiaire *mf*.

goblet *n* coupe *f*.

goblin *n* lutin *m*.

God *n* Dieu *m*.

godchild *n* filleul *m* -e *f*.

goddaughter *n* filleule *f*.

goddess *n* déesse *f*.

godfather *n* parrain *m*.

godforsaken *adj* perdu.

godhead *n* divinité *f*.

godless *adj* impie, athée.

godlike *adj* divin.

godliness *n* piété, dévotion, sainteté *f*.

godly *adj* pieux, dévot, religieux; droit.

godmother *n* marraine *f*.

godsend *n* don du ciel *m*.

godson *n* filleul *m*.

goggle-eyed *adj* aux yeux exorbités de surprise.

goggles *npl* lunettes *fpl*; lunettes de plongée *fpl*.

going *n* départ *m*; sortie *f*; progrès *m*.

gold *n* or *m*.

golden *adj* doré; d'or; excellent;
~ **rule** *n* règle d'or *f*.

goldfish *n* poisson rouge *m*.

gold-plated *adj* plaqué or.

goldsmith *n* orfèvre *m*.

golf *n* golf *m*.

golf ball *n* balle de golf *f*.

golf club *n* club de golf *m*.

golf course *n* terrain de golf *m*.

golfer *n* golfeur *m* -euse *f*.

gondolier *n* gondolier *m*.

gone *adj* parti; perdu; passé; fini;
mort, disparu.

gong *n* gong *m*.

good *adj* bon; bienveillant; favorable; valable; * *adv* bien; * *n*
bien *m*; avantage *m*; ~**s** *pl* biens
mpl; marchandises *fpl*.

goodbye ! *excl* au revoir!

Good Friday *n* Vendredi Saint *m*.

goodies *npl* gourmandises *fpl*.

good-looking *adj* beau.

good nature *n* bon caractère *m*.

good-natured *adj* qui a bon caractère.

goodness *n* bonté *f*; qualité *f*.

goodwill *n* bienveillance *f*.

goose *n* oie *f*.

gooseberry *n* groseille à maquereau *f*.

goosebumps *npl* chair de poule *f*.

goose-step *n* pas de l'oie *m*.

gore *n* sang *m*; * *vt* blesser d'un
coup de corne.

gorge *n* (*geogr*) gorge *f*; * *vt* engloutir, avaler.

gorgeous *adj* merveilleux.

gorilla *n* gorille *m*.

gorse *n* ajonc *m*.

gory *adj* sanglant.

goshawk *n* autour *m*.

gospel *n* évangile *m*.

gossamer *n* gaze *f*; toile d'araignée *f*.

gossip *n* commérages, cancans
mpl; * *vi* cancaner, faire des
commérages.

gothic *adj* gothique.

gout *n* goutte *f* (maladie).

govern *vt* gouverner, diriger.

governess *n* gouvernante *f*.

government *n* gouvernement *m*;
administration publique *f*.

governor *n* gouverneur *m*.

gown *n* toge *f*; robe *f*; robe de
chambre *f*.

grab *vt* saisir.

grace *n* grâce *f*; faveur *f*; pardon
m; grâces *fpl*; **to say** ~ dire le
bénédicité; * *vt* orner; honorer.

graceful *adj* gracieux; ~**ly** *adv*
gracieusement.

gracious *adj* gracieux; favorable;
~**ly** *adv* gracieusement.

gradation *n* gradation *f*.

grade *n* grade *m*; degré *m*; classe
f.

grade crossing *n* (US) passage à
niveau *m*.

grade school *n* (US) école primaire *f*.

gradient *n* (*rail*) rampe *f*.

gradual *adj* graduel; ~**ly** *adv* gra-
duellement.

graduate *vi* obtenir son diplôme.

graduation *n* remise des diplô-
mes *f*.

graffiti *n* graffiti *mpl*.

graft *n* greffe *f*; * *vt* greffer.

grain *n* grain *m*; graine *f*; céréales *fpl*.

gram *n* gramme *m*.

grammar *n* grammaire *f*.

grammatical *adj* ~**ly** *adv*
grammatical(lement).

granary *n* grenier *m*.

grand *adj* grandiose; magnifique.

grandchild *n* petit-fils *m*; petite-
fille *f*; **grandchildren** *pl* petits-
enfants *mpl*.

grandad *n* pépé *m*.

granddaughter *n* petite-fille *f*;
great~ arrière-petite-fille *f*.

grandeur *n* grandeur *f*; pompe *f*.

grandfather *n* grand-père *m*;
great~ arrière-grand-père *m*.

grandiose *adj* grandiose.

grandma *n* mémé *f*.

grandmother *n* grand-mère *f*;
great~ arrière-grand-mère *f*.

grandparents *npl* grands-parents *mpl*.

grand piano *n* piano à queue *m*.

grandson *n* petit-fils *m*; **great~** arrière-petit-fils *m*.

grandstand *n* tribune *f*.

granite *n* granit *m*.

granny *n* mamie *f*.

grant *vt* accorder; **to take for ~ed** considérer comme acquis; *** *n* bourse *f*; allocation *f*.

granulate *vt* granuler.

granule *n* granule *m*.

grape *n* grain *m* de raisin; **bunch of ~s** grappe *f* de raisin.

grapefruit *n* pamplemousse *m*.

graph *n* graphe, graphique *m*.

graphic(al) *adj* graphique; pittoresque; **~ally** *adv* graphiquement.

graphics *n* art graphique *m*; graphiques *mpl*.

grapnel *n* (*mar*) grappin *m*.

grasp *vt* saisir, empoigner; comprendre; *** *n* poigne *f*; compréhension *f*; prise *f*.

grasping *adj* avide.

grass *n* herbe *f*.

grasshopper *n* sauterelle *f*.

grassland *n* prés *mpl*.

grass-roots *adj* populaire; de base.

grass snake *n* couleuvre *f*.

grassy *adj* herbeux.

grate *n* grille *f*; *** *vt* râper; grincer (des dents); *** *vi* grincer.

grateful *adj* reconnaissant; **~ly** *adv* avec reconnaissance.

gratefulness *n* gratitude, reconnaissance *f*.

gratification *n* satisfaction *f*.

gratify *vt* satisfaire; faire plaisir à.

gratifying *adj* réjouissant.

grating *n* grillage *m*; grincement *m*; *** *adj* grinçant; énervant.

gratis *adv* gratis, gratuitement.

gratitude *n* gratitude, reconnaissance *f*.

gratuitous *adj* gratuit; volontaire; **~ly** *adv* gratuitement.

gratuity *n* gratification *f*.

grave *n* tombe *f*; *** *adj* grave, sérieux; **~ly** *adv* gravement, sérieusement.

grave digger *n* fossoyeur *m*.

gravel *n* gravier *m*.

gravestone *n* pierre tombale *f*.

graveyard *n* cimetière *m*.

gravitate *vi* graviter.

gravitation *n* gravitation *f*.

gravity *n* gravité *f*.

gravy *n* jus de viande *m*; sauce *f*.

graze *vt* paître; effleurer; *** *vi* paître.

grease *n* graisse *f*; *** *vt* graisser.

greaseproof *adj* (papier) sulfurisé.

greasy *adj* gras.

great *adj* grand; important; fort; **~ly** *adv* énormément.

greatcoat *n* pardessus *m*.

greatness *n* grandeur *f*; importance *f*; pouvoir *m*; noblesse *f*.

greedily *adv* avidement.

greediness, greed *n* avidité *f*; gloutonnerie *f*.

greedy *adj* avide; glouton.

Greek *n* grec *m*; Grec *m* Grecque *f*.

green *adj* vert; inexpérimenté; *** *n* vert *m*; verdure *f*; **~s** *npl* légumes verts *mpl*.

greenback *n* (US) billet *m*.

green belt *n* zone verte *f*.

green card *n* carte verte *f*; (US) permis de travail *m*.

greenery *n* verdure *f*.

greengrocer *n* marchand(e) de fruits et légumes *m(f)*.

greenhouse *n* serre *f*.

greenish *adj* verdâtre.

greenness *n* verdure *f*; manque d'expérience *m*.

green room *n* foyer des artistes *m*.

greet *vt* saluer; accueillir.

greeting *n* salutation *f*; accueil *m*.

greeting(s) card *n* carte de vœux *f*.

grenade *n* (*mil*) grenade *f*.

grenadier *n* grenadier *m*.

grey adj gris; * n gris m.

grey-haired adj aux cheveux gris.

greyhound n lévrier m.

greyish adj grisâtre; grisonnant.

greyness n couleur grise f; grisaille f.

grid n grille f; réseau m.

gridiron n gril m; terrain de football américain m.

grief n chagrin m, douleur, peine f.

grievance n grief m; doléance f; différend m; injustice f; tort m.

grieve vt peiner, affliger; * vi se chagriner, s'affliger.

grievous adj douloureux; grave, atroce; ~ly adv douloureusement; cruellement.

griffin n griffon m.

grill n gril m; grillade f; * vt faire griller; interroger, cuisiner.

grille n grille f.

grim adj peu engageant; sinistre.

grimace n grimace f; moue f.

grime n saleté f.

grimy adj crasseux.

grin n grimace f; sourire m; * vi grimacer; sourire.

grind vt moudre; piler, broyer; affûter, aiguiser; * vi grincer.

grinder n moulin m; rémouleur m; molaire f.

grip n prise f; poignée f; sac m de voyage; * vt saisir, agripper.

gripping adj passionnant.

grisly adj horrible; sinistre.

gristle n cartilage m.

gristly adj cartilagineux.

grit n gravillon m; cran m.

groan vi gémir; grogner; * n gémissement m; grognement m.

grocer n épicier m -ière f.

groceries npl épicerie f, provisions fpl.

grocer's (shop) n épicerie f.

groggy adj sonné, étourdi.

groin n aine f.

groom n palefrenier m; valet m; marié m; * vt panser; préparer.

groove n rainure f.

grope vt chercher à tâtons; * vi tâtonner.

gross adj gros, corpulent; épais; grossier; brut; ~ly adv énormément.

grotesque adj grotesque.

grotto n grotte f.

ground n terre f, sol m; terrain, territoire m; fondement m; raison fondamentale f; fond m; * vt retenir au sol; fonder; mettre une prise de terre à.

ground floor n rez-de-chaussée m.

grounding n connaissances de base fpl.

groundless adj sans fondement; ~ly adv sans fondement.

ground staff n personnel au sol m.

groundwork n travaux de préparation mpl.

group n groupe m; * vt regrouper.

grouse n grouse f, coq de bruyère m; * vi grogner.

grove n bosquet m.

grovel vi se traîner; ramper.

grow vt cultiver; faire pousser; * vi pousser; grandir; augmenter; ~ up grandir.

grower n cultivateur m -trice f; producteur m -trice f.

growing adj croissant; grandissant.

growl vi grogner; * n grognement m.

grown-up n adulte mf.

growth n croissance f; augmentation f; poussée f.

grub n asticot m.

grubby adj sale.

grudge n rancune f; * vt accorder à contrecœur; vi avoir de la rancune.

grudgingly adv à contrecœur.

gruelling adj difficile, pénible.

gruesome adj horrible.

gruff adj brusque; ~ly adv brusquement.

gruffness n brusquerie f.

grumble *vi* grogner; grommeler.

grumpy *adj* ronchon, grincheux.

grunt *vi* grogner; * *n* grognement *m*.

G-string *n* cache-sexe *m*.

guarantee *n* garantie *f*; * *vt* garantir.

guard *n* garde *f*; garde *m*; * *vt* garder; défendre.

guarded *adj* prudent; surveillé.

guardroom *n* (*mil*) corps de garde *m*.

guardian *n* tuteur *m* -trice *f*; gardien *m* -ne *f*.

guardianship *n* tutelle *f*.

guerrilla *n* guérillero *m*.

guerrilla warfare *n* guérilla *f*.

guess *vt* deviner; supposer; * *vi* deviner; * *n* conjecture *f*.

guesswork *n* conjectures *fpl*.

guest *n* invité *m* -ée *f*; client *m* -e *f*.

guest room *n* chambre d'amis *f*.

guffaw *n* éclat de rire *m*.

guidance *n* guidage *m*; direction *f*.

guide *vt* guider, diriger; * *n* guide *m*.

guide dog *n* chien d'aveugle *m*.

guidelines *npl* directives *fpl*.

guidebook *n* guide *m*.

guild *n* association *f*; corporation *f*.

guile *n* astuce *f*.

guillotine *n* guillotine *f*; * *vt* guillotiner.

guilt *n* culpabilité *f*.

guiltless *adj* innocent.

guilty *adj* coupable.

guinea pig *n* cochon d'Inde, cobaye *m*.

guise *n* apparence *f*.

guitar *n* guitare *f*.

gulf *n* golfe *m*; abîme *m*.

gull *n* mouette *f*.

gullet *n* œsophage *m*.

gullibility *n* crédulité *f*.

gullible *adj* crédule.

gully *n* ravine *f*.

gulp *n* gorgée *f*; * *vt vi* avaler.

gum *n* gomme *f*; gencive *f*; chewing-gum *m*; * *vt* coller.

gum tree *n* gommier *m*.

gun *n* pistolet *m*; fusil *m*.

gunboat *n* canonnière *f*.

gun carriage *n* affût de canon *m*.

gunfire *n* coups de feu *mpl*.

gunman *n* homme armé *m*.

gunmetal *n* bronze à canon *m*.

gunner *n* artilleur *m*.

gunnery *n* artillerie *f*.

gunpoint *n*: at ~ sous la menace d'une arme à feu.

gunpowder *n* poudre à canon *f*.

gunshot *n* coup de feu *m*.

gunsmith *n* armurier *m*.

gurgle *vi* gargouiller.

guru *n* gourou *m*.

gush *vi* jaillir; bouillonner; * *n* jaillissement *m*.

gushing *adj* jaillissant; très exubérant.

gusset *n* soufflet *m*.

gust *n* rafale *f*; bouffée *f*.

gusto *n* plaisir *m*, délectation *f*.

gusty *adj* venteux.

gut *n* intestin *m*; ~s *npl* cœur au ventre *m*; * *vt* vider.

gutter *n* gouttière *f*; caniveau *m*.

guttural *adj* guttural.

guy *n* mec, type *m*.

guzzle *vt* bouffer, engloutir; avaler.

gym(nasium) *n* gymnase *m*.

gymnast *n* gymnaste *mf*.

gymnastic *adj* gymnastique; ~s *npl* gymnastique *f*.

gynaecologist *n* gynécologue *mf*.

gypsy *n* gitan *m* -e *f*.

gyrate *vi* tourner.

H

haberdasher n mercier m -ière f.

haberdashery n mercerie f.

habit n habitude f.

habitable adj habitable.

habitat n habitat m.

habitual adj habituel; ~ly adv d'habitude, habituellement.

hack n coupure, entaille f; * vt entailler, couper.

hackneyed adj rebattu.

haddock n aiglefin m.

haemorrhage n hémorragie f.

haemorrhoids npl hémorroïdes fpl.

hag n sorcière f.

haggard adj exténué; défait.

haggle vi marchander.

hail n grêle f; * vt saluer; * vi grêler.

hailstone n grêlon m.

hair n cheveux mpl; poil m.

hairbrush n brosse à cheveux f.

haircut n coupe de cheveux f.

hairdresser n coiffeur m -euse f.

hairdryer n séchoir à cheveux m.

hairless adj chauve; sans poils.

hairnet n filet à cheveux m.

hairpin n épingle à cheveux f.

hairpin bend n virage en épingle à cheveux m.

hair remover n crème dépilatoire f.

hairspray n laque à cheveux f.

hairstyle n coiffure f.

hairy adj chevelu; poilu.

hale adj vigoureux.

half n moitié f; * adj demi; * adv à moitié.

half-caste adj métis.

half-hearted adj peu enthousiaste.

half-hour n demi-heure f.

half-moon n demi-lune f.

half-price adj à moitié prix.

half-time n mi-temps f.

halfway adv à mi-chemin.

hall n vestibule m.

hallmark n marque f.

hallow vt consacrer, sanctifier.

hallucination n hallucination f.

halo n halo m.

halt vi s'arrêter; * n arrêt m; halte f.

halve vt couper en deux.

ham n jambon m.

hamlet n hameau m.

hammer n marteau m; * vt marteler.

hammock n hamac m.

hamper n panier m; * vt embarrasser, entraver.

hamstring vt couper les jarrets à.

hand n main f; ouvrier m -ière f; aiguille f; at ~ à portée de main; * vt donner, passer.

handbag n sac à main m.

handbell n sonnette f.

handbook n manuel m.

handbrake n frein à main m.

handcuff n menotte f.

handful n poignée f.

handicap n handicap m.

handicapped adj handicapé.

handicraft n artisanat m.

handiwork n travail manuel m.

handkerchief n mouchoir m.

handle n manche m, queue f; anse f; poignée f; * vt manier; traiter, prendre.

handlebars npl guidon m.

handling n maniement m; traitement m.

handrail n garde-fou m.

handshake n poignée de mains f.

handsome adj beau; ~ly adv élégamment.

handwriting n écriture f.

handy adj pratique; adroit.

hang vt accrocher; pendre; * vi pendre, être accroché; être pendu.

hanger *n* cintre *m*.
hanger-on *n* parasite *m*.
hangings *npl* tapisserie *f*.
hangman *n* bourreau *m*.
hangover *n* gueule de bois *f*.
hang-up *n* complexe *m*.
hanker *vi* avoir envie.
haphazard *adj* fortuit.
hapless *adj* malheureux.
happen *vi* se passer; **I ~ to have
one** il se trouve que j'en ai un.
happening *n* événement *m*.
happily *adv* heureusement; gaiement.
happiness *n* bonheur *m*.
happy *adj* heureux.
harangue *n* harangue *f*; * *vt* ha-
ranguer.
harass *vt* harceler; tourmenter.
harbinger *n* précurseur *m*.
harbour *n* port *m*; * *vt* héberger;
entretenir, nourrir.
hard *adj* dur; pénible; sévère, rigide; **~ of hearing** dur d'oreille;
~ by tout près.
harden *vt vi* durcir.
hard-headed *adj* réaliste.
hard-hearted *adj* au cœur dur,
insensible.
hardiness *n* robustesse *f*.
hardly *adv* à peine; **~ ever** presque jamais.
hardness *n* dureté *f*; difficulté *f*;
sévérité *f*.
hardship *n* épreuve(s) *f(pl)*.
hard-up *adj* fauché, sans le sou.
hardware *n* matériel *m*; quincaillerie *f*.
hardwearing *adj* résistant.
hardy *adj* fort, robuste; résistant.
hare *n* lièvre *m*.
hare-brained *adj* écervelé.
hare-lipped *adj* qui a un bec de
lièvre.
haricot *n* haricot blanc *m*.
harlequin *n* arlequin *m*.
harm *n* mal *m*; tort *m*; * *vt* faire
du mal à; nuire à.
harmful *adj* nuisible.
harmless *adj* inoffensif.

harmonic *adj* harmonique.
harmonious *adj* harmonieux;
~ly *adv* harmonieusement.
harmonise *vt* harmoniser.
harmony *n* harmonie *f*.
harness *n* harnais *m*; * *vt* harnacher.
harp *n* harpe *f*.
harpist *n* harpiste *mf*.
harpoon *n* harpon *m*.
harpsichord *n* clavecin *m*.
harrow *n* herse *f*.
harry *vt* harceler; dévaster.
harsh *adj* dur; austère; rude; **~ly**
adv sévèrement; durement.
harshness *n* aspérité, dureté *f*;
austérité *f*.
harvest *n* récolte *f*; moisson *f*; *
vt récolter; moissonner.
harvester *n* moissonneur *m* -euse
f; moissonneuse *f* (machine).
hash *n* hachis *m*; gâchis *m*.
hassock *n* agenouilloir *m*.
haste *n* hâte *f*; **to be in ~** être
pressé.
hasten *vt* accélérer, hâter; * *vi* se
dépêcher.
hastily *adv* à la hâte, précipitamment.
hastiness *n* précipitation *f*.
hasty *adj* hâtif; irréfléchi.
hat *n* chapeau *m*.
hatbox *n* carton à chapeau *m*.
hatch *vt* couver; faire éclore; tramer; * *n* écoutille *f*.
hatchback *n* (*auto*) voiture à
hayon arrière *f*.
hatchet *n* hachette *f*.
hatchway *n* (*mar*) écoutille *f*.
hate *n* haine *f*; * *vt* haïr, détester.
hateful *adj* odieux, détestable.
hatred *n* haine *f*.
hatter *n* chapelier *m* -ière *f*.
haughtily *adv* hautainement.
haughtiness *n* orgueil *m*; hauteur *f*.
haughty *adj* hautain, orgueilleux.
haul *vt* tirer; * *n* prise *f*; butin *m*.
haulier *n* camionneur *m*.

haunch n hanche f.

haunt vt hanter; fréquenter; * n repaire m.

have vt avoir; posséder.

haven n refuge m.

haversack n sac à dos m.

havoc n ravages mpl.

hawk n faucon m; * vi chasser au faucon.

hawthorn n aubépine f.

hay n foin m.

hay fever n rhume des foins m.

hayloft n fenil m.

hayrick, haystack n meule de foin f.

hazard n risque, danger m; * vt risquer.

hazardous adj risqué, dangereux.

haze n brume f.

hazel n noisetier m; * adj noisette.

hazelnut n noisette f.

hazy adj brumeux.

he pn il.

head n têtè f; chef m; esprit m; * vt conduire; ~ for se diriger vers.

headache n mal de tête m.

headdress n coiffe f.

headland n promontoire m.

headlight n phare m.

headline n titre m.

headlong adv à toute allure.

headmaster n directeur m.

head office n siège social m.

headphones npl écouteurs mpl.

headquarters npl (mil) quartier général m; siège social m.

headroom n hauteur f.

headstrong adj têtu.

headwaiter n maître d'hôtel m.

headway n progrès m(pl).

heady adj capiteux.

heal vt vi guérir.

health n santé f.

healthiness n bonne santé f.

healthy adj en bonne santé; sain.

heap n tas m; * vt entasser.

hear vt entendre; écouter; * vi entendre; avoir des nouvelles.

hearing n ouïe f.

hearing aid n audiophone m.

hearsay n rumeur f.

hearse n corbillard m.

heart n cœur m; **by ~** par cœur; **with all my ~** de tout cœur.

heart attack n crise cardiaque f.

heartbreaking adj à fendre le cœur.

heartburn n acidité f gastrique.

heart failure n arrêt cardiaque m.

heartfelt adj sincère.

hearth n foyer m.

heartily adv sincèrement, cordialement.

heartiness n cordialité, sincérité f.

heartless adj cruel; ~ly adv cruellement.

hearty adj cordial.

heat n chaleur f; * vt chauffer.

heater n radiateur m.

heather n (bot) bruyère f.

heathen n païen m, païenne f; ~ish adj sauvage, barbare.

heating n chauffage m.

heatwave n onde de chaleur f.

heave vt lever; tirer; * n effort m.

heaven n ciel m.

heavenly adj divin.

heavily adv lourdement.

heaviness n lourdeur f.

heavy adj lourd, pesant; considérable.

Hebrew n hébreu m (langue).

heckle vt interrompre.

hectic adj agité.

hedge n haie f; * vt entourer d'une haie.

hedgehog n hérisson m.

heed vt tenir compte de; * n soin m; attention f.

heedless adj inattentif, étourdi; ~ly adv étourdiment.

heel n talon m; **to take to one's ~s** prendre ses jambes à son cou.

hefty adj costaud, puissant.

heifer n génisse f.

height n hauteur f; altitude f.

heighten vt rehausser; augmenter; intensifier.

heinous adj atroce.

heir n héritier m; ~ **apparent** héritier présomptif m.

heiress n héritière f.

heirloom n héritage m.

helicopter n hélicoptère m.

hell n enfer m.

hellish adj infernal.

helm n (mar) barre f.

helmet n casque m.

help vt aider, secourir; **I cannot ~ it** je n'y peux rien; je ne peux pas m'en empêcher; * n aide f; secours m.

helper n aide mf.

helpful adj utile; qui rend service.

helping n portion f.

helpless adj impuissant; ~**ly** adv désespérément; sans pouvoir rien faire.

helter-skelter adv n'importe comment, en désordre.

hem n ourlet m; * vt ourler.

he-man n dur, mâle m.

hemisphere n hémisphère m.

hemp n chanvre m.

hen n poule f.

henchman n acolyte m.

henceforth, henceforward adv dorénavant.

hen-house n poulailler m.

hepatitis n hépatite f.

her pn son, sa, ses; elle; la; lui.

herald n héraut m.

heraldry n héraldique f.

herb n herbe f; ~**s** pl fines herbes fpl.

herbaceous adj herbacé.

herbalist n herboriste mf.

herbivorous adj herbivore.

herd n troupeau m.

here adv ici.

hereabout(s) adv dans les environs.

hereafter adv plus tard; ci-après.

hereby adv par la présente.

hereditary adj héréditaire.

heredity n hérédité f.

heresy n hérésie f.

heretic n, adj hérétique mf.

herewith adv avec ceci.

heritage n patrimoine, héritage m.

hermetic adj hermétique; ~**ly** adv hermétiquement.

hermit n ermite m.

hermitage n ermitage m.

hernia n hernie f.

hero n héros m.

heroic adj héroïque; ~**ally** adv héroïquement.

heroine n héroïne f.

heroism n héroïsme m.

heron n héron m.

herring n hareng m.

hers pn le sien, la sienne, le(s) sien(ne)s, à elle.

herself pn elle-même.

hesitant adj hésitant.

hesitate vi hésiter.

hesitation n hésitation f.

heterogeneous adj hétérogène.

heterosexual adj n hétérosexuel m -le f.

hew vt tailler; couper.

heyday n apogée m.

hi excl salut!

hiatus n (gr) hiatus m.

hibernate vi hiberner.

hiccup n hoquet m; * vi avoir le hoquet.

hickory n noyer d'Amérique m.

hide vt cacher; * n cuir m; peau f.

hideaway n cachette f.

hideous adj hideux; horrible; ~**ly** adv horriblement.

hiding-place n cachette f.

hierarchy n hiérarchie f.

hieroglyphic adj hiéroglyphique; * n hiéroglyphe m.

hi-fi n hi-fi f invar.

higgledy-piggledy adv pêle-mêle.

high adj haut; élevé.

high altar n maître-autel m.

high chair n chaise haute f.

high-handed adj tyrannique.

highlands npl terres montagneuses fpl.

highlight n point fort m.
highly adj extrêmement, haute-
ment.
highness n hauteur f; altesse f.
high school n lycée m.
high-strung adj nerveux, tendu.
high water n marée haute f.
highway n grande route f.
hike vi faire une randonnée.
hijack vt détourner.
hijacker n pirate de l'air m.
hilarious adj hilarant; hilare.
hill n colline f.
hillock n petite colline f.
hillside n coteau m.
hilly adj montagneux.
hilt n poignée f.
him pn lui; le.
himself pn lui-même; soi.
hind adj derrière; * n biche f.
hinder vt gêner, entraver.
hindrance n gêne f, obstacle m.
hindmost adj dernier.
hindquarter n arrière-train m.
hindsight n: with ~ rétrospectivement.
hinge n charnière f; gond m.
hint n allusion f; insinuation f; *
vt insinuer; suggérer.
hip n hanche f.
hippopotamus n hippopotame
m.
hire vt louer; * n location f.
his pn son, sa, ses; le sien, la
sienne, les sien(ne)s; à lui.
Hispanic adj hispanique.
hiss vt vi siffler.
historian n historien m -ne f.
historic(al) adj historique; ~ally
adv historiquement.
history n histoire f.
histrionic adj théâtral.
hit vt frapper; atteindre; heurter;
* n coup m; succès m.
hitch vt accrocher; * n nœud m;
anicroche f.
hitchhike vi faire du stop.
hitherto adv jusqu'à présent, jusqu'ici.
hive n ruche f.

hoard n stock m; trésor caché m;
* vt accumuler, amasser.
hoarfrost n givre m.
hoarse adj rauque; ~ly adv d'une
voix rauque.
hoarseness n voix rauque f.
hoax n canular m; * vt faire un
canular à.
hobble vi boitiller.
hobby n passe-temps m invar.
hobbyhorse n cheval de bataille
m.
hobo n vagabond m.
hockey n hockey m.
hodge-podge n confusion f.
hoe n binette f; * vt biner.
hog n porc m.
hoist vt hisser; * n grue f.
hold vt tenir; détenir; contenir; ~
on to se tenir à; * vi valoir; * n
prise f; pouvoir m.
holder n détenteur m -trice f; titulaire mf.
holding n possession f.
holdup n hold-up m; retard m.
hole n trou m.
holiday n jour de congé m; jour
férié m; ~s pl vacances fpl.
holiness n sainteté f.
hollow adj creux; * n creux m; *
vt creuser, vider.
holly n (bot) houx m.
hollyhock n rose trémière f.
holocaust n holocauste m.
holster n étui de révolver m.
holy adj saint; bénit; sacré.
holy water n eau bénite f.
holy week n semaine sainte f.
homage n hommage m.
home n maison f; patrie f; domicile m; ~ly adj simple.
home address n domicile m.
homeless adj sans abri.
homeliness n simplicité f.
home-made adj fait maison.
homeopathist n homéopathe
mf.
homeopathy n homéopathie f.
homesick adj nostalgique, qui a
le mal du pays.

homesickness n nostalgie f, mal du pays m.

hometown n ville natale f.

homeward adj vers chez soi; vers son pays.

homework n devoirs mpl.

homicidal adj homicide.

homicide n homicide m; homicide mf.

homogeneous adj homogène.

homosexual adj n homosexuel m -le f.

honest adj honnête; ~ly adv honnêtement.

honesty n honnêteté f.

honey n miel m.

honeycomb n rayon de miel m.

honeymoon n lune de miel f.

honeysuckle n (bot) chèvrefeuille m.

honour n honneur m; * vt honorer.

honourable adj honorable.

honourably adv honorablement.

honorary adj honoraire.

hood n capot m; capuche f.

hoodlum n truand m.

hoof n sabot m.

hook n crochet m; hameçon m; by ~ or by crook coûte que coûte; * vt accrocher.

hooked adj crochu.

hooligan n vandale m.

hoop n cerceau m.

hooter n sirène f.

hop n (bot) houblon m; saut m; * vi sauter.

hope n espoir m, espérance f; * vi espérer.

hopeful adj plein d'espoir; prometteur; ~ly adv avec espoir.

hopefulness n bon espoir m.

hopeless adj désespéré; ~ly adv désespérément.

horde n horde f.

horizon n horizon m.

horizontal adj horizontal; ~ly adv horizontalement.

hormone n hormone f.

horn n corne f.

horned adj à cornes.

hornet n frelon m.

horny adj calleux.

horoscope n horoscope m.

horrendous adj horrible.

horrible adj horrible.

horribly adv horriblement; énormément.

horrid adj horrible.

horrific adj horrible, affreux.

horrify vt horrifier.

horror n horreur f.

horror film n film d'horreur m.

hors d'oeuvre n hors-d'œuvre m invar.

horse n cheval m.

horseback adv: on ~ à cheval.

horse-breaker n dresseur(-euse) de chevaux m(f).

horse chestnut n marron d'Inde m.

horsefly n taon m.

horseman n cavalier m.

horsemanship n équitation f.

horsepower n cheval-vapeur m; puissance en chevaux f.

horse race n course de chevaux f.

horseradish n raifort m.

horseshoe n fer à cheval m.

horsewoman n cavalière f.

horticulture n horticulture f.

horticulturist n horticulteur m -trice f.

hose-pipe n tuyau m.

hosiery n bonneterie f.

hospitable adj hospitalier.

hospitably adv avec hospitalité.

hospital n hôpital m.

hospitality n hospitalité f.

host n hôte m; hostie f.

hostage n otage m.

hostess n hôtesse f.

hostile adj hostile.

hostility n hostilité f.

hot adj chaud; épicé.

hotbed n foyer m.

hotdog n hot-dog m.

hotel n hôtel m.

hotelier n hôtelier m -ière f.

hotheaded adj exalté.
hothouse n serre f.
hotline n téléphone rouge m.
hotplate n plaque chauffante f.
hotly adv violemment.
hound n chien de chasse m.
hour n heure f.
hourglass n sablier m.
hourly adv toutes les heures.
house n maison f; maisonnée f; * vt loger.
houseboat n péniche f.
housebreaker n cambrioleur m.
housebreaking n cambriolage m.
household n famille f, ménage m.
householder n propriétaire mf; chef de famille m.
housekeeper n gouvernante f.
housekeeping n travaux ménagers mpl.
houseless adv sans abri.
house-warming party n pendaison de crémaillère f.
housewife n ménagère f.
housework n travaux ménagers mpl.
housing n logement m.
housing development n urbanisation f.
hovel n taudis m.
hover vi planer.
how adv comme; comment; ~ do you do! enchanté.
however adv de quelque manière que; cependant, néanmoins.
howl vi hurler; * n hurlement m.
hub n centre m; moyeu m.
hubbub n vacarme m.
hubcap n enjoliveur m.
hue n teinte f; nuance f.
huff n: in a ~ fâché.
hug vt étreindre; * n étreinte f.
huge adj énorme; ~ly adv énormément.
hulk n (mar) carcasse f; ponton m.
hull n (mar) coque f.
hum vi chantonner.
human adj humain.
humane adj humain; ~ly adv humainement.

humanise vt humaniser.
humanist n humaniste mf.
humanitarian adj humanitaire.
humanity n humanité f.
humanly adv humainement.
humble adj humble, modeste; * vt humilier.
humbleness n humilité f.
humbly adv humblement.
humbug n blagues fpl.
humdrum adj monotone.
humid adj humide.
humidity n humidité f.
humiliate vt humilier.
humiliation n humiliation f.
humility n humilité f.
hummingbird n colibri m.
humorist n humoriste mf.
humorous adj humoristique; ~ly adv avec humour.
humour n sens de l'humour m, humour m; * vt complaire à.
hump n bosse f.
hunch n intuition f; ~backed adj bossu.
hundred adj cent; * n centaine f.
hundredth adj centième.
hundredweight n quintal m.
hunger n faim f; * vi avoir faim.
hunger strike n grève de la faim f.
hungrily adv avidement.
hungry adj qui a faim, affamé.
hunt vt chasser; poursuivre; chercher; * vi chasser; * n chasse f.
hunter n chasseur m.
hunting n chasse f.
huntsman n chasseur m.
hurdle n haie f.
hurl vt lancer avec violence, jeter.
hurricane n ouragan m.
hurried adj fait à la hâte; précipité; ~ly adv hâtivement; précipitamment.
hurry vt presser; * vi se presser, se dépêcher; * n hâte f.
hurt vt faire mal à; blesser; * n mal m.
hurtful adj blessant; ~ly adv de manière blessante.

husband *n* mari *m*.
husbandry *n* agriculture *f*.
hush! chut!, silence!; * *vt* faire taire; * *vi* se taire.
husk *n* coque *f* (graine).
huskiness *n* voix rauque *f*.
husky *adj* rauque.
hustings *n* plate-forme électorale *f*.
hustle *vt* pousser avec force, bousculer.
hut *n* cabane, hutte *f*.
hutch *n* clapier *m*.
hyacinth *n* jacinthe *f*.
hydrant *n* bouche d'incendie *f*.
hydraulic *adj* hydraulique; **~s** *npl* hydraulique *f*.
hydroelectric *adj* hydroélectrique.
hydrofoil *n* hydroptère *m*.
hydrogen *n* hydrogène *m*.

hydrophobia *n* hydrophobie *f*.
hyena *n* hyène *f*.
hygiene *n* hygiène *f*.
hygienic *adj* hygiénique.
hymn *n* hymne *m*.
hyperbole *n* hyperbole *f*.
hypermarket *n* hypermarché *m*.
hyphen *n* (*gr*) trait d'union *m*.
hypochondria *n* hypocondrie *f*.
hypochondriac *adj n* hypocondriaque *mf*.
hypocrisy *n* hypocrisie *f*.
hypocrite *n* hypocrite *mf*.
hypocritical *adj* hypocrite.
hypothesis *n* hypothèse *f*.
hypothetical *adj* **~ly** *adv* hypothétique(ment).
hysterical *adj* hystérique.
hysterics *npl* hystérie *f*; crise de nerfs *f*.

I

I *pn* je, j'; moi
ice *n* glace *f*; * *vt* glacer; geler.
ice-axe *n* piolet *m*.
iceberg *n* iceberg *m*.
ice-bound *adj* fermé par les glaces.
icebox *n* glacière *f*.
ice cream *n* glace *f*.
ice rink *n* patinoire *f*.
ice skating *n* patinage sur glace *m*.
icicle *n* stalactite *f*, glaçon *m*.
iconoclast *n* iconoclaste *mf*.
icy *adj* glacé.
idea *n* idée *f*.
ideal *adj* idéal; **~ly** *adv* idéalement.
idealist *n* idéaliste *mf*.
identical *adj* identique.
identification *n* identification *f*.
identify *vt* identifier.
identity *n* identité *f*.
ideology *n* idéologie *f*.

idiom *n* expression idiomatique *f*.
idiomatic *adj* idiomatique.
idiosyncrasy *n* idiosyncrasie *f*.
idiot *n* imbécile *mf*.
idiotic *adj* idiot, bête.
idle *adj* désœuvré; au repos; inutile.
idleness *n* paresse *f*; oisiveté *f*.
idler *n* paresseux *m* -euse *f*.
idly *adv* oisivement; paresseusement; vainement.
idol *n* idole *f*.
idolatry *n* idôlatrie *f*.
idolise *vt* idôlatrer.
idyllic *adj* idyllique.
i.e. *adv* c.-à-d., c'est-à-dire.
if *conj* si; **~ not** sinon.
ignite *vt* allumer, enflammer.
ignition *n* (*chem*) ignition *f*; allumage *m*.
ignition key *n* clé de contact *f*.
ignoble *adj* infâme; bas.

ignominious *adj* ignominieux; ~ly *adv* ignominieusement.

ignominy *n* ignominie, infamie *f*.

ignoramus *n* ignorant *m* -e *f*.

ignorance *n* ignorance *f*.

ignorant *adj* ignorant; ~ly *adv* par ignorance.

ignore *vt* ne pas tenir compte de.

ill *adj* malade; * *n* mal *m*; dommage *m*; * *adv* mal.

ill-advised *adj* malavisé.

illegal *adj* ~ly *adv* illégal(ement).

illegality *n* illégalité *f*.

illegible *adj* illisible.

illegibly *adv* illisiblement.

illegitimacy *n* illégitimité *f*.

illegitimate *adj* illégitime; ~ly *adv* illégitimement.

ill feeling *n* rancœur *f*.

illicit *adj* illicite.

illiterate *adj* analphabète, illettré.

illness *n* maladie *f*.

illogical *adj* illogique.

ill-timed *adj* inopportun.

ill-treat *vt* maltraiter.

illuminate *vt* illuminer.

illumination *n* illumination *f*.

illusion *n* illusion *f*.

illusory *adj* illusoire.

illustrate *vt* illustrer.

illustration *n* illustration *f*.

illustrative *adj* qui illustre.

illustrious *adj* illustre.

ill-will *n* malveillance *f*.

image *n* image *f*.

imagery *n* images *fpl*.

imaginable *adj* imaginable.

imaginary *adj* imaginaire.

imagination *n* imagination *f*.

imaginative *adj* imaginatif.

imagine *vt* imaginer.

imbalance *n* déséquilibre *m*.

imbecile *adj* imbécile, idiot.

imbibe *vt* boire; imbiber; absorber.

imbue *vt* imprégner.

imitate *vt* imiter.

imitation *n* imitation *f*.

imitative *adj* imitatif.

immaculate *adj* immaculé.

immaterial *adj* insignifiant.

immature *adj* pas mûr.

immeasurable *adj* incommensurable.

immeasurably *adv* immensément.

immediate *adj* immédiat; ~ly *adv* immédiatement.

immense *adj* immense; énorme; ~ly *adv* immensément.

immensity *n* immensité *f*.

immerse *vt* immerger.

immersion *n* immersion *f*.

immigrant *n* immigrant *m* -e *f*.

immigration *n* immigration *f*.

imminent *adj* imminent.

immobile *adj* immobile.

immobility *n* immobilité *f*.

immoderate *adj* immodéré, excessif; ~ly *adv* immodérément.

immodest *adj* immodeste.

immoral *adj* immoral.

immorality *n* immoralité *f*.

immortal *adj* immortel.

immortalise *vt* immortaliser.

immortality *n* immortalité *f*.

immune *adj* immunisé.

immunise *vt* immuniser.

immunity *n* immunité *f*.

immutable *adj* immuable.

imp *n* lutin *m*.

impact *n* impact *m*.

impair *vt* diminuer; affaiblir.

impale *vt* empaler.

impalpable *adj* impalpable.

impart *vt* communiquer.

impartial *adj* ~ly *adv* impartial(ement).

impartiality *n* impartialité *f*.

impassable *adj* impraticable; infranchissable.

impasse *n* impasse *f*.

impassive *adj* impassible.

impatience *n* impatience *f*.

impatient *adj* impatient; ~ly *adv* impatiemment.

impeach *vt* (*law*) mettre en accusation.

impeccable *adj* impeccable.

impecunious *adj* impécunieux.
impede *vt* empêcher; entraver.
impediment *n* obstacle *m*.
impel *vt* pousser.
impending *adj* imminent.
impenetrable *adj* impénétrable.
imperative *adj* impératif.
imperceptible *adj* imperceptible.
imperceptibly *adv* imperceptiblement.
imperfect *adj* ~ly imparfait(ement); * *n* (gr) imparfait *m*.
imperfection *n* imperfection *f*; défaut *m*.
imperial *adj* impérial.
imperialism *n* impérialisme *m*.
imperious *adj* impérieux; ~ly *adv* impérieusement.
impermeable *adj* imperméable.
impersonal *adj* ~ly *adv* impersonel(lement).
impersonate *vt* se faire passer pour; imiter.
impertinence *n* impertinence *f*.
impertinent *adj* impertinent; ~ly *adv* impertinemment.
imperturbable *adj* imperturbable.
impervious *adj* imperméable; indifférent.
impetuosity *n* impétuosité *f*.
impetuous *adj* impétueux; ~ly *adv* impétueusement.
impetus *n* élan *m*.
impiety *n* impiété *f*.
impinge (on) *vi* affecter; empiéter (sur).
impious *adj* impie.
implacable *adj* implacable.
implacably *adv* implacablement.
implant *vt* implanter.
implement *n* outil *m*; ustensile *m*.
implicate *vt* impliquer.
implication *n* implication *f*.
implicit *adj* implicite; ~ly *adv* implicitement.
implore *vt* supplier.
imply *vt* supposer.
impolite *adj* impoli.

impoliteness *n* impolitesse *f*.
impolitic *adj* maladroit; impolitique.
import *vt* importer; * *n* importation *f*.
importance *n* importance *f*.
important *adj* important.
importation *n* importation *f*.
importer *n* importateur *m* -trice *f*.
importunate *adj* importun.
importune *vt* importuner.
importunity *n* importunité *f*.
impose *vt* imposer.
imposing *adj* imposant.
imposition *n* imposition *f*.
impossibility *n* impossibilité *f*.
impossible *adj* impossible.
impostor *n* imposteur *m*.
impotence *n* impotence *f*.
impotent *adj* impotent; ~ly *adv* faiblement.
impound *vt* confisquer.
impoverish *vt* appauvrir.
impoverished *adj* appauvri.
impoverishment *n* appauvrissement *m*.
impracticability *n* impraticabilité *f*.
impracticable *adj* impraticable.
impractical *adj* peu pratique.
imprecation *n* imprécation, malédiction *f*.
imprecise *adj* imprécis.
impregnable *adj* inexpugnable.
impregnate *vt* imprégner; féconder.
impregnation *n* fécondation *f*; imprégnation *f*.
impress *vt* impressionner.
impression *n* impression *f*; édition *f*.
impressionable *adj* impressionnable.
impressive *adj* impressionnant.
imprint *n* empreinte *f*; * *vt* imprimer; marquer.
imprison *vt* emprisonner.
imprisonment *n* emprisonnement *m*.
improbability *n* improbabilité *f*.

improbable *adj* improbable.

impromptu *adj* impromptu.

improper *adj* indécent; déplacé; impropre; **~ly** *adv* indécemment; de manière déplacée; improprement.

impropriety *n* impropriété *f*; inconvenance *f*.

improve *vt* améliorer; * *vi* s'améliorer.

improvement *n* amélioration *f*.

improvident *adj* imprévoyant.

improvise *vt* improviser.

imprudence *n* imprudence *f*.

imprudent *adj* imprudent.

impudence *n* impudence *f*.

impudent *adj* impudent; **~ly** *adv* impudemment.

impugn *vt* attaquer, contester.

impulse *n* impulsion *f*.

impulsive *adj* impulsif.

impunity *n* impunité *f*.

impure *adj* impur; **~ly** *adv* impurement.

impurity *n* impureté *f*.

in *prep* dans; en.

inability *n* incapacité *f*.

inaccessible *adj* inaccessible.

inaccuracy *n* inexactitude *f*.

inaccurate *adj* inexact.

inaction *n* inaction *f*.

inactive *adj* inactif.

inactivity *n* inactivité *f*.

inadequate *adj* inadéquat.

inadmissible *adj* inadmissible.

inadvertently *adv* par inadvertance.

inalienable *adj* inaliénable.

inane *adj* inepte.

inanimate *adj* inanimé.

inapplicable *adj* inapplicable.

inappropriate *adj* impropre.

inasmuch *adv* attendu que.

inattentive *adj* inattentif.

inaudible *adj* inaudible.

inaugural *adj* inaugural.

inaugurate *vt* inaugurer.

inauguration *n* inauguration *f*.

inauspicious *adj* peu propice.

in-between *adj* intermédiaire.

inborn, inbred *adj* inné.

incalculable *adj* incalculable.

incandescent *adj* incandescent.

incantation *n* incantation *f*.

incapable *adj* incapable.

incapacitate *vt* mettre dans l'incapacité.

incapacity *n* incapacité *f*.

incarcerate *vt* incarcérer.

incarnate *adj* incarné.

incarnation *n* incarnation *f*.

incautious *adj* imprudent; **~ly** *adv* imprudemment.

incendiary *n* bombe incendiaire *f*; incendiaire *mf*.

incense *n* encens *m*; * *vt* exaspérer.

incentive *n* stimulant *m*; prime, aide *f*.

inception *n* commencement *m*.

incessant *adj* incessant, continuel; **~ly** *adv* continuellement.

incest *n* inceste *m*.

incestuous *adj* incestueux.

inch *n* pouce *m*; **~ by ~** petit à petit.

incidence *n* fréquence *f*.

incident *n* incident *m*.

incidental *adj* fortuit; **~ly** *adv* incidemment.

incinerator *n* incinérateur *m*.

incipient *adj* naissant.

incise *vt* inciser.

incision *n* incision *f*.

incisive *adj* incisif.

incisor *n* incisive *f*.

incite *vt* inciter, encourager.

inclement *adj* inclément.

inclination *n* inclination, propension *f*.

incline *vt* incliner; * *vi* s'incliner.

include *vt* inclure, comprendre.

including *prep* inclus, y compris.

inclusion *n* inclusion *f*.

inclusive *adj* inclus; tout compris.

incognito *adv* incognito.

incoherence *n* incohérence *f*.

incoherent *adj* incohérent; **~ly** *adv* d'une manière incohérente.

income *n* revenu *m*; recettes *fpl*.

income tax *n* impôt sur le revenu *m*.

incoming *adj* entrant; nouveau.

incomparable *adj* incomparable.

incomparably *adv* incomparablement.

incompatibility *n* incompatibilité *f*.

incompatible *adj* incompatible.

incompetence *n* incompétence *f*.

incompetent *adj* incompétent; ~ly *adv* de manière incompétente.

incomplete *adj* incomplet.

incomprehensibility *n* incompréhensibilité *f*.

incomprehensible *adj* incompréhensible.

inconceivable *adj* inconcevable.

inconclusive *adj* peu concluant; * *adv* d'une manière peu concluante.

incongruity *n* incongruité *f*.

incongruous *adj* incongru; ~ly *adv* incongrûment.

inconsequential *adj* inconséquent.

inconsiderate *adj* sans considération; inconsidéré; ~ly *adv* sans considération.

inconsistency *n* inconsistance *f*.

inconsistent *adj* inconsistant.

inconsolable *adj* inconsolable.

inconspicuous *adj* discret.

incontinence *n* incontinence *f*.

incontinent *adj* incontinent.

incontrovertible *adj* indéniable.

inconvenience *n* inconvénient, désagrément *m*; * *vt* incommoder.

inconvenient *adj* incommode; ~ly *adv* incommodément.

incorporate *vt* incorporer; * *vi* s'incorporer.

incorporated company *n* société constituée *f*.

incorporation *n* incorporation *f*.

incorrect *adj* incorrect, inexact; ~ly *adv* incorrectement.

incorrigible *adj* incorrigible.

incorruptibility *n* incorruptibilité *f*.

incorruptible *adj* incorruptible.

increase *vt vi* augmenter; * *n* augmentation *f*.

increasing *adj* croissant; *adv* ~ly de plus en plus.

incredible *adj* incroyable.

incredulity *n* incrédulité *f*.

incredulous *adj* incrédule.

increment *n* augmentation *f*.

incriminate *vt* incriminer.

incrust *vt* incruster.

incubate *vi* couver.

incubator *n* couveuse *f*.

inculcate *vt* inculquer.

incumbent *adj* en exercice; * *n* titulaire *mf*.

incur *vt* encourir.

incurability *n* incurabilité *f*.

incurable *adj* incurable.

incursion *n* incursion *f*.

indebted *adj* endetté; redevable.

indecency *n* indécence *f*.

indecent *adj* indécent; ~ly *adv* indécemment.

indecision *n* indécision, irrésolution *f*.

indecisive *adj* indécis, irrésolu.

indecorous *adj* inconvenant.

indeed *adv* vraiment.

indefatigable *adj* infatigable.

indefinite *adj* ~ly *adv* indéfini(ment).

indelible *adj* indélébile.

indelicacy *n* indélicatesse *f*.

indelicate *adj* peu délicat.

indemnify *vt* indemniser.

indemnity *n* indemnité *f*.

indent *vt* bosseler; renfoncer.

independence *n* indépendance *f*.

independent *adj* indépendant; ~ly *adv* indépendamment.

indescribable *adj* indescriptible.

indestructible *adj* indestructible.

indeterminate *adj* indéterminé.

index *n* (*math*) indice *m*; index *m*.

index card *n* fiche *f*.

indexed *adj* indexé.

index finger n index m.

indicate vt indiquer.

indication n indication f; indice m.

indicative adj n (gr) indicatif m.

indicator n indicateur m.

indict vt accuser.

indictment n accusation f.

indifference n indifférence f.

indifferent adj indifférent; **~ly** adv indifféremment.

indigenous adj indigène.

indigent adj indigent.

indigestible adj indigeste.

indigestion n indigestion f.

indignant adj indigné.

indignation n indignation f.

indignity n indignité f.

indigo n indigo m.

indirect adj indirect; **~ly** adv indirectement.

indiscreet adj indiscret; **~ly** adv indiscrètement.

indiscretion n indiscrétion f.

indiscriminate adj **~ly** adv sans discernement.

indispensable adj indispensable.

indisposed adj indisposé.

indisposition n indisposition f.

indisputable adj indiscutable.

indisputably adv indiscutablement.

indistinct adj indistinct, confus; **~ly** adv indistinctement.

indistinguishable adj indiscernable.

individual adj **~ly** adv individuel(lement); * n individu m.

individuality n individualité f.

indivisible adj **~bly** adv indivisible(ment).

indoctrinate vt endoctriner.

indoctrination n endoctrinement m.

indolence n indolence f.

indolent adj indolent; **~ly** adv indolemment.

indomitable adj indomptable.

indoors adv à l'intérieur.

indubitably adv indubitablement.

induce vt persuader; causer, provoquer.

inducement n encouragement m; incitation f.

induction n induction f.

indulge vt céder à; vi se permettre, se laisser aller.

indulgence n indulgence f.

indulgent adj indulgent; **~ly** adv avec indulgence.

industrial adj industriel.

industrialise vt industrialiser.

industrialist n industriel m.

industrial park n zone industrielle f.

industrious adj travailleur.

industry n industrie f.

inebriated vt ivre.

inebriation n ivresse f.

inedible adj non comestible.

ineffable adj ineffable.

ineffective, ineffectual adj inefficace; **~ly** adv inefficacement.

inefficiency n inefficacité f.

inefficient adj inefficace.

ineligible adj inéligible.

inept adj inepte; déplacé.

ineptitude n ineptie f; manque d'à-propos m.

inequality n inégalité f.

inert adj inerte.

inertia n inertie f.

inescapable adj inévitable.

inestimable adj inestimable.

inevitable adj inévitable.

inevitably adv inévitablement.

inexcusable adj inexcusable.

inexhaustible adj inépuisable.

inexorable adj inexorable.

inexpedient adj imprudent, inopportun.

inexpensive adj bon marché.

inexperience n inexpérience f.

inexperienced adj inexpérimenté.

inexpert adj néophyte.

inexplicable adj inexplicable.

inexpressible adj indicible; inexprimable.

inextricably *adv* inextricable-ment.

infallibility *n* infaillibilité *f*.

infallible *adj* infaillible.

infamous *adj* vil, infâme; **~ly** *adv* vilement.

infamy *n* infamie *f*.

infancy *n* enfance *f*.

infant *n* bébé *m*; enfant *mf*.

infanticide *n* infanticide *mf*.

infantile *adj* infantile.

infantry *n* infanterie *f*.

infatuated *adj* fou.

infatuation *n* folie *f*; obsession *f*.

infect *vt* infecter.

infection *n* infection *f*.

infectious *adj* contagieux; infectieux.

infer *vt* inférer.

inference *n* inférence *f*.

inferior *adj* inférieur; * *n* subordonné *m* -e *f*.

inferiority *n* infériorité *f*.

infernal *adj* infernal.

inferno *n* enfer *m*.

infest *vt* infester.

infidel *n* infidèle *mf*.

infidelity *n* infidélité *f*.

infiltrate *vi* s'infiltrer.

infinite *adj* **~ly** *adv* infini(ment).

infinitive *n* (*gr*) infinitif *m*.

infinity *n* infini *m*; infinité *f*.

infirm *adj* infirme.

infirmary *n* infirmerie *f*.

infirmity *n* infirmité *f*.

inflame *vt* enflammer; * *vi* s'enflammer.

inflammation *n* inflammation *f*.

inflammatory *adj* inflammatoire.

inflatable *adj* gonflable.

inflate *vt* gonfler.

inflation *n* inflation *f*.

inflection *n* inflexion *f*.

inflexibility *n* inflexibilité *f*.

inflexible *adj* inflexible.

inflexibly *adv* inflexiblement.

inflict *vt* infliger.

influence *n* influence *f*; * *vt* influencer.

influential *adj* influent.

influenza *n* grippe *f*.

influx *n* afflux *m*.

inform *vt* informer.

informal *adj* informel; simple; familier.

informality *n* simplicité *f*.

informant *n* informateur *m* -trice *f*

information *n* information *f*.

infraction *n* infraction *f*.

infrared *adj* infrarouge.

infrastructure *n* infrastructure *f*.

infrequent *adj* **~ly** *adv* rare(ment).

infringe *vt* enfreindre.

infringement *n* infraction *f*.

infuriate *vt* rendre furieux.

infuse *vt* infuser.

infusion *n* infusion *f*.

ingenious *adj* ingénieux; **~ly** *adv* ingénieusement.

ingenuity *n* ingéniosité *f*.

ingenuous *adj* **~ly** *adv* ingénu(ment); sincère(ment).

inglorious *adj* infamant; **~ly** *adv* honteusement.

ingot *n* lingot *m*.

ingrained *adj* invétéré.

ingratiate *vi*: **~ with sb** chercher à entrer dans les bonnes grâces de qn.

ingratitude *n* ingratitude *f*.

ingredient *n* ingrédient *m*.

inhabit *vt vi* habiter.

inhabitable *adj* habitable.

inhabitant *n* habitant *m* -e *f*.

inhale *vt* inhaler.

inherent *adj* inhérent.

inherit *vt* hériter.

inheritance *n* héritage *m*.

inheritor *n* héritier *m* -ière *f*.

inhibit *vt* inhiber.

inhibited *adj* inhibé.

inhibition *n* inhibition *f*.

inhospitable *adj* inhospitalier.

inhospitality *n* inhospitalité *f*.

inhuman *adj* inhumain; **~ly** *adv* inhumainement.

inhumanity *n* inhumanité, cruauté *f*.

inimical *adj* hostile, ennemi.

inimitable *adj* inimitable.

iniquitous *adj* inique, injuste.

iniquity *n* iniquité, injustice *f*.

initial *adj* initial; * *n* initiale *f*.

initially *adv* au début.

initiate *vt* commencer; initier.

initiation *n* début, commence-ment *m*; initiation *f*.

initiative *n* initiative *f*.

inject *vt* injecter.

injection *n* injection *f*.

injudicious *adj* peu judicieux.

injunction *n* injonction *f*; ordre *m*.

injure *vt* blesser.

injury *n* blessure *f*; tort *m*.

injury time *n* arrêts de jeu *mpl*.

injustice *n* injustice *f*.

ink *n* encre *f*.

inkling *n* soupçon *m*.

inkstand *n* encrier *m*.

inlaid *adj* incrusté.

inland *adj* intérieur; * *adv* vers l'intérieur, dans les terres.

in-laws *npl* belle-famille *f*.

inlay *vt* incruster.

inlet *n* entrée *f*; bras de mer *m*.

inmate *n* détenu *m* -e *f*.

inmost *adj* le plus profond.

inn *n* auberge *f*; hôtel *m*.

innate *adj* inné.

inner *adj* intérieur.

innermost *adj* le plus profond.

inner tube *n* chambre à air *f*.

innkeeper *n* aubergiste *mf*, hô-telier *m* -ière *f*.

innocence *n* innocence *f*.

innocent *adj* innocent; **~ly** *adv* innocemment.

innocuous *adj* inoffensif; **~ly** *adv* de manière inoffensive.

innovate *vt* innover.

innovation *n* innovation *f*.

innuendo *n* allusion *f*; insinua-tion *f*.

innumerable *adj* innombrable.

inoculate *vt* inoculer.

inoculation *n* inoculation *f*.

inoffensive *adj* inoffensif.

inopportune *adj* inopportun.

inordinately *adv* démesurément.

inorganic *adj* inorganique.

in-patient *n* patient(e) hospitalisé(e) *m(f)*.

input *n* entrée *f*; consommation *f*.

inquest *n* enquête *f*.

inquire *vt vi* demander; **~ about** s'informer de; **~ after** *vt* deman-der des nouvelles de; **~ into** *vt* faire des recherches sur; enquê-ter sur.

inquiry *n* demande de renseigne-ments *f*; enquête *f*.

inquisition *n* investigation *f*.

inquisitive *adj* curieux.

inroad *n* incursion *f*.

insane *adj* fou, *f* folle.

insanity *n* folie *f*.

insatiable *adj* insatiable.

inscribe *vt* inscrire; dédier.

inscription *n* inscription *f*; dédi-cace *f*.

inscrutable *adj* impénétrable.

insect *n* insecte *m*.

insecticide *n* insecticide *m*.

insecure *adj* peu assuré.

insecurity *n* insécurité *f*.

insemination *n* insémination *f*.

insensible *adj* inconscient; insen-sible.

insensitive *adj* insensible.

inseparable *adj* inséparable.

insert *vt* introduire, insérer.

insertion *n* insertion *f*.

inshore *adj* côtier.

inside *n* intérieur *m*; * *adv* à l'in-térieur.

inside out *adv* à l'envers; à fond.

insidious *adj* insidieux; **~ly** insi-dieusement.

insight *n* perspicacité *f*.

insignia *npl* insignes *mpl*.

insignificant *adj* insignifiant.

insincere *adj* peu sincère.

insincerity *n* manque de sincé-rité *m*.

insinuate *vt* insinuer.

insinuation *n* insinuation *f*.

insipid *adj* insipide.

insist *vi* insister.
insistence *n* insistance *f.*
insistent *adj* insistant.
insole *n* semelle intérieure *f.*
insolence *n* insolence *f.*
insolent *adj* insolent; **~ly** *adv* insolemment.
insoluble *adj* insoluble.
insolvency *n* insolvabilité *f.*
insolvent *adj* insolvable.
insomnia *n* insomnie *f.*
insomuch *conj* à tel point.
inspect *vt* examiner, inspecter.
inspection *n* inspection *f.*
inspector *n* inspecteur *m* -trice *f.*
inspiration *n* inspiration *f.*
inspire *vt* inspirer.
instability *n* instabilité *f.*
instal *vt* installer.
installation *n* installation *f.*
instalment *n* installation *f*; versement *m.*
instalment plan *n* plan de vente à tempérament *m.*
instance *n* exemple *m*; **for ~** par exemple.
instant *adj* instantané; **~ly** *adv* immédiatement; * *n* instant, moment *m.*
instantaneous *adj* **~ly** *adv* instantané(ment).
instead (of) *pr* au lieu, à la place (de).
instep *n* cou-de-pied *m.*
instigate *vt* inciter; susciter.
instigation *n* incitation *f.*
instill *vt* instiller; inspirer.
instinct *n* instinct *m.*
instinctive *adj* instinctif; **~ly** *adv* instinctivement, d'instinct.
institute *vt* instituer; * *n* institut *m.*
institution *n* institution *f.*
instruct *vt* instruire.
instruction *n* instruction *f.*
instructive *adj* instructif.
instructor *n* professeur *m*; moniteur *m* -trice *f.*
instrument *n* instrument *m.*
instrumental *adj* instrumental.

insubordinate *adj* insubordonné.
insubordination *n* insubordination *f.*
insufferable *adj* insupportable.
insufferably *adv* insupportablement.
insufficiency *n* insuffisance *f.*
insufficient *adj* insuffisant; **~ly** *adv* insuffisamment.
insular *adj* insulaire; borné.
insulate *vt* isoler; insonoriser.
insulating tape *n* ruban isolant *m.*
insulation *n* isolation *f*; insonorisation *f.*
insulin *n* insuline *f.*
insult *vt* insulter; * *n* insulte *f.*
insulting *adj* insultant.
insuperable *adj* insurmontable.
insurance *n* (*com*) assurance *f.*
insurance policy *n* police d'assurance *f.*
insure *vt* assurer.
insurgent *n* insurgé, rebelle *m.*
insurmountable *adj* insurmontable.
insurrection *n* insurrection *f.*
intact *adj* intact.
intake *n* admission *f*; consommation *f.*
integral *adj* intégrant; (*chem*) intégral; * *n* intégrale *f.*
integrate *vt* intégrer.
integration *n* intégration *f.*
integrity *n* intégrité *f.*
intellect *n* intellect *m.*
intellectual *adj* intellectuel.
intelligence *n* intelligence *f.*
intelligent *adj* intelligent.
intelligentsia *n* intelligentsia *f.*
intelligible *adj* intelligible.
intelligibly *adv* intelligiblement.
intemperate *adj* **~ly** *adv* immodéré(ment).
intend *vt* avoir l'intention de.
intendant *n* intendant *m* -e *f.*
intended *adj* voulu.
intense *adj* intense; **~ly** *adv* intensément.
intensify *vt* intensifier.

intensity n intensité f.

intensive adj intensif.

intensive care unit n service de soins intensifs m.

intent adj résolu; attentif; ~**ly** adv attentivement; * n intention f, dessein m.

intention n intention f, dessein m.

intentional adj intentionnel; ~**ly** adv à dessein, intentionnelle-ment.

inter vt enterrer.

interaction n interaction f.

intercede vi intercéder.

intercept vt intercepter.

intercession n intercession f.

interchange n échange m.

intercom n interphone m.

intercourse n relations sexuelles fpl.

interest vt intéresser; * n intérêt m.

interesting adj intéressant.

interest rate n taux d'intérêt m.

interfere vi s'ingérer.

interference n ingérence f; inter-férence f.

interim adj intérimaire.

interior adj intérieur.

interior designer n décorateur (-trice) d'intérieur m(f).

interjection n (gr) interjection f.

interlock vi s'entremêler.

interlocutor n interlocuteur m -trice f.

interloper n intrus m -e f.

interlude n intermède m.

intermarriage n intermariage m.

intermediary n intermédiaire mf.

intermediate adj intermédiaire.

interment n enterrement m.

interminable adj interminable.

intermingle vt entremêler; * vi s'entremêler.

intermission n entracte m; inter-ruption f.

intermittent adj intermittent.

intern n interne mf.

internal adj intérieur; interne; ~**ly** adv intérieurement.

international adj international.

interplay n interaction f.

interpose vt interposer.

interpret vt interpréter.

interpretation n interprétation f.

interpreter n interprète mf.

interregnum n interrègne m.

interrelated adj en corrélation.

interrogate vt interroger.

interrogation n interrogatoire m.

interrogative adj interrogatif.

interrupt vt interrompre.

interruption n interruption f.

intersect vi se croiser.

intersection n croisement m.

intersperse vt parsemer.

intertwine vt entrelacer.

interval n intervalle m; mi-temps f.

intervene vi intervenir.

intervention n intervention f.

interview n entrevue f; interview f; * vt faire passer une entrevue à; interviewer.

interviewer n interviewer m.

interweave vt entrelacer.

intestate adj intestat.

intestinal adj intestinal.

intestine n intestin m.

intimacy n intimité f.

intimate n intime mf; * adj ~**ly** adv intime(ment); * vt insinuer, laisser entendre.

intimidate vt intimider.

into prep dans, en.

intolerable adj intolérable.

intolerably adv intolérablement.

intolerance n intolérance f.

intolerant adj intolérant.

intonation n intonation f.

intoxicate vt enivrer.

intoxication n ivresse f.

intractable adj intraitable.

intransitive adj (gr) intransitif.

intravenous adj intraveineux.

in-tray n courrier à l'arrivée m.

intrepid *adj* intrépide; **~ly** *adv* intrépidement.

intrepidity *n* intrépidité *f*.

intricacy *n* complexité *f*.

intricate *adj* complexe, compliqué; **~ly** *adv* de manière compliquée.

intrigue *n* intrigue *f*; * *vi* intriguer.

intriguing *adj* intrigant.

intrinsic *adj* **~ally** *adv* intrinsèque(ment).

introduce *vt* introduire.

introduction *n* introduction *f*.

introductory *adj* d'introduction.

introspection *n* introspection *f*.

introvert *n* introverti *m* -ie *f*.

intrude *vi* s'ingérer, s'immiscer.

intruder *n* intrus *m* -e *f*.

intrusion *n* intrusion *f*.

intuition *n* intuition *f*.

intuitive *adj* intuitif.

inundate *vt* inonder.

inundation *n* inondation *f*.

inure *vt* endurcir.

invade *vt* envahir.

invader *n* envahisseur *m* -euse *f*.

invalid *adj* invalide; * *n* invalide *mf*.

invalidate *vt* invalider, annuler.

invaluable *adj* inappréciable.

invariable *adj* invariable.

invariably *adv* invariablement.

invasion *n* invasion *f*.

invective *n* invective *f*.

inveigle *vt* persuader, entraîner.

invent *vt* inventer.

invention *n* invention *f*.

inventive *adj* inventif.

inventor *n* inventeur *m* -trice *f*.

inventory *n* inventaire *m*.

inverse *adj* inverse.

inversion *n* inversion *f*.

invert *vt* inverser.

invest *vt* investir.

investigate *vt* faire des recherches sur; examiner.

investigation *n* investigation *f*; recherches *fpl*.

investigator *n* investigateur *m* -trice *f*; chercheur *m* -euse *f*.

investment *n* investissement *m*.

inveterate *adj* invétéré.

invidious *adj* odieux; désobligeant.

invigilate *vt* surveiller.

invigorating *adj* vivifiant.

invincible *adj* invincible.

invincibly *adv* invinciblement.

inviolable *adj* inviolable.

invisible *adj* invisible.

invisibly *adv* invisiblement.

invitation *n* invitation *f*.

invite *vt* inviter.

inviting *adj* attrayant, tentant.

invoice *n* (*com*) facture *f*.

invoke *vt* invoquer.

involuntarily *adv* involontairement.

involuntary *adj* involontaire.

involve *vt* impliquer, entraîner.

involved *adj* compliqué; impliqué.

involvement *n* implication *f*; confusion *f*.

invulnerable *adj* invulnérable.

inward *adj* intérieur; intime; **~,** **~s** *adv* vers l'intérieur.

iodine *n* (*chem*) iode *m*.

IOU (I owe you) *n* reçu *m*.

irascible *adj* irascible.

irate, ireful *adj* irrité.

iris *n* iris *m*.

irksome *adj* fastidieux, ennuyeux.

iron *n* fer *m*; * *adj* de fer; * *vt* repasser.

ironic *adj* **~ly** *adv* ironique(ment).

ironing *n* repassage *m*.

ironing board *n* table *f* à repasser.

iron ore *n* minerai de fer *m*.

ironwork *n* ferronnerie *f*; **~s** *pl* ferronneries *fpl*.

irony *n* ironie *f*.

irradiate *vt* irradier.

irrational *adj* irrationnel.

irreconcilable *adj* irréconciliable; inconciliable.

irregular *adj* irrégulier; **~ly** *adv* irrégulièrement.

irregularity n irrégularité f.
irrelevant adj hors de propos.
irreligious adj irréligieux.
irreparable adj irréparable.
irreplaceable adj irremplaçable.
irrepressible adj irrépressible.
irreproachable adj irréprochable.
irresistible adj irrésistible.
irresolute adj ~ly adv irrésolu(ment).
irresponsible adj irresponsable.
irretrievably adv irréparablement.
irreverence n irrévérence f.
irreverent adj irrévérencieux; ~ly adv irrévérencieusement.
irrigate vt irriguer.
irrigation n irrigation f.
irritability n irritabilité f.
irritable adj irritable.
irritant n (med) irritant m.
irritate vt irriter.

irritating adj irritant.
irritation n irritation f.
Islam n Islam m.
island n île f.
islander n insulaire mf.
isle n île f.
isolate vt isoler.
isolation n isolement m.
issue n sujet m, question f; * vt publier; distribuer; fournir.
isthmus n isthme m.
it pn il, elle; le, la; cela, ça, ce, c'.
italic n italique m.
itch n démangeaison f; * vi avoir des démangeaisons.
item n article m.
itemise vt détailler.
itinerant adj ambulant, itinérant.
itinerary n itinéraire m.
its pn son, sa, ses.
itself pn lui-même, elle-même.
ivory n ivoire m.
ivy n lierre m.

J

jab vt planter, enfoncer.
jabber vi baragouiner.
jack n cric m; valet m.
jackal n chacal m.
jackboots npl bottes de militaire fpl.
jackdaw n choucas m.
jacket n veste f; couverture f.
jackknife vi se mettre en travers.
jack plug n prise à fiche f.
jackpot n gros lot m.
jade n jade m.
jagged adj dentelé.
jaguar n jaguar m.
jail n prison f.
jailbird n prisonnier m, -ière f.
jailer n geôlier m -ière f.
jam n confiture f; embouteillage m.
jangle vi cliqueter.
janitor n portier m.
January n janvier m.

jar vi se heurter; (mus) détonner; grincer; * n pot m.
jargon n jargon m.
jasmine n jasmin m.
jaundice n jaunisse f.
jaunt n promenade f.
jaunty adj enjoué.
javelin n javelot m.
jaw n mâchoire f.
jay n geai m.
jealous adj jaloux.
jealousy n jalousie f.
jeans npl jean m.
jeer vi se moquer, railler; * n raillerie, moquerie f.
jelly n gelée f.
jellyfish n méduse f.
jeopardise vt risquer, mettre en péril.
jerk n secousse f; * vt donner une secousse à.

jerky *adj* saccadé.

jersey *n* jersey *m*, tricot *m*.

jest *n* blague, plaisanterie *f*.

jester *n* bouffon *m*.

jestingly *adv* en plaisantant.

Jesuit *n* jésuite *m*.

Jesus *n* Jésus *m*.

jet *n* avion à réaction *m*; jet *m*; gicleur *m*.

jet engine *n* moteur à réaction *m*.

jettison *vt* se défaire de.

jetty *n* jetée *f*.

Jew *n* Juif *m*.

jewel *n* bijou *m*.

jeweller *n* bijoutier *m* -ière *f*.

jewellery *n* bijoux *mpl*.

jewellery store *n* bijouterie *f*.

Jewess *n* Juive *f*.

jewish *adj* juif.

jib *n* (*mar*) foc *m*.

jibe *n* raillerie, moquerie *f*.

jig *n* gigue *f*.

jigsaw *n* puzzle *m*.

jilt *vt* laisser tomber.

jinx *n* porte-malheur *m invar*.

job *n* travail *m*.

jockey *n* jockey *m*.

jocular *adj* joyeux; facétieux.

jog *vi* faire du jogging.

join *vt* joindre, unir; ~ **in** participer à; * *vi* se réunir; se joindre.

joiner *n* menuisier *m*.

joinery *n* menuiserie *f*.

joint *n* articulation *f*; * *adj* commun.

jointly *adv* conjointement.

joint-stock company *n* (*com*) société par actions *f*.

joke *n* blague, plaisanterie *f*; * *vi* blaguer, plaisanter.

joker *n* blagueur *m* -euse *f*.

jollity *n* gaieté *f*.

jolly *adj* gai, joyeux.

jolt *vt* secouer; * *n* secousse *f*.

jostle *vt* bousculer.

journal *n* revue *f*.

journalism *n* journalisme *m*.

journalist *n* journaliste *mf*.

journey *n* voyage *m*; * *vi* voyager.

jovial *adj* jovial, gai; ~**ly** *adv* jovialement.

joy *n* joie *f*.

joyful, joyous *adj* joyeux, gai; ~**ly** *adv* joyeusement.

joystick *n* manche à balai *m*.

jubilant *adj* réjoui.

jubilation *n* jubilation *f*.

jubilee *n* jubilé *m*.

Judaism *n* judaïsme *m*.

judge *n* juge *m*; * *vt* juger.

judgment *n* jugement *m*.

judicial *adj* ~**ly** *adv* judiciaire(ment).

judiciary *n* pouvoir judiciaire *m*.

judicious *adj* judicieux.

judo *n* judo *m*.

jug *n* cruche *f*.

juggle *vi* jongler.

juggler *n* jongleur *m* -euse *f*.

juice *n* jus *m*; suc *m*.

juicy *adj* juteux.

jukebox *n* juke-box *m*.

July *n* juillet *m*.

jumble *vt* mélanger; * *n* mélange *m*; fouillis *m*.

jump *vi* sauter; * *n* saut *m*.

jumper *n* pull *m*; sauteur *m* -euse *f*.

jumpy *adj* nerveux.

juncture *n* joncture *f*.

June *n* juin *m*.

jungle *n* jungle *f*.

junior *adj* plus jeune.

juniper *n* (*bot*) genièvre *m*.

junk *n* cochonnerie *f*; bric-à-brac *m invar*.

junta *n* junte *f*.

jurisdiction *n* juridiction *f*.

jurisprudence *n* jurisprudence *f*.

jurist *n* juriste *mf*.

juror, juryman *n* juré *m*.

jury *n* jury *m*.

just *adj* juste; * *adv* justement, exactement; ~ **as** juste quand; ~ **now** tout de suite.

justice *n* justice *f*.

justifiably *adv* légitimement.

justification *n* justification *f*.

justify *vt* justifier.
justly *adv* justement.
justness *n* justesse *f.*
jut *vi*: **to ~ out** faire saillie, dépasser.

jute *n* jute *m.*
juvenile *adj* juvénile; pour enfants.
juxtaposition *n* juxtaposition *f.*

K

kaleidoscope *n* kaléidoscope *m.*
kangaroo *n* kangourou *m.*
karate *n* karaté *m.*
kebab *n* brochette *f.*
keel *n* (*mar*) quille *f.*
keen *adj* aiguisé; vif; enthousiaste.
keenness *n* enthousiasme *m.*
keep *vt* garder, conserver; tenir.
keeper *n* gardien *m* -ne *f.*
keepsake *n* souvenir *m.*
keg *n* baril *m.*
kennel *n* niche *f.*
kernel *n* amande *f*; noyau *m.*
kerosene *n* kérosène *m.*
kettle *n* bouilloire *f.*
kettle-drum *n* timbale *f.*
key *n* clé, clef *f*; (*mus*) ton *m*; touche *f.*
keyboard *n* clavier *m.*
keyhole *n* trou de la serrure *m.*
keynote *n* (*mus*) tonique *f.*
key ring *n* porte-clefs *m invar.*
keystone *n* clef de voûte *f.*
khaki *n* kaki *m.*
kick *vi* (*vt*) donner un coup de pied (à); * *n* coup de pied *m*; plaisir *m.*
kid *n* gamin *m* -e *f.*
kidnap *vt* kidnapper.
kidnapper *n* kidnappeur *m* -euse *f.*
kidnapping *n* kidnapping *m.*
kidney *n* rein *m*; rognon *m.*
killer *n* assassin *m.*
killing *n* assassinat *m.*
kiln *n* four *m.*
kilo *n* kilo *m.*
kilobyte *n* kilo-octet *m.*

kilogram *n* kilogramme *m.*
kilometre *n* kilomètre *m.*
kin *n* parents *mpl*; **next of ~** parent proche *m.*
kind *adj* gentil; * *n* genre *m*, sorte *f.*
kindergarten *n* jardin d'enfants *m.*
kind-hearted *adj* bon.
kindle *vt* allumer; * *vi* s'allumer.
kindliness *n* gentillesse, bonté *f.*
kindly *adj* bon, bienveillant.
kindness *n* bonté *f.*
kindred *adj* apparenté.
kinetic *adj* cinétique.
king *n* roi *m.*
kingdom *n* royaume *m.*
kingfisher *n* martin-pêcheur *m.*
kiosk *n* kiosque *m.*
kiss *n* baiser *m*; * *vt* embrasser.
kissing *n* baisers *mpl.*
kit *n* équipement *m.*
kitchen *n* cuisine *f.*
kitchen garden *n* potager *m.*
kite *n* cerf-volant *m.*
kitten *n* chaton *m.*
knack *n* don, chic *m.*
knapsack *n* sac à dos *m.*
knave *n* fripouille *f*; (*cards*) valet *m.*
knead *vt* pétrir.
knee *n* genou *m.*
knee-deep *adj* jusqu'aux genoux.
kneel *vi* s'agenouiller.
knell *n* glas *m.*
knife *n* couteau *m.*
knight *n* chevalier *m.*
knit *vt vi* tricoter; **~ the brows** froncer les sourcils.

knitter *n* tricoteur *m* -euse *f*.
knitting pin *n* aiguille à tricoter *f*.
knitwear *n* tricots *mpl*.
knob *n* bouton *m*; nœud *m* (du bois).
knock *vt vi* cogner, frapper; ~ **down** abattre; * *n* coup *m*.
knocker *n* heurtoir *m*.
knock-kneed *adj* aux genoux cagneux.
knock-out *n* knock-out *m*.

knoll *n* butte *f*.
knot *n* nœud *m*; * *vt* nouer.
knotty *adj* emmêlé; épineux.
know *vt vi* savoir; connaître.
know-all *n* je-sais-tout *m*.
know-how *n* savoir-faire *m*.
knowing *adj* entendu; ~**ly** *adv* en connaissance de cause.
knowledge *n* connaissances *fpl*.
knowledgeable *adj* bien informé.
knuckle *n* articulation *f*.

L

label *n* étiquette *f*.
laboratory *n* laboratoire *m*.
labour *n* travail *m*; **to be in** ~ être en train d'accoucher; * *vi* travailler.
labourer *n* ouvrier *m*.
labourious *adj* laborieux; pénible; ~**ly** *adv* laborieusement.
labour union *n* syndicat *m*.
labyrinth *n* labyrinthe *m*.
lace *n* lacet *m*; dentelle *f*; * *vt* lacer.
lacerate *vt* lacérer.
lack *vt* manquer de; * *vi* manquer; * *n* manque *m*.
lackadaisical *adj* nonchalant.
lackey *n* laquais *m*.
laconic *adj* laconique.
lacquer *n* laque *f*.
lad *n* garçon *m*.
ladder *n* échelle *f*.
ladle *n* louche *f*.
ladleful *n* louchée *f*.
lady *n* dame *f*.
ladybird *n* coccinelle *f*.
ladykiller *n* bourreau des cœurs *m*.
ladylike *adj* distingué.
ladyship *n* madame *f*.
lag *vi* se laisser distancer.
lager *n* bière blonde *f*.

lagoon *n* lagune *f*.
laidback *adj* décontracté.
lair *n* repaire *m*.
laity *n* laïcat *m*.
lake *n* lac *m*.
lamb *n* agneau *m*; * *vi* agneler.
lambswool *n* laine d'agneau *f*.
lame *adj* boiteux.
lament *vt* se lamenter sur; * *vi* se lamenter; * *n* lamentation *f*.
lamentable *adj* lamentable, déplorable.
lamentation *n* lamentation *f*.
laminated *adj* laminé.
lamp *n* lampe *f*.
lampoon *n* satire *f*.
lampshade *n* abat-jour *m invar*.
lance *n* lance *f*; bistouri *m*; * *vt* inciser.
lancet *n* bistouri *m*.
land *n* pays *m*; terre *f*; * *vt* débarquer; * *vi* atterrir, débarquer.
land forces *npl* armée de terre *f*.
landholder *n* propriétaire terrien *m*.
landing *n* atterrissage *m*.
landing strip *n* piste d'atterrissage *f*.
landlady *n* propriétaire *f*.
landlord *n* propriétaire *m*.

landlubber *n* marin d'eau douce *m*.

landmark *n* point de repère *m*.

landowner *n* propriétaire terrien *m*.

landscape *n* paysage *m*.

landslide *n* glissement de terrain *m*.

lane *n* allée, ruelle *f*; file *f*.

language *n* langue *f*; langage *m*.

languid *adj* languissant; **~ly** *adv* languissamment.

languish *vi* languir.

lank *adj* raide, plat.

lanky *adj* grand et maigre.

lantern *n* lanterne *f*.

lap *n* genoux *mpl*; * *vt* laper.

lapdog *n* chien *m* de salon.

lapel *n* revers *m*.

lapse *n* laps *m*; défaillance *f*; * *vi* expirer, se périmer; se relâcher.

larceny *n* vol *m*.

larch *n* mélèze *m*.

lard *n* saindoux *m*.

larder *n* garde-manger *m invar*.

large *adj* grand; **at ~** en liberté; **~ly** *adv* en grande partie.

large-scale *adj* à grande échelle.

largesse *n* largesse *f*.

lark *n* alouette *f*.

larva *n* larve *f*.

laryngitis *n* laryngite *f*.

larynx *n* larynx *m*.

lascivious *adj* lascif; **~ly** *adv* lascivement.

laser *n* laser *m*.

lash *n* coup de fouet *m*; * *vt* fouetter; attacher.

lasso *n* lasso *m*.

last *adj* dernier; **at ~** enfin; **~ly** *adv* finalement; * *n* dernier *m*, dernière *f*; forme *f* (de cordonnier); * *vi* durer.

last-ditch *adj* ultime.

lasting *adj* **~ly** *adv* durable(ment).

last-minute *adj* de dernière minute.

latch *n* loquet *m*.

latchkey *n* clef de porte d'entrée *f*.

late *adj* en retard; défunt; *(rail)* **the train is ten minutes ~** le train a dix minutes de retard; * *adv* tard; **~ly** *adv* récemment.

latecomer *n* retardataire *mf*.

latent *adj* latent.

lateral *adj* **~ly** *adv* latérale(ment).

lathe *n* tour *m*.

lather *n* mousse *f*.

latitude *n* latitude *f*.

latrine *n* latrine *f*.

latter *adj* dernier; **~ly** *adv* récemment.

lattice *n* treillis *m*.

laudable *adj* louable.

laudably *adv* louablement.

laugh *vi* rire; **~ at** *vt* rire de, se moquer de; * *n* rire *m*.

laughable *adj* risible; dérisoire.

laughing stock *n* risée *f*.

laughter *n* rires *mpl*.

launch *vt* lancer; * *vi* se lancer; * *n* (*mar*) vedette *f*.

launching *n* lancement *m*.

launching pad *n* rampe de lancement *f*.

launder *vt* laver.

laundrette, laundromat *n* laverie automatique *f*.

laundry *n* lessive *f*.

laurel *n* laurier *m*.

lava *n* lave *f*.

lavatory *n* toilettes *fpl*.

lavender *n* (*bot*) lavande *f*.

lavish *adj* prodigue; **~ly** *adv* avec prodigalité; * *vt* prodiguer.

law *n* loi *f*; droit *m*.

law-abiding *adj* respectueux de la loi.

law and order *n* ordre public *m*.

law court *n* tribunal *m*.

lawful *adj* légal; légitime; **~ly** *adv* légalement.

lawless *adj* anarchique.

lawlessness *n* anarchie *f*.

lawmaker *n* législateur *m* -trice *f*.

lawn n pelouse f, gazon m.

lawnmower n tondeuse à gazon f.

law school n faculté de droit f.

law suit n procès m.

lawyer n avocat m; juriste m.

lax adj relâché.

laxative n laxatif m.

laxity n relâchement m; flou m.

lay vt coucher; mettre; pondre; ~ **claim** réclamer; prétendre (à); * vi pondre.

layabout n paresseux m -euse f.

layer n couche f.

layette n layette f.

layman n laïc m.

layout n disposition f; présentation f.

laze vi paresser.

lazily adv paresseusement.

laziness n paresse f.

lazy adj paresseux.

lead n plomb m; * vt vi conduire, mener.

leader n chef m.

leadership n direction f.

leading adj principal; premier; ~ **article** n article de fond m.

leaf n feuille f.

leaflet n feuillet m; prospectus m.

leafy adj feuillu.

league n ligue f; lieue f.

leak n fuite f; * vi (mar) faire eau.

leaky adj qui fuit.

lean vt appuyer; * vi s'appuyer; * adj maigre.

leap vi sauter; * n saut m.

leapfrog n saute-mouton m.

leap year n année bisextile f.

learn vt vi apprendre.

learned adj instruit.

learner n élève mf; débutant m -e f.

learning n érudition f.

lease n bail m; * vt louer.

leasehold n bail m.

leash n laisse f.

least adj moindre; **at ~** au moins; **not in the ~** pas du tout.

leather n cuir m.

leathery adj qui a l'aspect du cuir.

leave n permission f; congé m; **to take ~** prendre congé; * vt laisser.

leaven n levain m; * vt faire lever.

leavings npl restes mpl.

lecherous adj lascif, lubrique.

lecture n conférence f; * vi faire une conférence.

lecturer n conférencier m -ière f.

ledge n rebord m.

ledger n (com) registre m.

lee n (mar) côté sous le vent m.

leech n sangsue f.

leek n (bot) poireau m.

leer vt regarder d'un œil lascif.

lees npl lie f.

leeward adj (mar) sous le vent.

leeway n liberté d'action f.

left adj gauche; **on the ~** à gauche.

left-handed adj gaucher.

left-luggage office n consigne f.

leftovers npl restes mpl.

leg n jambe f; patte f.

legacy n héritage, legs m.

legal adj légal, légitime; **~ly** adv légalement.

legal holiday n jour férié m.

legalise vt légaliser.

legality n légalité, légitimité f.

legal tender n monnaie légale f.

legate n légat m.

legatee n légataire mf.

legation n légation f.

legend n légende f.

legendary adj légendaire.

legible adj lisible.

legibly adv lisiblement.

legion n légion f.

legislate vt vi légiférer.

legislation n législation f.

legislative adj législatif.

legislator n législateur m -trice f.

legislature n corps législatif m.

legitimacy n légitimité f.

legitimate adj légitime; **~ly** adv
légitimement; * vt légitimer.

leisure n loisir m; **~ly** adj tranquille; **at ~** au calme.

lemon n citron m.

lemonade n limonade f.

lemon tea n thé au citron m.

lemon tree n citronnier m.

lend vt prêter.

length n longueur f; durée f; **at ~**
longuement; enfin.

lengthen vt allonger; * vi s'allonger.

lengthways, lengthwise adv
dans le sens de la longueur.

lengthy adj long.

lenient adj indulgent.

lens n lentille f (optique).

Lent n Carême m.

lentil n lentille f.

Leo n Lion m (signe du zodiaque).

leopard n léopard m.

leotard n justaucorps m.

leper n lépreux m -euse f.

leprosy n lèpre f.

lesbian n lesbienne f.

less adj moins; * adv moins.

lessen vt vi diminuer.

lesser adj moindre.

lesson n leçon f.

lest conj de crainte que.

let vt laisser, permettre; louer.

lethal adj mortel.

lethargic adj léthargique.

lethargy n léthargie f.

letter n lettre f.

letter bomb n lettre piégée f.

letter box n boite aux lettres f.

lettering n inscription f.

letter of credit n lettre de crédit
f.

lettuce n salade f.

leukaemia n leucémie f.

level adj plat, égal; à niveau; * n
niveau m; * vt niveler.

level-headed adj sensé.

lever n levier m.

leverage n effet de levier m; prise
f.

levity n légèreté f.

levy n levée f; prélèvement m; *
vt prélever.

lewd adj obscène.

lexicon n lexique m.

liability n responsabilité f.

liable adj sujet (à); responsable.

liaise vi effectuer une liaison.

liaison n liaison f.

liar n menteur m -euse f.

libel n diffamation f; * vt diffamer.

libellous adj diffamatoire.

liberal adj libéral; généreux; **~ly**
adv libéralement.

liberality n libéralité, générosité
f.

liberate vt libérer.

liberation n libération f.

libertine n libertin m -e f.

liberty n liberté f.

Libra n Balance f (signe du zodiaque).

librarian n bibliothécaire mf.

library n bibliothèque f.

libretto n livret m.

licence n licence f; permis m; permission f.

licentious adj licencieux.

lichen n (bot) lichen m.

lick vt lécher.

lid n couvercle m.

lie n mensonge m; * vi mentir; être
allongé.

lieu n: **in ~ of** au lieu de.

lieutenant n lieutenant m.

life n vie f; **for ~** pour toute la
vie.

life belt n gilet de sauvetage m.

lifeboat n canot de sauvetage m.

lifeguard n maître nageur m;
garde du corps m.

life jacket n gilet de sauvetage
m.

lifeless adj mort; sans vie.

lifelike adj naturel.

lifeline n bouée de sauvetage f.

life sentence n condamnation à
perpétuité f.

life-sized adj grandeur nature.

lifespan n durée de vie f.

lifestyle n style de vie m.

life-support system *n* système de respiration artificielle *m.*

lifetime *n* vie *f.*

lift *vt* lever.

ligament *n* ligament *m.*

light *n* lumière *f*; * *adj* léger; clair; * *vt* allumer; éclairer.

light bulb *n* ampoule *f.*

lighten *vi* s'éclaircir; * *vt* éclairer; éclaircir; alléger.

lighter *n* briquet *m.*

light-headed *adj* étourdi.

lighthearted *adj* joyeux.

lighthouse *n* (*mar*) phare *m.*

lighting *n* éclairage *m.*

lightly *adv* légèrement.

lightning *n* éclair *m.*

lightning rod *n* paratonnerre *m.*

light pen *n* crayon optique *m.*

lightweight *adj* léger.

light year *n* année-lumière *f.*

ligneous *adj* ligneux.

like *adj* pareil; * *adv* comme; * *vt vi* aimer.

likeable *adj* sympathique.

likelihood *n* probabilité *f.*

likely *adj* probable, vraisemblable.

liken *vt* comparer.

likeness *n* ressemblance *f.*

likewise *adv* pareillement.

liking *n* goût *m.*

lilac *n* lilas *m.*

lily *n* lis *m*; ~ of the valley muguet *m.*

limb *n* membre *m.*

limber *adj* flexible, souple.

lime *n* chaux *f*; lime *f*; ~ tree tilleul *m.*

limestone *n* pierre à chaux *f.*

limit *n* limite *f*; * *vt* limiter.

limitation *n* limitation *f*; restriction *f.*

limitless *adj* illimité.

limo(usine) *n* limousine *f.*

limp *vi* boiter; * *n* boitement *m*; * *adj* mou.

limpet *n* patelle *f.*

limpid *adj* limpide.

line *n* ligne *f*; ride *f*; * *vt* rayer; rider.

lineage *n* lignage *m.*

linear *adj* linéaire.

lined *adj* rayé; ridé.

linen *n* lin *m*; linge *m* de maison.

liner *n* transatlantique *m.*

linesman *n* juge de ligne *m.*

linger *vi* traîner.

lingerie *n* lingerie *f.*

lingering *adj* long.

linguist *n* linguiste *mf.*

linguistic *adj* linguistique.

linguistics *n* linguistique *f.*

liniment *n* liniment *m.*

lining *n* doublure *f.*

link *n* chaînon *m*; * *vt* relier.

linnet *n* linotte *f.*

linoleum *n* linoléum *m.*

linseed *n* graine de lin *f.*

lint *n* peluche *f.*

lintel *n* linteau *m.*

lion *n* lion *m.*

lioness *n* lionne *f.*

lip *n* lèvre *f*; bord *m.*

lip-read *vi* lire sur les lèvres.

lip salve *n* pommade pour les lèvres *f.*

lipstick *n* rouge à lèvres *m.*

liqueur *n* liqueur *f.*

liquid *adj* liquide; * *n* liquide *m.*

liquidate *vt* liquider.

liquidation *n* liquidation *f.*

liquidise *vt* liquéfier.

liquor *n* spiritueux *m.*

liquorice *n* réglisse *m* / *f.*

liquor store *n* magasin de vins et spiritueux *m.*

lisp *vi* zézayer; * *n* zézaiement *m.*

list *n* liste *f*; * *vt* faire une liste de.

listen *vi* écouter.

listless *adj* indifférent.

litany *n* litanie *f.*

literal *adj* ~ly *adv* littéral(ement).

literary *adj* littéraire.

literate *adj* cultivé.

literature *n* littérature *f.*

lithe *adj* agile.

lithograph n lithographie f.
lithography n lithographie f.
litigation n litige m.
litigious adj litigieux.
litre n litre m.
litter n litière f; ordures fpl; * vt recouvrir, joncher.
little adj petit; ~ **by** ~ petit à petit; * n peu m.
liturgy n liturgie f.
live vi vivre; habiter; ~ **on** vt se nourrir de; ~ **up to** vt faire honneur à; * adj vivant.
livelihood n moyens de subsistance mpl.
liveliness n vivacité f.
lively adj vif.
liven up vt animer.
liver n foie m.
livery n livrée f.
livestock n bétail m.
livid adj livide; furieux.
living n vie f; * adj vivant.
living room n salle de séjour f.
lizard n lézard m.
load vt charger; * n charge f.
loaded adj chargé.
loaf n pain m.
loafer n paresseux m -euse f.
loam n terreau m.
loan n prêt m.
loathe vt détester.
loathing n aversion f.
loathsome adj répugnant.
lobby n vestibule m.
lobe n lobe m.
lobster n langouste f.
local adj local.
local anaesthetic n anesthésique local m.
local government n administration f municipale, administration f locale.
localise vt localiser.
locality n localité f.
locally adv localement.
locate vt localiser.
location n situation f.
lock n serrure f; * vt fermer à clé.

locker n casier m.
locket n médaillon m.
lockout n grève patronale f.
locksmith n serrurier m.
lock-up n cellule f.
locomotive n locomotive f.
locust n sauterelle f.
lodge n loge du gardien f; * vi se loger.
lodger n locataire mf.
loft n grenier m.
lofty adj haut.
log n bûche f.
logbook n (mar) journal de bord m.
logic n logique f.
logical adj logique.
logo n logo m.
loins npl reins mpl.
loiter vi s'attarder.
loll vi se prélasser.
lollipop n sucette f.
lonely, lonesome adj seul, solitaire.
loneliness n solitude f.
long adj long, f longue; * vi désirer.
long-distance n: ~ **call** appel interurbain m.
longevity n longévité f.
long-haired adj aux cheveux longs.
longing n désir m.
longitude n longitude f.
longitudinal adj longitudinal.
long jump n saut en longueur m.
long-playing record n trente-trois tours m.
long-range adj à longue portée.
long-term adj à long terme.
long wave n grandes ondes fpl.
long-winded adj prolixe.
look vi regarder; sembler; ~ **after** vt s'occuper de; garder; ~ **for** vt chercher; ~ **forward to** vt attendre avec impatience; ~ **out for** vt guetter; * n aspect m; regard m.
looking glass n miroir m.

look-out n (*mil*) sentinelle f; vigie f.

loom n métier à tisser m; * vi menacer.

loop n boucle f.

loophole n échappatoire f.

loose adj lâché; desserré; ~**ly** adv approximativement; ~, **loosen** vt lâcher; desserrer.

loot vt piller; * n butin m.

lop vt élaguer.

lopsided adj de travers; déséquilibré.

loquacious adj loquace.

loquacity n loquacité f.

lord n seigneur m.

lore n savoir m (traditionnel).

lose vt vi perdre.

loss n perte f; **to be at a ~** ne pas savoir que faire.

lost and found n objets trouvés mpl.

lot n sort f; lot m; **a ~** beaucoup.

lotion n lotion f.

lottery n loterie f.

loud adj fort, bruyant; ~**ly** adv bruyamment; haut.

loudspeaker n haut-parleur m.

lounge n salon m.

louse n (pl **lice**) pou m.

lousy adj minable.

lout n vaurien m.

lovable adj sympathique.

love n amour m; **to fall in ~** tomber amoureux; * vt aimer.

love letter n lettre d'amour f.

love life n vie sentimentale f.

loveliness n beauté f.

lovely adj beau.

lover n amant m.

love-sick adj fou amoureux.

loving adj affectueux.

low adj bas; * vi meugler.

low-cut adj décolleté.

lower adj plus bas; * vt baisser.

lowest adj le plus bas.

lowland n plaine f.

lowliness n humilité f.

lowly adj humble.

low-water n basse mer f.

loyal adj loyal, fidèle; ~**ly** adv loyalement.

loyalty n loyauté f; fidélité f.

lozenge n pastille f.

lubricant n lubrifiant m.

lubricate vt lubrifier.

lucid adj lucide.

luck n chance f.

luckily adv heureusement, par chance.

luckless adj malchanceux.

lucky adj chanceux, qui a de la chance.

lucrative adj lucratif.

ludicrous adj absurde.

lug vt traîner.

luggage n bagages mpl.

lugubrious adj lugubre, triste.

lukewarm adj tiède.

lull vt bercer; * n répit m.

lullaby n berceuce f.

lumbago n lumbago m.

lumberjack n bûcheron m.

lumber room n débarras m.

luminous adj lumineux.

lump n bosse f; grosseur f; morceau m; * vt réunir.

lump sum n somme globale f.

lunacy n folie f.

lunar adj lunaire.

lunatic adj fou, f folle.

lunch, luncheon n déjeuner m.

lungs npl poumons mpl.

lurch n embardée f.

lure n leurre m; attrait m; * vt séduire, attirer.

lurid adj criard (couleur); horrible.

lurk vi être tapi.

luscious adj délicieux.

lush adj luxuriant.

lust n luxure f; sensualité f; désir m; * vi désirer; ~ **after** vt convoiter.

luster n lustre m.

lustful adj luxurieux, voluptueux; ~**ly** adv luxurieusement.

lustily adv vigoureusement.

lusty adj fort, vigoureux.

lute n luth m.

Lutheran n luthérien m -ne f.
luxuriance n exubérance, luxuriance f.
luxuriant adj exubérant, luxuriant.
luxuriate vi pousser de manière exubérante.
luxurious adj luxueux; ~ly adv luxueusement.
luxury n luxe m.
lying n mensonges mpl.
lymph n lymphe f.
lynch vt lyncher.
lynx n linx m.
lyrical adj lyrique.
lyrics npl paroles fpl.

M

macaroni n macaronis mpl.
macaroon n macaron m.
mace n massue f; macis m.
macerate vt macérer.
machination n machination f.
machine n machine f.
machine gun n mitrailleuse f.
machinery n machinerie f; mécanisme m.
mackerel n maquereau m.
mad adj fou, f folle; furieux; insensé.
Madam n madame f.
madden vt rendre fou; rendre furieux.
madder n (bot) garance f.
madhouse n asile de fous m.
madly adv à la folie; comme un fou.
madman n fou m.
madness n folie f.
magazine n magazine m, revue f; (mil) magasin m.
maggot n asticot m.
magic n magie f; * adj ~ally adv magique(ment).
magician n magicien m -ne f.
magisterial adj ~ly adv magistral(ement).
magistracy n magistrature f.
magistrate n magistrat m.
magnanimity n magnanimité f.
magnanimous adj ~ly adv magnanime(ment).
magnet n aimant m.
magnetic adj magnétique.

magnetism n magnétisme m.
magnificence n magnificence f.
magnificent adj ~ly adv magnifique(ment).
magnify vt grossir; exagérer.
magnifying glass n loupe f.
magnitude n magnitude f.
magpie n pie f.
mahogany n acajou m.
maid n bonne f.
maiden n jeune fille f.
maiden name n nom de jeune fille m.
mail n courrier m.
mailbox n boîte aux lettres f.
mail coach n malle-poste f.
mailing list n fichier-clientèle m.
mail-order n vente par correspondance f.
mail train n (rail) train-poste m.
maim vt mutiler.
main adj principal; essentiel; **in the ~** en général.
mainland n continent m.
main line n (rail) grande ligne f.
mainly adv principalement, essentiellement.
main street n rue principale f.
maintain vt maintenir; soutenir.
maintenance n entretien m.
maize n maïs m.
majestic adj majestueux; ~ally adv majestueusement.
majesty n majesté f.
major adj majeur; * n (mil) commandant m.

majority *n* majorité *f*.

make *vt* faire; ~ **for** se diriger vers; ~ **up** inventer; ~ **up for** compenser; * *n* marque *f*.

make-believe *n* invention *f*.

makeshift *adj* improvisé, de fortune.

make-up *n* maquillage *m*.

make-up remover *n* démaquillant *m*.

malady *n* maladie *f*.

malaise *n* malaise *m*.

malaria *n* malaria *f*.

malcontent *adj n* mécontent *m* -e *f*.

male *adj* mâle; masculin; * *n* mâle *m*.

malevolence *n* malveillance *f*.

malevolent *adj* malveillant; ~**ly** *adv* avec malveillance.

malfunction *n* mauvais fonctionnement *m*.

malice *n* méchanceté *f*.

malicious *adj* méchant; ~**ly** *adv* méchamment.

malign *adj* nocif; * *vt* calomnier.

malignant *adj* malfaisant; ~**ly** *adv* méchamment.

mall *n* centre commercial *m*.

malleable *adj* malléable.

mallet *n* maillet *m*.

mallow *n* (*bot*) mauve *f*.

malnutrition *n* malnutrition *f*.

malpractice *n* malversations *fpl*.

malt *n* malt *m*.

maltreat *vt* maltraiter.

mammal *n* mammifère *m*.

mammoth *adj* gigantesque.

man *n* homme *m*; * *vt* (*mar*) équiper en personnel.

manacle *n* entrave *f*; ~**s** *pl* menottes *fpl*.

manage *vt* diriger; réussir; * *vi* réussir.

manageable *adj* maniable.

management *n* direction *f*.

manager *n* directeur *m*.

manageress *n* directrice *f*.

managerial *adj* directorial.

managing director *n* directeur *m* général.

mandarin *n* mandarine *f*; mandarin *m*.

mandate *n* mandat *m*.

mandatory *n* obligatoire.

mane *n* crinière *f*.

manfully *adv* vaillamment.

manger *n* mangeoire *f*.

mangle *n* essoreuse *f*; * *vt* mutiler.

mangy *adj* miteux.

manhandle *vt* maltraiter; manutentionner.

manhood *n* âge d'homme *m*; virilité *f*.

man-hour *n* heure *f* de main d'œuvre.

mania *n* manie *f*.

maniac *n* maniaque *mf*.

manic *adj* obsessionnel.

manicure *n* manucure *f*.

manifest *adj* manifeste; * *vt* manifester.

manifestation *n* manifestation *f*.

manifesto *n* manifeste *m*.

manipulate *vt* manipuler.

manipulation *n* manipulation *f*.

mankind *n* humanité *f*.

manlike *adj* viril; d'homme.

manliness *n* virilité *f*; courage *m*.

manly *adj* viril.

man-made *adj* artificiel.

manner *n* manière *f*; attitude *f*; ~**s** *pl* manières *fpl*.

manoeuvre *n* manœuvre *f*.

manpower *n* main-d'œuvre *f*.

mansion *n* château *m*.

manslaughter *n* homicide involontaire *m*.

mantelpiece *n* manteau de cheminée *m*.

manual *adj n* manuel *m*.

manufacture *n* fabrication *f*; * *vt* fabriquer.

manufacturer *n* fabricant *m*.

manure *n* fumier *m*; engrais *m*; purin *m*; * *vt* fumer.

manuscript *n* manuscrit *m*.

many *adj* beaucoup de; ~ **a time**

de nombreuses fois; **how ~?** combien?; **as ~ as** autant que.

map n carte f; plan m; * vt dessiner un plan de; ~ **out** programmer.

maple n érable m.

mar vt gâter, gâcher.

marathon n marathon m.

marauder n maraudeur m -euse f.

marble n marbre m; * adj marbré.

March n mars m.

march n marche f; * vi marcher.

marchpast n défilé m.

mare n jument f.

margarine n margarine f.

margin n marge f; bord m.

marginal adj marginal.

marigold n (bot) calendula f, souci m.

marijuana n marijuana f.

marinate vt mariner.

marine adj marin; * n fusilier m marin.

mariner n marin m.

marital adj matrimonial.

maritime adj maritime.

marjoram n marjolaine f.

mark n marque f; signe m; * vt marquer.

marker n marque f; marqueur m.

market n marché m.

marketable adj vendable.

marketing n marketing m.

marketplace n marché m.

market research n étude de marché f.

market value n valeur sur le marché f.

marksman n tireur d'élite m.

marmalade n confiture d'oranges f.

maroon adj marron rouge.

marquee n tente f.

marriage n mariage m.

marriageable adj mariable.

marriage certificate n acte de mariage m.

married adj marié; conjugal.

marrow n moelle f.

marry vi se marier.

marsh n marécage m.

marshal n maréchal m.

marshy adj marécageux.

marten n martre f.

martial adj martial; ~ **law** n loi martiale f.

martyr n martyr m -e f.

martyrdom n martyre m.

marvel n merveille f; * vi s'émerveiller.

marvellous adj merveilleux; ~**ly** adv merveilleusement.

marzipan n massepain m, pâte d'amandes f.

mascara n mascara m.

masculine adj masculin, viril.

mash n bouillie, purée f.

mask n masque m; * vt masquer.

masochist n masochiste mf.

mason n maçon m.

masonry n maçonnerie f.

masquerade n mascarade f.

mass n masse f; messe f; multitude f.

massacre n massacre m; * vt massacrer.

massage n massage m.

masseur n masseur m.

masseuse n masseuse f.

massive adj énorme.

mass media npl média mpl.

mast n mât m.

master n maître m; * vt maîtriser.

masterly adj magistral.

mastermind vt diriger.

masterpiece n chef-d'œuvre m.

mastery n maîtrise f.

masticate vt mastiquer.

mastiff n mastiff m.

mat n tapis m.

match n allumette f; match m; * vt égaler; * vi bien aller ensemble.

matchbox n boîte d'allumettes f.

matchless adj incomparable, sans pareil.

matchmaker n marieur m -euse f.

mate n camarade mf; * vt accoupler.

material adj ~ly adv matériel(lement).

materialism n matérialisme m.

maternal adj maternel.

maternity dress n robe de grossesse f.

maternity hospital n maternité f.

mathematical adj ~ly adv mathématique(ment).

mathematician n mathématicien m -ne f.

mathematics npl mathématiques fpl.

maths n maths fpl.

matinee n matinée f.

mating n accouplement m.

matins npl matines fpl.

matriculate vt immatriculer.

matriculation n immatriculation f.

matrimonial adj matrimonial.

mat(t) adj mat.

matted adj emmêlé.

matter n matière, substance f; sujet m; affaire f; **what is the ~?** que se passe-t-il?; **a ~ of fact** un fait; * vi importer.

mattress n matelas m.

mature adj mûr; * vi mûrir.

maturity n maturité f.

maul vt meurtrir.

mausoleum n mausolée m.

mauve adj mauve.

maxim n maxime f.

maximum n maximum m.

may v aux pouvoir; ~**be** peut-être.

May n mai m.

Mayday n le Premier Mai m.

mayor n maire m.

mayoress n mairesse f.

maze n labyrinthe m.

me pn moi; me.

meadow n prairie f, pré m.

meagre adj pauvre.

meagreness n pauvreté f.

meal n repas m; farine f.

mealtime n heure du repas f.

mean adj avare, mesquin; moyen; **in the ~time, ~while** pendant ce temps-là; **~s** npl moyens mpl; * vt vi signifier.

meander vi serpenter.

meaning n sens m, signification f.

meaningful adj significatif.

meaningless adj vide de sens.

meanness n avarice, mesquinerie f.

meantime, meanwhile adv pendant ce temps-là.

measles npl rougeole f.

measure n mesure f; * vt mesurer.

measurement n mesure f.

meat n viande f.

meatball n boulette de viande f.

meaty adj riche en viande.

mechanic n mécanicien m.

mechanical adj ~ly adv mécanique(ment).

mechanics npl mécanique f.

mechanism n mécanisme m.

medal n médaille f.

medallion n médaillon m.

medallist n médaillé m -e f.

meddle vi se mêler des affaires des autres.

meddler n fouineur m -euse f, indiscret m -ète f.

media npl média mpl.

median n médiane f.

mediate vi agir en tant que médiateur.

mediation n médiation f.

mediator n médiateur m -trice f.

medical adj médical.

medicate vt traiter.

medicated adj médical.

medicinal adj médicinal.

medicine n médecine f; médicament m.

medieval adj médiéval.

mediocre adj médiocre.

mediocrity n médiocrité f.

meditate vi méditer.

meditation n méditation f.

meditative adj méditatif.

Mediterranean adj méditerranéen.

medium n milieu m; médium m; * adj moyen.

medium wave n ondes moyennes fpl.

medley n mélange m.

meek adj docile; ~ly adv docilement.

meekness n docilité f.

meet vt rencontrer; ~ with retrouver; * vi se rencontrer; se retrouver.

meeting n réunion f; congrès m.

megaphone n mégaphone m.

melancholy n mélancolie f; * adj mélancolique.

mellow adj moelleux; doux; * vi mûrir.

mellowness n moelleux m.

melodious adj mélodieux; ~ly adv mélodieusement.

melody n mélodie f.

melon n melon m.

melt vt faire fondre; * vi fondre.

melting point n point de fusion m.

member n membre m.

membership n adhésion f.

membrane n membrane f.

memento n mémento m.

memo n note de service f.

memoir n mémoire m.

memorable adj mémorable.

memorandum n mémorandum m; note de service f.

memorial n monument commémoratif, mémorial m.

memorise vt mémoriser.

memory n mémoire f; souvenir m.

menace n menace f; * vt menacer.

menacing adj menaçant.

menagerie n ménagerie f.

mend vt réparer; raccommoder.

mending n réparation f; raccommodage m.

menial adj vil.

meningitis n méningite f.

menopause n ménopause f.

menstruation n menstruation f.

mental adj mental.

mentality n mentalité f.

mentally adv mentalement.

mention n mention f; * vt mentionner.

menu n menu m.

mercantile adj commercial.

mercenary adj n mercenaire m.

merchandise n marchandise f.

merchant n négociant m -e f.

merchantman n navire marchand m.

merchant marine n marine marchande f.

merciful adj miséricordieux.

merciless adj ~ly adv impitoyable(ment).

mercury n mercure m.

mercy n pitié f.

mere adj ~ly adv simple(ment).

merge vt vi fusionner.

merger n fusion f.

meridian n méridien m.

merit n mérite m; * vt mériter.

meritorious adj méritoire.

mermaid n sirène f.

merrily adv joyeusement.

merriment n divertissement m; réjouissance f.

merry adj joyeux.

merry-go-round n manège m.

mesh n maille f.

mesmerise vt hypnotiser.

mess n désordre m; confusion f; (mil) mess m; ~ up vt mettre en désordre.

message n message m.

messenger n messager m -ère f.

metabolism n métabolisme m.

metal n métal m.

metallic adj métallique.

metallurgy n métallurgie f.

metamorphosis n métamorphose f.

metaphor n métaphore f.

metaphoric(al) adj métaphorique.

metaphysical *adj* métaphysique.
metaphysics *npl* métaphysique *f*.
mete (out) *vt* distribuer.
meteor *n* météore *m*.
meteorological *adj* météorologique.
meteorology *n* météorologie *f*.
meter *n* compteur *m*.
method *n* méthode *f*.
methodical *adj* ~**ly** *adv* méthodique(ment).
Methodist *n* méthodiste *mf*.
metre *n* mètre *m*.
metric *adj* métrique.
metropolis *n* métropole *f*.
metropolitan *adj* métropolitain.
mettle *n* courage *m*.
mettlesome *adj* courageux.
mew *vi* miauler.
mezzanine *n* mezzanine *f*.
microbe *n* microbe *m*.
microphone *n* microphone *m*.
microchip *n* microprocesseur *m*, puce *f*.
microscope *n* microscope *m*.
microscopic *adj* microscopique.
microwave *n* four à micro-ondes *m*.
mid *adj* demi; mi-.
midday *n* midi *m*.
middle *adj* moyen; du milieu; * *n* milieu *m*.
middle name *n* deuxième prénom *m*.
middleweight *n* poids moyen *m*.
middling *adj* moyen, passable.
midge *n* moucheron *m*.
midget *n* nain *m* -e *f*.
midnight *n* minuit *m*.
midriff *n* diaphragme *m*; estomac *m*.
midst *n* milieu *m*.
midsummer *n* milieu de l'été *m*.
midway *adv* à mi-chemin.
midwife *n* sage-femme *f*.
midwifery *n* obstétrique *f*.
might *n* force *f*.
mighty *adj* fort, puissant.
migraine *n* migraine *f*.
migrate *vi* émigrer.

migration *n* émigration *f*.
migratory *adj* migratoire.
mike *n* micro *m*.
mild *adj* doux; modéré; ~**ly** *adv* doucement.
mildew *n* moisissure *f*; mildiou *m*.
mildness *n* douceur *f*.
mile *n* mile *m*.
mileage *n* kilométrage *m*.
milieu *n* milieu *m*.
militant *adj* militant.
military *adj* militaire.
militate *vi* militer.
militia *n* milice *f*.
milk *n* lait *m*; * *vt* traire; exploiter.
milkshake *n* milk-shake *m*.
milky *adj* laiteux; **M~ Way** *n* Voie lactée *f*.
mill *n* moulin *m*; * *vt* moudre.
millennium *n* millénaire *m*.
miller *n* meunier *m*.
millet *n* (*bot*) millet *m*.
milligram *n* milligramme *m*.
millilitre *n* millilitre *m*.
millimetre *n* millimètre *m*.
milliner *n* chapelier *m* -ière *f*.
millinery *n* chapellerie *f*.
million *n* million *m*.
millionaire *n* millionaire *mf*.
millionth *adj n* millionième *mf*.
millstone *n* meule *f*.
mime *n* mime *m*.
mimic *vt* mimer.
mimicry *n* mimique *f*.
mince *vt* hacher.
mind *n* esprit *m*; * *vt* prendre soin de; * *vi*: **do you** ~? est-ce que cela vous dérange?
minded *adj* disposé.
mindful *adj* soucieux; attentif.
mindless *adj* insouciant.
mine *pn* le mien, la mienne, les miens, les miennes; à moi; * *n* mine *f*; * *vi* exploiter la mine.
minefield *n* champ de mines *m*.
miner *n* mineur *m*.
mineral *adj n* minéral *m*.
mineralogy *n* minéralogie *f*.
mineral water *n* eau minérale *f*.

minesweeper n dragueur de mines m.

mingle vt mêler.

miniature n miniature f.

minimal adj minime.

minimise vt minimiser.

minimum n minimum m.

mining n exploitation minière f.

minion n larbin m; favorit(te) m(f).

minister n ministre m; * vt servir.

ministerial adj ministériel.

ministry n ministère m.

mink n vison m.

minnow n vairon m.

minor adj mineur; * n mineur m -e f.

minority n minorité f.

minstrel n ménestrel m.

mint n (bot) menthe f; hôtel de la Monnaie m; * vt frapper la monnaie.

minus adv moins.

minute adj minuscule; ~ly adv minutieusement.

minute n minute f.

miracle n miracle m.

miraculous adj miraculeux.

mirage n mirage m.

mire n bourbe f.

mirky adj trouble; ténébreux.

mirror n miroir m.

mirth n allégresse f.

mirthful adj joyeux.

misadventure n mésaventure f.

misanthropist n misanthrope mf.

misapply vt mal appliquer.

misapprehension n méprise f.

misbehave vi se conduire mal.

misbehaviour n mauvaise conduite f.

miscalculate vt mal calculer.

miscarriage n fausse couche f.

miscarry vi faire une fausse couche; échouer.

miscellaneous adj divers, varié.

miscellany n mélange, assortiment m.

mischief n mal, tort m.

mischievous adj mauvais; espiègle.

misconception n méprise f.

misconduct n mauvaise conduite f.

misconstrue vt mal interpréter.

miscount vt mal compter.

miscreant n scélérat m.

misdeed n méfait m.

misdemeanour n délit m.

misdirect vt mal diriger.

miser n avare mf.

miserable adj malheureux.

miserly adj mesquin, avare.

misery n malheur m; misère f.

misfit n inadapté m -e f.

misfortune n infortune f.

misgiving n doute m.

misgovern vt mal gouverner.

misguided adj malencontreux; malavisé.

mishandle vt maltraiter; mal s'y prendre avec.

mishap n mésaventure f.

misinform vt mal renseigner.

misinterpret vt mal interpréter.

misjudge vt méjuger.

mislay vt égarer.

mislead vt induire en erreur.

mismanage vt mal administrer.

mismanagement n mauvaise administration f.

misnomer n (law) nom inapproprié m.

misogynist n misogyne mf.

misplace vt égarer.

misprint vt mal imprimer; * n coquille f.

misrepresent vt mal représenter.

Miss n Mlle, Mademoiselle f.

miss vt rater; s'ennuyer de.

missal n missel m.

misshapen adj déformé.

missile n missile m.

missing adj perdu; absent.

mission n mission f.

missionary n missionnaire mf.

misspent adj gaspillé.

mist n brouillard m.

mistake *vt* confondre; * *vi* se tromper; **to be mistaken** se tromper; * *n* méprise *f*; erreur *f*.

Mister *n* monsieur *m*.

mistletoe *n* (*bot*) gui *m*.

mistress *n* maîtresse *f*.

mistrust *vt* se méfier de; * *n* méfiance *f*.

mistrustful *adj* méfiant.

misty *adj* brumeux.

misunderstand *vt* mal comprendre.

misunderstanding *n* malentendu *m*.

misuse *vt* faire un mauvais usage de; abuser de.

mitre *n* mitre *f*.

mitigate *vt* atténuer.

mitigation *n* atténuation *f*.

mittens *npl* moufles *fpl*.

mix *vt* mélanger.

mixed *adj* mélangé; mixte.

mixed-up *adj* confus.

mixer *n* mixeur *m*.

mixture *n* mélange *m*.

mix-up *n* confusion *f*.

moan *n* gémissement *m*; * *vi* gémir; se plaindre.

moat *n* fossé *m*.

mob *n* foule *f*; masse *f*.

mobile *adj* mobile.

mobile home *n* caravane *f*.

mobilise *vt* (*mil*) mobiliser.

mobility *n* mobilité *f*.

moccasin *n* mocassin *m*.

mock *vt* se moquer de.

mockery *n* moquerie *f*.

mode *n* mode *m*.

model *n* modèle *m*; * *vt* modeler.

moderate *adj* ~**ly** *adv* modéré(ment); * *vt* modérer.

moderation *n* modération *f*.

modern *adj* moderne.

modernise *vt* moderniser.

modest *adj* ~**ly** *adv* modeste(ment).

modesty *n* modestie *f*.

modicum *n* minimum *m*.

modification *n* modification *f*.

modify *vt* modifier.

modulate *vt* moduler.

modulation *n* (*mus*) modulation *f*.

module *n* module *m*.

mogul *n* magnat *m*.

mohair *n* mohair *m*.

moist *adj* humide.

moisten *vt* humidifier.

moisture *n* humidité *f*.

molar *n* molaire *f*.

molasses *npl* mélasse *f*.

mole *n* taupe *f*.

molecule *n* molécule *f*.

molehill *n* taupinière *f*.

molest *vt* importuner.

mollify *vt* apaiser.

mollusc *n* mollusque *m*.

mollycoddle *vt* dorloter.

molten *adj* fondu.

mom, mommy *n* maman *f*.

moment *n* moment *m*.

momentarily *adv* momentanément.

momentary *adj* momentané.

momentous *adj* capital.

momentum *n* vitesse *f*; élan *m*.

monarch *n* monarque *m*.

monarchy *n* monarchie *f*.

monastery *n* monastère *m*.

monastic *adj* monastique.

Monday *n* lundi *m*.

monetary *adj* monétaire.

money *n* argent *m*; pièce de monnaie *f*.

money order *n* mandat *n*.

mongol *n* (*med*) mongolien *m* -ne *f*.

mongrel *adj n* bâtard *m* -e *f*.

monitor *n* moniteur *m* -trice *f*.

monk *n* moine *m*.

monkey *n* singe *m*.

monochrome *adj* monochrome.

monocle *n* monocle *m*.

monologue *n* monologue *m*.

monopolise *vt* monopoliser.

monopoly *n* monopole *m*.

monosyllable *n* monosyllabe *m*.

monotonous *adj* monotone.

monotony *n* monotonie *f*.

monsoon *n* mousson *f*.

monster *n* monstre *m*.
monstrosity *n* monstruosité *f*.
monstrous *adj* monstrueux; **~ly** *adv* monstrueusement.
montage *n* montage *m*.
month *n* mois *m*.
monthly *adj* mensuel; *adv* mensuellement.
monument *n* monument *m*.
monumental *adj* monumental.
moo *vi* meugler.
mood *n* humeur *f*.
moodiness *n* mauvaise humeur *f*.
moody *adj* de mauvaise humeur; lunatique.
moon *n* lune *f*.
moonbeams *npl* rayons de lune *mpl*.
moonlight *n* clair de lune *m*.
moor *n* lande *f*; * *vt* (*mar*) amarrer.
moorland *n* lande *f*.
moose *n* élan *m*, orignal *m*.
mop *n* lavette *f*; * *vt* éponger.
mope *vi* se morfondre.
moped *n* vélomoteur *m*.
moral *adj* **~ly** *adv* moral(ement); **~s** *npl* moralité *f*.
morale *n* moral *m*.
moralise *vt vi* moraliser.
moralist *n* moraliste *mf*.
morality *n* moralité *f*.
morass *n* marais *m*.
morbid *adj* morbide.
more *adj adv* plus; **never ~** plus jamais; **once ~** encore une fois; **~ and ~** de plus en plus; **so much the ~** d'autant plus.
moreover *adv* de plus, en outre.
morgue *n* morgue *f*.
morning *n* matin *m*; **good ~** bonjour.
moron *n* imbécile *mf*.
morose *adj* morose.
morphine *n* morphine *f*.
morse *n* morse *m*.
morsel *n* bouchée *f*; morceau *m*.
mortal *adj* **~ly** *adv* mortel(lement); * *n* mortel *m* -le *f*.

mortality *n* mortalité *f*.
mortar *n* mortier *m*.
mortgage *n* hypothèque *f*; * *vt* hypothéquer.
mortgage company *n* banque de prêts hypothécaires *f*.
mortgager *n* débiteur(-trice) hypothécaire *m(f)*.
mortification *n* mortification *f*.
mortify *vt* mortifier.
mortuary *n* morgue *f*.
mosaic *n* mosaïque *f*.
mosque *n* mosquée *f*.
mosquito *n* moustique *m*.
moss *n* (*bot*) mousse *f*.
mossy *adj* moussu.
most *adj pn* la plupart de; * *adv* extrêmement; **at ~** au maximum; **~ly** *adv* surtout, essentiellement.
moth *n* papillon de nuit *m*; mite *f*.
mothball *n* boule de naphtaline *f*.
mother *n* mère *f*.
motherhood *n* maternité *f*.
mother-in-law *n* belle-mère *f*.
motherless *adj* sans mère.
motherly *adj* maternel.
mother-of-pearl *n* nacre *f*.
mother-to-be *n* future maman *f*.
mother tongue *n* langue maternelle *f*.
motif *n* (*art*, *mus*) motif *m*.
motion *n* mouvement *m*.
motionless *adj* immobile.
motion picture *n* film *m*.
motivated *adj* motivé.
motive *n* motif *m*.
motley *adj* bigarré.
motor *n* moteur *m*.
motorbike *n* moto *f*.
motorboat *n* canot à moteur *m*.
motorcycle *n* motocyclette *f*.
motor vehicle *n* automobile *f*.
mottled *adj* marbré, tacheté.
motto *n* devise *f*.
mould *n* moule *m*; * *vt* mouler.
moulder *vi* s'effriter.
mouldy *adj* moisi.

moult *vi* muer.

mound *n* monticule *m*.

mount *n* mont *m*; * *vt* gravir.

mountain *n* montagne *f*.

mountaineer *n* alpiniste *mf*.

mountaineering *n* alpinisme *m*.

mountainous *adj* montagneux.

mourn *vt* pleurer.

mourner *n* personne en deuil *f*.

mournful *adj* ~**ly** *adv* triste(ment).

mourning *n* deuil *m*.

mouse *n* (*pl* **mice**) souris *f*.

mouth *n* bouche *f*; embouchure *f*.

mouthful *n* bouchée *f*.

mouth organ *n* harmonica *m*.

mouthpiece *n* bec *m*; microphone *m*.

mouthwash *n* eau dentifrice *f*.

mouthwatering *adj* appétissant.

movable *adj* mobile.

move *vt* déplacer; toucher, émouvoir; * *vi* bouger; * *n* mouvement *m*.

movement *n* mouvement *m*.

movie *n* film *m*.

movie camera *n* caméra *f*.

moving *adj* touchant, émouvant.

mow *vt* tondre.

mower *n* tondeuse *f*.

Mrs *n* Mme, Madame *f*.

much *adj pn* beaucoup; *adv* beaucoup, très.

muck *n* saleté *f*.

mucous *adj* muqueux.

mucus *n* mucus *m*.

mud *n* boue *f*.

muddle *vt* confondre; embrouiller; * *n* confusion *f*; désordre *m*.

muddy *adj* boueux.

mudguard *n* garde-boue *m invar*.

muffle *vt* assourdir.

mug *n* tasse *f*.

muggy *adj* lourd, étouffant.

mulberry *n* mûre *f*; ~ **tree** mûrier *m*.

mule *n* mulet *m*; mule *f*.

mull *vt* méditer.

multifarious *adj* divers.

multiple *adj* multiple.

multiplication *n* multiplication *f*; ~ **table** table de multiplication *f*.

multiply *vt* multiplier.

multitude *n* multitude *f*.

mumble *vt vi* grommeler.

mummy *n* momie *f*.

mumps *npl* oreillons *mpl*.

munch *vt* mâcher.

mundane *adj* banal.

municipal *adj* municipal.

municipality *n* municipalité *f*.

munificence *n* munificence *f*.

munitions *npl* munitions *fpl*.

mural *n* mural *m*.

murder *n* assassinat, meurtre *m*; homicide volontaire *m*; * *vt* assassiner.

murderer *n* assassin, meurtrier *m*.

murderess *n* meurtrière *f*.

murderous *adj* meurtrier.

murky *adj* obscur, glauque.

murmur *n* murmure *m*; * *vt vi* murmurer.

muscle *n* muscle *m*.

muscular *adj* musculaire.

muse *vi* méditer, rêver.

museum *n* musée *m*.

mushroom *n* (*bot*) champignon *m*.

music *n* musique *f*.

musical *adj* musical; mélodieux.

musician *n* musicien *m* -ne *f*.

musk *n* musc *m*.

muslin *n* mousseline *f*.

mussel *n* moule *f*.

must *v aux* devoir.

mustard *n* moutarde *f*.

muster *vt* rassembler.

musty *adj* moisi.

mute *adj* muet, silencieux.

muted *adj* assourdi.

mutilate *vt* mutiler.

mutilation *n* mutilation *f*.

mutiny *n* mutinerie *f*; *vi* se mutiner, se révolter.

mutter *vt vi* grommeler, marmonner; * *n* grommellement *m*.

mutton *n* mouton *m* (viande).

mutual *adj* **~ly** *adv* mutuel(lement), réciproque(ment).

muzzle *n* muselière *f*; museau *m*;
* *vt* museler.

my *pn* mon, ma, mes.

myriad *n* myriade *f*.

myrrh *n* myrrhe *f*.

myrtle *n* myrte *m*.

myself *pn* moi-même.

mysterious *adj* mystérieux; **~ly**
adv mystérieusement.

mystery *n* mystère *m*.

mystic(al) *adj* mystique.

mystify *vt* mystifier; laisser perplexe.

mystique *n* mystique *f*.

myth *n* mythe *m*.

mythology *n* mythologie *f*.

N

nab *vt* coincer, pincer.

nag *n* bourrin *m*; * *vt* harceler.

nagging *adj* persistant; * *npl* harcèlement *m*.

nail *n* ongle *m*; clou *m*; * *vt* clouer.

nailbrush *n* brosse à ongles *f*.

nailfile *n* lime à ongles *f*.

nail polish *n* vernis à ongles *m*.

nail scissors *npl* ciseaux à ongles
mpl.

naive *adj* naïf.

naked *adj* nu; dénudé; pur, simple.

name *n* nom *m*; réputation *f*; * *vt*
nommer; mentionner.

nameless *adj* anonyme.

namely *adv* à savoir.

namesake *n* homonyme *m*.

nanny *n* nourrice *f*.

nap *n* sieste *f*, somme *m*.

napalm *n* napalm *m*.

nape *n* nuque *f*.

napkin *n* serviette *f*.

narcissus *n* (*bot*) narcisse *m*.

narcotic *adj* *n* narcotique *m*.

narrate *vt* narrer, raconter.

narrative *adj* narratif; * *n* narration *f*.

narrow *adj* **~ly** *adv* étroit(ement); * *vt* resserrer; limiter.

narrow-minded *adj* à l'esprit
étroit.

nasal *adj* nasal.

nasty *adj* méchant; mauvais; sale.

natal *adj* natal.

nation *n* nation *f*.

national *adj* **~ly** *adv* national(ement).

nationalise *vt* nationaliser.

nationalism *n* nationalisme *m*.

nationalist *adj* *n* nationaliste
mf.

nationality *n* nationalité *f*.

nationwide *adj* au niveau national.

native *adj* natal; * *n* autochtone
mf.

native language *n* langue maternelle *f*.

Nativity *n* Nativité *f*.

natural *adj* **~ly** *adv* naturel(lement).

natural gas *n* gaz naturel *m*.

naturalise *vt* naturaliser.

naturalist *n* naturaliste *mf*.

nature *n* nature *f*; sorte *f*.

naught *n* zéro *m*.

naughty *adj* méchant.

nausea *n* nausée, envie de vomir
f.

nauseate *vt* donner des nausées
à.

nauseous *adj* écœurant.

nautic(al), **naval** *adj* nautique.

nave *n* nef (d'église) *f*.

navel *n* nombril *m*.

navigate *vi* naviguer.

navigation *n* navigation *f*.

navy *n* marine *f*.

Nazi *n* nazi *m* -e *f*.

near *prep* près de; * *adv* près; à côté; * *adj* proche.
nearby *adj* proche.
nearly *adv* presque.
near-sighted *adj* myope.
neat *adj* soigné; net, propre; ~ly *adv* proprement; élégamment.
nebulous *adj* nébuleux.
necessarily *adv* nécessairement.
necessary *adj* nécessaire.
necessitate *vt* nécessiter.
necessity *n* nécessité *f*.
neck *n* cou *m*; * *vi* se bécoter.
necklace *n* collier *m*.
necktie *n* cravate *f*.
nectar *n* nectar *m*.
née *adj*: ~ **Brown** née Brown.
need *n* besoin *m*; pauvreté *f*; * *vt* avoir besoin de, nécessiter.
needle *n* aiguille *f*.
needless *adj* superflu, inutile.
needlework *n* couture *f*.
needy *adj* nécessiteux, pauvre.
negation *n* négation *f*.
negative *adj* négatif; ~ly *adv* négativement; * *n* négative *f*; négation *f*; négatif *m*.
neglect *vt* négliger; * *n* négligence *f*.
negligee *n* négligé, déshabillé *m*.
negligence *n* négligence *f*; manque de soin *m*.
negligent *adj* négligent; ~ly *adv* négligemment.
negligible *adj* négligeable.
negotiate *vt vi* négocier.
negotiation *n* négociation *f*.
Negress *n* Noire *f*.
Negro *adj* noir; * *n* Noir *m*.
neigh *vi* hennir; * *n* hennissement *m*.
neighbour *n* voisin *m* -e *f*; * *vt* être voisin de.
neighbourhood *n* voisinage *m*.
neighbouring *adj* voisin.
neighbourly *adj* sociable.
neither *conj* ni; * *pn* aucun(e), ni l'un(e) ni l'autre.
neon *n* néon *m*.
neon light *n* lumière au néon *f*.

nephew *n* neveu *m*.
nepotism *n* népotisme *m*.
nerve *n* nerf *m*; courage *m*; toupet *m*.
nerve-racking *adj* exaspérant.
nervous *adj* nerveux.
nervous breakdown *n* dépression nerveuse *f*.
nest *n* nid *m*; nichée *f*.
nest egg *n* (*fig*) économies *fpl*.
nestle *vt vi* se blottir.
net *n* filet *m*.
net curtain *n* voile *m*.
netting *n* filet *m*.
nettle *n* ortie *f*.
network *n* réseau *f*.
neurosis *n* névrose *f*.
neurotic *adj n* névrosé *m* -e *f*.
neuter *adj* (*gr*) neutre.
neutral *adj* neutre.
neutralise *vt* neutraliser.
neutrality *n* neutralité *f*.
neutron *n* neutron *m*.
neutron bomb *n* bombe à neutrons *f*.
never *adv* jamais; ~ **mind** ça ne fait rien.
never-ending *adj* interminable.
nevertheless *adv* cependant, néanmoins.
new *adj* neuf; nouveau; dernier; ~ly *adv* nouvellement.
newborn *adj* nouveau-né, *f* nouvelle-née.
newcomer *n* nouveau venu *m*, nouvelle venue *f*.
new-fangled *adj* moderne.
news *npl* nouvelles, informations *fpl*.
news agency *n* agence de presse *f*.
newscaster *n* présentateur *m* - trice *f*.
newsdealer *n* (US) marchand(e) de journaux *m(f)*.
news flash *n* flash d'information *m*.
newsletter *n* bulletin *m*.
newspaper *n* journal *m*.
newsreel *n* actualités *fpl*.

New Year n Nouvel An m; **~'s Day**
n Jour du Nouvel An m; **~'s Eve**
Saint-Sylvestre f.

next adj prochain; **the ~ day** le
jour suivant; * adv ensuite,
après.

nib n pointe f; plume f.

nibble vt mordiller.

nice adj gentil(le) m(f); agréable;
joli; **~ly** adv gentiment; bien.

nice-looking adj beau, f belle.

niche n niche f.

nick n entaille f; * vt (sl) faucher.

nickel n nickel m; (US) pièce f de
cinq cents.

nickname n surnom m; * vt surnommer.

niece n nièce f.

niggling adj insignifiant.

night n nuit f; **by ~** de nuit; **good
~** bonne nuit.

nightclub n boîte de nuit f.

nightfall n tombée de la nuit f.

nightingale n rossignol m.

nightly adv tous les soirs; toutes
les nuits; * adj nocturne.

nightmare n cauchemar m.

night school n cours du soir mpl.

night shift n équipe de nuit f.

night-time n nuit f.

nihilist n nihiliste mf.

nimble adj léger; agile, souple.

nine adj n neuf m.

nineteen adj n dix-neuf m.

nineteenth adj n dix-neuvième
mf.

ninetieth adj n quatre-vingt-
dixième mf.

ninety adj n quatre-vingt-dix m.

ninth adj n neuvième mf.

nip vt pincer; mordre.

nipple n mamelon m; tétine f.

nit n lente f.

nitrogen n nitrogène m.

no adv non; * adj aucun; pas de.

nobility n noblesse f.

noble adj noble; * n noble mf.

nobleman n noble m.

nobody pn personne.

nocturnal adj nocturne.

nod n signe de tête m; * vi faire
un signe de la tête; somnoler.

noise n bruit m.

noisily adv bruyamment.

noisiness n bruit, tapage m.

noisy adj bruyant.

nominal   adj   **~ly**   adv
nominal(ement).

nominate vt nommer.

nomination n nomination f.

nominative n (gr) nominatif m.

nominee n candidat m -e f.

nonalcoholic adj non alcoolisé.

non-aligned adj non-aligné.

nonchalant adj nonchalant.

noncommittal adj réservé.

nonconformist   n   non-
conformiste mf.

nondescript adj quelconque.

none pn aucun; personne.

nonentity n nullité f.

nonetheless adv cependant.

nonexistent adj inexistant.

nonfiction n ouvrages non roma-
nesques mpl.

nonplussed adj perplexe.

nonsense n absurdité f.

nonsensical adj absurde.

nonsmoker n non-fumeur m.

nonstick adj anti-adhérent.

nonstop adj direct; * adv sans
s'arrêter.

noodles npl nouilles fpl.

noon n midi m.

noose n nœud coulant m.

nor conj ni.

normal adj normal.

north n nord m; * adj du nord.

North America n Amérique du
Nord f.

northeast n nord-est m.

northerly, northern adj du nord.

North Pole n pôle Nord m.

northward(s) adv vers le nord.

northwest n nord-ouest m.

nose n nez m.

nosebleed n saignement de nez
m.

nosedive n piqué m.

nostalgia n nostalgie f.

nostril n narine f.

not adv pas; non.

notable adj notable.

notably adv notamment.

notary n notaire m.

notch n cran m, dent f; * vt denteler.

note n note f; billet m; mot m; marque f; * vt noter, marquer; remarquer.

notebook n carnet m.

noted adj célèbre, connu.

notepad n bloc-notes m.

notepaper n papier à lettres m.

nothing n rien m; **good for ~** bon à rien.

notice n notice f; avis m; * vt remarquer.

noticeable adj visible.

notification n notification f.

notify vt notifier.

notion n notion f; opinion f; idée f.

notoriety n notoriété f.

notorious adj notoire; **~ly** adv notoirement.

notwithstanding conj quoique.

nougat n nougat m.

nought n zéro m.

noun n (gr) nom, substantif m.

nourish vt nourrir, alimenter.

nourishing adj nourrissant.

nourishment n nourriture f, aliments mpl.

novel n roman m.

novelist n romancier m -ière f.

novelty n nouveauté f.

November n novembre m.

novice n novice mf, débutant(e) m(f).

now adv maintenant; **~ and then** de temps en temps.

nowadays adv de nos jours, à l'heure actuelle.

nowhere adv nulle part.

noxious adj nocif.

nozzle n douille f.

nuance n nuance f.

nuclear adj nucléaire.

nucleus n noyau m.

nude adj nu.

nudge vt donner un coup de coude à.

nudist n nudiste mf.

nudity n nudité f.

nuisance n ennui m; gêne f.

nuke n (col) bombe atomique f; * vt atomiser.

null adj nul.

nullify vt annuler; invalider.

numb adj engourdi; * vt engourdir.

number n numéro, nombre m; quantité f; * vt numéroter; compter.

numberplate n plaque d'immatriculation f.

numbness n engourdissement m.

numeral n chiffre m.

numerical adj numérique.

numerous adj nombreux.

nun n religieuse f.

nunnery n couvent m.

nuptial adj nuptial; **~s** npl noces fpl.

nurse n infirmière f; * vt soigner; ménager.

nursery n crèche f; chambre d'enfant f.

nursery rhyme n comptine f.

nursery school n (école) maternelle f.

nursing home n maison de repos f.

nurture vt élever, soigner.

nut n noix f.

nutcrackers npl casse-noix m invar, casse-noisettes.

nutmeg n noix de muscade f.

nutritious adj nutritif.

nut shell n coquille de noix f.

nylon n nylon m; * adj en nylon.

O

oak n chêne m.

oar n rame f.

oasis n oasis f.

oat n avoine f.

oath n serment m.

oatmeal n flocons d'avoine mpl.

oats npl avoine f.

obedience n obéissance f.

obedient adj obéissant; ~ly adv avec obéissance.

obese adj obèse.

obesity n obésité f.

obey vt obéir à.

obituary n nécrologie f.

object n objet m; * vt objecter.

objection n objection f.

objectionable adj désagréable.

objective adj n objectif m.

obligation n obligation f.

obligatory adj obligatoire.

oblige vt obliger; rendre service à.

obliging adj obligeant.

oblique adj oblique; indirect; ~ly adv obliquement.

obliterate vt effacer.

oblivion n oubli m.

oblivious adj oublieux.

obnoxious adj odieux.

oboe n hautbois m.

obscene adj obscène.

obscenity n obscénité f.

obscure adj obscur; ~ly adv obscurément; * vt obscurcir.

obscurity n obscurité f.

observance n observation f; observance f.

observant adj observateur; respectueux.

observation n observation f.

observatory n observatoire m.

observe vt observer.

observer n observateur m -trice f.

observingly adv attentivement.

obsess vt obséder.

obsessive adj obsédant.

obsolete adj désuet.

obstacle n obstacle m.

obstinate adj obstiné; ~ly adv obstinément.

obstruct vt obstruer; entraver.

obstruction n obstruction f; encombrement m.

obtain vt obtenir.

obtainable adj disponible.

obtrusive adj importun.

obtuse adj obtus.

obvious adj évident; ~ly adv évidemment.

occasion n occasion f; * vt occasionner, causer.

occasional adj occasionnel; ~ly adv occasionnellement.

occupant, occupier n occupant m -e f; locataire mf.

occupation n occupation f; emploi m.

occupy vt occuper.

occur vi se produire, arriver.

occurrence n incident m.

ocean n océan m.

ocean-going adj de haute mer.

oceanic adj océanique.

ochre n ocre m.

octave n octave f.

October n octobre m.

octopus n poulpe m.

odd adj impair; étrange; quelconque; ~ly adv étrangement.

oddity n singularité, particularité f.

odd jobs npl petits travaux mpl.

oddness n étrangeté f; singularité f.

odds npl chances fpl.

odious adj odieux.

odometer n (US) odomètre m.

odour n odeur f; parfum m.

odorous adj odorant.

of prep de; à.

off adj éteint; fermé; annulé; en congé; ~! excl du vent!

offend vt offenser, blesser; choquer; * vi pécher.

offender *n* délinquant *m* -e *f*.

offense *n* offense *f*; injure *f*.

offensive *adj* offensant; injurieux; **~ly** *adv* d'une manière offensante.

offer *vt* offrir; * *n* offre *f*.

offering *n* offrande *f*; offre *f*.

offhand *adj* désinvolte; * *adv* soudainement.

office *n* bureau *m*; poste *m*, fonctions *fpl*; service *m*.

office automation *n* bureautique *f*.

office building *n* immeuble de bureaux *m*.

office hours *npl* heures de bureau *fpl*.

officer *n* officier *m*; fonctionnaire *mf*.

office worker *n* employé(e) de bureau *m(f)*.

official *adj* **~ly** *adv* officiel(lement); * *n* employé *m* -e *f*.

officiate *vi* officier.

officious *adj* officieux; **~ly** *adv* officieusement.

off-line *adj adv* hors ligne.

off-peak *adj* aux heures creuses.

off-season *adj adv* hors-saison.

offset *vt* compenser; décaler.

offshoot *n* ramification *f*.

offshore *adj* côtier.

offside *adj* hors jeu.

offspring *n* progéniture *f*; descendance *f*.

offstage *adv* en coulisses.

off-the-rack *adj* prêt-à-porter.

ogle *vt* lorgner.

oil *n* huile *f*; * *vt* huiler.

oilcan *n* burette d'huile *f*; bidon d'huile *m*.

oilfield *n* gisement pétrolifère *m*.

oil filter *n* filtre à huile *m*.

oil painting *n* peinture à l'huile *f*.

oil rig *n* derrick *m*.

oil tanker *n* pétrolier *m*.

oil well *n* puits pétrolifère *m*.

oily *adj* huileux; gras.

ointment *n* onguent *m*.

OK, okay *excl* O.K., d'accord; * *adj* bien; * *vt* approuver.

old *adj* vieux, *f* vieille.

old age *n* vieillesse *f*.

old-fashioned *adj* démodé.

olive *n* olivier *m*; olive *f*.

olive oil *n* huile d'olive *f*.

omelet(te) *n* omelette *f*.

omen *n* augure, présage *m*.

ominous *adj* menaçant.

omission *n* omission *f*; négligence *f*.

omit *vt* omettre.

omnipotence *n* omnipotence *f*.

omnipotent *adj* omnipotent, tout-puissant.

on *prep* sur, dessus; en; pour; * *adj* allumé, branché; ouvert; de service.

once *adv* une fois; **at ~** tout de suite; **all at ~** tout d'un coup; **~ more** encore une fois.

oncoming *adj* qui arrive.

one *adj* un, une; **~ by ~** un par un.

one-day excursion *n* billet d'aller-retour valable une journée *m*.

one-man *adj* individuel.

onerous *adj* lourd; (*law*) dur.

oneself *pn* soi-même.

one-sided *adj* partial.

one-to-one *adj* face à face.

ongoing *adj* continu; en cours.

onion *n* oignon *m*.

on-line *adj adv* en ligne.

onlooker *n* spectateur *m* -trice *f*.

only *adj* seul, unique; * *adv* seulement.

onset, onslaught *n* début *m*; attaque *f*.

onus *n* obligation *f*.

onward(s) *adv* en avant.

ooze *vi* suinter.

opaque *adj* opaque.

open *adj* ouvert; public; déclaré; sincère, franc; **~ly** *adv* ouvertement; * *vt* ouvrir; * *vi* s'ouvrir; commencer; **~ on to** donner sur; **~ up** *vt* ouvrir; *vi* s'ouvrir.

opening n ouverture f; (com) débouché m; inauguration f; commencement m.

open-minded adj aux idées larges.

openness n clareté f; franchise, sincérité f.

opera n opéra m.

opera house n théâtre de l'opéra m.

operate vi fonctionner; opérer.

operation n fonctionnement m; opération f.

operational adj opérationnel.

operative adj actif; en vigueur.

operator n opérateur m -trice f; téléphoniste mf.

ophthalmic adj ophtalmique.

opine vt être d'avis (que).

opinion n opinion f; jugement m.

opinionated adj entêté.

opinion poll n sondage m.

opponent n opposant m -e f; adversaire mf.

opportune adj opportun.

opportunist n opportuniste mf.

opportunity n occasion f.

oppose vt s'opposer à.

opposing adj opposé.

opposite adj opposé; contraire; * adv en face; prep en face de; * n contraire m.

opposition n opposition f; résistance f.

oppress vt opprimer.

oppression n oppression f.

oppressive adj oppressif.

oppressor n oppresseur m.

optic(al) adj optique; ~s npl optique f.

optician n opticien m -ne f.

optimist n optimiste mf.

optimistic adj optimiste.

option n option f.

optional adj optionnel; facultatif.

opulent adj opulent.

or conj ou.

oracle n oracle m.

oral adj oral, verbal; ~ly adv oralement.

orange n orange f.

orator n orateur m -trice f.

orbit n orbite f.

orchard n verger m.

orchestra n orchestre m.

orchestral adj orchestral.

orchid n orchidée f.

ordain vt ordonner.

ordeal n épreuve f.

order n ordre m; commande f; mandat m; classe f; * vt ordonner; commander; mettre en ordre.

order form n bon de commande m.

orderly adj ordonné; réglé.

ordinarily adv ordinairement.

ordinary adj ordinaire.

ordination n ordination f.

ordnance n artillerie f.

ore n minerai m.

organ n organe m; orgue m.

organic adj organique.

organisation n organisation f.

organise vt organiser.

organism n organisme m.

organist n organiste mf.

orgasm n orgasme m.

orgy n orgie f.

oriental adj oriental.

orifice n orifice m.

origin n origine f.

original adj original; originel; ~ly adv à l'origine; originalement.

originality n originalité f.

originate vi provenir (de); être originaire (de).

ornament n ornement m; * vt ornementer, décorer.

ornamental adj ornemental.

ornate adj ornementé.

orphan adj n orphelin m -e f.

orphanage n orphelinat m.

orthodox adj orthodoxe.

orthodoxy n orthodoxie f.

orthography n orthographe f.

orthopaedic adj orthopédique.

oscillate vi osciller.

osprey n balbuzard pêcheur m.

ostensibly adv selon les apparences.

ostentatious *adj* ostentatoire.

osteopath *n* ostéopathe *mf*.

ostracise *vt* frapper d'ostracisme.

ostrich *n* autruche *f*.

other *pn* autre.

otherwise *adv* autrement.

otter *n* loutre *f*.

ouch *excl* aïe!

ought *v aux* devoir; falloir.

ounce *n* once *f*.

our *pn* notre, *pl* nos.

ours *pn* le nôtre, la nôtre, les nôtres; à nous.

ourselves *pn pl* nous-mêmes.

oust *vt* évincer; déposséder.

out *adv* dehors; éteint.

outback *n* intérieur *m*.

outboard *adj*: ~ **motor** (moteur) hors-bord *m*.

outbreak *n* éruption *f*; explosion *f*.

outburst *n* explosion *f*.

outcast *n* paria *m*.

outcome *n* résultat *m*.

outcry *n* protestations *fpl*.

outdated *adj* démodé; périmé.

outdo *vt* surpasser.

outdoor *adj* de plein air, ~s *adv* à l'extérieur.

outer *adj* extérieur.

outermost *adj* extrême; le plus à l'extérieur.

outer space *n* espace *m*.

outfit *n* tenue *f*; équipement *m*.

outfitter *n* confectionneur *m* -euse *f*.

outgoing *adj* extroverti; sortant.

outgrow *vt* devenir plus grand que.

outhouse *n* dépendances *fpl*.

outing *n* excursion *f*.

outlandish *adj* bizarre.

outlaw *n* hors-la-loi *m*; * *vt* proscrire.

outlay *n* dépenses *fpl*, frais *mpl*.

outlet *n* sortie *f*; débouché *m*.

outline *n* contour *m*; grandes lignes *fpl*.

outlive *vt* survivre à.

outlook *n* perspective *f*.

outlying *adj* distant, éloigné.

outmoded *adj* démodé.

outnumber *vt* être plus nombreux que.

out-of-date *adj* périmé; démodé.

out-patient *n* patient(e) en consultation externe *m(f)*.

outpost *n* avant-poste *m*.

output *n* rendement *m*; sortie *f*.

outrage *n* outrage *m*; * *vt* outrager.

outrageous *adj* outrageant; atroce; ~ly *adv* outrageusement; atrocement.

outright *adv* absolument, complètement; * *adj* absolu, complet.

outrun *vt* gagner de vitesse, distancer.

outset *n* commencement *m*.

outshine *vt* éclipser.

outside *n* surface *f*; extérieur *m*; apparence *f*; * *adv* dehors; * *prep* en dehors de.

outsider *n* étranger *m* -ère *f*.

outsize *adj* grande taille.

outskirts *npl* périphérie *f*, alentours *mpl*.

outspoken *adj* franc.

outstanding *adj* exceptionnel; en suspens.

outstretch *vi* s'étendre.

outstrip *vt* devancer; surpasser.

out-tray *n* courrier au départ *m*.

outward *adj* extérieur; vers l'extérieur; d'aller; ~ly *adv* à l'extérieur, extérieurement.

outweigh *vt* peser plus lourd que; l'emporter sur.

outwit *vt* être plus spirituel que.

oval *n*, *adj* ovale *m*.

ovary *n* ovaire *m*.

oven *n* four *m*.

ovenproof *adj* allant au four.

over *prep* sur, dessus; plus de; pendant; **all** ~ de tous côtés; * *adj* fini; en trop, en plus; ~ **again** à nouveau; ~ **and** ~ de nombreuses fois.

overall *adj* total; * *adv* dans l'ensemble; **~s** *npl* salopette *f.*

overawe *vt* impressionner.

overbalance *vi* perdre l'équilibre.

overbearing *adj* despotique.

overboard *adv* (*mar*) par-dessus bord.

overbook *vt* surréserver.

overcast *adj* couvert.

overcharge *vt* surcharger; faire payer un prix excessif à.

overcoat *n* pardessus *m.*

overcome *vt* vaincre; surmonter.

overconfident *adj* trop confiant.

overcrowded *adj* bondé; surpeuplé.

overdo *vi* exagérer.

overdraft *n* découvert *m.*

overdrawn *adj* à découvert.

overdress *vi* s'habiller trop élégamment.

overdue *adj* en retard; arriéré.

overeat *vi* trop manger.

overestimate *vt* surestimer.

overflow *vt* déborder de; * *vi* déborder; * *n* inondation *f;* surplus *m.*

overgrown *adj* envahi.

overgrowth *n* végétation envahissante *f.*

overhang *vt* surplomber.

overhaul *vt* réviser; * *n* révision *f.*

overhead *adv* en l'air, au-dessus.

overhear *vt* entendre par hasard.

overjoyed *adj* fou de joie.

overkill *n* (*fig*) matraquage *m.*

overland *adj adv* par voie de terre.

overlap *vi* se chevaucher.

overleaf *adv* au dos.

overload *vt* surcharger.

overlook *vt* dominer; donner sur; oublier; laisser passer, tolérer; négliger.

overnight *adv* pendant la nuit; * *adj* de nuit.

overpass *n* pont surélevé *m.*

overpower *vt* dominer, écraser.

overpowering *adj* écrasant.

overrate *vt* surévaluer.

override *vt* outrepasser.

overriding *adj* prédominant.

overrule *vt* rejeter; annuler.

overrun *vt* envahir; infester; dépasser.

overseas *adv* à l'étranger; outremer; * *adj* étranger.

oversee *vt* inspecter, surveiller.

overseer *n* contremaître *m.*

overshadow *vt* éclipser.

overshoot *vt* dépasser.

oversight *n* oubli *m;* erreur *f.*

oversleep *vi* se réveiller en retard.

overspill *n* excédent de population *m.*

overstate *vi* exagérer.

overstep *vt* dépasser.

overt *adj* ouvert; public; **~ly** *adv* ouvertement.

overtake *vt* doubler.

overthrow *vt* renverser; détruire; * *n* renversement *m;* ruine, déroute *f.*

overtime *n* heures supplémentaires *fpl.*

overtone *n* harmonique *mf;* connotation *f.*

overture *n* ouverture *f.*

overturn *vt* renverser.

overweight *adj* trop lourd.

overwhelm *vt* écraser; submerger.

overwhelming *adj* écrasant; irrésistible.

overwork *vi* se surmener, trop travailler.

owe *vt* devoir; être redevable de.

owing *adj* dû; **~ to** en raison de.

owl *n* chouette *f.*

own *adj* propre; **my ~** mon, ma, mes propre(s); * *vt* posséder; **~ up** *vi* confesser.

owner *n* propriétaire *mf.*

ownership *n* possession *f.*

ox *n* bœuf *m;* **~en** *pl* bœufs *mpl.*

oxidise *vt* oxyder.

oxygen *n* oxygène *m.*
oxygen mask *n* masque à oxygène *m.*

oxygen tent *n* tente à oxygène *f.*
oyster *n* huître *f.*
ozone *n* ozone *m.*

P

pa *n* papa *m.*
pace *n* pas *m*; allure *f*; * *vt* arpen-
   ter; * *vi* marcher.
pacemaker *n* meneur *m* -euse *f*
   de train; (*med*) pacemaker *m.*
pacific(al) *adj* pacifique.
pacification *n* pacification *f.*
pacify *vt* pacifier.
pack *n* paquet *m*; jeu de cartes *m*;
   bande *f*; * *vt* empaqueter;
   remplier; * *vi* faire ses valises.
package *n* paquet *m*; accord *m.*
package tour *n* voyage organisé
   m.
packet *n* paquet *m.*
packing *n* emballage *m.*
pact *n* pacte *m.*
pad *n* bloc *m*; coussinet, tampon
   m; plateforme *f*; (*sl*) piaule *f*; *
   vt rembourrer.
padding *n* rembourrage *m.*
paddle *vi* ramer; * *n* pagaie *f.*
paddle steamer *n* vapeur à roues
   m.
paddock *n* paddock *m.*
paddy *n* rizière *f.*
pagan *adj n* païen *m*, païenne *f.*
page *n* page *f*; page *m.*
pageant *n* grand spectacle *m.*
pageantry *n* pompe *f.*
pail *n* seau *m.*
pain *n* douleur *f*; mal *m*; peine *f*;
   * *vt* peiner.
pained *adj* peiné.
painful *adj* douloureux; pénible;
   ~**ly** *adv* douloureusement; péniblement; à grand-peine.
painkiller *n* analgésique *m.*
painless *adj* indolore; sans peine.
painstaking *adj* soigneux.
paint *vt* peindre.

paintbrush *n* pinceau *m.*
painter *n* peintre *m.*
painting *n* peinture *f*; tableau
   m.
paintwork *n* peinture *f.*
pair *n* pair *m.*
pajamas *npl* = **pyjamas.**
pal *n* copain *m*, copine *f*, pote *m.*
palatable *adj* savoureux.
palate *n* palais *m.*
palatial *adj* grandiose.
palaver *n* discussions *fpl*; situation embrouillée *f.*
pale *adj* pâle; clair.
palette *n* palette *f.*
paling *n* palissade *f.*
pall *n* nuage *m* (de fumée); * *vi*
   perdre sa saveur.
pallet *n* palette *f.*
palliative *adj n* palliatif *m.*
pallid *adj* pâle.
pallor *n* pâleur *f.*
palm *n* (*bot*) palme *f*, palmier *m.*
palmistry *n* chiromancie *f.*
Palm Sunday *n* Dimanche des
   Rameaux *m.*
palpable *adj* palpable; évident.
palpitation *n* palpitation *f.*
paltry *adj* dérisoire; mesquin.
pamper *vt* gâter, dorloter.
pamphlet *n* pamphlet *m*; brochure *f.*
pan *n* casserole *f*; poêle *f.*
panacea *n* panacée *f.*
panache *n* panache *m.*
pancake *n* crêpe *f.*
pandemonium *n* pandémonium
   m.
pane *n* vitre *f.*
panel *n* panneau *m*; comité *m.*
panelling *n* lambrissage *m.*

pang *n* angoisse *f*; tourment *m*.

panic *adj n* (de) panique *f*.

panicky *adj* paniqué, affolé.

panic-stricken *adj* pris de panique.

pansy *n* (*bot*) pensée *f*.

pant *vi* haleter.

panther *n* panthère *f*.

panties *npl* (petite) culotte *f*.

pantihose *n* collant *m*.

pantry *n* placard *m*.

pants *npl* slip *m*; pantalon *m*.

papacy *n* papauté *f*.

papal *adj* papal.

paper *n* papier *m*; journal *m*; épreuve *f* d'examen; exposé *m*, étude *f*; ~s *pl* documents *mpl*; (*com*) fonds *mpl*; * *adj* en papier; * *vt* garnir de papier; tapisser.

paperback *n* livre de poche *m*.

paper bag *n* sac en papier *m*.

paper clip *n* trombone *m*.

paperweight *n* presse-papiers *m*.

paperwork *n* paperasserie *f*.

paprika *n* paprika *m*.

par *n* équivalence *f*; égalité *f*; pair *m*; **at ~** (*com*) au pair.

parable *n* parabole *f*.

parachute *n* parachute *m*; * *vi* sauter en parachute.

parade *n* parade *f*; (*mil*) défilé *m*; * *vt* faire défiler, faire parader; * *vi* défiler, parader; se pavaner.

paradise *n* paradis *m*.

paradox *n* paradoxe *m*.

paradoxical *adj* paradoxal.

paragon *n* modèle absolu *m*.

paragraph *n* paragraphe *m*.

parallel *adj* parallèle; * *n* parallèle *f*; * *vt* mettre en parallèle; comparer.

paralyse *vt* paralyser.

paralysis *n* paralysie *f*.

paralytic(al) *adj* paralytique.

paramedic *n* auxiliaire médical(e) *m(f)*.

paramount *adj* suprême, supérieur.

paranoid *adj* paranoïaque.

paraphernalia *n* affaires *fpl*; attirail *m*.

parasite *n* parasite *m*.

parasol *n* parasol *m*.

paratrooper *n* parachutiste *m*.

parcel *n* paquet *m*; parcelle *f*; * *vt* empaqueter, emballer.

parch *vt* dessécher.

parched *adj* desséché.

parchment *n* parchemin *m*.

pardon *n* pardon *m*; * *vt* pardonner.

parent *n* parent *m* -e *f*; ~s parents *mpl*.

parentage *n* parenté *f*; origine *f*.

parental *adj* parental.

parenthesis *n* parenthèse *f*.

parish *n* paroisse *f*; * *adj* paroissial.

parishioner *n* paroissien *m* -ne *f*.

parity *n* parité *f*.

park *n* parc *m*; * *vt* garer; *vi* se garer.

parking *n* stationnement *m*.

parking lot *n* parking *m*.

parking meter *n* parcomètre *m*.

parking ticket *n* amende pour stationnement interdit *f*.

parlance *n* langage *m*.

parliament *n* parlement *m*.

parliamentary *adj* parlementaire.

parlour *n* parloir *m*; salon *m*.

parody *n* parodie *f*; * *vt* parodier.

parole *n*: **on ~** sur parole.

parricide *n* parricide *m*; parricide *mf*.

parrot *n* perroquet *m*.

parry *vt* parer.

parsley *n* (*bot*) persil *m*.

parsnip *n* (*bot*) navet *m*.

part *n* partie *f*; part *f*; rôle (d'acteur) *m*; raie *f*; ~s *pl* parties *fpl*; parages *mpl*; * *vt* séparer; diviser; * *vi* se séparer; se diviser; ~ **with** céder; se défaire de; donner; ~**ly** *adv* en partie.

partial *adj* partial; ~**ly** *adv* avec partialité; partiellement.

participant n participant m -e f.

participate vi participer (à).

participation n participation f.

participle n (gr) participe m.

particle n particule f.

particular adj particulier, singulier; **~ly** adv particulièrement; * n particulier m; particularité f.

parting n séparation f; raie (dans les cheveux) f.

partisan n partisan m -e f.

partition n partition, séparation f; * vt diviser en plusieurs parties, partager,

partner n associé m -e f.

partnership n association f; société f.

partridge n perdrix f.

party n parti m; fête f.

pass vt passer; dépasser; adopter; être admis à; * vi passer; n permis m; passage m; **~ away** vi mourir; **~ by** vi passer; vt négliger, oublier; **~ on** vt transmettre; passer.

passable adj passable; praticable.

passage n passage m; traversée f; couloir m.

passbook n livret m (bancaire).

passenger n passager m -ère f.

passer-by n passant m -e f.

passing adj passager.

passion n passion f; amour m; emportement m.

passionate adj passionné; **~ly** adv passionnément; ardemment.

passive adj passif; **~ly** adv passivement.

passkey n passe-partout m invar.

Passover n Pâque f juive.

passport n passeport m.

passport control n contrôle des passeports m.

password n mot de passe m.

past adj passé; * n (gr) prétérit m; passé m; * prep au-delà de; après.

pasta n pâtes fpl.

paste n pâte f; colle f; * vt coller.

pasteurised adj pasteurisé.

pastime n passe-temps m invar; divertissement m.

pastor n pasteur m.

pastoral adj pastoral.

pastry n pâtisserie f.

pasture n pâture f.

pasty adj pâteux; pâle.

pat vt tapoter.

patch n pièce f; tache f; terrain m; * vt rapiécer; **~ up** réparer; se réconcilier.

pâté n pâté m.

patent adj breveté; évident; * n brevet m; * vt faire breveter.

patentee n détenteur d'un brevet m.

patent leather n cuir verni m.

paternal adj paternel.

paternity n paternité f.

path n chemin, sentier m.

pathetic adj **~ally** adv pathétique(ment); lamentable(ment).

pathological adj pathologique.

pathology n pathologie f.

pathos n pathétique m.

pathway n sentier m.

patience n patience f.

patient adj patient; **~ly** adv patiemment; * n patient m -e f.

patio n patio m.

patriarch m patriarche m.

patriot n patriote mf.

patriotic adj patriotique.

patriotism n patriotisme m.

patrol n patrouille f; * vi patrouiller.

patrol car n voiture de patrouille f.

patrolman n agent de police m.

patron n protecteur m; client m -e f.

patronage n patronage m; clientèle f.

patronise vt patronner, protéger.

patter n trottinement m; bavardage m; * vi trottiner.

pattern n motif m; modèle m.

paunch n panse f; ventre m.

pauper *n* pauvre *mf*.
pause *n* pause *f*; * *vi* faire une pause; hésiter.
pave *vt* paver; carreler.
pavement *n* trottoir *m*.
pavilion *n* pavillon *m*.
paving stone *n* pavé *m*.
paw *n* patte *f*; * *vt* tripoter.
pawn *n* pion *m*; gage *m*; * *vt* engager.
pawn broker *n* prêteur(-euse) sur gages *m(f)*.
pawnshop *n* mont-de-piété *m*.
pay *vt* payer; ~ **back** *vt* rembourser; ~ **for** payer; ~ **off** *vt* liquider; *vi* payer; rapporter; * *n* paie *f*; salaire *m*.
payable *adj* payable.
pay day *n* jour de paie *m*.
payee *n* bénéficiaire *mf*.
pay envelope *n* enveloppe de paie *f*.
paymaster *n* caissier *m*.
payment *n* paiement *m*.
pay-phone *n* téléphone public *m*.
payroll *n* liste des employés *f*.
pea *n* pois *m*.
peace *n* paix *f*.
peaceful *adj* paisible; pacifique.
peach *n* pêche *f*.
peacock *n* paon *m*.
peak *n* pic *m*; maximum *m*.
peak hours, peak period *n* heures de pointe *fpl*.
peal *n* carillon *m*; grondement *m*.
peanut *n* cacahuète *f*.
pear *n* poire *f*.
pearl *n* perle *f*.
peasant *n* paysan *m* -ne *f*.
peat *n* tourbe *f*.
pebble *n* caillou *m*; galet *m*.
peck *n* coup de bec *m*; * *vt* picoter.
pecking order *n* hiérarchie *f*.
peculiar *adj* étrange, singulier; ~**ly** *adv* étrangement.
peculiarity *n* particularité, singularité *f*.
pedal *n* pédale *f*; * *vi* pédaler.
pedant *n* pédant *m* -e *f*.

pedantic *adj* pédant.
peddler *n* colporteur *m*.
pedestal *n* piédestal *m*.
pedestrian *n* piéton *m* -ne *f*; * *adj* pédestre.
pediatrics *n* pédiatrie *f*.
pedigree *n* généalogie *f*; pedigree *m*; * *adj* de race.
peek *vi* regarder à la dérobée.
peel *vt* peler; éplucher; * *vi* peler; * *n* peau *f*; pelure *f*.
peer *n* pair *m*.
peerless *adj* incomparable.
peeved *adj* fâché.
peevish *adj* maussade, ronchon (*fam*).
peg *n* cheville *f*; piquet *m*; * *vt* cheviller.
pelican *n* pélican *m*.
pellet *n* boulette *f*.
pelt *n* fourrure *f*; * *vt* arroser; * *vi* pleuvoir à verse.
pen *n* stylo *m*; plume *f*; enclos *m*.
penal *adj* pénal.
penalty *n* peine *f*; sanction *f*; amende *f*.
penance *n* pénitence *f*.
pence *n* = *pl* of **penny**.
pencil *n* crayon *m*.
pencil case *n* trousse *f*.
pendant *n* pendentif *m*.
pending *adj* pendant.
pendulum *n* pendule *m*.
penetrate *vt* pénétrer (dans).
penguin *n* pingouin *m*.
penicillin *n* pénicilline *f*.
peninsula *n* péninsule *f*.
penis *n* pénis *m*.
penitence *n* pénitence *f*.
penitent *adj n* pénitent *m* -e *f*.
penitentiary *n* pénitencier *m*.
penknife *n* canif *m*.
pennant *n* fanion *m*.
penniless *adj* sans le sou.
penny *n* penny *m*.
penpal *n* correspondant *m* -e *f*.
pension *n* pension *f*; * *vt* pensionner.
pensive *adj* pensif; ~**ly** *adv* pensivement.

pentagon *n*: the **P~** le Pentagone.

Pentecost *n* la Pentecôte *f*.

penthouse *n* appartement situé sur le toit d'un immeuble *m*.

pent-up *adj* reprimé, refoulé.

penultimate *adj* pénultième, avant-dernier.

penury *n* pénurie *f*.

people *n* peuple *m*; nation *f*; gens *mpl*; * *vt* peupler.

pep *n* énergie *f*; **~ up** *vt* animer.

pepper *n* poivre *m*; * *vt* poivrer.

peppermint *n* menthe poivrée *f*.

per *prep* par.

per annum *adv* par an.

per capita *adj adv* par habitant.

perceive *vt* percevoir.

percentage *n* pourcentage *m*.

perception *n* perception *f*; notion *f*.

perch *n* perche *f*.

perchance *adv* par hasard.

percolate *vt* filtrer.

percolator *n* percolateur *m*.

percussion *n* percussion *f*.

perdition *n* perte, ruine *f*.

peremptory *adj* péremptoire; décisif.

perennial *adj* perpétuel.

perfect *adj* parfait; idéal; **~ly** *adv* parfaitement; * *vt* parfaire, perfectionner.

perfection *n* perfection *f*.

perforate *vt* perforer.

perforation *n* perforation *f*.

perform *vt* exécuter; effectuer; * *vi* donner une représentation, tenir un rôle.

performance *n* exécution *f*; accomplissement *m*; rendement *m*; représentation *f*.

performer *n* exécutant *m* -e *f*; acteur *m* -trice *f*.

perfume *n* parfum *m*; * *vt* parfumer.

perhaps *adv* peut-être.

peril *n* péril, danger *m*.

perilous *adj* dangereux; **~ly** *adv* dangereusement.

perimeter *n* périmètre *m*.

period *n* période *f*; époque *f*; règles *fpl*.

periodic(al) *adj* périodique; **~ally** *adv* périodiquement.

periodical *n* journal *m*.

peripheral *adj* périphérique; * *n* unité périphérique *f*.

perish *vi* périr.

perishable *adj* périssable.

perjure *vt* parjurer.

perjury *n* parjure *m*.

perk *n* extra, à-côté *m*.

perky *adj* animé, plein d'entrain.

perm *n* permanente *f*.

permanent *adj* permanent; **~ly** *adv* en permanence.

permeate *vt* pénétrer, traverser.

permissible *adj* permis.

permission *n* permission *f*.

permissive *adj* permissif.

permit *vt* permettre; * *n* permis *m*.

permutation *n* permutation *f*.

perpendicular *adj* **~ly** *adv* perpendiculaire(ment); * *n* perpendiculaire *f*.

perpetrate *vt* perpétrer, commettre.

perpetual *adj* perpétuel; **~ly** *adv* perpétuellement.

perpetuate *vt* perpétuer, éterniser.

perplex *vt* confondre, laisser perplexe.

persecute *vt* persécuter; importuner.

persecution *n* persécution *f*.

perseverance *n* persévérance *f*.

persevere *vi* persévérer.

persist *vi* persister.

persistence *adj* persistance *f*.

persistent *adj* persistant.

person *n* personne *f*.

personable *adj* attrayant.

personage *n* personnage *m*.

personal *adj* **~ly** *adv* personnel(lement).

personal assistant *n* secrétaire *mf* de direction.

personal column *n* annonces personnelles *fpl*.

personal computer *n* ordinateur individuel *m*.

personality *n* personnalité *f*.

personification *n* personnification *f*.

personify *vt* personnifier.

personnel *n* personnel *m*.

perspective *n* perspective *f*.

perspiration *n* transpiration *f*.

perspire *vi* transpirer.

persuade *vt* persuader.

persuasion *n* persuasion *f*.

persuasive *adj* persuasif; ~**ly** *adv* de manière persuasive.

pert *adj* plein d'entrain.

pertaining: ~ **to** *prep* relatif à.

pertinent *adj* pertinent; ~**ly** *adv* de manière pertinente.

pertness *n* impertinence *f*; entrain *m*.

perturb *vt* perturber.

perusal *n* lecture *f*.

peruse *vt* lire; examiner attentivement.

pervade *vt* pénétrer, traverser.

perverse *adj* pervers, dépravé; ~**ly** *adv* perversement.

pervert *vt* pervertir, corrompre.

pessimist *n* pessimiste *mf*.

pest *n* insecte nuisible *m*; casse-pieds *(fam)* *mf invar*.

pester *vt* importuner, fatiguer.

pestilence *n* peste *f*.

pet *n* animal domestique *m*; préféré *m* -e *f*; * *vt* gâter; * *vi* se peloter *(fam)*.

petal *n* (*bot*) pétale *m*.

petite *adj* menue.

petition *n* pétition *f*; * *vt* présenter une pétition à; supplier.

petrified *adj* pétrifié.

petroleum *n* pétrole *m*.

petticoat *n* jupon *m*.

pettiness *n* insignifiance *f*.

petty *adj* mesquin; insignifiant.

petty cash *n* argent destiné aux dépenses courantes *m*.

petty officer *n* second maître *m*.

petulant *adj* pétulant.

pew *n* banc *m*.

pewter *n* étain *m*.

phantom *n* fantôme *m*.

Pharisee *n* Pharisien *m*.

pharmaceutic(al) *adj* pharmaceutique.

pharmacist *n* pharmacien *m* -ienne *f*.

pharmacy *n* pharmacie *f*.

phase *n* phase *f*.

pheasant *n* faisan *m*.

phenomenal *adj* phénoménal.

phenomenon *n* phénomène *m*.

phial *n* fiole *f*.

philanthropic *adj* philanthropique.

philanthropist *n* philanthrope *mf*.

philanthropy *n* philanthropie *f*.

philologist *n* philologue *mf*.

philology *n* philologie *f*.

philosopher *n* philosophe *mf*.

philosophical(ly) *adj* (*adv*) philosophique(ment).

philosophise *vi* philosopher.

philosophy *n* philosophie *f*; **natural** ~ physique *f*.

phlegm *n* flegme *m*.

phlegmatic(al) *adj* flegmatique.

phobia *n* phobie *f*.

phone *n* téléphone *m*; * *vt* téléphoner à; ~ **back** *vt vi* rappeler; ~ **up** *vt* appeler au téléphone.

phone book *n* annuaire *m*.

phone box, phone booth *n* cabine téléphonique *f*.

phone call *n* coup de téléphone *m*.

phosphorus *n* phosphore *m*.

photocopier *n* photocopieuse *f*.

photocopy *n* photocopie *f*.

photograph *n* photo(graphie) *f*; * *vt* photographier.

photographer *n* photographe *mf*.

photographic *adj* photographique.

photography *n* photo(graphie) *f*.

phrase *n* phrase *f*; locution *f*; * *vt* exprimer.

phrase book n guide de conversation m.

physical adj ~ly adv physique(ment).

physical education n éducation physique f.

physician n médecin m.

physicist n physicien m -ne f.

physiological adj physiologique.

physiologist n physiologiste, physiologue mf.

physiology n physiologie f.

physiotherapy n physiothérapie f.

physique n physique m.

pianist n pianiste mf.

pick vt choisir; cueillir; gratter; ~ on vt s'en prendre à; ~ out vt choisir; ~ up vi s'améliorer; se remettre; * vt ramasser; décrocher; arrêter; acheter; * n pic m; choix m.

pickaxe n pic m.

picket n piquet m.

pickle n saumure f; * vt saumurer.

pickpocket n pickpocket m.

pickup n (auto) fourgonnette f.

picnic n pique-nique m.

pictorial adj pictural; illustré.

picture n image f; peinture f; photo f; * vt dépeindre; se figurer.

picture book n livre d'images m.

picturesque adj pittoresque.

pie n gâteau m; tarte f; pâté en croûte m.

piece n morceau m; pièce f; tranche f; * vt raccommoder.

piecemeal adv petit à petit; * adj partiel.

piecework n travail à la pièce m.

pier n jetée f.

pierce vt percer, transpercer.

piercing adj perçant.

piety n piété, dévotion f.

pig n cochon m.

pigeon n pigeon m.

pigeonhole n casier m.

piggy bank n tirelire f.

pigheaded adj têtu.

pigsty n porcherie f.

pigtail n natte f.

pike n brochet m; pique f.

pile n tas m; pile f; amas m; poil m; ~s pl hémorroïdes fpl; * vt entasser, empiler.

pile-up n carambolage m.

pilfer vt chaparder.

pilgrim n pèlerin m.

pilgrimage n pèlerinage m.

pill n pilule f.

pillage vt piller, mettre à sac.

pillar n pilier m.

pillion n siège arrière m.

pillow n oreiller m.

pillow case n taie d'oreiller f.

pilot n pilote m; * vt piloter; (fig) mener.

pilot light n témoin m.

pimp n proxénète, maquereau (fam) m.

pimple n bouton m.

pin n épingle f; goupille f; ~s and needles npl fourmis fpl; * vt épingler; goupiller.

pinafore n tablier m.

pinball n flipper m.

pincers n tenailles fpl.

pinch vt pincer; (sl) piquer, faucher; * vi serrer; * n pincement m; pincée f.

pincushion n pelote à épingles f.

pine n (bot) pin m; * vi languir.

pineapple n ananas m.

ping n tintement m.

pink adj n rose m.

pinnacle n sommet m.

pinpoint vt préciser; souligner.

pint n pinte f.

pioneer n pionnier m.

pious adj pieux, dévot; ~ly adv pieusement.

pip n pépin m.

pipe n tube, tuyau m; pipe f; ~s tuyauterie f.

pipe cleaner n cure-pipe m.

pipe dream n rêve impossible m.

pipeline n canalisation f; oléoduc m; gazoduc m.

piper n joueur de cornemuse m.

piping *adj* bouillant; aigu, *f* aiguë.

pique *n* pique *f*; dépit *m*.

piracy *n* piraterie *f*.

pirate *n* pirate *m*.

pirouette *n* pirouette *f*; *vi* pirouetter.

Pisces *n* Poissons *mpl* (signe du zodiaque).

piss *n* (*sl*) pisse *f*; * *vi* pisser.

pistol *n* pistolet *m*.

piston *n* piston *m*.

pit *n* noyau *m*; mine *f*; fosse *f*.

pitch *n* lancement *m*; ton *m*; * *vt* lancer, jeter; * *vi* tomber; piquer du nez.

pitchblack *adj* noir comme dans un four.

pitcher *n* cruche *f*.

pitchfork *n* fourche *f*.

pitfall *n* piège *m*.

pithy *adj* moelleux; vigoureux.

pitiable *adj* pitoyable; déplorable.

pitiful *adj* pitoyable; lamentable; ~**ly** *adv* pitoyablement.

pittance *n* salaire de misère *m*; pitance *f*.

pity *n* pitié *f*; * *vt* avoir pitié de.

pivot *n* pivot, axe *m*.

pizza *n* pizza *f*.

placard *n* affiche *f*.

placate *vt* apaiser.

place *n* endroit, lieu *m*; place *f*; * *vt* placer; mettre.

placid *adj* placide, calme; ~**ly** *adv* placidement.

plagiarism *n* plagiat *m*.

plague *n* peste *f*; * *vt* tourmenter; infester.

plaice *n* carrelet *m*.

plaid *n* tartan *m*; plaid *m*.

plain *adj* uni; simple; clair, sincère; commun; évident; ~**ly** *adv* simplement; clairement; * *n* plaine *f*.

plaintiff *n* (*law*) plaignant *m* -e *f*.

plait *n* tresse *f*; * *vt* tresser.

plan *n* plan *m*; projet *m*; * *vt* projeter.

plane *n* avion *m*; plan *m*; rabot *m*; * *vt* aplanir; raboter.

planet *n* planète *f*.

planetary *adj* planétaire.

plank *n* planche *f*.

planner *n* planificateur *m* -trice *f*.

planning *n* planification *f*.

plant *n* plante *f*; usine *f*; machinerie *f*; * *vt* planter.

plantation *n* plantation *f*.

plaque *n* plaque *f*.

plaster *n* plâtre *m*; emplâtre *m*; * *vt* plâtrer; emplâtrer.

plastered *adj* (*sl*) bourré, soûl.

plasterer *n* plâtrier *m*.

plastic *adj* plastique.

plastic surgery *n* chirurgie esthétique *f*.

plate *n* assiette *f*; plaque *f*; lame *f*.

plateau *n* (*geol*) plateau *m*.

plate glass *n* vitre *f*.

platform *n* plateforme *f*.

platinum *n* platine *m*.

platitude *n* platitude *f*.

platoon *n* (*mil*) peloton *m*.

platter *n* écuelle *f*; plat *m*.

plaudit *n* applaudissement *m*.

plausible *adj* plausible.

play *n* jeu *m*; pièce de théâtre *f*; * *vt vi* jouer; (*also mus*) ~ **down** *vt* rabaisser; minimiser.

playboy *n* playboy *m*.

player *n* joueur *m* -euse *f*; acteur *m* -trice *f*.

playful *adj* enjoué, amusé; ~**ly** *adv* d'une manière enjouée; pour s'amuser.

playmate *n* camarade de jeu *mf*.

playground *n* cour de récréation *f*; jardin d'enfants *m*.

playgroup *n* halte-garderie *f*.

play-off *n* prolongation *f* (match).

playpen *n* parc pour enfant *m*.

plaything *n* jouet *m*.

playwright *n* dramaturge *mf*.

plea *n* appel *m*; excuse *f*, prétexte *m*.

plead *vt* plaider; prétexter.

pleasant *adj* agréable; plaisant; aimable; ~**ly** *adv* agréablement.

please *vt* faire plaisir à.

pleased *adj* content.

pleasing *adj* agréable, plaisant.

pleasure *n* plaisir *m*; gré *m*, volonté *f*.

pleat *n* pli *m*.

pledge *n* promesse *f*; gage *m*; * *vt* engager; promettre.

plentiful *adj* copieux; abondant.

plenty *n* abondance *f*; ~ **of** beaucoup de.

plethora *n* pléthore *f*.

pleurisy *n* pleurésie *f*.

pliable, pliant *adj* pliable, pliant; souple.

pliers *npl* pinces *fpl*.

plight *n* épreuve *f*; situation difficile *f*.

plinth *n* plinthe *f*.

plod *vi* se traîner, avancer péniblement.

plot *n* petit morceau de terrain *m*; complot *m*; intrigue *f*; * *vt* tracer; comploter; conspirer.

plough *n* charrue *f*; * *vt* labourer; ~ **back** *vt* réinvestir; ~ **through** *vi* se faire un chemin; avancer péniblement.

ploy *n* truc *m*.

pluck *vt* tirer; arracher; déplumer; * *n* courage *m*.

plucky *adj* courageux.

plug *n* tampon *m*; bouchon *m*; bougie *f*; prise *f*; * *vt* boucher.

plum *n* prune *f*.

plumage *n* plumage *m*.

plumb *n* aplomb *m*; * *adv* d'aplomb; * *vt* plomber; sonder.

plumber *n* plombier *m*.

plume *n* plume *f*, panache *m*.

plump *adj* rondouillet, dodu.

plum tree *n* prunier *m*.

plunder *vt* mettre à sac, piller; * *n* pillage *m*; butin *m*.

plunge *vi* plonger; s'élancer.

plunger *n* piston *m*.

pluperfect *n* (*gr*) plus-que-parfait *m*.

plural *adj n* pluriel *m*.

plurality *n* pluralité *f*.

plus *n* signe plus *m*; * *prep* plus.

plush *adj* en peluche.

plutonium *n* plutonium *m*.

ply *vt* manier avec vigueur; * *vi* s'appliquer; (*mar*) faire la navette.

plywood *n* contreplaqué *m*.

pneumatic *adj* pneumatique.

pneumatic drill *n* marteau pneu-matique *m*.

pneumonia *n* pneumonie *f*.

poach *vt* pocher; braconner; *vi* braconner.

poached *adj* poché.

poacher *n* braconnier *m*.

poaching *n* braconnage *m*.

pocket *n* poche *f*; * *vt* empocher.

pocketbook *n* portefeuille *m*.

pocket money *n* argent de poche *m*.

pod *n* cosse *f*.

podgy *adj* boudiné.

poem *n* poème *m*.

poet *n* poète *m*.

poetess *n* poétesse *f*.

poetic *adj* poétique.

poetry *n* poésie *f*.

poignant *adj* poignant.

point *n* pointe *f*; point *m*; promontoire *m*; ~ **of view** *n* point de vue *m*; * *vt* pointer; tailler en pointe; indiquer.

point-blank *adv* à bout portant; directement.

pointed *adj* pointu; acéré; ~**ly** *adv* subtilement.

pointer *n* auguille *f*; pointer *m*.

pointless *adj* inutile.

poise *n* attitude *f*; équilibre *m*.

poison *n* poison *m*; * *vt* empoisonner.

poisoning *n* empoisonnement *m*.

poisonous *adj* vénéneux.

poke *vt* attiser; donner un coup de coude à; pousser du doigt.

poker *n* tison *m*; poker *m*.

poker-faced *adj* au visage impassible.

poky *adj* exigu, *f* exiguë.

polar *adj* polaire.

pole *n* pôle *m*; mât *m*; perche *f*.

pole bean *n* haricot en rames *m*.

pole vault *n* saut à la perche *m*.

police *n* police *f*.

police car *n* voiture de police *f*.

policeman *n* agent de police *m*.

police state *n* état policier *m*.

police station *n* commissariat *m*.

policewoman *n* femme agent de police *f*.

policy *n* politique *f*; police d'assurance *f*.

polio *n* polio *f*.

polish *vt* polir; cirer; ~ **off** *vt* parachever; expédier; * *n* poli *m*.

polished *adj* poli; ciré; élégant.

polite *adj* ~**ly** *adv* poli(ment), courtois(ement).

politeness *n* politesse, courtoisie *f*.

politic *adj* politique; rusé.

political *adj* politique.

politician *n* homme (femme) politique *m(f)*.

politics *npl* politique *f*.

polka *n* polka *f*; ~ **dot** *n* pois *m*.

poll *n* liste électorale *f*; vote *m*; sondage *m*.

pollen *n* (*bot*) pollen *m*.

pollute *vt* polluer; corrompre.

pollution *n* pollution, contamination *f*.

polyester *n* polyester *m*.

polyethylene *n* polyéthylène *m*.

polygamy *n* polygamie *f*.

polystyrene *n* polystyrène *m*.

polytechnic *n* école d'enseignement technique *f*.

pomegranate *n* grenade *f*.

pomp *n* pompe *f*; splendeur *f*.

pompom *n* pompon *m*.

pompous *adj* pompeux.

pond *n* mare *f*; étang *m*.

ponder *vt* considérer; réfléchir à.

ponderous *adj* lourd, pesant.

pontiff *n* pontife *m*.

pontoon *n* ponton *m*.

pony *n* poney *m*.

ponytail *n* queue de cheval *f*.

pool *n* flaque d'eau *f*; piscine *f*; * *vt* grouper.

poor *adj* pauvre; mauvais; ~**ly** *adv* pauvrement; **the** ~ *n* les pauvres *mpl*.

pop *n* pop *m*; papa *m*; boisson gazeuse *f*; éclatement *m*; * ~ **in/out** *vi* entrer/sortir un instant.

pop concert *n* concert de musique pop *m*.

popcorn *n* popcorn *m*.

Pope *n* pape *m*.

poplar *n* peuplier *m*.

poppy *n* (*bot*) pavot *m*.

popsicle *n* (US) sucette *f* glacée.

populace *n* populace *f*.

popular *adj* ~**ly** *adv* populaire(ment).

popularise *vt* populariser.

popularity *n* popularité *f*.

populate *vi* peupler.

population *n* population *f*.

populous *adj* populeux.

porcelain *n* porcelaine *f*.

porch *n* porche *m*.

porcupine *n* porc-épic *m*.

pore *n* pore *m*.

pork *n* porc *m* (viande).

pornography *n* pornographie *f*.

porous *adj* poreux.

porpoise *n* marsouin *m*.

porridge *n* porridge *m*, flocons d'avoine *mpl*.

port *n* port *m*; (*mar*) sabord *m*; babord *m*; porto (vin) *m*.

portable *adj* portable, portatif.

portal *n* portail *m*.

porter *n* portier *m*; garçon *m*.

portfolio *n* serviette *f*; carton *m*; portefeuille *m*.

porthole *n* hublot *m*.

portico *n* portique *m*.

portion *n* portion, part *f*.

portly *adj* corpulent.

portrait *n* portrait *m*.

portray *vt* faire le portrait de; dépeindre.

pose *n* posture *f*; pose *f*; * *vt vi* poser.

posh *adj* chic; bourgeois.

position n position f; situation f; * vt mettre en position.

positive adj positif; réel; favorable; ~**ly** adv positivement; assurément.

posse n peloton m, détachement m.

possess vt posséder.

possession n possession f.

possessive adj possessif.

possibility n possibilité f.

possible adj possible; ~**ly** adv peut-être.

post n courrier m; poste f; emploi m; poste m; pieu m; * vt poster; fixer.

postage n affranchissement m.

postage stamp n timbre m.

postcard n carte postale f.

postdate vt postdater.

posterior n postérieur m.

posterity n postérité f.

postgraduate n licencié m -e f.

posthumous adj posthume.

postman n facteur m.

postmark n cachet de la poste m.

postmaster n receveur des postes m.

post office n poste f, bureau de poste m.

postpone vt remettre; différer.

postscript n post-scriptum m.

posture n posture f.

postwar adj d'après-guerre.

posy n petit bouquet de fleurs m.

pot n pot m; marmite f; (sl) marijuana f; * vt empoter; mettre en pot.

potato n pomme de terre, patate (fam) f.

potato peeler n couteau éplucheur m.

potbellied adj ventru.

potent adj puissant.

potential adj potentiel.

pothole n trou m.

potion n potion f.

potted adj en pot.

potter n potier m.

pottery n poterie f.

potty adj insignifiant; (sl) fou, maboul.

pouch n sac m.

poultice n cataplasme m.

poultry n volaille f.

pound n livre f; livre sterling f; fourrière f; * vt concasser; * vi taper fort.

pour vt verser; servir; * vi couler; pleuvoir à verse.

pout vi faire la moue.

poverty n pauvreté f.

powder n poudre f; * vt saupoudrer.

powder compact n poudrier m.

powdered milk n lait en poudre m.

powder puff n houppette f.

powder room n toilettes fpl.

powdery adj poudreux.

power n pouvoir m; puissance f; empire m; autorité f; force f; * vt propulser.

powerful adj puissant; ~**ly** adv puissamment; avec force.

powerless adj impuissant.

power station n centrale électrique f.

practicable adj praticable; faisable.

practical adj ~**ly** adv pratique(ment).

practicality n faisabilité f.

practical joke n farce f.

practice n pratique f; usage m; entraînement m; ~**s** pl agissements mpl.

practise vt pratiquer, exercer; * vi s'exercer, s'entraîner.

practitioner n médecin m.

pragmatic adj pragmatique.

prairie n prairie f.

praise n éloge m; louange f; * vt louer.

praiseworthy adj digne d'éloges.

prance vi cabrioler.

prank n folie, extravagance f.

prattle vi jacasser; * n jacasserie f.

prawn *n* crevette *f*.
pray *vi* prier.
prayer *n* prière *f*.
prayer book *n* livre de messe *m*.
preach *vt* prêcher.
preacher *n* prédicateur *m*.
preamble *n* préambule *m*.
precarious *adj* précaire, incertain; **~ly** *adv* précairement.
precaution *n* précaution *f*.
precautionary *adj* préventif.
precede *vt* précéder.
precedence *n* précédence *f*.
precedent *adj n* précédent *m*.
precinct *n* limite *f*; enceinte *f*; circonscription *f*.
precious *adj* précieux.
precipice *n* (*fig*) précipice *m*.
precipitate *vt* précipiter; * *adj* précipité.
precise *n* précis, exact; **~ly** *adv* précisément, exactement.
precision *n* précision, exactitude *f*.
preclude *vt* exclure, empêcher.
precocious *adj* précoce, prématuré.
preconceive *vt* préconcevoir.
preconception *n* préjugé *m*; idée préconçue *f*.
precondition *n* condition préalable *f*.
precursor *n* précurseur *m*.
predator *n* prédateur *m*.
predecessor *n* prédécesseur *m*.
predestination *n* prédestination *f*.
predicament *n* situation difficile *f*.
predict *vt* prédire.
predictable *adj* prévisible.
prediction *n* prédiction *f*.
predilection *n* prédilection *f*.
predominant *adj* prédominant.
predominate *vt* prédominer.
preen *vt* nettoyer (ses plumes).
prefab *n* maison préfabriquée *f*.
preface *n* préface *f*.
prefer *vt* préférer.
preferable *adj* préférable.

preferably *adv* de préférence.
preference *n* préférence *f*.
preferential *adj* préférentiel.
preferment *n* promotion *f*; préférence *f*.
prefix *vt* préfixer; * *n* (*gr*) préfixe *m*.
pregnancy *n* grossesse *f*.
pregnant *adj* enceinte.
prehistoric *adj* préhistorique.
prejudice *n* (*law*) préjudice, tort *m*; préjugé *m*; * *vt* préjudicier à, faire du tort à.
prejudiced *adj* qui a des préjugés; partial.
prejudicial *adj* préjudiciable.
preliminary *adj* préliminaire.
prelude *n* prélude *m*.
premarital *adj* préconjugal.
premature *adj* **~ly** *adv* prématuré(ment).
premeditation *n* préméditation *f*.
premier *n* premier ministre *m*.
première *n* (*thea*) première *f*.
premise *n* prémisse *f*.
premises *npl* locaux *mpl*.
premium *n* prix *m*; indemnité *f*; prime *f*.
premonition *n* pressentiment *m*, prémonition *f*.
preoccupied *adj* préoccupé; absorbé.
prepaid *adj* port payé.
preparation *n* préparation *f*.
preparatory *adj* préparatoire.
prepare *vt* préparer; * *vi* se préparer.
preponderance *n* prépondérance *f*.
preposition *n* préposition *f*.
preposterous *adj* ridicule, absurde.
prerequisite *n* condition requise *f*.
prerogative *n* prérogative *f*.
prescribe *vt* prescrire.
prescription *n* prescription *f*; ordonnance *f*.
presence *n* présence *f*.

present *n* cadeau *m*; * *adj* présent; actuel; ~**ly** *adv* actuellement; * *vt* offrir, donner; présenter.

presentable *adj* présentable.

presentation *n* présentation *f*.

present-day *adj* actuel.

presenter *n* présentateur *m* -trice *f*.

presentiment *n* pressentiment *m*, prémonition *f*.

preservation *n* préservation *f*.

preservative *n* préservatif *m*.

preserve *vt* préserver; conserver; faire des conserves de; * *n* conserve *f*; confiture *f*.

preside *vi* présider; diriger.

presidency *n* présidence *f*.

president *n* président *m*.

presidential *adj* présidentiel.

press *vt* appuyer sur; serrer; pressurer; * *vi* se presser; * *n* presse *f*; pressoir *m*; pression *f*.

press agency *n* agence de presse *f*.

press conference *n* conférence de presse *f*.

pressing *adj* pressant; urgent; ~**ly** *adv* de manière pressante; d'urgence.

pressure *n* pression *f*.

pressure cooker *n* autocuiseur *m*.

pressure group *n* groupe de pression *m*.

pressurised *adj* pressurisé.

prestige *n* prestige *m*.

presumable *adj* vraisemblable.

presumably *adv* vraisemblablement.

presume *vt* présumer, supposer.

presumption *n* présomption *f*.

presumptuous *adj* présomptueux.

presuppose *vt* présupposer.

pretence *n* prétexte *m*; simulation *f*; prétention *f*.

pretend *vi* prétendre; faire semblant.

pretender *n* prétendant *m*.

pretension *n* prétention *f*.

pretentious *adj* prétentieux.

preterite *n* prétérit *m*.

pretext *n* prétexte *m*.

pretty *adj* joli, mignon; * *adv* assez; plutôt.

prevail *vi* prévaloir; prédominer.

prevailing *adj* dominant.

prevalent *adj* prédominant.

prevent *vt* prévenir; empêcher; éviter.

prevention *n* prévention *f*.

preventive *adj* préventif.

preview *n* avant-première *f*.

previous *adj* précédent; antérieur; ~**ly** *adv* auparavant.

prewar *adj* d'avant-guerre.

prey *n* proie *f*.

price *n* prix *m*.

priceless *adj* inappréciable.

price list *n* tarif *m*.

prick *vt* piquer; exciter; * *n* piqûre *f*; pointe *f*.

prickle *n* picotement *m*; épine *f*.

prickly *adj* épineux.

pride *n* orgueil *m*; vanité *f*; fierté *f*.

priest *n* prêtre *m*.

priestess *n* prêtresse *f*.

priesthood *n* sacerdoce *m*, prêtrise *f*.

priestly *adj* sacerdotal.

priggish *adj* affecté, bégueule.

prim *adj* prude, affecté.

primacy *n* primauté *f*.

primarily *adv* principalement, surtout.

primary *adj* primaire; principal, premier.

primate *n* primate *m*.

prime *n* (*fig*) fleur *f*; commencement *m*; * *adj* premier; principal; excellent; * *vt* amorcer.

prime minister *n* premier ministre *m*.

primeval *adj* primitif.

priming *n* amorçage *m*.

primitive *adj* primitif; ~**ly** *adv* primitivement.

primrose *n* (*bot*) primevère *f*.

prince *n* prince *m*.

princess *n* princesse *f*.

principal *adj* ~ly *adv* principal(ement); * *n* principal *m*.

principality *n* principauté *f*.

principle *n* principe *m*.

print *vt* imprimer; * *n* impression *f*; estampe *f*; caractères imprimés *mpl*; **out of** ~ épuisé (livres).

printed matter *n* imprimés *mpl*.

printer *n* imprimeur *m*; imprimante *f*.

printing *n* impression *f*.

prior *adj* antérieur, précédent; * *n* prieur *m*.

priority *n* priorité *f*.

priory *n* prieuré *m*.

prism *n* prisme *m*.

prison *n* prison *f*.

prisoner *n* prisonnier *m* -ière *f*.

pristine *adj* d'origine; intact.

privacy *n* intimité *f*.

private *adj* privé; secret; particulier; ~ **soldier** *n* simple soldat *m*; ~ly *adv* en privé.

private eye *n* détective privé *m*.

privet *n* troène *m*.

privilege *n* privilège *m*.

prize *n* prix *m*; * *vt* apprécier, évaluer; ~ **open** ouvrir par la force, forcer.

prize-giving *n* distribution des prix *f*.

prizewinner *n* gagnant *m* -e *f*.

pro *prep* pour.

probability *n* probabilité *f*; vraisemblance *f*.

probable *adj* probable, vraisemblable; ~**bly** *adv* probablement.

probation *n* essai *m*; probation *f*.

probationary *adj* d'essai.

probe *n* sonde *f*; enquête *f*; * *vt* sonder; * *vi* faire des recherches.

problem *n* problème *m*.

problematical *adj* ~ly *adv* problématique(ment).

procedure *n* procédure *f*.

proceed *vi* procéder; provenir; poursuivre; ~**s** *npl* produit *m*;

montant *m*; **gross** ~**s** bénéfices bruts *mpl*; **net** ~**s** benéfices nets *mpl*.

proceedings *n* procédure *f*; procédé *m*; procès *m*.

process *n* processus *m*; procédé *m*.

procession *n* procession *f*.

proclaim *vt* proclamer; promulguer.

proclamation *n* proclamation *f*; décret *m*.

procrastinate *vt* différer, retarder.

proctor *n* censeur *m*.

procure *vt* procurer.

procurement *n* obtention *f*.

prod *vt* pousser.

prodigal *adj* prodigue.

prodigious *adj* prodigieux; ~**ly** *adv* prodigieusement.

prodigy *n* prodige *m*.

produce *vt* produire; créer; fabriquer; * *n* produit *m*.

produce dealer *n* revendeur *m* -euse *f*.

producer *n* producteur *m* -trice *f*.

product *n* produit *m*; œuvre *f*; fruit *m*.

production *n* production *f*; produit *m*.

production line *n* chaîne *f* de fabrication.

productive *adj* productif.

productivity *n* productivité *f*.

profane *adj* profane.

profess *vt* professer; exercer; déclarer.

profession *n* profession *f*.

professional *adj* professionnel.

professor *n* professeur *m*.

proficiency *n* capacité *f*.

proficient *adj* compétent.

profile *n* profil *m*.

profit *n* bénéfice, profit *m*; avantage *m*; * *vi* profiter (de).

profitability *n* rentabilité *f*.

profitable *adj* profitable, avantageux.

profiteering *n* exploitation *f*, mercantilisme *m*.

profound *adj* **~ly** *adv* profond(ément).

profuse *adj* profus; prodigue; **~ly** *adv* à profusion.

program(me) *n* programme *m*.

programming *n* programmation *f*.

programmer *n* programmeur *m* -euse *f*.

progress *n* progrès *m*; cours *m*; * *vi* progresser.

progression *n* progression *f*; avance *f*.

progressive *adj* progressif; **~ly** *adv* progressivement.

prohibit *vt* prohiber; défendre.

prohibition *n* prohibition *f*.

project *vt* projeter; * *n* projet *m*.

projectile *n* projectile *m*.

projection *n* projection *f*.

projector *n* projecteur *m*.

proletarian *adj* prolétaire.

proletariat *n* prolétariat *m*.

prolific *adj* prolifique, fécond.

prolix *adj* prolixe.

prologue *n* prologue *m*.

prolong *vt* prolonger.

prom *n* bal *m*; concert-promenade *m*.

promenade *n* promenade *f*.

prominence *n* proéminence *f*; éminence *f*.

prominent *adj* proéminent.

promiscuous *adj* immoral, débauché.

promise *n* promesse *f*; * *vt* promettre.

promising *adj* prometteur.

promontory *n* promontoire *m*.

promote *vt* promouvoir.

promoter *n* promoteur *m*.

promotion *n* promotion *f*.

prompt *adj* **~ly** *adv* prompt(ement); * *vt* suggérer; inciter; souffler (au théâtre).

prompter *n* souffleur *m* -euse *f*.

prone *adj* enclin (à).

prong *n* dent *f* (fourchette).

pronoun *n* pronom *m*.

pronounce *vt* prononcer; déclarer.

pronounced *adj* marqué, prononcé.

pronouncement *n* déclaration *f*.

pronunciation *n* prononciation *f*.

proof *n* preuve *f*; * *adj* imperméable; résistant.

prop *vt* soutenir; * *n* appui, soutien *m*; tuteur *m*.

propaganda *n* propagande *f*.

propel *vt* propulser.

propeller *n* hélice *f*.

propensity *n* propension, tendance *f*.

proper *adj* propre; convenable; exact; approprié; **~ly** *adv* convenablement; correctement.

property *n* propriété *f*.

prophecy *n* prophétie *f*.

prophesy *vt* prophétiser, prédire.

prophet *n* prophète *m*.

prophetic *adj* prophétique.

proportion *n* proportion *f*; symétrie *f*.

proportional *adj* proportionnel.

proportionate *adj* proportionné.

proposal *n* proposition *f*; offre *f*.

propose *vt* proposer.

proposition *n* proposition *f*.

proprietor *n* propriétaire *mf*.

propriety *n* propriété *f*.

pro rata *adv* au prorata.

prosaic *adj* prosaïque.

prose *n* prose *f*.

prosecute *vt* poursuivre en justice.

prosecution *n* poursuites *fpl*; accusation *f*.

prosecutor *n* (*law*) procureur *m*.

prospect *n* perspective *f*; espoir *m*; * *vt vi* prospecter.

prospecting *n* prospection *f*.

prospective *adj* probable; futur.

prospector *n* prospecteur *m* -trice *f*.

prospectus *n* prospectus *m*.

prosper *vi* prospérer.

prosperity *n* prospérité *f*.

prosperous *adj* prospère.
prostitute *n* prostituée *f*.
prostitution *n* prostitution *f*.
prostrate *adj* prostré.
protagonist *n* protagoniste *mf*.
protect *vt* protéger; abriter.
protection *n* protection *f*.
protective *adj* protecteur.
protector *n* protecteur *m* -trice *f*.
protégé *n* protégé *m* -e *f*.
protein *n* protéine *f*.
protest *vi* protester; * *n* protestation *f*.
Protestant *n* protestant *m* -e *f*.
protester *n* manifestant *m* -e *f*; protestataire *mf*.
protocol *n* protocole *m*.
prototype *n* prototype *m*.
protracted *adj* prolongé.
protrude *vi* déborder, ressortir.
proud *adj* fier, orgueilleux; ~ly *adv* fièrement.
prove *vt* prouver; justifier; * *vi* s'avérer; se révéler.
proverb *n* proverbe *m*.
proverbial *adj* ~ly *adv* proverbial(ement).
provide *vt* fournir; ~ for pourvoir aux besoins de; prévoir.
provided *conj*: ~ that pourvu que.
providence *n* providence *f*.
province *n* province *f*; compétence *f*.
provincial *adj* *n* provincial *m* -e *f*.
provision *n* provision *f*; disposition *f*.
provisional *adj* ~ly *adv* provisoire(ment).
proviso *n* stipulation *f*.
provocation *n* provocation *f*.
provocative *adj* provocateur.
provoke *vt* provoquer.
prow *n* (*mar*) proue *f*.
prowess *n* prouesse *f*.
prowl *vi* rôder.
prowler *n* rôdeur *m* -euse *f*.
proximity *n* proximité *f*.
proxy *n* procuration *f*; délégué *m* -e *f*.

prudence *n* prudence *f*.
prudent *adj* prudent, circonspect; ~ly *adv* prudemment.
prudish *adj* prude.
prune *vt* tailler; * *n* pruneau *m*.
prussic acid *n* acide prussique *m*.
pry *vi* espionner; ~ open *vt* (US) forcer.
psalm *n* psaume *m*.
pseudonym *n* pseudonyme *m*.
psyche *n* psyché *f*.
psychiatric *adj* psychiatrique.
psychiatrist *n* psychiatre *mf*.
psychiatry *n* psychiatrie *f*.
psychic *adj* psychique.
psychoanalysis *n* psychanalyse *f*.
psychoanalyst *n* psychanaliste *mf*.
psychological *adj* psychologique.
psychologist *n* psychologue *mf*.
psychology *n* psychologie *f*.
puberty *n* puberté *f*.
public *adj* public; commun; ~ly *adv* publiquement; * *n* public *m*.
public address system *n* sonorisation *f*.
publican *n* patron(ne) de pub *m(f)*.
publication *n* publication *f*; édition *f*.
publicise *vt* faire de la publicité pour.
publicity *n* publicité *f*.
public opinion *n* opinion publique *f*.
public school *n* école privée *f*.
publish *vt* publier.
publisher *n* éditeur *m* -trice *f*.
publishing *n* édition *f*.
pucker *vt* plisser.
pudding *n* pudding *m*; dessert *m*.
puddle *n* flaque d'eau *f*.
puerile *adj* puéril.
puff *n* souffle *m*; bouffée *f*; * *vt* souffler; dégager; * *vi* souffler; bouffer.
puff pastry *n* pâte feuilletée *f*.
puffy *adj* bouffi, gonflé.

pull vt tirer; arracher; ~ **down** faire descendre; abattre; ~ **in** vi s'arrêter; entrer en gare; ~ **off** enlever; ~ **out** vi partir; * vt arracher; ~ **through** vi s'en sortir; se remettre; ~ **up** vi s'arrêter; * vt arracher; arrêter; * n tirage m; secousse f.

pulley n poulie f.

pulp n pulpe f.

pulpit n chaire f.

pulsate vi palpiter.

pulse n pouls m; légumes mpl secs.

pulverise vt pulvériser.

pumice n pierre ponce f.

pummel vt marteler.

pump n pompe f; * vt pomper; puiser.

pumpkin n citrouille f.

pun n jeu de mots m; * vi faire des jeux de mots.

punch n coup de poing m; poinçon m; punch m; * vt cogner; perforer; poinçonner.

punctual adj ponctuel, exact; ~ly adv ponctuellement.

punctuate vt ponctuer.

punctuation n ponctuation f.

pundit n expert m.

pungent adj piquant, âcre; mordant.

punish vt punir.

punishment n châtiment m, punition f; peine f.

punk n punk mf; minable mf; ~ **(music)** punk m.

punt n bateau plat m.

puny adj chétif, maigrelet.

pup, puppy n chiot m; * vi avoir des chiots, mettre bas.

pupil n élève mf; pupille mf.

puppet n marionnette f.

purchase vt acheter; * n achat m; acquisition f.

purchaser n acheteur m -euse f.

pure adj pur; ~ly adv purement.

purée n purée f.

purge vt purger.

purification n purification f.

purify vt purifier.

purist n puriste mf.

puritan n puritain m -e f.

purity n pureté f.

purl n maille à l'envers f.

purple adj n pourpre, violet m.

purport vt: **to** ~ **to** prétendre.

purpose n intention f; but, dessein m; **to the** ~ à propos; **to no** ~ en vain; **on** ~ exprès, à dessein.

purposeful adj résolu.

purr vi ronronner.

purse n sac à main m; porte-monnaie m invar.

purser n commissaire m de bord.

pursue vi poursuivre; suivre.

pursuit n poursuite f; occupation f.

purveyor n fournisseur m -euse f.

push vt pousser; presser; ~ **aside** écarter; ~ **off** vi (sl) se casser; ~ **on** vi continuer; * n poussée f; impulsion f; effort m; énergie f.

pusher n trafiquant de drogues m.

push-up n (gymn) pompe f.

put vt mettre, poser; proposer; obliger; ~ **away** ranger; ~ **down** poser par terre; rabaisser; attribuer; ~ **forward** avancer; ~ **off** remettre; décourager; ~ **on** mettre; allumer; prendre; affecter; ~ **out** éteindre; faire sortir; déranger; ~ **up** lever; augmenter; loger.

putrid adj putride.

putt n putt m; * vt vi putter.

putty n mastic m.

puzzle n énigme f; casse-tête m invar.

puzzling adj étrange, mystérieux.

pyjamas npl pyjama m.

pylon n pylône m.

pyramid n pyramide f.

python n python m.

Q

quack *vi* cancaner; * *n* canard *m*; (*sl*) charlatan *m*.

quadrangle *n* quadrilatère *m*.

quadrant *n* quadrant *m*.

quadrilateral *adj* quadrilatéral.

quadruped *n* quadrupède *m*.

quadruple *adj* quadruple.

quadruplet *n* quadruplé *m* -e *f*.

quagmire *n* marécage *m*.

quail *n* caille *f*.

quaint *adj* désuet; bizarre.

quake *vi* trembler.

Quaker *n* quaker *m*.

qualification *n* qualification *f*; diplôme *m*.

qualified *adj* qualifié; diplômé.

qualify *vt* qualifier; modérer; * *vi* se qualifier.

quality *n* qualité *f*.

qualm *n* scrupule *m*.

quandary *n* incertitude *f*, doute *m*.

quantitative *adj* quantitatif.

quantity *n* quantité *f*.

quarantine *n* quarantaine *f*.

quarrel *n* dispute, querelle *f*; * *vi* se disputer, se quereller.

quarrelsome *adj* querelleur.

quarry *n* carrière *f*.

quarter *n* quart *m*; **a ~ of an hour** un quart d'heure; * *vt* diviser en quatre.

quarterly *adj* trimestriel; * *adv* tous les trimestres.

quartermaster *n* (*mil*) intendant *m*.

quartet *n* (*mus*) quartette *m*; quatuor *m*.

quartz *n* (*min*) quartz *m*.

quash *vt* écraser; annuler.

quay *n* quai *m*.

queasy *adj* qui a des nausées; écœurant.

queen *n* reine *f*; dame *f* (cartes).

queer *adj* extrange; (*sl*) pédale *f*.

quell *vt* étouffer; apaiser.

quench *vt* assouvir; éteindre.

query *n* question *f*; * *vt* demander.

quest *n* recherche *f*.

question *n* question *f*; sujet *m*; doute *m*; * *vt* douter de; mettre en question; questionner.

questionable *adj* discutable; douteux.

questioner *n* interrogateur *m*.

question mark *n* point d'interrogation *m*.

questionnaire *n* questionnaire *m*.

quibble *vi* chicaner.

quick *adj* rapide; vif; prompt; **~ly** *adv* rapidement, vite.

quicken *vt* presser; accélérer; * *vi* s'accélérer.

quicksand *n* sables mouvants *mpl*.

quicksilver *n* mercure *m*.

quick-witted *adj* à l'esprit vif.

quiet *adj* calme; silencieux; **~ly** *adv* calmement.

quietness *n* calme *m*, tranquillité *f*; silence *m*.

quinine *n* quinine *f*.

quintet *n* (*mus*) quintette *m*.

quintuple *adj* quintuple.

quintuplet *n* quintuplé *m* -e *f*.

quip *n* sarcasme *m*; * *vt* railler.

quirk *n* particularité *f*.

quit *vt* arrêter de; quitter; * *vi* abandonner; démissionner; * *adj* quitte.

quite *adv* assez; complètement, absolument.

quits *adj* quitte.

quiver *vi* trembler.

quixotic *adj* donquichottesque.

quiz *n* concours *m*; examen *m*; * *vt* interroger.

quizzical *adj* railleur.

quota *n* quota *m*.

quotation *n* citation *f*.

quotation marks *npl* guillemets *mpl*.

quote *vt* citer.

quotient *n* quotient *m*.

R

rabbi *n* rabbi, rabbin *m*.

rabbit *n* lapin *m*.

rabbit hutch *n* clapier *m*.

rabble *n* cohue *f*.

rabid *adj* forcené, enragé.

rabies *n* rage *f*.

race *n* course *f*; race *f*; * *vt* faire une course avec; * *vi* courir; faire une course; aller très vite; foncer.

racer *n* cheval de course *m*.

racial *adj* racial; ~ist *adj n* raciste *mf*.

raciness *n* vivacité *f*.

racing *n* courses *fpl*.

rack *n* casier *m*; étagère *f*; * *vt* soumettre au supplice du chevalet; tourmenter.

racket *n* vacarme *m*; raquette *f*.

rack-rent *n* loyer démesuré *m*.

racy *adj* piquant, plein de verve.

radiance *n* rayonnement *m*, éclat *m*.

radiant *adj* rayonnant, radieux.

radiate *vt vi* rayonner, irradier.

radiation *n* irradiation *f*.

radiator *n* radiateur *m*.

radical(ly) *adj (adv)* radical(ement).

radicalism *n* radicalisme *m*.

radio *n* radio *f*.

radioactive *adj* radioactif.

radish *n* radis *m*.

radius *n* radius *m*.

raffle *n* tombola *f*; * *vt* mettre en tombola.

raft *n* radeau, train de flottage *m*.

rafter *n* chevron *m*.

rag *n* lambeau *m*, loque *f*.

ragamuffin *n* va-nu-pieds *m invar*; galopin *m*.

rage *n* rage *f*; fureur *f*; * *vi* être furieux; faire rage.

ragged *adj* déguenillé.

raging *adj* furieux, déchaîné, enragé.

ragman, ~ picker *n* chiffonnier *m*.

raid *n* raid *m*; * *vt* faire un raid sur.

raider *n* raider *m*, pillard *m*.

rail *n* rambarde *f*, garde-fou *m*; (*rail*) rail, chemin de fer *m*; * *vt* entourer d'une barrière.

raillery *n* taquinerie *f*.

railroad, railway *n* chemin de fer *m*.

raiment *n* vêtements *mpl*.

rain *n* pluie *f*; * *vi* pleuvoir.

rainbow *n* arc-en-ciel *m*.

rainwater *n* eau de pluie *f*.

rainy *adj* pluvieux.

raise *vt* lever, soulever; ériger, édifier; élever.

raisin *n* raisin sec *m*.

rake *n* râteau *m*; libertin *m*; * *vt* ratisser.

rakish *adj* libertin, débauché.

rally *vt* (*mil*) rallier; * *vi* se rallier.

ram *n* bélier *m*; navire bélier *m*; * *vt* enfoncer.

ramble *vi* errer; faire une randonnée; * *n* excursion à pied, randonnée *f*.

rambler *n* excursionniste *mf*.

ramification *n* ramification *f*.

ramify *vi* se ramifier.

ramp *n* rampe *f*.

rampant *adj* exubérant.

rampart *n* terre-plein *m*; (*mil*) rempart *m*.

ramrod *n* baguette *f*; refouloir *m*.

ramshackle *adj* délabré.

ranch *n* ranch *m*.

rancid *adj* rance.

rancour *n* rancœur *f*.

random *adj* fortuit, fait au hasard; **at ~** au hasard.

range *vt* ranger, classer; * *vi* s'étendre; * *n* rangée *f*; ordre *m*; portée *f*; chaîne *f*; champ de tir *m*; fourneau de cuisine *m*.

ranger n garde forestier m.

rank adj exubérant; fétide; flagrant; * n rang m, classe f, grade m.

rankle vi rester sur le cœur.

rankness n exubérance f; odeur rance f.

ransack vt saccager, piller.

ransom n rançon f.

rant vi déclamer.

rap vi donner un coup sec; * n petit coup sec m.

rapacious adj rapace; ~ly adv avec rapacité.

rapacity n rapacité f.

rape n viol m; rapt m; (bot) colza m; * vt violer.

rapid adj ~ly adv rapide(ment).

rapidity n rapidité f.

rapier n rapière f.

rapist n violeur m.

rapt adj extasié; absorbé.

rapture n ravissement m; extase f.

rapturous adj de ravissement.

rare adj ~ly adv rare(ment).

rarity n rareté f.

rascal n vaurien m.

rash adj imprudent, téméraire; ~ly adv sans réfléchir; * n vague f; éruption (cutanée) f.

rashness n imprudence f.

rasp n râpe f; * vt râper.

raspberry n framboise f; ~ **bush** framboisier m.

rat n rat m.

rate n taux, prix, cours m; classe f; vitesse f; * vt estimer, évaluer.

rather adv plutôt; quelque peu.

ratification n ratification f.

ratify vt ratifier.

rating n estimation f; classement m; indice m.

ratio n rapport m.

ration n ration f; (mil) vivres mpl.

rational adj rationnel; raisonnable; ~ly adv rationnellement.

rationality n rationalité f.

rattan n (bot) rotin m.

rattle vi s'entrechoquer; cliqueter

* vt faire s'entrechoquer; * n fracas m; cliquetis m.

rattlesnake n serpent à sonnettes m.

ravage vt ravager, piller; dévaster; * n ravage m.

rave vi délirer.

raven n corbeau m.

ravenous adj ~ly adv vorace(ment).

ravine n ravin m.

ravish vt enchanter; ravir.

ravishing adj enchanteur.

raw adj cru; brut; novice.

rawboned adj décharné; maigre.

rawness n crudité f; inexpérience f.

ray n rayon m; (fish) raie f.

raze vt raser.

razor n rasoir m.

reach vt atteindre; arriver à; * vi s'étendre, porter; * n portée f.

react vi réagir.

reaction n réaction f.

read vt vi lire.

readable adj lisible.

reader n lecteur m -trice f.

readily adv volontiers; facilement.

readiness n bonne volonté f; empressement m.

reading n lecture f.

reading room n salle de lecture f.

readjust vt réajuster, réadapter.

ready adj prêt; enclin; disposé.

real adj réel, vrai; ~ly adv vraiment.

realisation n réalisation f.

realise vt se rendre compte de; réaliser.

reality n réalité f.

realm n royaume m.

ream n rame f de papier.

reap vt moissonner.

reaper n moissonneuse f (machine).

reappear vi réapparaître.

rear n arrière m; derrière m; * vt élever, dresser.

rearmament n réarmement m.

reason n raison f; cause f; * vt vi raisonner.

reasonable adj raisonnable.

reasonableness n bon sens m, sagesse f.

reasonably adv raisonnablement.

reasoning n raisonnement m.

reassure vt rassurer; (com) réassurer.

rebel n rebelle mf; * vi se rebeller.

rebellion n rébellion f.

rebellious adj rebelle.

rebound vi rebondir.

rebuff n rebuffade f; * vt repousser.

rebuild vt reconstruire.

rebuke vt réprimander; * n réprimande f.

rebut vt réfuter.

recalcitrant adj récalcitrant.

recall vt (se) rappeler; retirer; * n retrait m.

recant vt rétracter, désavouer.

recantation n rétractation f.

recapitulate vt vi récapituler.

recapitulation n récapitulation f.

recapture n reprise f.

recede vi reculer.

receipt n reçu m; réception f; ~s npl recettes fpl.

receivable adj recevable.

receive vt recevoir; accueillir.

recent adj récent, neuf; ~ly adv récemment.

receptacle n récipient m.

reception n réception f.

recess n (law) vacance f; renfoncement m; recoin m.

recession n recul m; (com) récession f.

recipe n recette f.

recipient n destinataire mf.

reciprocal adj ~ly adv réciproque(ment).

reciprocate vi rendre la pareille.

reciprocity n réciprocité f.

recital n récit m; récital m.

recite vt réciter; exposer, énumérer.

reckless adj téméraire; ~ly adv imprudemment.

reckon vt compter, calculer; * vi calculer.

reckoning n compte m; calcul m.

reclaim vt assainir; récupérer.

reclaimable adj remboursable; récupérable.

recline vt reposer; * vi être allongé.

recluse n reclus m -e f.

recognise vt reconnaître.

recognition n reconnaissance f.

recoil vi reculer.

recollect vt se rappeler, se souvenir de.

recollection n souvenir m.

recommence vt recommencer.

recommend vt recommander.

recommendation n recommandation f.

recompense n récompense f; * vt récompenser.

reconcilable adj conciliable.

reconcile vt réconcilier.

reconciliation n réconciliation f.

recondite adj abstrus, obscur.

reconnoitre vt (mil) reconnaître.

reconsider vt reconsidérer.

reconstruct vt reconstruire.

record vt enregistrer; consigner par écrit; * n rapport m, registre m; disque m; record m; ~s pl archives fpl.

recorder n magnétophone m, archiviste mf; (mus) flûte à bec f.

recount vt raconter.

recourse n recours m.

recover vt retrouver; reprendre; récupérer; * vi se remettre, se rétablir.

recoverable adj récupérable.

recovery n guérison f; reprise f.

recreation n détente f; récréation f.

recriminate vi récriminer.

recrimination n récrimination f.

recruit *vt* recruter; * *n* (*mil*) recrue *f*.

recruiting *n* recrutement *m*.

rectangle *n* rectangle *m*.

rectangular *adj* rectangulaire.

rectification *n* rectification *f*.

rectify *vt* rectifier.

rectilinear *adj* rectiligne.

rectitude *n* rectitude *f*.

rector *n* pasteur *m*.

recumbent *adj* couché, étendu.

recur *vi* se reproduire.

recurrence *n* répétition *f*.

recurrent *adj* répétitif.

red *adj* rouge; * *n* rouge *m*.

redden *vt* *vi* rougir.

reddish *adj* rougeâtre.

redeem *vt* racheter, rembourser.

redeemable *adj* rachetable.

Redeemer *n* Rédempteur *m*.

redemption *n* rachat *m*.

redeploy *vt* réaffecter.

redhanded *adj*: **to catch sb ~** prendre quelqu'un la main dans le sac.

redhot *adj* brûlant, ardent.

red-letter day *n* jour à marquer d'une pierre blanche *m*.

redness *n* rougeur, rousseur *f*.

redolent *adj* parfumé, odorant.

redouble *vt* *vi* redoubler.

redress *vt* réparer; corriger; redresser; * *n* réparation *f*, redressement *m*.

redskin *n* Peau-Rouge *mf*.

red tape *n* (*fig*) paperasserie *f*.

reduce *vt* réduire; diminuer; abaisser.

reducible *adj* réductible.

reduction *n* réduction *f*; baisse *f*.

redundancy *n* licenciement *m*.

redundant *adj* superflu; licencié.

reed *n* roseau *m*.

reedy *adj* couvert de roseaux.

reef *n* (*mar*) ris *m*; récif *m*.

reek *n* puanteur *f*; * *vi* empester; puer.

reel *n* bobine *f*; bande *f*; dévidoir *m*; * *vi* chanceler.

re-election *n* réélection *f*.

re-engage *vt* rengager.

re-enter *vt* rentrer.

re-establish *vt* rétablir; réhabiliter.

re-establishment *n* rétablissement *m*; restauration *f*.

refectory *n* réfectoire *m*.

refer *vt* soumettre, renvoyer; se référer à; * *vi* se référer.

referee *n* arbitre *m*.

reference *n* référence, allusion *f*.

refine *vt* raffiner, affiner.

refinement *n* raffinement *m*; raffinerie *f*; culture *f*.

refinery *n* raffinerie *f*.

refit *vt* réparer (*also mar*).

reflect *vt* réfléchir, refléter; * *vi* réfléchir.

reflection *n* réflexion, pensée *f*.

reflector *n* réflecteur *m*; cataphote *m*.

reflex *adj* réflexe.

reform *vt* réformer; * *vi* se réformer.

reform, reformation *n* réforme *f*.

reformer *n* réformateur *m* -trice *f*.

reformist *n* réformiste *mf*.

refract *vt* réfracter.

refraction *n* réfraction *f*.

refrain *vi*: **to ~ from sth** s'abstenir de qch.

refresh *vt* rafraîchir.

refreshment *n* rafraîchissement *m*.

refrigerator *n* glacière *f*; réfrigérateur *m*.

refuel *vi* se ravitailler (en carburant).

refuge *n* refuge, asile *m*.

refugee *n* réfugié *m* -e *f*.

refund *vt* rembourser; * *n* remboursement *m*.

refurbish *vt* rénover.

refusal *n* refus *m*.

refuse *vt* refuser; * *n* déchets *mpl*.

refute *vt* réfuter.

regain *vt* recouvrer, reprendre.

regal *adj* royal.

regale *vt* régaler.

regalia *n* insignes *mpl*.

regard *vt* considérer; * *n* considération *f*; respect *m*.

regarding *pr* en ce qui concerne.

regardless *adv* quand même, malgré tout.

regatta *n* régate *f*.

regency *n* régence *f*.

regenerate *vt* régénérer; * *adj* régénéré.

regeneration *n* régénération *f*.

regent *n* régent *m*.

regime *n* régime *m*.

regiment *n* régiment *m*.

region *n* région *f*.

register *n* registre *m*; * *vt* enregistrer; ~**ed letter** *n* lettre recommandée *f*.

registrar *n* officier d'état civil *m*.

registration *n* enregistrement *m*.

registry *n* enregistrement *m*.

regressive *adj* régressif.

regret *n* regret *m* * *vt* regretter.

regretful *adj* plein de regrets.

regular *adj* régulier; ordinaire; ~**ly** *adv* régulièrement; * *n* habitué *m* -e *f*.

regularity *n* régularité *f*.

regulate *vt* régler, réglementer.

regulation *n* règlement *m*; réglementation *f*.

regulator *n* régulateur *m*.

rehabilitate *vt* réhabiliter.

rehabilitation *n* réhabilitation *f*.

rehearsal *n* répétition *f*.

rehearse *vt* répéter; raconter.

reign *n* règne *m*; * *vi* régner.

reimburse *vt* rembourser.

reimbursement *n* remboursement *m*.

rein *n* rêne *f*; * *vt* ~ **in** (*fig*) contenir.

reindeer *n* renne *m*.

reinforce *vt* renforcer.

reinstate *vt* réintégrer.

reinsure *vt* (*com*) réassurer.

reissue *n* réédition *f*.

reiterate *vt* réitérer.

reiteration *n* réitération, répétition *f*.

reject *vt* rejeter.

rejection *n* refus, rejet *m*.

rejoice *vt* réjouir; * *vi* se réjouir.

rejoicing *n* réjouissance *f*.

relapse *vi* retomber; * *n* rechute *f*.

relate *vt* relater; rapprocher; * *vi* se rapporter.

related *adj* apparenté.

relation *n* rapport *m*; parent *m*.

relationship *n* lien de parenté *m*; relation *f*; rapport *m*.

relative *adj* relatif; ~**ly** *adv* relativement; * *n* parent *m* -e *f*.

relax *vt* relâcher; détendre; * *vi* se relâcher; se détendre.

relaxation *n* relâchement *m*; détente *f*.

relay *n* relais *m*; * *vt* retransmettre.

release *vt* libérer, relâcher; * *n* libération *f*; décharge *f*.

relegate *vt* reléguer.

relegation *n* relégation *f*.

relent *vi* s'adoucir.

relentless *adj* implacable.

relevant *adj* pertinent.

reliable *adj* fiable, digne de confiance.

reliance *n* confiance *f*.

relic *n* relique *f*.

relief *n* soulagement *m*; secours *m*.

relieve *vt* soulager, alléger; secourir.

religion *n* religion *f*.

religious *adj* religieux; ~**ly** *adv* religieusement.

relinquish *vt* abandonner, renoncer à.

relish *n* saveur *f*; goût *m*; attrait *m*; * *vt* savourer, se délecter de.

reluctance *n* répugnance *f*.

reluctant *adj* peu disposé.

rely *vi* compter sur, avoir confiance en.

remain *vi* rester, demeurer.

remainder *n* reste, restant *m*.

remains *npl* restes, vestiges *mpl*; dépouille *f*.

remand *vt*: **to ~ in custody** mettre en détention préventive.

remark n remarque, observation f; * vt (faire) remarquer, (faire) observer.

remarkable adj remarquable, notable.

remarkably adv remarquablement.

remarry vi se remarier.

remedial adj de rattrapage.

remedy n remède, recours m; * vt remédier à.

remember vt se souvenir de; se rappeler.

remembrance n mémoire f; souvenir m.

remind vt rappeler.

reminiscence n réminiscence f.

remiss adj négligent.

remission n rémission f.

remit vt remettre, pardonner; * vi diminuer.

remittance n remise f.

remnant n reste, restant m.

remodel vt remodeler.

remonstrate vi protester.

remorse n remords m.

remorseless adj implacable.

remote adj lointain, éloigné; ~ly adv au loin, de loin.

remoteness n éloignement m; isolement m.

removable adj amovible.

removal n suppression f; déménagement m.

remove vt enlever; * vi déménager.

remunerate vt rémunérer.

remuneration n rémunération f.

render vt rendre, remettre; traduire; (law) rendre.

rendezvous n rendez-vous m; point de ralliement m.

renegade n renégat m -e f.

renew vt renouveler.

renewal n renouvellement m.

rennet n présure f.

renounce vt renoncer à.

renovate vt rénover.

renovation n rénovation f.

renown n renommée f; célébrité f.

renowned adj célèbre, renommé.

rent n loyer m; location f; * vt louer.

rental n loyer m.

renunciation n renonciation f.

reopen vt rouvrir.

reorganisation n réorganisation f.

reorganise vt réorganiser.

repair vt réparer; * n réparation f.

repairable adj réparable.

reparation n réparation f.

repartee n répartie, réplique f.

repatriate vt rapatrier.

repay vt rembourser; rendre, récompenser.

repayment n remboursement m.

repeal vt abroger, annuler; * n abrogation, annulation f.

repeat vt répéter.

repeatedly adv à plusieurs reprises.

repeater n montre à répétition f.

repel vt repousser, rebuter.

repent vi se repentir.

repentance n repentir m.

repentant adj repentant.

repertory n répertoire m.

repetition n répétition, réitération f.

replace vt replacer; remplacer.

replant vt replanter.

replenish vt remplir de nouveau.

replete adj rempli, rassasié.

reply n réponse f; * vi répondre.

report vt rapporter, relater; rendre compte de; * n rapport m; compte rendu m; rumeur f.

reporter n journaliste mf.

repose vi (se) reposer; * n repos m.

repository n dépôt m.

repossess vt reprendre possession de.

reprehend vt condamner.

reprehensible adj répréhensible.

represent vt représenter.

representation n représentation f.

representative *adj* représentatif; * *n* représentant(e) *m(f)*.

repress *vt* réprimer, contenir.

repression *n* répression *f*.

repressive *adj* répressif.

reprieve *vt* accorder un sursis *ou* un répit à; * *n* sursis *m*.

reprimand *vt* réprimander, blâmer; * *n* blâme *m*; réprimande *f*.

reprint *vt* réimprimer.

reprisal *n* représailles *fpl*.

reproach *n* reproche, opprobre *m*; * *vt* reprocher.

reproachful *adj* réprobateur; ~ly *adv* d'un air de reproche.

reproduce *vt* reproduire.

reproduction *n* reproduction *f*.

reptile *n* reptile *m*.

republic *n* république *f*.

republican *adj n* républicain *m* -e *f*.

republicanism *n* républicanisme *m*.

repudiate *vt* renier.

repugnance *n* répugnance *f*, dégoût *m*.

repugnant *adj* répugnant; ~ly *adv* avec répugnance.

repulse *vt* repousser, rejeter; * *n* rebuffade *f*; refus *m*.

repulsion *n* répulsion *f*.

repulsive *adj* répulsif.

reputable *adj* honorable.

reputation *n* réputation *f*.

repute *n* renom *m*.

request *n* demande, requête *f*; * *vt* demander.

require *vt* demander, nécessiter.

requirement *n* besoin *m*; exigence *f*.

requisite *adj* nécessaire, indispensable; * *n* objet(s) nécessaire(s) *m(pl)*.

requisition *n* demande; (*mil*) réquisition *f*.

requite *vt* rembourser.

rescind *vt* annuler, abroger.

rescue *vt* sauver, secourir; * *n* secours *m*, délivrance *f*.

research *vt* faire des/de la recherche(s); * *n* recherche(s) *f(pl)*.

resemblance *n* ressemblance *f*.

resemble *vt* ressembler à.

resent *vt* être contrarié/irrité par.

resentful *adj* plein de ressentiment; amer; ~ly *adv* avec ressentiment.

resentment *n* ressentiment *m*.

reservation *n* réserve *f*; réservation *f*.

reserve *vt* réserver; * *n* réserve *f*.

reservedly *adv* avec réserve.

reservoir *n* réservoir *m*.

reside *vi* résider.

residence *n* résidence *f*; séjour *m*.

resident *adj* résidant; * *n* résident *m* -e *f*.

residuary *adj* restant; ~ **legatee** *n* (*law*) légataire universel *m*.

residue *n* reste, résidu *m*.

residuum *n* (*chem*) résidu *m*.

resign *vt* démissionner de, renoncer à, céder; se résigner à; * *vi* démissionner.

resignation *n* démission *f*.

resin *n* résine *f*.

resinous *adj* résineux.

resist *vt* résister, s'opposer.

resistance *n* résistance *f*.

resolute *adj* ~ly *adv* résolu(ment).

resolution *n* résolution *f*.

resolve *vt* résoudre; * *vi* (se) résoudre, (se) décider.

resonance *n* résonance *f*.

resonant *adj* résonant.

resort *vi* recourir; * *n* lieu de vacances *m*; recours *m*.

resound *vi* résonner.

resource *n* ressource(s) *f(pl)*; expédient *m*.

respect *n* respect *m*; égard *m*; rapport *m*; ~s *pl* respects *mpl*; * *vt* respecter.

respectability *n* respectabilité *f*.

respectable *adj* respectable; considérable; ~bly *adv* convenablement.

respectful *adj* respectueux; **~ly** *adv* respectueusement.

respecting *prep* en ce qui concerne.

respective *adj* respectif; **~ly** *adv* respectivement.

respirator *n* respirateur *m*.

respiratory *adj* respiratoire.

respite *n* répit *m*; (*law*) sursis *m*; * *vt* repousser, différer.

resplendence *n* resplendissement *m*, splendeur *f*.

resplendent *adj* resplendissant.

respond *vi* répondre; réagir.

respondent *n* (*law*) défendeur *m* -deresse *f*.

response *n* réponse, réaction *f*.

responsibility *n* responsabilité *f*.

responsible *adj* responsable.

responsive *adj* sensible à, réceptif.

rest *n* repos *m*; (*mus*) pause *f*; reste, restant *m*; * *vt* faire/or laisser reposer; appuyer; * *vi* se reposer, reposer.

resting place *n* lieu de repos *m*.

restitution *n* restitution *f*.

restive *adj* rétif, récalcitrant; agité.

restless *adj* agité; instable.

restoration *n* restauration *f*.

restorative *adj* fortifiant.

restore *vt* restituer, restaurer.

restrain *vt* retenir, contenir.

restraint *n* contrainte, entrave *f*.

restrict *vt* restreindre, limiter.

restriction *n* restriction *f*.

restrictive *adj* restrictif.

rest room *n* (US) toilettes *fpl*.

result *vi* résulter; * *n* résultat *m*.

resume *vt* reprendre.

resurrection *n* résurrection *f*.

resuscitate *vt* réanimer.

retail *vt* vendre au détail, détailler; * *n* vente au détail *f*.

retain *vt* retenir, conserver.

retainer *n* serviteur *m*; **~s** *pl* arrhes *fpl*; suite *f*.

retake *vt* reprendre.

retaliate *vi* se venger.

retaliation *n* représailles *fpl*.

retardation *n* retard *m*.

retarded *adj* retardé.

retch *vi* avoir des haut-le-cœur.

retention *n* rétention *f*.

retentive *adj* qui retient bien.

reticence *n* réticence *f*.

reticule *n* réticule *m*.

retina *n* rétine *f*.

retire *vt* mettre à la retraite; * *vi* se retirer; prendre sa retraite.

retired *adj* retraité, à la retraite.

retirement *n* isolement *m*; retraite *f*.

retort *vt* rétorquer; * *n* réplique *f*.

retouch *vt* retoucher.

retrace *vt* retracer.

retract *vt* rétracter; retirer.

retrain *vt* recycler.

retraining *n* recyclage *m*.

retreat *n* repli *m*; * *vi* se retirer.

retribution *n* châtiment *m*; récompense *f*.

retrievable *adj* récupérable; réparable.

retrieve *vt* récupérer, recouvrer.

retriever *n* chien d'arrêt *m*.

retrograde *adj* rétrograde.

retrospect, retrospection *n* regard rétrospectif *m*.

retrospective *adj* rétrospectif.

return *vt* rendre; restituer; renvoyer; * *n* retour *m*; renvoi *m*; récompense *f*; revenu *m*; remboursement *m*.

reunion *n* réunion *f*.

reunite *vt* réunir; * *vi* se réunir.

reveal *vt* révéler.

revel *vi* faire la fête.

revelation *n* révélation *f*.

reveller *n* fêtard *m*.

revelry *n* fête *f*.

revenge *vt* venger; * *n* vengeance *f*.

revengeful *adj* vindicatif.

revenue *n* revenu *m*; rente *f*.

reverberate *vt* réverbérer; * *vi* résonner, retentir; se réverbérer.

reverberation *n* répercussion *f*; réverbération *f*.

revere *vt* révérer, vénérer.

reverence *n* vénération *f*; * *vt* révérer.

reverend *adj* révérend; vénérable; * *n* curé *m*.

reverent, reverential *adj* révérenciel, respecteux.

reversal *n* renversement *m*; annulation *f*.

reverse *vt* renverser; annuler; * *vi* faire marche arrière; * *n* inverse *m*; contraire *m*; revers *m*.

reversible *adj* révocable; réversible.

reversion *n* retour *m*; réversion *f*.

revert *vi* revenir; retourner.

review *vt* revoir; (*mil*) passer en revue; * *n* revue *f*; examen *m*.

reviewer *n* critique *m*.

revile *vt* vilipender.

revise *vt* réviser; mettre à jour.

reviser *n* réviseur *m*.

revision *n* révision *f*.

revisit *vt* retourner voir.

revival *n* reprise *f*; renouveau *m*.

revive *vt* ranimer; raviver; * *vi* reprendre connaissance; reprendre.

revocation *n* révocation *f*.

revoke *vt* révoquer, annuler.

revolt *vi* se révolter; * *n* révolte *f*.

revolting *adj* exécrable.

revolution *n* révolution *f*.

revolutionary *adj n* révolutionnaire *mf*.

revolve *vt* (re)tourner; * *vi* tourner.

revolving *adj* tournant.

revue *n* revue *f*.

revulsion *n* écœurement *m*.

reward *n* récompense *f*; * *vt* récompenser.

rhapsody *n* r(h)apsodie *f*.

rhetoric *n* rhétorique *f*.

rhetorical *adj* rhétorique.

rheumatic *adj* rhumatisant.

rheumatism *n* rhumatisme *m*.

rhinoceros *n* rhinocéros *m*.

rhombus *n* rhombe *m*.

rhomboid *n* rhomboïd *m*.

rhubarb *n* rhubarbe *f*.

rhyme *n* rime *f*; vers *mpl*; * *vi* rimer.

rhythm *n* rythme *m*.

rhythmical *adj* rythmique.

rib *n* côte *f*.

ribald *adj* paillard.

ribbon *n* ruban *m*; lambeaux *mpl*.

rice *n* riz *m*.

rich *adj* riche; sompteux; abondant; **~ly** *adv* richement.

riches *npl* richesse *f*.

richness *n* richesse *f*; abondance *f*.

rickets *n* rachitisme *m*.

rickety *adj* rachitique.

rid *vt* débarrasser; se débarrasser de.

riddance *n*: **good ~**! bon débarras!

riddle *n* énigme *f*; crible *m*; * *vt* cribler.

ride *vi* monter à cheval; aller en voiture; * *n* promenade à cheval *ou* en voiture *f*.

rider *n* cavalier *m* -ière *f*.

ridge *n* arête, crête *f*; chaîne *f*; * *vt* rider, strier.

ridicule *n* ridicule *m*; raillerie *f*; * *vt* ridiculiser.

ridiculous *adj*   **~ly** *adv* ridicule(ment).

riding *n* équitation *f*; monte *f*.

riding habit *n* tenue d'amazone *f*.

riding school *n* manège *m*.

rife *adj* répandu, abondant.

riffraff *n* racaille *f*.

rifle *vt* dévaliser, piller; strier, rayer; * *n* fusil *m*.

rifleman *n* fusilier *m*.

rig *vt* équiper; truquer; (*mar*) gréer; * *n* gréement *m*; plate-forme de forage *f*.

rigging *n* (*mar*) gréement *m*.

right *adj* droit, bien; juste; équitable; **~**! bien!, bon!; **~ly** *adv* bien; correctement; à juste titre; * *n* justice *f*; raison *f*; droit *m*; droite *f*; * *vt* redresser.

righteous *adj* droit, vertueux; **~ly** *adv* vertueusement.

righteousness *n* droiture *f*; vertu *f*.

rigid *adj* rigide; sévère, strict; **~ly** *adv* rigidement.

rigidity *n* rigidité *f*; sévérité *f*.

rigmarole *n* galimatias *m*.

rigorous *adj* rigoureux; **~ly** *adv* rigoureusement.

rigour *n* rigueur *f*; sévérité *f*.

rim *n* bord *m*, monture *f*.

rind *n* peau, écorce *f*.

ring *n* anneau, cercle, rond *m*; bague *f*; tintement *m* de cloche; * *vt* sonner; * *vi* sonner, retentir; **~ the bell** sonner.

ringer *n* carillonneur *m*.

ringleader *n* meneur *m*.

ringlet *n* anglaise *f*.

ringworm *n* (*med*) teigne *f*.

rink *n* (*also* **ice ~**) patinoire *f*.

rinse *vt* rincer.

riot *n* émeute *f*; * *vi* se livrer à une émeute.

rioter *n* émeutier *m*, -ière *f*.

riotous *adj* séditieux; dissolu; **~ly** *adv* de façon tapageuse.

rip *vt* déchirer, fendre.

ripe *adj* mûr.

ripen *vt vi* mûrir.

ripeness *n* maturité *f*.

rip-off *n* (*sl*): **it's a ~!** c'est du vol!

ripple *vt* rider; * *vi* se rider; * *n* ondulation *f*, ride *f*.

rise *vi* se lever; naître; se soulever; monter; provenir de; s'élever; croître; ressusciter; * *n* hausse *f*; augmentation *f*; montée *f*; lever *m*; source *f*.

rising *n* insurrection *f*; levée, clôture *f*.

risk *n* risque, danger *m*; * *vt* risquer.

risky *adj* risqué.

rissole *n* rissole *f*.

rite *n* rite *m*.

ritual *adj n* rituel *m*.

rival *adj* rival; * *n* rival *m* -e *f*; * *vt* rivaliser avec, concurrencer.

rivalry *n* rivalité *f*.

river *n* rivière *f*.

rivet *n* rivet *m*; * *vt* riveter, river.

rivulet *n* petit ruisseau *m*.

roach *n* blatte *f*.

road *n* route *f*.

roadsign *n* panneau de signalisation *m*.

roadstead *n* (*mar*) rade *f*.

roadworks *npl* travaux routiers *mpl*.

roam *vt* parcourir; errer dans; * *vi* errer.

roan *adj* rouan.

roar *vi* hurler, rugir; mugir; * *n* hurlement *m*; rugissement, mugissement *m*; grondement *m*.

roast *vt* rôtir; griller.

roast beef *n* rôti de bœuf *m*.

rob *vt* voler.

robber *n* voleur *m* -euse *f*.

robbery *n* vol *m*.

robe *n* robe (de cérémonie) *f*; peignoir de bain *m*; * *vt* revêtir d'une robe de cérémonie.

robin (redbreast) *n* rouge-gorge *m*.

robust *adj* robuste.

robustness *n* robustesse *f*.

rock *n* roche *f*; rocher *m*; roc *m*; * *vt* bercer; balancer; ébranler; * *vi* (se) balancer.

rock and roll *n* rock (and roll) *m*.

rock crystal *n* cristal de roche *m*.

rocket *n* fusée *f*.

rocking chair *n* fauteuil à bascule *m*.

rock salt *n* sel gemme *m*.

rocky *adj* rocheux.

rod *n* baguette, tringle, canne *f*.

rodent *n* rongeur *m*.

roe *n* chevreuil *m*; œufs *mpl* de poisson.

roebuck *n* chevreuil (mâle) *m*.

rogation *n* rogations *fpl*.

rogue *n* coquin, polisson *m*; gredin *m*.

roguish *adj* coquin.

roll vt rouler; étendre; enrouler; * vi (se) rouler; * n roulement m; rouleau m; liste f; catalogue m; liasse f; petit pain m.

roller n rouleau, cylindre m.

roller skates npl patins à roulettes mpl.

rolling pin n rouleau à pâtisserie m.

Roman Catholic adj catholique mf.

romance n romance f; roman m; conte m; fable f.

romantic adj romantique.

romp vi jouer bruyamment.

roof n toit m; voûte f; * vt couvrir.

roofing n toiture f.

rook n freux m; tour f (aux échecs).

room n pièce, salle f; place f, espace m; chambre f.

roominess n grande envergure f.

rooming house n pension f.

roomy adj spacieux.

roost n perchoir m; * vi se percher.

root n racine f; origine f; * vt vi ~ out extirper; dénicher.

rooted adj enraciné; ancré.

rope n corde f; cordage m; * vi attacher.

ropemaker n cordier m.

rosary n rosaire m.

rose n rose f.

rosebed n massif de roses m.

rosebud n bouton de rose m.

rosebush n rosier m.

rosemary n (bot) romarin m.

rosette n rosette f.

rosé wine n (vin) rosé m.

rosewood n bois de rose m.

rosiness n couleur rosée f.

rosy adj rosé.

rot vi pourrir; * n pourriture f.

rotate vt faire tourner; * vi tourner.

rotation n rotation f.

rote n: by ~ par cœur.

rotten adj pourri; corrompu.

rottenness n pourriture f.

rotund adj rond, replet, arrondi.

rouble n rouble m.

rouge n rouge (à joues) m.

rough adj accidenté, inégal, rugueux; rude, brutal, brusque; houleux; ~ly adv rudement.

roughcast n crépi m.

roughen vt rendre rugueux.

roughness n rugosité f; rudesse, brusquerie f; agitation f.

round adj rond, circulaire; rondelet; franc; * n cercle m; rond m; tour m; tournée f; partie f; ronde f; canon m; série f; * adv autour de; environ; ~ly adv rondement; franchement; * vt contourner; arrondir.

roundabout adj détourné, indirect; * n rond-point m.

roundness n rondeur f.

rouse vt réveiller; exciter.

rout n déroute, débâcle f; * vt mettre en déroute.

route n itinéraire m; route f.

routine adj habituel; * n routine f; numéro m.

rove vi vagabonder, errer.

rover n vagabond m -e f; pirate m.

row n querelle f; vacarme m.

row n rangée, file f; * vt (mar) ramer.

rowdy n hooligan, voyou m.

rower n rameur m -euse f.

royal adj royal; princier; ~ly adv royalement.

royalist n royaliste mf.

royalty n royauté f; droits d'auteur mpl; royalties fpl; redevance f; membres de la famille royale mpl.

rub vt frotter; irriter; * n frottement m; (fig) ennui m; difficulté f.

rubber n caoutchouc m, gomme f; préservatif m.

rubber band n élastique m.

rubbish n détritus mpl; ordures fpl; bêtises fpl; décombres mpl.

rubric n rubrique f.

ruby n rubis m.

rucksack n sac à dos m.
rudder n gouvernail m.
ruddiness n teint vif m, rougeur f.
ruddy adj coloré, rouge.
rude adj impoli, rude, brusque; grossier, primitif; ~ly adv impoliment, grossièrement.
rudeness n impolitesse f; rudesse, insolence f.
rudiment n rudiments mpl.
rue vt regretter amèrement; * n (bot) rue f.
rueful adj triste.
ruffian n voyou m, brute f; * adj brutal.
ruffle vt ébouriffer, déranger; rider.
rug n tapis m, carpette f.
rugged adj accidenté, déchiqueté; rude; robuste.
ruin n ruine f; perte f; ruines fpl; * vt ruiner; détruire.
ruinous adj ruineux.
rule n règle f; règlement m; pouvoir m; domination f; * vt gouverner, dominer; décider, régler; diriger.
ruler n dirigeant m -e f; règle f.
rum n rhum m.
rumble vi gronder, tonner.
ruminate vt ruminer.
rummage vi fouiller.
rumour n rumeur f; * vt faire courir le bruit.
rump n croupe f.

run vt diriger; organiser; faire couler; passer; ~ the risk courir le risque; * vi courir; fuir, se sauver; filer; fonctionner; aller; couler; concourir; * n course, compétition f; parcours m; cours m; série f; mode f; ruée f.
runaway n fugitif m -ive f, fuyard m.
rung n barreau, échelon m.
runner n coureur m; concurrent m -e f; messager m.
running n course f; direction f.
runway n piste de décollage f.
rupture n rupture f; hernie f; * vt rompre; * vi se rompre.
rural adj rural, champêtre.
ruse n ruse f, stratagème m.
rush n jonc m; ruée f; hâte f; * vt pousser vivement; * vi se précipiter, s'élancer.
rusk n biscotte f.
russet adj roux.
rust n rouille f; * vi se rouiller.
rustic adj rustique; * n paysan, rustaud m.
rustiness n rouille f.
rustle vi bruire; * vt faire bruire; froisser.
rustling n vol de bétail m; bruissement m.
rusty adj rouillé; roux.
rut n (zool) rut m; ornière f.
ruthless adj cruel, impitoyable; ~ly adv sans pitié.
rye n (bot) seigle m.

S

Sabbath n sabbat m; dimanche m.
sabre n sabre m.
sable n zibeline f.
sabotage n sabotage m.
saccharin n saccharine f.
sack n sac m; * vt mettre à sac; renvoyer.

sacrament n sacrement m; Eucharistie f.
sacramental adj sacramentel.
sacred adj saint, sacré; inviolable.
sacredness n (caractère) sacré m.
sacrifice n sacrifice m; * vt sacrifier.

sacrificial *adj* sacrificiel.

sacrilege *n* sacrilège *m*.

sacrilegious *adj* sacrilège.

sad *adj* triste, déprimé; attristant; regrettable; **~ly** *adv* tristement.

sadden *vt* attrister.

saddle *n* selle *f*; col *m*; * *vt* seller.

saddlebag *n* sacoche de selle *f*.

saddler *n* sellier *m*.

sadness *n* tristesse *f*.

safe *adj* sûr; en sécurité; hors de danger; sans danger; **~ly** *adv* sans accident; **~ and sound** sain et sauf; * *n* coffre-fort *m*.

safe-conduct *n* sauf-conduit *m*.

safeguard *n* sauvegarde *f*; * *vt* sauvegarder, protéger.

safety *n* sécurité *f*; sûreté *f*.

safety belt *n* ceinture de sécurité *f*.

safety pin *n* épingle de nourrice *f*.

saffron *n* safran *m*.

sage *n* (*bot*) sauge *f*; sage *m*; * *adj* sage; **~ly** *adv* avec sagesse.

Sagittarius *n* Sagittaire *m* (signe du zodiaque).

sago *n* (*bot*) sagou *m*.

sail *n* voile *f*; * *vt* piloter; * *vi* aller à la voile, naviguer.

sailing *n* navigation *f*.

sailor *n* marin *m*.

saint *n* saint *m* -e *f*.

sainted, saintly *adj* saint.

sake *n* bien *m*, égard *m*; **for God's ~** pour l'amour de Dieu.

salad *n* salade *f*.

salad bowl *n* saladier *m*.

salad dressing *n* vinaigrette *f*.

salad oil *n* huile de table *f*.

salamander *n* salamandre *f*.

salary *n* salaire *m*.

sale *n* vente *f*; solde *m*.

saleable *adj* vendable.

salesman *n* vendeur *m*.

saleswoman *n* vendeuse *f*.

salient *adj* saillant.

saline *adj* salin.

saliva *n* salive *f*.

sallow *adj* jaunâtre, cireux.

sally *n* (*mil*) sortie, saillie *f*; * *vi* saillir.

salmon *n* saumon *m*.

salmon trout *n* truite saumonée *f*.

saloon *n* bar *m*.

salt *n* sel *m*; * *vt* saler.

salt cellar *n* salière *f*.

saltness *n* salinité *f*.

saltpetre *n* salpêtre *m*.

saltworks *npl* salines *fpl*.

salubrious *adj* salubre, sain.

salubrity *n* salubrité *f*.

salutary *adj* salutaire.

salutation *n* salutation(s) *f*(*pl*).

salute *vt* saluer; * *n* salut *m*.

salvage *n* (*mar*) droit de sauvetage *m*.

salvation *n* salut *m*.

salve *n* baume, onguent *m*.

salver *n* plateau *m*.

salvo *n* salve *f*.

same *adj* même, identique.

sameness *n* monotonie *f*.

sample *n* échantillon *m*; prélèvement *m*; * *vt* goûter.

sampler *n* échantillonneur *m* -euse *f*; modèle *m*.

sanatorium *n* sanatorium *m*.

sanctify *vt* sanctifier.

sanctimonious *adj* cagot.

sanction *n* sanction *f*; * *vt* sanctionner.

sanctity *n* sainteté *f*.

sanctuary *n* sanctuaire *m*; asile *m*.

sand *n* sable *m*; * *vt* sabler.

sandal *n* sandale *f*.

sandbag *n* (*mil*) sac *m* de sable.

sandpit *n* carrière de sable *f*.

sandstone *n* grès *m*.

sandy *adj* sablonneux, sableux.

sane *adj* sain.

sanguinary *adj* sanguinaire, sanglant.

sanguine *adj* sanguin.

sanitary towel *n* serviette *f* hygiénique.

sanity *n* santé mentale, raison *f*.

sap *n* sève *f*; * *vt* miner.
sapient *adj* sage, prudent.
sapling *n* jeune arbre *m*.
sapphire *n* saphir *m*.
sarcasm *n* sarcasme *m*.
sarcastic *adj* sarcastique, caustique; ~**ally** *adv* d'une manière sarcastique.
sarcophagus *n* sarcophage *m*.
sardine *n* sardine *f*.
sash *n* écharpe *f*; ceinture *f*.
sash window *n* fenêtre à guillotine *f*.
sassy *adj* (US) insolent.
Satan *n* Satan *m*.
satanic(al) *adj* satanique.
satchel *n* cartable *m*.
satellite *n* satellite *m*.
satiate, sate *vt* rassasier, assouvir.
satin *n* satin *m*; * *adj* en *ou* de satin.
satire *n* satire *f*.
satirical *adj* satirique; ~**ly** *adv* d'une manière satirique.
satirize *vt* faire la satire de.
satirist *n* écrivain satirique *m*.
satisfaction *n* satisfaction *f*.
satisfactorily *adv* d'une manière satisfaisante.
satisfactory *adj* satisfaisant.
satisfy *vt* satisfaire; convaincre.
saturate *vt* saturer.
Saturday *n* samedi *m*.
saturnine *adj* saturnien, sombre.
satyr *n* satyre *m*.
sauce *n* sauce *f*; assaisonnement *m*; * *vt* assaisonner.
saucepan *n* casserole *f*.
saucer *n* soucoupe *f*.
saucily *adv* avec impertinence.
sauciness *n* impertinence, insolence *f*.
saucy *adj* impertinent.
saunter *vi* flâner, se balader.
sausage *n* saucisse *f*.
savage *adj* sauvage, barbare; ~**ly** *adv* sauvagement; * *n* sauvage *mf*.

savageness *n* sauvagerie *f*; barbarie *f*.
savagery *n* sauvagerie, barbarie *f*.
savannah *n* savane *f*.
save *vt* sauver; économiser; épargner; éviter; conserver; * *adv* sauf, à l'exception de; * *n* (*sport*) arrêt *m*.
saveloy *n* cervelas *m*.
saver *n* libérateur *m* -trice *f*; épargnant *m* -e *f*.
saving *adj* économique, économe; * *prep* sauf, à l'exception de; * *n* sauvetage *m*; ~**s** *pl* économies *fpl*, épargne *f*.
savings account *n* compte d'épargne *m*.
savings and loan association *n* (US) organisme *m* de crédit immobilier.
savings bank *n* caisse d'épargne *f*.
Saviour *n* Sauveur *m*.
savour *n* saveur *f*; goût *m*; * *vt* déguster, savourer.
savouriness *n* goût *m*; saveur *f*.
savoury *adj* savoureux.
saw *n* scie *f*; * *vt* scier.
sawdust *n* sciure *f*.
sawfish *n* poisson scie *m*.
sawmill *n* scierie *f*.
sawyer *n* scieur *m*.
saxophone *n* saxophone *m*.
say *vt* dire.
saying *n* dicton, proverbe *m*.
scab *n* gale *f*; croûte *f*.
scabbard *n* gaine *f*; fourreau *m*.
scabby *adj* galeux.
scaffold *n* échafaud *m*; échafaudage *m*.
scaffolding *n* échafaudage *m*.
scald *vt* échauder; * *n* brûlure *f*.
scale *n* balance *f*; échelle *f*; gamme *f*; écaille *f*; * *vt* escalader; écailler.
scallion *n* échalote *f*.
scallop *n* feston *m*; coquille *f* St Jacques; * *vt* festonner.
scalp *n* cuir chevelu *m*; * *vt* scalper.

scamp n coquin m.

scamper vi galoper.

scampi npl langoustines fpl.

scan vt scruter; explorer; scander.

scandal n scandale m; infamie f.

scandalise vt scandaliser.

scandalous adj scandaleux; ~ly adv scandaleusement.

scant, scanty adj rare, insuffisant.

scantily adv pauvrement, insuffisamment.

scantiness n insuffisance, pauvreté f.

scapegoat n bouc émissaire m.

scar n cicatrice f; * vt marquer d'une cicatrice.

scarce adj rare; ~ly adv à peine.

scarcity n rareté f; pénurie f.

scare vt effrayer; * n peur; panique f.

scarecrow n épouvantail m.

scarf n écharpe f.

scarlatina n scarlatine f.

scarlet n écarlate f; * adj écarlate.

scarp n escarpement m.

scat interj (sl) ouste!

scatter vt éparpiller; disperser.

scavenger n charognard m; éboueur m.

scenario n scénario m; (also fig).

scene n scène f; lieu m; spectacle m, vue f.

scenery n vue f; décor (de théâtre) m.

scenic adj scénique.

scent n parfum m, odeur f; odorat m; piste f; * vt parfumer.

scent bottle n flacon à parfum m.

scentless adj sans odeur, inodore.

sceptic n sceptique mf.

sceptic(al) adj sceptique.

scepticism n scepticisme m.

sceptre n sceptre m.

schedule n horaire m; programme m; liste f.

scheme n projet, plan m; schéma m; système m; machination f; * vt machiner; * vi intriguer.

schemer n conspirateur m -trice f, intrigant m -e f.

schism n schisme m.

schismatic n schismatique mf.

scholar n élève mf; érudit m -e f.

scholarship n savoir m, science f; bourse (d'études) f.

scholastic adj scolaire.

school n école f; * vt instruire.

schoolboy n écolier, élève m.

schoolgirl n écolière, élève f.

schooling n instruction, éducation f.

schoolmaster n instituteur, maître (d'école) m.

schoolmistress n institutrice, maîtresse (d'école) f.

schoolteacher n instituteur/trice mf; professeur mf.

schooner n (mar) goélette f.

sciatic n sciatique f.

science n science f.

scientific adj ~ally adv scientifique(ment).

scientist n scientifique mf.

scimitar n cimeterre m.

scintillate vi scintiller, étinceler.

scintillating adj brillant, scintillant.

scission n scission, division f.

scissors npl ciseaux mpl.

scoff vi se moquer.

scold vt réprimander; * vi grogner.

scoop n louche f; pelle f; exclusivité f; * vt évider; écoper.

scooter n scooter m; trottinette f.

scope n portée, envergure, étendue f; zone de compétence f; liberté d'action f.

scorch vt brûler; roussir, griller; * vi se brûler, roussir.

score n score m; marque f; entaille, rayure f; titre, égard m; compte m; (mus) partition f; vingtaine f; * vt marquer; souligner; * vi marquer un/des point(s).

scoreboard *n* tableau (d'affichage) *m*.

scorn *vt* mépriser; dédaigner; * *n* dédain, mépris *m*.

scornful *adj* dédaigneux; ~ly *adv* avec mépris.

Scorpio *n* Scorpion *m* (signe du zodiaque).

scorpion *n* scorpion *m*.

scotch *vt* contrecarrer.

Scotch *n* whisky *m*.

Scotch tape *n* scotch *m*.

scoundrel *n* vaurien *m*.

scour *vt* récurer, frotter; nettoyer; * *vi* battre la campagne.

scourge *n* fouet *m*; châtiment *m*; * *vt* fouetter; châtier.

scout *n* (*mil*) éclaireur *m* -euse *f*; guetteur *m*; reconnaissance *f*; * *vi* aller en reconnaissance.

scowl *vi* se renfrogner; * *n* mine renfrognée *f*.

scragginess *n* décharnement *m*, maigreur extrême *f*; rugosité *f*.

scraggy *adj* rugueux; famélique.

scramble *vi* avancer à quatre pattes; grimper; se battre, se disputer; * *n* bousculade, ruée *f*; ascension *f*.

scrap *n* bout *m*; restes *mpl*; petit morceau *m*; bagarre *f*; ferraille *f*.

scrape *vt vi* racler, gratter; * *vt* érafler; * *n* embarras *m*, ennui *m*.

scraper *n* racloir *m*.

scratch *vt* griffer, égratigner; gratter, griffonner; * *n* égratignure *f*.

scrawl *vt vi* gribouiller; * *n* griffonnage *m*.

scream, screech *vi* hurler, pousser des cris; * *n* cri perçant, hurlement *m*.

screen *n* écran *m*; paravent *m*; rideau *m*; écran de cheminée *m*; * *vt* abriter, cacher; projeter; passer au crible, sélectionner.

screenplay *n* scénario *m*.

screw *n* vis *f*; * *vt* visser; extorquer, soutirer.

screwdriver *n* tournevis *m*.

scribble *vt* gribouiller; * *n* gribouillage *m*.

scribe *n* scribe *m*.

scrimmage *n* mêlée *f*.

script *n* scénario *m*; script *m*.

scriptural *adj* biblique.

Scripture *n* Écriture *f* sainte.

scroll *n* rouleau (de papier *ou* parchemin) *m*.

scrub *vt* nettoyer à la brosse, récurer; annuler; * *n* broussailles *fpl*.

scruffy *adj* mal soigné.

scruple *n* scrupule *m*.

scrupulous *adj* scrupuleux; ~ly *adv* scrupuleusement.

scrutinise *vt* étudier minutieusement, examiner.

scrutiny *n* examen minutieux *m*.

scuffle *n* échauffourée, rixe *f*; * *vi* se bagarrer.

scull *n* aviron *m*.

scullery *n* arrière-cuisine *f*.

sculptor *n* sculpteur *m* -trice *f*.

sculpture *n* sculpture *f*; * *vt* sculpter.

scum *n* écume *f*; crasse *f*; rebut *m*.

scurrilous *adj* injurieux; vil, ignoble; ~ly *adv* injurieusement.

scurvy *n* scorbut *m*; * *adj* vil, mesquin.

scuttle *n* corbeille *f*; * *vi* courir précipitamment.

scythe *n* faux *f*.

sea *n* mer *f*; * *adj* marin; **heavy ~** mer houleuse *f*.

sea breeze *n* brise de mer *f*.

seacoast *n* côte *f*.

sea fight *n* combat naval *m*.

seafood *n* fruits de mer *mpl*.

sea front *n* bord de mer *m*.

seagreen *adj* vert glauque.

seagull *n* mouette *f*.

sea horse *n* hippocampe *m*.

seal *n* sceau *m*; phoque *m*; * *vt* sceller.

sealing wax *n* cire à cacheter *f*.

seam *n* couture *f*; * *vt* faire une couture.

seaman *n* marin *m*.

seamanship *n* habileté à naviguer *f*.

seamstress *n* couturière *f*.

seamy *adj* sordide.

sea plane *n* hydravion *m*.

seaport *n* port de mer *m*.

sear *vt* cautériser.

search *vt* fouiller; inspecter; examiner; scruter, sonder; * *n* fouille *f*; recherche *f*; perquisition *f*.

searchlight *n* projecteur *m*.

seashore *n* rivage *m*, bord de mer *m*.

seasick *adj* sujet au mal de mer.

seasickness *n* mal de mer *m*.

seaside *n* bord de mer *m*.

season *n* saison *f*; moment opportun *m*; assaisonnement *m*; * *vt* assaisonner; dessécher.

seasonable *adj* opportun, à propos.

seasonably *adv* de façon opportune, à propos.

seasoning *n* assaisonnement *m*.

season ticket *n* carte d'abonnement *f*.

seat *n* siège *m*; place *f*; derrière *m*; fond *m*; * *vt* (faire) asseoir; placer.

seat belt *n* ceinture de sécurité *f*.

seaward *adj* du large; **~s** *adv* vers le large.

seaweed *n* algue *f*.

seaworthy *adj* en état de naviguer.

secede *vi* faire sécession, se séparer.

secession *n* sécession *f*; séparation *f*.

seclude *vt* éloigner, isoler.

seclusion *n* solitude *f*; isolement *m*.

second *adj* **~(ly)** *adv* deuxième(ment); * *n* second *m*; seconde *f*; (*mus*) seconde *f*; * *vt* aider; seconder.

secondary *adj* secondaire.

secondary school *n* collège d'enseignement secondaire *m*.

secondhand *n* article d'occasion *m*.

secrecy *n* secret *m*; discrétion *f*.

secret *adj* *n* secret *m*; **~ly** *adv* secrètement.

secretary *n* secrétaire *mf*.

secrete *vt* cacher; (*med*) sécréter.

secretion *n* sécrétion *f*.

secretive *adj* secret, dissimulé.

sect *n* secte *f*.

sectarian *n* sectaire *mf*.

section *n* section *f*.

sector *n* secteur *m*.

secular *adj* séculaire.

secularise *vt* séculariser.

secure *adj* sûr; en sûreté; **~ly** *adv* en sécurité; * *vt* mettre en sûreté; assurer.

security *n* sécurité *f*; sûreté *f*; protection *f*; caution *f*.

sedan *n* (US) berline *f*.

sedan chair *n* chaise à porteurs *f*.

sedate *adj* **~ly** *adv* calme(ment), posé(ment).

sedateness *n* calme *m*.

sedative *n* sédatif *m*.

sedentary *adj* sédentaire.

sedge *n* (*bot*) carex *m*.

sediment *n* sédiment *m*; lie *f*; dépôt *m*.

sedition *n* sédition *f*.

seditious *adj* séditieux.

seduce *vt* séduire; corrompre.

seducer *n* séducteur *m* -trice *f*.

seduction *n* séduction *f*.

seductive *adj* séduisant.

sedulous *adj* assidu; **~ly** *adv* assidûment.

see *vt* voir, remarquer, découvrir; connaître; juger; comprendre; * *vi* voir; comprendre; **~!** regarde!; tu vois!

seed *n* graine, semence *f*; * *vi* monter en graine.

seedling *n* semis *m*.

seedsman *n* grainetier *m*.

seed time *n* (époque des) semailles *f(pl)*.

seedy *adj* minable.

seeing *conj*: ~ that vu que.

seek *vt* chercher; demander.

seem *vi* paraître, sembler.

seeming *n* apparence *f*; ~**ly** *adv*
apparemment.

seemliness *n* bienséance *f*.

seemly *adj* convenable, bienséant.

seer *n* prophète *m*.

seesaw *n* bascule *f*; * *vi* osciller.

seethe *vi* bouillir, bouillonner.

segment *n* segment *m*.

seize *vt* saisir, attraper; opérer la
saisie de.

seizure *n* capture *f*, saisie *f*.

seldom *adv* rarement, peu souvent.

select *vt* sélectionner, choisir; *
adj choisi, sélectionné.

selection *n* sélection *f*.

self *n* soi-même; **the ~** le moi; *
pref auto-.

self-command *n* maîtrise de soi
f.

self-conceit *n* vanité *f*.

self-confident *adj* sûr de soi.

self-defence *n* autodéfense *f*.

self-denial *n* abnégation de soi
f.

self-employed *adj* indépendant.

self-evident *adj* évident, qui va
de soi.

self-governing *adj* autonome.

self-interest *n* intérêt personnel
m.

selfish *adj* ~**ly** *adv* égoïste(ment).

selfishness *n* égoïsme *m*.

self-pity *n* apitoiement sur soi-
même *m*.

self-portrait *n* autoportrait *m*.

self-possession *n* sang-froid *m*,
assurance *f*.

self-reliant *adj* indépendant.

self-respect *n* respect de soi *m*.

selfsame *adj* exactement le
même, identique.

self-satisfied *adj* suffisant.

self-seeking *adj* égoïste.

self-service *adj* libre-service.

self-styled *adj* autoproclamé.

self-sufficient *adj* autosuffi-
sant.

self-taught *adj* autodidacte.

self-willed *adj* obstiné, volontaire.

sell *vt* vendre; attraper; * *vi* se
vendre.

seller *n* vendeur *m* -euse *f*.

selling-off *n* liquidation *f*.

semblance *n* semblant *m*, apparence *f*.

semen *n* sperme *m*.

semester *n* semestre *m*.

semicircle *n* demi-cercle *m*.

semicircular *adj* semi-circulaire.

semicolon *n* point-virgule *m*.

semiconductor *n* semi-conducteur *m*.

seminary *n* séminaire *m*.

semitone *n* (*mus*) demi-ton *m*.

senate *n* sénat *m*.

senator *n* sénateur *m* -trice *f*.

senatorial *adj* sénatorial.

send *vt* envoyer, expédier, adresser; émettre; pousser.

sender *n* expéditeur *m* -trice *f*.

senile *adj* sénile.

senility *n* sénilité *f*.

senior *n* aîné *m* -e *f*; * *adj* aîné;
supérieur.

seniority *n* ancienneté *f*.

senna *n* (*bot*) séné *m*.

sensation *n* sensation *f*.

sense *n* sens *m*; sensation *f*; raison *f*; bon sens *m*; sentiment *m*.

senseless *adj* insensé; sans connaissance; ~**ly** *adv* stupidement.

senselessness *n* manque de bon
sens *m*; absurdité *f*.

sensibility *n* sensibilité *f*.

sensible *adj* sensé, raisonnable;
sensible.

sensibly *adj* raisonnablement.

sensitive *adj* sensible.

sensual, sensuous *adj* ~**ly** *adv*
sensuel(lement).

sensuality *n* sensualité *f*.

sentence *n* phrase *f*; condamnation *f*; * *vt* condamner, prononcer une sentence contre.

sententious *adj* sentencieux; **~ly** *adv* sentencieusement.

sentient *adj* sensible.

sentiment *n* sentiment *m*; opinion *f*.

sentimental *adj* sentimental.

sentinel, sentry *n* sentinelle *f*.

sentry box *n* guérite *f*.

separable *adj* séparable.

separate *vt* séparer; * *vi* se séparer; * *adj* séparé; distinct; **~ly** *adv* séparément.

separation *n* séparation *f*.

September *n* septembre *m*.

septennial *adj* septennal.

septuagenarian *n* septuagénaire *m*.

sepulchre *n* sépulcre *m*.

sequel *n* conséquence *f*; suite *f*.

sequence *n* ordre *m*, série *f*.

sequester, sequestrate *vt* séquestrer.

sequestration *n* séquestration *f*.

seraglio *n* sérail *m*.

seraph *n* séraphin *m*.

serenade *n* sérénade *f*; * *vt* jouer une sérénade pour.

serene *adj* serein; **~ly** *adv* sereinement.

serenity *n* sérénité *f*.

serf *n* serf *m*, serve *f*.

serge *n* serge *f*.

sergeant *n* sergent *m*; (US) caporal-chef *m*; brigadier *m*.

serial *adj* de/en série; * *n* feuilleton *m*; téléroman *m*.

series *n* série *f*.

serious *adj* sérieux, grave; **~ly** *adv* sérieusement.

sermon *n* sermon *m*.

serous *adj* séreux.

serpent *n* serpent *m*.

serpentine *adj* sinueux; * *n* (*chem*) serpentine *f*.

serrated *adj* en dents de scie.

serum *n* sérum *m*.

servant *n* domestique *mf*.

servant-girl *n* servante, bonne *f*.

serve *vt* servir; desservir; faire; accomplir; * *vi* servir; être utile; **~ a warrant** remettre un mandat.

service *n* service *m*; office *m*; entretien *m*; * *vt* entretenir; réviser.

service station *n* station-service *f*.

serviceable *adj* utilisable; pratique.

servile *adj* servile.

servitude *n* servitude *f*, esclavage *m*.

session *n* séance, session *f*; réunion *f*.

set *vt* mettre, poser, placer; fixer, déterminer; * *vi* se coucher (soleil); se figer; se mettre; * *n* jeu *m*; service *m*; ensemble *m*; (*cine*) plateau *m*; set *m*; groupe *m*, bande *f*; * *adj* fixe, figé; prêt; déterminé.

settee *n* canapé *m*.

setting *n* disposition *f*; cadre *m*; monture *f*; **~ of the sun** coucher du soleil *m*.

settle *vt* poser, installer, arranger; régler; calmer; * *vi* se poser; s'installer; se calmer.

settlement *n* règlement *m*; établissement *m*; accord *m*; résolution *f*; colonie *f*; colonisation *f*.

settler *n* colon *m*, colonisateur *m*-trice *f*.

set-to *n* lutte *f*; combat *m*.

seven *adj n* sept *m*.

seventeen *adj n* dix-sept *m*.

seventeenth *adj n* dix-septième *mf*.

seventh *adj n* septième *mf*.

seventieth *adj n* soixante-dixième *mf*.

seventy *adj n* soixante-dix *m*.

sever *vt* séparer.

several *adj pn* plusieurs.

severance *n* séparation *f*.

severe *adj* sévère, rigoureux, austère, dur; **~ly** *adv* sévèrement.

severity *n* sévérité *f*.

sew *vt vi* coudre.

sewer *n* égout *m*.

sewerage *n* (système d') égouts *mpl*; eaux d'égout *fpl*.

sewing machine *n* machine à coudre *f*.

sex *n* sexe *m*.

sexist *adj n* sexiste *mf*.

sextant *n* sextant *m*.

sexton *n* sacristain *m*.

sexual *adj* sexuel.

sexy *adj* sexy.

shabbily *adv* petitement, mesquinement.

shabbiness *n* aspect décrépit *ou* miteux *m*.

shabby *adj* miteux.

shackle *vt* enchaîner; ~**s** *npl* chaînes *fpl*.

shade *n* ombre, obscurité *f*; nuance *f*; abat-jour *m*; * *vt* ombrager; abriter; atténuer.

shadiness *n* ombre *f*; ombrage *m*.

shadow *n* ombre *f*.

shadowy *adj* ombragé; sombre; indistinct.

shady *adj* ombreux, ombragé; sombre.

shaft *n* flèche *f*; fût *m*; puits *m*; (*tech*) arbre *m*; rayon *m*.

shag *n* tabac *m*; cormoran huppé *m*.

shaggy *adj* hirsute.

shake *vt* secouer; agiter; * *vi* trembler; chanceler; ~ **hands** se serrer la main; * *n* secousse *f*; tremblement *m*.

shaking *adj* tremblant.

shaky *adj* tremblant.

shallow *adj* peu profond, superficiel; futile.

shallowness *n* manque de profondeur *m*; futilité *f*.

sham *vt* feindre; * *n* imitation *f*; imposture *f*; * *adj* feint, simulé.

shambles *npl* désordre *m*.

shame *n* honte *f*; * *vt* faire honte à, déshonorer.

shamefaced *adj* honteux, confus.

shameful *adj* honteux; scandaleux; ~**ly** *adv* honteusement.

shameless *adj* ~**ly** *adv* effronté(ment).

shamelessness *n* effronterie, impudeur *f*.

shammy *n* (peau de) chamois *m*.

shampoo *vt* faire un shampooing à; * *n* shampooing *m*.

shamrock *n* trèfle *m*.

shank *n* jambe *f*; hampe *f*; tuyau (de pipe) *m*; canon *m*.

shanty *n* baraque *f*.

shanty town *n* bidonville *m*.

shape *vt* former; façonner; modeler; * *vi* prendre forme; * *n* forme, figure *f*; modèle *m*.

shapeless *adj* informe.

shapely *adj* bien proportionné.

share *n* part, portion *f*; (*com*) action *f*; soc (de charrue) *m*; * *vt* partager; répartir; * *vi* partager.

sharer *n* participant *m*.

shark *n* requin *m*.

sharp *adj* aigu, acéré; malin; fin; pénétrant; âpre, mordant, cinglant; perçant; vif, violent; * *n* (*mus*) dièse *m*; * *adv* pile.

sharpen *vt* aiguiser, affûter.

sharply *adv* brusquement; sévèrement; vivement; nettement.

sharpness *n* tranchant *m*; finesse, acuité *f*; aigreur *f*.

shatter *vt* fracasser, détruire; * *vi* se fracasser.

shave *vt* raser, raboter; * *vi* se raser; *n* rasage *m*.

shaver *n* rasoir électrique *m*.

shaving *n* rasage *m*.

shaving brush *n* blaireau *m*.

shaving cream *n* crème à raser *f*.

shawl *n* châle *m*.

she *pn* elle.

sheaf *n* gerbe *f*; liasse *f*.

shear *vt* tondre; ~**s** *npl* cisailles *fpl*.

sheath *n* fourreau *m*.

shed *vt* verser, répandre; perdre; * *n* hangar *m*; cabane *f*.

sheen *n* lustre *m*.

sheep *n* mouton *m*.

sheepfold *n* parc à moutons *m*.

sheepish *adj* penaud; timide.

sheepishness *n* timidité *f*, air penaud *m*.

sheep-run *n* patûrage pour moutons *m*.

sheepskin *n* peau de mouton *f*.

sheer *adj* pur, absolu, véritable; abrupt; * *adv* abruptement.

sheet *n* drap *m*; plaque *f*; feuille (de papier) *f*; (*mar*) écoute *f*.

sheet anchor *n* ancre de veille *f*.

sheeting *n* toile pour draps *f*.

sheet iron *n* tôle *f*.

sheet lightning *n* éclairs en nappes *mpl*.

shelf *n* étagère *f*; (*mar*) écueil *m*; saillie *f*; on the ~ au rancart.

shell *n* coquille *f*; carcasse *f*; écorce *f*; obus *m*; * *vt* écosser, décortiquer; bombarder; * *vi* se décortiquer.

shellfish *npl invar* crustacé *m*; fruits de mer *mpl*.

shelter *n* abri *m*; asile, refuge *m*; * *vt* abriter; protéger; * *vi* s'abriter.

shelve *vt* mettre au rancart.

shelving *n* rayonnage *m*.

shepherd *n* berger *m*.

shepherdess *n* bergère *f*.

sherbet *n* sorbet *m*.

sheriff *n* shérif *m*.

sherry *n* xérès *m*.

shield *n* bouclier *m*; écran protecteur *m*; * *vt* protéger.

shift *vi* changer; se déplacer; * *vt* changer, bouger; transférer; * *n* changement *m*; roulement *m*.

shinbone *n* tibia *m*.

shine *vi* briller, reluire, illuminer; * *vt* cirer; * *n* éclat *m*.

shingle *n* galets *mpl*; ~s *pl* (*med*) zona *m*.

shining *adj* resplendissant; * *n* éclat *m*.

shiny *adj* brillant, reluisant.

ship *n* bateau *m*; navire *m*; bâtiment *m*; * *vt* embarquer; transporter.

shipbuilding *n* construction navale *f*.

shipmate *n* (*mar*) camarade de bord *m*.

shipment *n* cargaison *f*.

shipowner *n* armateur *m*.

shipwreck *n* naufrage *m*.

shirt *n* chemise *f*.

shit *excl* (*sl*) merde!

shiver *vi* frissonner.

shoal *n* banc *m* (de poissons).

shock *n* choc *m*; décharge *f*; coup *m*; * *vt* bouleverser; choquer.

shock absorber *n* amortisseur *m*.

shoddy *adj* de mauvaise qualité.

shoe *n* chaussure *f*; fer (à cheval) *m*; * *vt* chausser; ferrer (un cheval).

shoeblack *n* cireur de chaussures *m*.

shoehorn *n* chausse-pied *m*.

shoelace *n* lacet de chaussure *m*.

shoemaker *n* cordonnier *m*.

shoestring *n* lacet de chaussure *m*.

shoot *vt* tirer, lancer, décocher; * *vi* pousser, bourgeonner; passer en flèche; s'élancer; * *n* pousse *f*.

shooter *n* tireur *m* -euse *f*.

shooting *n* fusillade *f*; tir *m*.

shop *n* magasin *m*; atelier *m*.

shopfront *n* devanture *f*.

shoplifter *n* voleur(-euse) à l'étalage *m(f)*.

shopper *n* acheteur *m* -euse *f*.

shopping *n* courses *fpl*.

shopping centre *n* centre commercial *m*.

shore *n* rivage, bord *m*, côte *f*.

short *adj* court, bref, succinct, concis; ~ly *adv* brièvement; rapidement.

shortcoming *n* insuffisance *f*; défaut *m*.

shorten *vt* raccourcir; abréger.

shortness n petitesse f; brièveté f.

short-sighted adj myope.

short-sightedness n myopie f.

shortwave n ondes courtes fpl.

shot n coup m; décharge f; plomb m; tentative f; prise f.

shotgun n fusil de chasse m.

shoulder n épaule f; accotement m; * vt charger sur son épaule.

shout vi crier; * vt crier; * n cri m, acclamation f.

shouting n cris mpl.

shove vt vi pousser; * n poussée f.

shovel n pelle f; * vt pelleter.

show vt montrer; faire voir, présenter; prouver; expliquer; * vi se voir; * n exposition f; spectacle m; manifestation f; salon m.

show business n monde du spectacle m.

shower n averse f; douche f; (fig) torrent m; * vi pleuvoir.

showery adj pluvieux.

showroom n salle d'exposition f.

showy adj voyant, ostentatoire.

shred n lambeau m, parcelle f; * vt mettre en lambeaux.

shrew n mégère f; musaraigne f.

shrewd adj astucieux; perspicace; ~ly adv astucieusement.

shrewdness n astuce f.

shriek vt vi hurler; * n hurlement m.

shrill adj aigu, strident.

shrillness n ton aigu m.

shrimp n crevette f; nabot m -e f, avorton m.

shrine n lieu saint m.

shrink vi rétrécir; se réduire, rapetisser.

shrivel vi se ratatiner, se flétrir; * vt ratatiner.

shroud n voile m; linceul m; * vt envelopper, voiler; ensevelir.

Shrove Tuesday n Mardi gras m.

shrub n arbuste m.

shrubbery n massif d'arbustes m.

shrug vt hausser les épaules; * n haussement d'épaules m.

shudder vi frissonner; * n frisson m.

shuffle vt mélanger; battre.

shun vt fuir, éviter.

shunt vt (rail) aiguiller.

shut vt fermer; vi (se) fermer.

shutter n volet m.

shuttle n navette f.

shuttlecock n volant m.

shy adj timide; réservé; embarrassé, gauche; ~ly adv timidement.

shyness n timidité f.

sibling n: ~s enfants de mêmes parents mpl.

sibyl n sibylle f.

sick adj malade; écœuré.

sicken vt rendre malade; * vi tomber malade.

sickle n faucille f.

sick leave n congé de maladie m.

sickliness n état maladif m.

sickly adj maladif.

sickness n maladie f.

sick pay n indemnité de maladie f.

side n côté m; flanc m; camp m; parti m; * adj latéral; secondaire; * vi se ranger du côté de.

sideboard n buffet m.

sidelight n veilleuse f.

sidelong adj oblique.

sideways adv de côté, obliquement.

siding n (rail) voie de garage f.

sidle vi avancer de côté; avancer furtivement.

siege n (mil) siège m.

sieve n tamis m; crible m; passoire f; * vt tamiser.

sift vt tamiser; passer au crible; dégager.

sigh vi soupirer, gémir; * n soupir m.

sight n vue f; mire f; spectacle m.

sightless adj aveugle.

sightly adj agréable à regarder; séduisant.

sightseeing *n* tourisme *m*.

sign *n* signe *m*, indication *f*; panneau *m*; geste *m*; trace *f*; * *vt* signer.

signal *n* signal *m*; * *adj* insigne, remarquable.

signalise *vt* signaler.

signal lamp *n* (*rail*) lampe de signalisation *f*.

signalman *n* (*rail*) aiguilleur *m*.

signature *n* signature *f*.

signet *n* sceau *m*.

significance *n* importance *f*.

significant *adj* considérable.

signify *vt* signifier.

signpost *n* poteau indicateur *m*.

silence *n* silence *m*; * *vt* imposer le silence à.

silent *adj* silencieux; ~**ly** *adv* silencieusement.

silex *n* silex *m*.

silicon chip *n* puce *f* électronique.

silk *n* soie *f*.

silken *adj* soyeux; satiné.

silkiness *n* soyeux *m*.

silkworm *n* ver à soie *m*.

silky *adj* soyeux; satiné.

sill *n* rebord *m*; seuil *m*.

silliness *n* stupidité, bêtise, niaiserie *f*.

silly *adj* bête, stupide.

silver *n* argent *m*; * *adj* en argent.

silversmith *n* orfèvre *m*.

silvery *adj* argenté.

similar *adj* semblable; similaire; ~**ly** *adv* de la même façon.

similarity *n* ressemblance *f*.

simile *n* comparaison *f*.

simmer *vi* cuire à feu doux, mijoter.

simony *n* simonie *f*.

simper *vi* minauder; * *n* sourire affecté *m*.

simple *adj* simple; naïf.

simpleton *n* nigaud *m* -e *f*.

simplicity *n* simplicité *f*; naïveté *f*.

simplification *n* simplification *f*.

simplify *vt* simplifier.

simply *adv* simplement; seulement.

simulate *vt* simuler, feindre.

simulation *n* simulation *f*.

simultaneous *adj* simultané.

sin *n* péché *m*; * *vi* pécher.

since *adv* depuis; * *prep* depuis; * *conj* depuis que; puisque.

sincere *adj* ~**ly** *adv* sincère(ment); **yours** ~**ly** veuillez agréer, Monsieur/Madame, l'expression de mes salutations distinguées.

sincerity *n* sincérité *f*.

sinecure *n* sinécure *f*.

sinew *n* tendon *m*.

sinewy *adj* musclé; tendineux.

sinful *adj* coupable, honteux; ~**ly** *adv* honteusement.

sinfulness *n* corruption *f*, péché *m*.

sing *vt vi* chanter; (*poet*) *vt* célébrer.

singe *vt* roussir.

singer *n* chanteur *m* -euse *f*.

singing *n* chant *m*.

single *adj* seul, unique, simple; célibataire; * *n* aller simple *m*; 45 tours *m*; * *vt* distinguer; séparer.

singly *adv* séparément.

singular *adj* singulier, rare; * *n* singulier *m*; ~**ly** *adv* singulièrement.

singularity *n* singularité *f*.

sinister *adj* sinistre; de mauvais augure, funeste.

sink *vi* couler; sombrer; s'affaisser; tomber très bas, baisser; * *vt* couler, faire sombrer; ruiner; * *n* évier *m*.

sinking fund *n* fonds d'amortissement *m*.

sinner *n* pécheur *m*; pécheresse *f*.

sinuosity *n* sinuosité *f*.

sinuous *adj* sinueux.

sinus *n* sinus *m*.

sip *vt* boire à petites gorgées; * *n* petite gorgée *f*.

siphon *n* siphon *m*.

sir *n* monsieur *m*.

sire *n* étalon *m*.

siren *n* sirène *f*.

sirloin *n* aloyau (de bœuf) *m*.

sister *n* sœur *f*.

sister-in-law *n* belle-sœur *f*.

sisterhood *n* solidarité féminine *f*.

sisterly *adj* de sœur.

sit *vi* s'asseoir; se trouver; * *vt* se présenter à.

site *n* emplacement *m*; site *m*.

sit-in *n* sit-in *m*, manifestation avec occupation de lieux publics *f*.

sitting *n* séance, réunion *f*; position assise *f*.

sitting room *n* salle de séjour *f*.

situated *adj* situé.

situation *n* situation *f*.

six *adj n* six *m*.

sixteen *adj n* seize *m*.

sixteenth *adj n* seizième *mf*.

sixth *adj n* sixième *mf*.

sixtieth *adj n* soixantième *mf*.

sixty *adj n* soixante *m*.

size *n* taille, grandeur *f*; volume *m*; dimension *f*; ampleur *f*; étendue *f*.

sizeable *adj* assez grand.

skate *n* patin *m*; * *vi* patiner.

skateboard *n* planche à roulettes *f*, skateboard *m*.

skating *n* patinage *m*.

skating rink *n* patinoire *f*.

skein *n* écheveau *m*.

skeleton *n* squelette *m*.

skeleton key *n* passe(-partout) *m*.

sketch *n* croquis *m*; esquisse *f*; * *vt* equisser, faire un croquis de.

skewer *n* broche *f*; brochette *f*; * *vt* embrocher.

ski *n* ski *m*; * *vi* skier.

ski boot *n* chaussure de ski *f*.

skid *n* dérapage *m*; * *vi* déraper.

skier *n* skieur *m* -euse *f*.

skiing *n* ski *m*.

skill *n* habileté, adresse, dextérité *f*.

skilled *adj* adroit; qualifié.

skilful *adj* ~ly *adv* adroit(ement), habile(ment).

skilfulness *n* habileté *f*.

skim *vt* écrémer; effleurer.

skimmed milk *n* lait écrémé *m*.

skimmer *n* écumoire *f*.

skin *n* peau *f*; * *vt* écorcher.

skin diving *n* plongée sous-marine *f*.

skinned *adj* dépouillé.

skinny *adj* maigre, efflanqué.

skip *vi* sautiller, gambader; * *vt* sauter, passer; * *n* saut, bond *m*; benne *f*.

ski pants *npl* fuseau (de ski) *m*.

skipper *n* capitaine *m*.

skirmish *n* escarmouche *f*; * *vi* s'engager dans une escarmouche.

skirt *n* jupe *f*; bordure *f*; * *vt* contourner.

skit *n* parodie, satire *f*.

skittish *adj* espiègle, fantasque; coquet; inconstant; ~ly *adv* d'une manière espiègle.

skittle *n* quille *f*.

skulk *vi* se cacher, rôder furtivement.

skull *n* crâne *m*.

skullcap *n* calotte *f*.

sky *n* ciel *m*.

skylight *n* lucarne *f*.

skyrocket *n* fusée *f*.

skyscraper *n* gratte-ciel *m invar*.

slab *n* dalle *f*.

slack *adj* lâche, mou, indolent, négligent.

slack(en) *vt* relâcher; ralentir; diminuer; * *vi* se relâcher; ralentir.

slackness *n* manque d'énergie, ralentissement *m*; laisser-aller *m*.

slag *n* scories *fpl*.

slam *vt* claquer violemment; * *vi* se refermer en claquant.

slander *vt* calomnier, dire du mal de; * *n* calomnie *f*.

slanderer *n* calomniateur *m* -trice *f*.

slanderous *adj* calomnieux; **~ly** *adv* calomnieusement.

slang *n* argot *m*.

slant *vi* pencher; être incliné; * *n* inclinaison *f*; point de vue *m*.

slanting *adj* en pente, incliné.

slap *n* claque *f*; (*on the face*) gifle *f*; * *adv* en plein; * *vt* donner une claque à, gifler.

slash *vt* entailler; * *n* entaille *f*.

slate *n* ardoise *f*.

slater *n* ardoisier *m*.

slating *n* recouvrement en ardoises *m*.

slaughter *n* carnage, massacre *m*; * *vt* abattre; massacrer.

slaughterer *n* tueur, meurtrier *m*.

slaughterhouse *n* abattoir *m*.

slave *n* esclave *mf*; * *vi* travailler comme un nègre.

slaver *n* bave *f*; * *vi* baver.

slavery *n* esclavage *m*.

slavish *adj* servile, d'esclave; **~ly** *adv* servilement.

slavishness *n* servilité *f*.

slay *vt* tuer.

slayer *n* tueur *m* -euse *f*.

sleazy *adj* louche, sordide.

sledge, sleigh *n* traîneau *m*.

sledgehammer *n* marteau de forgeron *m*.

sleek *adj* lisse et brillant, luisant.

sleep *vi* dormir; * *n* sommeil *m*.

sleeper *n* dormeur *m* -euse *f*.

sleepily *adv* d'un air endormi.

sleepiness *n* envie de dormir *f*.

sleeping bag *n* sac de couchage *m*.

sleeping pill *n* somnifère *m*.

sleepless *adj* sans sommeil.

sleepwalking *n* somnambulisme *m*.

sleepy *adj* qui a envie de dormir; endormi.

sleet *n* neige fondue *f*.

sleeve *n* manche *f*.

sleight *n*: ~ of hand tour de passe-passe *m*.

slender *adj* svelte, mince, élancé; faible; **~ly** *adv* faiblement.

slenderness *n* sveltesse *f*, minceur *f*; faiblesse *f*.

slice *n* tranche *f*; spatule *f*; * *vt* couper (en tranches).

slide *vi* glisser; faire des glissades; * *n* glissade *f*; coulisse *f*; diapositive *f*; toboggan *m*.

sliding *adj* glissant; coulissant.

slight *adj* léger, mince, petit; * *n* affront *m*; * *vt* manquer d'égards pour.

slightly *adv* légèrement.

slightness *n* fragilité *f*; insignifiance *f*.

slim *adj* mince; * *vi* maigrir.

slime *n* vase *f*; dépôt visqueux *m*.

sliminess *n* viscosité *f*.

slimming *n* amaigrissement *m*.

slimy *adj* visqueux, gluant.

sling *n* fronde *f*; écharpe *f*; * *vt* lancer.

slink *vi* s'en aller furtivement; s'éclipser.

slip *vi* (se) glisser, se faufiler; * *vt* glisser; * *n* glissade *f*; faux pas *m*; oubli *m*; fiche *f*.

slipper *n* pantoufle *f*.

slippery *adj* glissant.

slipshod *adj* négligé.

slipway *n* (*mar*) cale *f*.

slit *vt* fendre, inciser; * *n* fente, incision *f*.

slobber *n* bave *f*.

sloe *n* (*bot*) prunelle *f*.

slogan *n* slogan *m*.

sloop *n* (*mar*) sloop *m*.

slop *n* fange *f*; bouillon *m*; **~s** *pl* eaux sales *fpl*.

slope *n* inclinaison *f*; pente *f*; déclivité *f*; versant *m*; * *vt* incliner.

sloping *adj* en pente; incliné.

sloppy *adj* négligé; peu soigné.

sloth *n* paresse *f*.

slouch *vi* manquer de tenue; se tenir d'une façon négligée.

slovenliness *n* négligence *f*; manque de soin *f*.

slovenly *adj* négligé, sale, débraillé.

slow *adj* lent; lourd; ennuyeux; **~ly** *adv* lentement.

slowness *n* lenteur, lourdeur *f*, manque d'intérêt *m*.

slow worm *n* orvet *m*.

slug *n* lingot *m*; limace *f*; jeton *m*; coup *m*.

sluggish *adj* paresseux; léthargique; **~ly** *adv* paresseusement.

sluggishness *n* paresse, mollesse *f*.

sluice *n* écluse *f*; * *vt* lâcher les vannes.

slum *n* taudis *m*; quartier pauvre *m*.

slumber *vi* dormir paisiblement; * *n* sommeil paisible *m*.

slump *n* effondrement *m*.

slur *vt* dénigrer; calomnier; mal articuler; * *n* calomnie *f*.

slush *n* neige fondante *f*.

slut *n* traînée *f*.

sly *adj* rusé; **~ly** *adv* de façon rusée.

slyness *n* ruse, finesse *f*.

smack *n* léger goût *m*; claque *f*; gros baiser retentissant *m*; * *vi* sentir; embrasser bruyamment; * *vt* donner une claque à.

small *adj* petit, menu.

smallish *adj* assez petit.

smallness *n* petitesse *f*.

smallpox *n* variole *f*.

smalltalk *n* conversation *f* banale.

smart *adj* élégant; rapide; astucieux; vif; * *vi* brûler.

smartly *adv* astucieusement, vivement; avec élégance; habilement.

smartness *n* astuce, vivacité, finesse *f*.

smash *vt* casser, briser; détruire; * *vi* se briser (en mille morceaux), se fracasser; * *n* fracas *m*; coup violent *m*.

smattering *n* connaissances superficielles *fpl*.

smear *n* (*med*) frottis *m*; * *vt* enduire; salir.

smell *vt vi* sentir; * *n* odorat *m*; odeur *f*; mauvaise odeur *f*.

smelly *adj* malodorant.

smelt *n* éperlan *m*; * *vt* fondre.

smelter *n* fondeur *m*.

smile *vi* sourire; * *n* sourire *m*.

smirk *vi* sourire d'un air affecté.

smite *vt* frapper.

smith *n* forgeron *m*.

smithy *n* forge *f*.

smock *n* blouse *f*.

smoke *n* fumée *f*; vapeur *f*; * *vt vi* fumer.

smokeless *adj* sans fumée.

smoker *n* fumeur *m* -euse *f*.

smoke shop *n* (US) bureau de tabac *m*.

smoking: 'no ~' 'interdiction de fumer'.

smoky *adj* enfumé; qui fume.

smooth *adj* lisse, uni, égal; doucereux, mielleux; * *vt* lisser; aplanir; adoucir.

smoothly *adv* facilement; doucement.

smoothness *n* douceur *f*; aspect lisse *m*; air doucereux *m*.

smother *vt* étouffer; réprimer.

smoulder *vi* couver, se consumer.

smudge *vt* étaler; * *n* tache *f*.

smug *adj* suffisant.

smuggle *vt* passer en contrebande.

smuggler *n* contrebandier *m* -ière *f*.

smuggling *n* contrebande *f*.

smut *n* saleté *f*; trace de suie *f*.

smuttiness *n* suie *f*; obscénité *f*.

smutty *adj* noirci; obscène.

snack *n* collation *f*.

snack bar *n* snack-bar *m*.

snag *n* obstacle *m*.

snail *n* escargot *m*.

snake *n* serpent *m*.

snaky *adj* sinueux.

snap *vt* casser net; * *vi* se casser net; claquer; mordre; parler sèchement; **~ one's fingers** faire claquer ses doigts; * n claquement m; photographie f.

snapdragon n (bot) gueule-de-loup f.

snap fastener n bouton-pression m.

snare n piège m; collet m.

snarl vi gronder férocement.

snatch vt saisir; s'emparer de; * n geste vif m; vol m; fragment m.

sneak vi se glisser furtivement; * n faux-jeton m.

sneakers npl chaussures de basket fpl.

sneer vi parler d'un ton méprisant; ricaner.

sneeringly adv d'un ton méprisant.

sneeze vi éternuer.

sniff vt renifler; * vi renifler.

snigger vi ricaner.

snip vt donner de petits coups de ciseaux dans; * n petit coup de ciseaux m; petit bout m.

snipe n bécassine f.

sniper n franc-tireur m.

snivel n pleurnicherie f; * vi pleurnicher.

sniveller n pleurnicheur m -euse f.

snobbish adj snob.

snooze n petit somme m; * vi faire un somme.

snore vi ronfler.

snorkel n tube respiratoire m.

snort vi renifler fortement.

snout n museau m; groin m.

snow n neige f; * vi neiger.

snowball n boule de neige f.

snowdrop n (bot) perce-neige m invar.

snowman n bonhomme de neige m.

snowplough n chasse-neige m invar.

snowy adj neigeux; enneigé.

snub vt repousser, rejeter.

snub-nosed adj au nez retroussé.

snuff n tabac à priser m.

snuffbox n tabatière f.

snuffle vi parler d'une voix nasillarde, nasiller; renifler.

snug adj confortable, douillet; bien abrité.

so adv si, tellement, aussi; ainsi.

soak vi tremper; * vt faire tremper.

soap n savon m; * vt savonner.

soap bubble n bulle de savon f.

soap opera n feuilleton à l'eau de rose m.

soap powder n lessive f.

soapsuds n mousse de savon f.

soapy adj savonneux.

soar vi monter en flèche.

sob n sanglot m; * vi sangloter.

sober adj sobre; sérieux; ~ly adv sobrement; sérieusement.

sobriety n sobriété f; sérieux, calme m.

soccer n football m.

sociability n sociabilité f.

sociable adj sociable, liant.

sociably adv sociablement.

social adj social, sociable; ~ly adv socialement.

socialism n socialisme m.

socialist n socialiste mf.

social work n assistance sociale f.

social worker n assistant(e) social(e) m(f).

society n société f; compagnie f.

sociologist n sociologue mf.

sociology n sociologie f.

sock n chaussette f.

socket n prise de courant f.

sod n gazon m.

soda n soude f; eau f de Seltz, soda m.

soft adj doux, moelleux; aimable, gentil; ~ly adv doucement; tendrement.

soften vt (r)amollir, adoucir; atténuer.

soft-hearted adj compatissant.

softness n douceur, mollesse f.

soft-spoken adj à la voix douce.

software n logiciel m.

soil *vt* salir, souiller; * *n* salissure, souillure *f*; sol *m*; terre *f*.

sojourn *vi* séjourner; * *n* séjour *m*.

solace *vt* consoler, soulager; * *n* consolation *f*.

solar *adj* solaire.

solder *vt* souder; * *n* soudure *f*.

soldier *n* soldat *m*.

soldierly *adj* militaire.

sole *n* plante du pied *f*; semelle (de chaussure) *f*; sole *f*; * *adj* seul, unique.

solecism *n* (*gr*) solécisme *m*.

solemn *adj* ~**ly** *adv* solennel(lement).

solemnise *vt* solenniser.

solemnity *n* solennité *f*.

solicit *vt* solliciter; quémander.

solicitation *n* sollicitation *f*.

solicitor *n* notaire *m*.

solicitous *adj* plein de sollicitude; ~**ly** *adv* avec sollicitude.

solicitude *n* sollicitude *f*.

solid *adj* solide, compact; * *n* solide *m*; ~**ly** *adv* solidement.

solidify *vt* solidifier.

solidity *n* solidité *f*.

soliloquy *n* soliloque *m*.

solitaire *n* solitaire *m* (jeu).

solitary *adj* solitaire, retiré; * *n* anachorète *m*.

solitude *n* solitude *f*.

solo *n* (*mus*) solo *m*.

solstice *n* solstice *m*.

soluble *adj* soluble.

solution *n* solution *f*.

solve *vt* résoudre.

solvency *n* solvabilité *f*.

solvent *adj* solvable; *n* (*chem*) solvant *m*.

some *adj* du, de la, de l', des; quelques; quelconque; certain(e)s; quelque.

somebody *pn* quelqu'un.

somehow *adv* d'une façon ou d'une autre.

someplace *adv* quelque part.

something *pn* quelque chose.

sometime *adv* au cours de, un jour ou l'autre.

sometimes *adv* quelquefois, parfois.

somewhat *adv* quelque peu.

somewhere *adv* quelque part.

somnambulism *n* somnambulisme *m*.

somnambulist *n* somnambule *mf*.

somnolence *n* somnolence *f*.

somnolent *adj* somnolent.

son *n* fils *m*.

sonata *n* (*mus*) sonate *f*.

song *n* chanson *f*.

son-in-law *n* gendre *m*.

sonnet *n* sonnet *m*.

sonorous *adj* sonore.

soon *adv* bientôt; **as ~ as** dès que.

sooner *adv* plus tôt; plutôt.

soot *n* suie *f*.

soothe *vt* calmer, apaiser; flatter.

soothsayer *n* devin *m*.

sop *n* pain trempé *m*.

sophism *n* sophisme *m*.

sophist *n* sophiste *mf*.

sophistical *adj* sophistiqué.

sophisticate *vt* falsifier; sophistiquer.

sophisticated *adj* sophistiqué.

sophistry *n* sophistique *f*.

sophomore *n* (US) étudiant(e) *m(f)* de seconde année.

soporific *adj* soporifique.

sorcerer *n* sorcier *m*.

sorceress *n* sorcière *f*.

sorcery *n* sorcellerie *f*.

sordid *adj* sordide, sale.

sordidness *n* bassesse *f*, saleté *f*.

sore *n* plaie, blessure *f*; * *adj* douloureux, sensible; contrarié; ~**ly** *adv* fortement.

sorrel *n* (*bot*) oseille *f*; * *adj* alezan, roux.

sorrow *n* peine *f*; chagrin *m*; * *vi* se lamenter.

sorrowful *adj* triste, affligé; ~**ly** *adv* tristement.

sorry *adj* désolé, navré; déplorable; **I am ~** je suis désolé.

sort *n* sorte *f*; genre *m*; espèce *f*; race *f*; manière *f*; * *vt* classer; trier.

soul n âme f; essence f; personne f.

sound adj sain; solide; valide; ~ly adv sainement, solidement; * n son m; bruit m; * vt sonner (de); * vi sonner, retentir; ressembler; sembler.

sound effects npl bruitage m.

sounding board n table d'harmonie f; abat-voix m.

soundings npl (mar) sondages mpl; (mar) fonds mpl.

soundness n santé f; solidité f.

soundtrack n bande sonore f.

soup n soupe f.

sour adj aigre, acide; acerbe; revêche; ~ly adv aigrement; * vt aigrir, faire tourner; * vi s'aigrir; tourner.

source n source f; origine f.

sourness n acidité, aigreur f; acrimonie f.

souse n (sl) soûlard m -e f; * vt mariner; faire tremper.

south n sud m; * adj sud, du sud, au sud; * adv au sud; vers le sud.

southerly, southern adj du sud, sud, méridional.

southward(s) adv vers le sud.

southwester n (mar) vent du sud-ouest m; suroît m.

sovereign adj n souverain m -e f.

sovereignty n souveraineté f.

sow n truie f.

sow vt semer; disperser.

sowing time n époque des semailles f.

soy n soja m.

space n espace m; intervalle m; * vt espacer.

spacecraft n vaisseau spatial m.

spaceman/woman n astronaute mf.

spacious adj spacieux, ample; ~ly adv spacieusement.

spaciousness n dimensions spacieuses fpl, espace m.

spade n bêche f; pique m (carte).

span n envergure f; * vt enjamber; embrasser.

spangle n paillette f; * vt orner de paillettes.

spaniel n épagneul m.

Spanish adj espagnol; * n espagnol m; Espagnol m -e f.

spar n (mar) espar m; * vi s'entraîner.

spare vt vi épargner; ménager; éviter; se passer de; * adj de trop; de réserve.

sparing adj limité, modéré, économe; ~ly adv frugalement, avec modération.

spark n étincelle f.

sparkle n scintillement m, étincelle f; * vi étinceler; briller.

spark plug n bougie f.

sparrow n moineau m.

sparrowhawk n épervier m.

sparse adj clairsemé; épars; ~ly adv faiblement.

spasm n spasme m.

spasmodic adj spasmodique.

spatter vt éclabousser; * vi gicler.

spatula n spatule f.

spawn n frai m; * vt pondre; engendrer.

spawning n frai m.

speak vt parler; dire; * vi parler, s'entretenir; prendre la parole.

speaker n haut-parleur m; interlocuteur m -trice f; orateur m.

spear n lance f; harpon m; * vt transpercer d'un coup de lance.

special adj spécial, particulier; ~ly adv spécialement.

speciality n spécialité f.

species n espèce f.

specific adj spécifique; * n remède spécifique m.

specifically adv spécifiquement; explicitement.

specification n spécification f.

specify vt spécifier.

specimen n spécimen m; exemple m.

specious adj spécieux.

speck(le) n grain, tache f; * vt tacheter, moucheter.

spectacle n spectacle m.

spectator *n* spectateur *m* -trice *f*.

spectral *adj* spectral; ~ **analysis** *n* analyse spectrale *f*.

spectre *n* spectre *m*.

speculate *vi* spéculer; méditer.

speculation *n* spéculation *f*; conjecture *f*; méditation *f*.

speculative *adj* spéculatif, méditatif.

speculum *n* spéculum *m*.

speech *n* parole *f*; discours *m*; langage *m*; élocution *f*.

speechify *vi* discourir, pérorer.

speechless *adj* muet.

speed *n* vitesse *f*; rapidité *f*; * *vt* presser; accélérer; * *vi* se presser.

speedboat *n* vedette *f*.

speedily *adv* rapidement, vite.

speediness *n* rapidité, promptitude, célérité *f*.

speed limit *n* limitation de vitesse *f*.

speedometer *n* compteur de vitesse *m*.

speedway *n* piste de course *f*.

speedy *adj* rapide, prompt.

spell *n* charme, sortilège *m*; période *f*; * *vt* écrire; épeler; ensorceler, envoûter; * s'écrire; s'épeler.

spelling *n* ortographe *f*.

spend *vt* dépenser; passer; épuiser; gaspiller.

spendthrift *n* dépensier *m* -ière *f*.

spent *adj* épuisé.

sperm *n* sperme *m*.

spermaceti *n* spermaceti *m*.

spew *vi* (*sl*) vomir.

sphere *n* sphère *f*.

spherical *adj* sphérique; ~**ly** *adv* de forme sphérique.

spice *n* épice *f*; * *vt* épicer.

spick-and-span *adj* impeccable; tiré à quatre épingles.

spicy *adj* épicé.

spider *n* araignée *f*.

spigot *n* clef de robinet *f*.

spike *n* pointe *f*; clou *m*; * *vt* clouter.

spill *vt* renverser, répandre; * *vi* se répandre.

spin *vt* filer; inventer, fabriquer; faire tourner; * *vi* tourner; * *n* tournoiement *m*; tour (en voiture) *m*.

spinach *n* épinard *m*.

spinal *adj* spinal.

spindle *n* fuseau *m*; broche *f*.

spine *n* colonne vertébrale, épine dorsale *f*.

spinet *n* (*mus*) épinette *f*.

spinner *n* fileur *m*; fileuse *f*.

spinning wheel *n* rouet *m*.

spin-off *n* sous-produit *m*.

spinster *n* célibataire *f*.

spiral *adj* ~**ly** *adv* en spirale.

spire *n* flèche *f*; aiguille *f*; tige *f*.

spirit *n* esprit *m*; âme *f*; caractère *m*, disposition *f*; courage *m*; humeur *f*; * *vt* encourager; animer; ~ **away** faire disparaître comme par enchantement.

spirited *adj* vif, fougueux; ~**ly** *adv* fougueusement.

spirit lamp *n* lampe à alcool *f*.

spiritless *adj* sans entrain, abattu.

spiritual *adj* ~**ly** *adv* spirituel(lement).

spiritualist *n* spiritualiste *mf*.

spirituality *n* spiritualité *f*.

spit *n* crachat *m*; salive *f*; * *vt vi* cracher; crépiter.

spite *n* dépit *m*, rancune *f*; **in ~ of** en dépit de, malgré; * *vt* vexer.

spiteful *adj* rancunier, malveillant; ~**ly** *adv* par méchanceté, par rancune.

spitefulness *n* méchanceté *f*; rancune *f*.

spittle *n* salive *f*; crachat *m*.

splash *vt* éclabousser, faire gicler; * *vi* barboter; * *n* éclaboussure *f*; tache *f*.

spleen *n* rate *f*; spleen *m*.

splendid *adj* splendide, magnifique; ~**ly** *adv* splendidement.

splendour *n* splendeur *f*; magnificence *f*.

splice *vt* (*mar*) épisser, abouter.

splint *n* éclisse *f*.

splinter *n* éclat *m*; esquille *f*; écharde *f*; * *vt* (*vi*) (se) fendre en éclats.

split *n* fente *f*; rupture *f*; * *vt* fendre, diviser; * *vi* se fendre.

spoil *vt* abîmer; gâter; gâcher.

spoiled *adj* abîmé; gâté.

spoke *n* rayon (de roue) *m*.

spokesman/woman *n* porte-parole *mf*.

sponge *n* éponge *f*; * *vt* éponger; * *vi* être un parasite.

sponger *n* parasite *m*.

sponginess *n* spongiosité *f*.

spongy *adj* spongieux.

sponsor *n* caution *m*; parrain *m*; marraine *f*.

sponsorship *n* parrainage *m*.

spontaneity *n* spontanéité *f*.

spontaneous *adj* ~ly *adv* spontané(ment).

spool *n* bobine *f*; rouleau *m*.

spoon *n* cuiller *f*.

spoonful *n* cuillerée *f*.

sporadic(al) *adj* sporadique.

sport *n* sport *m*; jeu *m*; divertissement, amusement *m*.

sports car *n* voiture de sport *f*.

sports jacket *n* veste sport *f*.

sportsman/woman *n* sportif *m* -ive *f*.

sportswear *n* vêtements de sport *mpl*.

spot *n* tache *f*; point *m*; endroit *m*; pois *m*; * *vt* apercevoir; tacher.

spotless *adj* impeccable, immaculé.

spotlight *n* feu de projecteur *m*.

spotted, spotty *adj* tacheté; à pois.

spouse *n* époux *m*, épouse *f*.

spout *vi* jaillir; gicler; déblatérer; * *vt* faire jaillir; * *n* bec *m*; gargouille *f*; jet *m*.

sprain *vt* fouler; * *n* entorse *f*.

sprawl *vi* s'étaler.

spray *n* spray *m*; pulvérisation *f*; embruns *mpl*.

spread *vt* étendre, étaler; répandre, propager; * *vi* s'étendre, se répandre; * *n* propagation, diffusion *f*.

spree *n* fête *f*.

sprig *n* brin *m*.

sprightliness *n* vivacité *f*, entrain *m*.

sprightly *adj* alerte, vif, fringant.

spring *vi* bondir, sauter; provenir, découler; émaner, naître; * *n* printemps *m*; élasticité *f*; ressort *m*; saut *m*; source *f*.

springiness *n* élasticité *f*.

springtime *n* printemps *m*.

springwater *n* eau de source *f*.

springy *adj* élastique.

sprinkle *vt* arroser.

sprinkling *n* arrosage *m*.

sprout *n* pousse *f*, germe *m*; ~s *npl* choux de Bruxelles *mpl*; * *vi* germer.

spruce *adj* net, impeccable; ~ly *adv* tiré à quatre épingles; * *vi* se mettre sur son trente-et-un.

spruceness *n* élégance *f*.

spur *n* éperon *m*; ergot (coq) *m*; stimulant *m*; * *vt* éperonner; stimuler.

spurious *adj* faux, feint; falsifié, de contrefaçon.

spurn *vt* repousser avec mépris.

sputter *vi* postillonner; bredouiller; bafouiller.

spy *n* espion *m* -ne *f*; * *vt* apercevoir; espionner; *vi* espionner.

squabble *vi* se disputer, se quereller; * *n* querelle, dispute *f*.

squad *n* escouade *f*; brigade *f*; équipe *f*.

squadron *n* (*mil*) escadron *m*.

squalid *adj* misérable, sordide.

squall *n* rafale *f*; bourrasque *f*; * *vi* brailler.

squally *adj* qui souffle en rafales.

squalor *n* saleté *f*; misère *f*.

squander *vt* gaspiller, dilapider.

square *adj* carré; catégorique; honnête; * *n* carré *m*; place *f*; équerre *f*; * *vt* cadrer; mettre en ordre, régler; * *vi* cadrer.

squareness *n* forme carrée *f*.

squash *vt* écraser; * *n* squash *m*.

squat *vi* s'accroupir; * *adj* accroupi; trapu, courtaud.

squaw *n* squaw, femme peau-rouge *f*.

squeak *vi* grincer, crier; * *n* cri, couinement *m*.

squeal *vi* pousser un cri aigu, couiner.

squeamish *adj* impressionable; délicat.

squeeze *vt* presser, tordre; comprimer; * *n* pression *f*; serrement de main *m*; cohue *f*.

squid *n* calmar *m*.

squint *adj* atteint de strabisme; * *vi* loucher; * *n* strabisme.

squirrel *n* écureuil *m*.

squirt *vt* faire gicler; * *n* giclée *f*; jet *m*.

stab *vt* poignarder; * *n* coup de couteau *m*.

stability *n* stabilité, solidité *f*.

stable *n* écurie *f*; * *vt* mettre à l'écurie; * *adj* stable.

stack *n* pile *f*; * *vt* empiler.

staff *n* personnel *m*; bâton *m*; soutien *m*.

stag *n* cerf *m*.

stage *n* étape *f*; scène *f*; échafaudage *m*; théâtre *m*; stade *m*; estrade *f*.

stagger *vi* vaciller, tituber; hésiter; * *vt* stupéfier; échelonner.

stagnation *n* stagnation *f*.

stagnant *adj* stagnant.

stagnate *vi* stagner.

staid *adj* posé, sérieux, guindé.

stain *vt* tacher; ternir; * *n* tache *f*.

stainless *adj* sans tache; immaculé.

stair *n* marche *f*; ~s *pl* escalier *m*.

staircase *n* escalier *m*.

stake *n* pieu *m*; enjeu *m*; * *vt* marquer; délimiter.

stale *adj* rassis, rance.

staleness *n* manque de fraîcheur *m*; rance *m*.

stalk *vi* avancer d'un air majestueux; * *n* tige, queue *f*, trognon *m*.

stall *n* stalle *f*; stand, étalage *m*; (fauteuil d') orchestre *m*; emplacement *m*; * *vt* caler; * *vi* caler; atermoyer.

stallion *n* étalon *m*.

stalwart *n* partisan fidèle *m*.

stamen *n* étamine *f*.

stamina *n* résistance *f*.

stammer *vi* bégayer; * *n* bégaiement *m*.

stamp *vt* trépigner; timbrer; affranchir; tamponner; * *vi* trépigner; * *n* timbre *m*; cachet *m*; tampon *m*; empreinte *f*; estampille *f*.

stampede *n* débandade *f*.

stand *vi* être debout, se tenir; se maintenir; résister; être situé, se trouver; rester, durer; s'arrêter, faire halte; * *vt* poser; résister; soutenir, supporter; * *n* position, prise de position *f*; pied, support *m*; étalage *m*; état *m*; tribune *f*; stand *m*.

standard *n* étendard *m*; modèle *m*; étalon *m*; norme *f*; * *adj* normal.

standing *adj* permanent, fixe, établi; en pied; * *n* durée *f*; importance *f*; rang *m*.

standstill *n* arrêt *m*; immobilisation *f*.

staple *n* agrafe *f*; * *adj* principal, de base; * *vt* agrafer.

star *n* étoile *f*; astérisque *m*.

starboard *n* tribord *m*.

starch *n* amidon *m*; * *vt* amidonner.

stare *vi*: to ~ at regarder fixement; * *n* regard fixe *m*.

stark *adj* raide, rigide; cru; * *adv* complètement.

starling *n* étourneau *m*.

starry *adj* étoilé.

start *vi* commencer, débuter; sursauter, tressaillir; démarrer, se mettre en route; * *vt* commencer; amorcer; lancer; mettre en marche; * *n* début *m*; ouverture *f*; sursaut *m*; départ *m*; avance *f*.

starter *n* starter, démarreur *m*.

starting point *n* point de départ *m*.

startle *vt* faire sursauter.

startling *adj* surprenant, alarmant.

starvation *n* inanition, faim *f*.

starve *vi* mourir de faim.

state *n* état *m*; condition *f*; pompe *f*, apparat *m*; **the S~s** les Etats-Unis *mpl*; * *vt* déclarer; exposer.

stateliness *n* majesté, grandeur *f*.

stately *adj* majestueux, imposant.

statement *n* déclaration, affirmation *f*.

statesman *n* homme d'État *m*.

statesmanship *n* qualité d'homme politique *f*.

static *adj* statique; * *n* parasites *mpl*.

station *n* station *f*; place, position *f*; condition *f*, rang *m*; situation *f*; condition *f*; (*rail*) gare *f*; * *vt* placer.

stationary *adj* stationnaire, immobile.

stationer *n* papetier *m* -ière *f*.

stationery *n* papeterie *f*.

station wagon *n* (US) break *m*.

statistical *adj* statistique.

statistics *npl* statistiques *fpl*.

statuary *n* statuaire *f*.

statue *n* statue *f*.

stature *n* stature, taille *f*.

statute *n* statut *m*; loi *f*.

stay *n* séjour *m*; ~**s** *npl* corset *m*; * *vi* rester, demeurer; tenir; loger; ~ **in** rester à la maison; ~ **on** rester encore quelque temps; ~ **up** ne pas se coucher.

stead *n* place *f*, lieu *m*.

steadfast *adj* ferme, résolu, inébranlable; ~**ly** *adv* fermement, résolument.

steadily *adv* fermement; régulièrement.

steadiness *n* fermeté, stabilité *f*.

steady *adj* stable, solide; * *vt* affermir.

steak *n* bifteck *m*; steak *m*.

steal *vt vi* voler.

stealth *n* discrétion *f*; **by ~** à la dérobée.

stealthily *adv* furtivement.

stealthy *adj* furtif.

steam *n* vapeur *f*; buée *f*; * *vt* cuire à la vapeur; * *vi* fumer.

steam engine *n* locomotive à vapeur *f*.

steamer, steamboat *n* (bateau à) vapeur, paquebot *m*.

steel *n* acier *m*; * *adj* d'acier.

steelyard *n* balance romaine *f*.

steep *adj* abrupt; excessif; * *vt* tremper.

steeple *n* clocher *m*; flèche *f*.

steeplechase *n* steeple (course) *m*.

steepness *n* raideur *f*; escarpement *m*.

steer *n* bouvillon *m*; * *vt* conduire; diriger; gouverner; * *vi* tenir le gouvernail.

steering *n* direction *f*.

steering wheel *n* volant *m*.

stellar *adj* stellaire.

stem *n* tige *f*, tronc *m*; souche *f*; pied *m*; tuyau *m*; * *vt* endiguer.

stench *n* odeur fétide *f*.

stencil *n* stencil *m*, pochoir *m*.

stenographer *n* sténographe *mf*.

stenography *n* sténographie *f*.

step *n* pas *m*, marche *f*; trace *f*; * *vi* faire un pas; marcher.

stepbrother *n* demi-frère *m*.

stepdaughter *n* belle-fille *f*.

stepfather *n* beau-père *m*.

stepmother *n* belle-mère *f*.

stepping stone *n* pierre de gué *f*.

stepsister *n* demi-sœur *f*.

stepson *n* beau-fils *m*.

stereo n stéréo f.

stereotype n stéréotype m; * vt stéréotyper.

sterile adj stérile.

sterility n stérilité f.

sterling adj de bon aloi, vrai, véritable; * n livres sterling fpl.

stern adj sévère, rigide, strict; * n (mar) poupe f; ~ly adv sévèrement.

stethoscope n (med) stéthoscope m.

stevedore n (mar) docker m.

stew vt faire cuire à l'étouffée; * n ragoût m.

steward n intendant m; (mar) steward m.

stewardess n hôtesse de l'air f.

stewardship n intendance f.

stick n bâton m; canne f; baguette f; * vt coller; piquer, planter; supporter; * vi tenir; se planter; rester fidèle.

stickiness n viscosité f.

stick-up n braquage m, hold-up m.

sticky adj collant, poisseux.

stiff adj raide, rigide; inflexible; dur; entêté; ~ly adv raidement; obstinément.

stiffen vt raidir, renforcer; * vi se raidir.

stiff neck n torticolis m.

stiffness n raideur, rigidité f; opiniâtreté f.

stifle vt étouffer.

stifling adj suffocant.

stigma n stigmate m.

stigmatise vt stigmatiser.

stile n tourniquet m.

stiletto n stylet m; talon aiguille m.

still vt calmer, apaiser; faire taire; * adj silencieux, calme; * n alambic m; * adv encore; toujours; quand même, tout de même.

stillborn adj mort-né.

stillness n calme m, tranquillité f.

stilts npl échasses fpl.

stimulant n stimulant m.

stimulate vt stimuler.

stimulation n stimulant m; stimulation f.

stimulus n stimulant m.

sting vt piquer; * vi brûler; * n dard m; piqûre f; aiguillon m.

stingily adv avec avarice.

stinginess n mesquinerie, avarice f.

stingy adj mesquin, avare, pingre.

stink vi puer; * n puanteur f.

stint n tâche assignée f.

stipulate vt stipuler.

stipulation n stipulation f.

stir vt remuer; agiter; exciter; * vi remuer, bouger; * n agitation f; émoi m.

stirrup n étrier m.

stitch vt coudre; * n point m; point de suture m.

stoat n hermine f.

stock n réserve f; provision f; bouillon m; souche f; lignée f; capital m; fonds mpl; ~s pl valeurs mobilières fpl; * vt approvisionner, stocker.

stockade n prison militaire f.

stockbroker n agent de change m.

stock exchange n Bourse f.

stockholder n actionnaire mf.

stocking n bas m.

stock market n Bourse f.

stoic n stoïque mf.

stoical adj ~ly adv stoïque(ment).

stoicism n stoïcisme m.

stole n étole f.

stomach n estomac m; ventre m; * vt digérer; endurer.

stone n pierre f; caillou m; noyau m; * adj de pierre; * vt lancer des pierres sur; dénoyauter; empierrer.

stone deaf adj sourd comme un pot.

stoning n empierrement m.

stony adj pierreux, rocailleux; dur.

stool *n* tabouret *m*; rebord, appui *m*.

stoop *vi* se baisser, se pencher; * *n* inclination en avant *f*.

stop *vt* arrêter, interrompre; boucher; * *vi* s'arrêter, cesser; * *n* arrêt *m*; halte *f*; pause *f*; point *m*.

stopover *n* escale; étape *f*.

stoppage, stopping *n* obstruction *f*; engorgement *m*; (*rail*) suppression *f*.

stopwatch *n* chronomètre *m*.

storage *n* emmagasinage *m*; entreposage *m*.

store *n* provision *f*; réserve *f*; entrepôt *m*, magasin *m*; * *vt* mettre en réserve, accumuler, emmagasiner.

storekeeper *n* marchand *m* -e *f*.

storey *n* (UK) étage *m*.

stork *n* cigogne *f*.

storm *n* tempête *f*, orage *m*; assaut *m*; * *vt* prendre d'assaut; * *vi* faire rage.

stormily *adv* violemment.

stormy *adj* orageux; houleux.

story *n* histoire *f*; récit *m*; (US) étage *m*.

stout *adj* corpulent, robuste, vigoureux; solide; ~ly *adv* solidement; vaillamment; résolument.

stoutness *n* vigueur *f*; puissance *f*; corpulence *f*.

stove *n* poêle *m*; cuisinière *f*.

stow *vt* ranger, mettre en place; (*mar*) arrimer.

straggle *vi* être disséminé.

straggler *n* traînard *m* -e *f*.

straight *adj* droit; direct; franc; * *adv* droit; directement.

straightaway *adv* immédiatement, tout de suite.

straighten *vt* redresser.

straightforward *adj* honnête; franc; direct.

straightforwardness *n* honnêteté *f*.

strain *vt* tendre; fouler; forcer; mettre à l'épreuve; * *vi* peiner;

* *n* tension *f*; effort *m*; entorse *f*; contrainte *f*; lignée *f*; accent *m*; ton *m*.

strainer *n* passoire *f*.

strait *n* détroit *m*; embarras *m*; situation critique *f*.

strait-jacket *n* camisole de force *f*.

strand *n* brin *m*; rivage *m*, rive *f*.

strange *adj* inconnu; étrange; ~ly *adv* étrangement, curieusement.

strangeness *n* étrangeté *f*; nouveauté *f*.

stranger *n* inconnu(e) *m(f)*, étranger *m* -ère *f*.

strangle *vt* étrangler.

strangulation *n* strangulation *f*.

strap *n* lanière, sangle *f*; courroie *f*; * *vt* attacher avec une courroie.

strapping *adj* robuste, charpenté.

stratagem *n* stratagème *m*.

strategic *adj* stratégique *m*.

strategy *n* stratégie *f*.

stratum *n* strate *f*.

straw *n* paille *f*.

strawberry *n* fraise *f*.

stray *vi* s'égarer; vagabonder; * *adj* perdu; errant.

streak *n* raie, bande *f*; filet *m*; * *vt* strier.

stream *n* ruisseau *m*, rivière *f*; torrent *m*; * *vi* ruisseler.

streamer *n* serpentin *m*.

street *n* rue *f*.

streetcar *n* tramway *m*.

strength *n* force, puissance *f*; vigueur *f*; robustesse *f*.

strengthen *vt* fortifier; confirmer, renforcer.

strenuous *adj* ardu; vigoureux.

stress *n* pression *f*; stress *m*; tension *f*; contrainte *f*; importance *f*; accent *m*; * *vt* souligner; accentuer.

stretch *vt* étendre, étirer; élargir;

forcer; * vi s'étendre, s'étirer; *
n extension f; étendue f; période
f.

stretcher n brancard m.

strew vt éparpiller; semer.

strict adj strict, sévère; exact, rigoureux, précis; ~ly adv stricte-
ment, sévèrement.

strictness n sévérité f; rigueur
f.

stride n grand pas m; * vi marcher à grandes enjambées.

strife n conflit m, lutte f.

strike vt frapper; heurter; attaquer; rayer; * vi frapper; se mettre en grève; sonner; * n coup m;
grève f; découverte f.

striker n gréviste mf.

striking adj frappant; saisissant;
~ly adv remarquablement.

string n ficelle f; corde f; cordon
m; rang m; fibre f; * vt munir
d'une corde; enfiler; suspendre.

stringent adj rigoureux.

stringy adj filandreux.

strip vt déshabiller, dévêtir; * vi
se déshabiller; * n bande f; langue f; bandelette f.

stripe n raie, rayure f; coup de
fouet m; * vt rayer.

strive vi s'efforcer; s'évertuer; lutter, se battre.

stroke n coup m; trait m; course
f; caresse f; apoplexie f; * vt caresser.

stroll n petit tour; * vi flâner.

strong adj fort, vigoureux, robuste; puissant; intense; ~ly adv
fortement, énergiquement.

strongbox n coffre-fort m.

stronghold n forteresse f.

strophe n strophe f.

structure n structure f; construction f.

struggle vi lutter; se battre; se
démener; * n lutte f.

strum vt (mus) tapoter de.

strut vi se pavaner; * n démarche
affectée f.

stub n souche f; bout m; talon m.

stubble n chaume m; barbe de
plusieurs jours f.

stubborn adj entêté, obstiné; ~ly
adv obstinément.

stubbornness n entêtement m,
obstination f.

stucco n stuc m.

stud n clou m; crampon m; écurie
f.

student n, adj étudiant m -e f.

stud horse n étalon m.

studio n studio, atelier m.

studio apartment n studio m.

studious adj studieux; sérieux;
~ly adv studieusement, sérieusement.

study n étude f; études fpl; méditation f; * vt étudier; observer; *
vi étudier; faire des études.

stuff n matière f; matériaux mpl;
étoffe f; * vt (rem)bourrer, remplir; empailler.

stuffing n rembourrage m.

stuffy adj mal aéré; collet monté.

stumble vi trébucher; * n faux
pas, trébuchement m.

stumbling block n hésitation f;
pierre d'achoppement f.

stump n souche f; moignon m;
bout m.

stun vt étourdir; stupéfier.

stunner n personne ou chose extraordinaire f.

stunt n cascade f; coup de publicité m; * vt empêcher de croître.

stuntman n cascadeur m.

stupefy vt hébéter; stupéfier.

stupendous adj prodigieux, remarquable.

stupid adj ~ly adv stupide(ment).

stupidity n stupidité f.

stupor n stupeur f.

sturdily adv fortement.

sturdiness n force, robustesse f;
résolution f.

sturdy adj vigoureux, robuste,
fort; hardi, résolu.

sturgeon n esturgeon m.

stutter vi bégayer.

sty n porcherie f; taudis m.

stye n orgelet m.

style n style m; mode f; * vt appeler, dénommer; créer, dessiner.

stylish adj élégant, qui a du chic.

suave adj suave.

subdivide vt subdiviser.

subdivision n subdivision f.

subdue vt subjuguer, assujettir; contenir, réfréner; adoucir.

subject adj soumis; sujet à; * n sujet m; thème m; * vt soumettre; exposer.

subjection n sujétion f.

subjugate vt subjuguer, assujettir.

subjugation n subjugation f.

subjunctive n subjonctif m.

sublet vt sous-louer.

sublimate vt sublimer.

sublime adj sublime, suprême; ~ly adv sublimement; * n sublime m.

sublimity n sublimité f.

submachine gun n mitraillette f.

submarine adj n sous-marin m.

submerge vt submerger.

submersion n submersion f.

submission n soumission f.

submissive adj soumis, docile; ~ly adv avec soumission.

submissiveness n docilité f; soumission f.

submit vt soumettre; * vi se soumettre.

subordinate adj subalterne, inférieur; * vt subordonner.

subordination n subordination f.

subpoena n assignation f à comparaître; * vt assigner.

subscribe vi souscrire; * vt apposer; signer.

subscriber n souscripteur m -trice f.

subscription n souscription f.

subsequent adj ~ly adv ultérieur(ement).

subservient adj subordonné; utile.

subside vi s'affaisser, baisser.

subsidence n affaissement m.

subsidiary adj subsidaire.

subsidise vt subventionner, fournir des subsides à.

subsidy n subvention f; subside m.

subsist vi subsister; exister.

subsistence n existence f; subsistance f.

substance n substance f; fond m; essentiel m.

substantial adj considérable; réel, substantiel; solide; ~ly adv considérablement.

substantiate vt justifier.

substantive n substantif m.

substitute vt substituer; * n remplaçant m -e f.

substitution n substitution f.

substratum n substrat m.

subterfuge n subterfuge m; fauxfuyant m.

subterranean adj souterrain.

subtitle n sous-titre m.

subtle adj subtile.

subtlety n subtilité f.

subtly adv subtilement.

subtract vt (math) soustraire.

suburb n banlieue f.

suburban adj de banlieue.

subversion n subversion f.

subversive adj subversif.

subvert vt subvertir, renverser.

subway n (US) métro m.

succeed vi réussir; succéder; avoir du succès; * vt succéder à, suivre.

success n succès m.

successful adj couronné de succès, qui réussit; ~ly adv avec succès.

succession n succession f.

successive adj successif; ~ly adv successivement.

successor n successeur m.

succinct adj succinct, concis; ~ly adv succinctement.

succulent adj succulent.

succumb vi succomber.

such adj tel, pareil; ~ as tel que.

suck *vt vi* sucer; *vi* téter.

suckle *vt* allaiter.

suckling *n* nourrisson *m*.

suction *n* succion *f*.

sudden *adj* ~ly *adv* soudain(ement), subit(ement).

suddenness *n* soudaineté *f*.

suds *npl* mousse de savon *f*.

sue *vt* poursuivre en justice; supplier.

suede *n* daim *m*.

suet *n* graisse de rognon *f* de bœuf.

suffer *vt* souffrir, subir; tolérer, endurer; * *vi* souffrir.

suffering *n* souffrance *f*; douleur *f*.

suffice *vi* suffire, être suffisant.

sufficiency *n* quantité suffisante *f*; aisance *f*.

sufficient *adj* suffisant; ~ly *adv* suffisamment.

suffocate *vt vi* étouffer.

suffocation *n* suffocation *f*.

suffrage *n* suffrage, vote *m*.

suffuse *vt* baigner, se répandre sur.

sugar *n* sucre *m*; * *vt* sucrer.

sugar beet *n* betterave à sucre *f*.

sugar cane *n* canne à sucre *f*.

sugar loaf *n* pain de sucre *m*.

sugar plum *n* bonbon *m*.

sugary *adj* sucré.

suggest *vt* suggérer.

suggestion *n* suggestion *f*.

suicidal *adj* suicidaire.

suicide *n* suicide *m*; suicidé *m* -e *f*.

suit *n* procès *m*; pétition *f*; costume *m*; tailleur *m*; requête *f*; * *vt* convenir à; aller à; arranger, adapter.

suitable *adj* qui convient, approprié.

suitably *adv* convenablement.

suitcase *n* valise *f*.

suite *n* suite *f*; escorte *f*; mobilier *m*; cortège *m*.

suitor *n* plaideur *m*; prétendant *m*.

sulkiness *n* bouderie *f*.

sulky *adj* boudeur, maussade.

sullen *adj* maussade; sombre; ~ly *adv* d'un air maussade; de mauvaise grâce.

sullenness *n* maussaderie *f*; silence *m*.

sulphur *n* soufre *m*.

sulphurous *adj* sulfureux.

sultan *n* sultan *m*.

sultana *n* sultane *f*; raisin sec *m*.

sultry *adj* étouffant; chaud.

sum *n* somme *f*; total *m*; ~ up *vt* résumer; récapituler; * *vi* résumer.

summarily *adv* sommairement.

summary *adj n* résumé *m*.

summer *n* été *m*.

summerhouse *n* gloriette *f*, pavillon de jardin *m*.

summit *n* sommet *m*; cime *f*.

summon *vt* convoquer, citer à comparaître; sommer; (*mil*) sommer de se rendre.

summons *n* convocation *f*; sommation *f*.

sumptuous *adj* somptueux; ~ly *adv* somptueusement.

sun *n* soleil *m*.

sunbathe *vi* prendre un bain de soleil, se faire bronzer.

sunburnt *adj* bronzé, hâlé.

Sunday *n* dimanche *m*.

sundial *n* cadran solaire *m*.

sundry *adj* divers, différent.

sunflower *n* tournesol *m*.

sunglasses *npl* lunettes de soleil *fpl*.

sunless *adj* sans soleil.

sunlight *n* lumière du soleil *f*.

sunny *adj* ensoleillé; radieux.

sunrise *n* lever de soleil *m*.

sun roof *n* toit ouvrant *m*.

sunset *n* coucher de soleil *m*.

sunshade *n* parasol *m*.

sunshine *n* (lumière du) soleil *m*; ensoleillement *m*.

sunstroke *n* insolation *f*.

suntan *n* bronzage *m*.

suntan oil *n* huile solaire *f*.

super *adj* (*fam*) sensationnel.
superannuated *adj* en retraite.
superannuation *n* retraite, pension de retraite *f*. ·
superb *adj* ~**ly** *adv* superbe(ment).
supercargo *n* (*mar*) subrécargue *m*.
supercilious *adj* hautain, dédaigneux; ~**ly** *adv* avec dédain.
superficial *adj* ~**ly** *adv* superficiel(lement).
superfluity *n* surabondance, superfluité *f*.
superfluous *adj* superflu.
superhuman *adj* surhumain.
superintendent *n* directeur *m* -trice *f*.
superior *adj n* supérieur *m* -e *f*.
superiority *n* supériorité *f*.
superlative *adj n* superlatif *m*; ~**ly** *adv* extrêmement, au suprême degré.
supermarket *n* supermarché *m*.
supernatural *adj* surnaturel.
supernumerary *adj* surnuméraire.
superpower *n* superpuissance *f*.
supersede *vt* remplacer; supplanter.
supersonic *adj* supersonique.
superstition *n* superstition *f*.
superstitious *adj* superstitieux; ~**ly** *adv* superstitieusement.
superstructure *n* superstructure *f*.
supertanker *n* gros pétrolier, supertanker *m*.
supervene *vi* survenir.
supervise *vt* surveiller, superviser.
supervision *n* surveillance *f*.
supervisor *n* surveillant *m* -e *f*.
supine *adj* couché, étendu sur le dos; indolent.
supper *n* dîner *m*.
supplant *vt* supplanter.
supple *adj* souple, flexible; obséquieux.
supplement *n* supplément *m*.

supplementary *adj* supplémentaire.
suppleness *n* souplesse *f*.
suppli(c)ant *n* suppliant *m* -e *f*.
supplicate *vt* supplier.
supplication *n* supplique, supplication *f*.
supplier *n* fournisseur *m*.
supply *vt* fournir, approvisionner; suppléer à, remédier à; * *n* approvisionnement *m*; provision *f*.
support *vt* soutenir; supporter, appuyer; * *n* appui *m*.
supportable *adj* supportable.
supporter *n* partisan *m*; supporter *m*, adepte *mf*.
suppose *vt vi* supposer.
supposition *n* supposition *f*.
suppress *vt* supprimer.
suppression *n* suppression *f*.
supremacy *n* suprématie *f*.
supreme *adj* ~**ly** *adv* suprême(ment).
surcharge *vt* surcharger; * *n* surtaxe *f*.
sure *adj* sûr, certain; infaillible; **to be ~** certainement; ~**ly** *adv* sûrement, certainement, sans doute.
sureness *n* certitude, sûreté *f*.
surety *n* certitude *f*; caution *f*.
surf *n* (*mar*) ressac *m*.
surface *n* surface *f*; * *vt* revêtir; * *vi* remonter à la surface.
surfboard *n* planche (de surf) *f*.
surfeit *n* excès *m*.
surge *n* vague, montée *f*; * *vi* déferler.
surgeon *n* chirurgien *m*.
surgery *n* chirurgie *m*.
surgical *adj* chirurgical.
surliness *n* air revêche, bourru *m*.
surly *adj* revêche, bourru.
surmise *vt* conjecturer; * *n* conjecture *f*.
surmount *vt* surmonter.
surmountable *adj* surmontable.
surname *n* nom de famille *m*.
surpass *vt* surpasser, dépasser.

surpassing *adj* sans pareil, incomparable.

surplice *n* surplis *m*.

surplus *n* excédent *m*; surplus *m*; * *adj* en surplus.

surprise *vt* surprendre; * *n* surprise *f*.

surprising *adj* surprenant.

surrender *vt* rendre; céder; * *vi* se rendre; * *n* reddition *f*.

surreptitious *adj* ~ly *adv* subreptice(ment).

surrogate *vt* remplacer; * *n* substitut *m*.

surrogate mother *n* mère porteuse *f*.

surround *vt* entourer, cerner, encercler.

survey *vt* examiner, inspecter; faire le relevé de; * *n* enquête *f*; relevé (des plans) *m*.

survive *vi* survivre; * *vt* survivre à.

survivor *n* survivant *m* -e *f*.

susceptibility *n* sensibilité *f*.

susceptible *adj* sensible.

suspect *vt* soupçonner; * *n* suspect *m* -e *f*.

suspend *vt* suspendre.

suspense *n* incertitude *f*; suspense *m*.

suspension *n* suspension *f*.

suspension bridge *n* pont suspendu *m*.

suspicion *n* soupçon *m*.

suspicious *adj* soupçonneux; ~ly *adv* soupçonneusement.

suspiciousness *n* caractère soupçonneux *m*.

sustain *vt* soutenir, supporter, maintenir; subir.

sustenance *n* (moyens de) subsistance *f*.

suture *n* suture *f*.

swab *n* tampon *m*; prélèvement *m*.

swaddle *vt* emmailloter.

swaddling clothes *npl* langes *mpl*.

swagger *vi* plastronner.

swallow *n* hirondelle *f*; * *vt* avaler.

swamp *n* marais *m*.

swampy *adj* marécageux.

swan *n* cygne *m*.

swap *vt* échanger; * *n* échange *m*.

swarm *n* essaim *m*; grouillement *m*; nuée *f*; * *vi* fourmiller; grouiller de monde; pulluler.

swarthy *adj* basané.

swarthiness *n* teint basané *m*.

swashbuckling *adj* fanfaron.

swath *n* andain *m*.

swathe *vt* emmailloter; * *n* bande *f*.

sway *vt* balancer; * *vi* se balancer, osciller; * *n* balancement *m*; emprise, domination, puissance *f*.

swear *vt* jurer; faire prêter serment; * *vi* jurer.

sweat *n* sueur *f*; * *vi* suer, transpirer.

sweater, sweatshirt *n* pullover *m*.

sweep *vt* balayer; ramoner; * *vi* s'étendre; avancer rapidement, majestueusement; * *n* coup de balai *m*; grand geste *m*; champ *m*.

sweeping *adj* rapide; ~s *pl* balayures *fpl*.

sweepstake *n* sweepstake *m*.

sweet *adj* sucré, doux, agréable; suave; gentil; mélodieux; adorable; * *adv* doux; sucré; * *n* bonbon *m*.

sweetbread *n* ris de veau *m*.

sweeten *vt* sucrer; adoucir; assainir; purifier.

sweetener *n* édulcorant *m*.

sweetheart *n* petit(e) ami(e) *m(f)*; chéri *m* -e *f*.

sweetmeats *npl* sucreries *fpl*.

sweetness *n* goût sucré *m*, douceur *f*.

swell *vi* gonfler; enfler; augmenter; * *vt* gonfler, enfler, grossir; * *n* houle *f*; * *adj* (*fam*) génial, épatant.

swelling *n* gonflement *m*; boursouflure, tuméfaction *f*.

swelter *vi* étouffer de chaleur.

swerve *vi* faire un écart; * *vt* dévier.

swift *adj* rapide, prompt, vif; * *n* martinet *m*.

swiftly *adv* rapidement.

swiftness *n* rapidité, promptitude *f*.

swill *vt* boire avidemment; * *n* pâtée *f*.

swim *vi* nager; * *vt* traverser à la nage; * *n* baignade *f*.

swimming *n* natation *f*, nage *f*; vertige *m*.

swimming pool *n* piscine *f*.

swimsuit *n* maillot de bain *m*.

swindle *vt* escroquer.

swindler *n* escroc *m*.

swine *n* pourceau, porc *m*.

swing *vi* se balancer, osciller; virer; * *vt* balancer; faire tourner; influencer; * *n* balancement *m*; rythme *m*.

swinging *adj* (*fam*) rythmé.

swinging door *n* porte battante *f*.

swirl *n* tourbillon.

switch *n* baguette *f*; interrupteur *m*; (*rail*) aiguille *f*; * *vt* changer de; ~ **off** éteindre; ~ **on** allumer.

switchboard *n* standard (téléphonique) *m*.

swivel *vt* faire pivoter.

swoon *vi* s'évanouir; * *n* évanouissement *m*, défaillance *f*.

swoop *vi* fondre sur; * *n* descente en piqué *f*; descente, rafle *f*; **in one** ~ d'un seul coup.

sword *n* épée *f*.

swordfish *n* espadon *m*.

swordsman *n* tireur d'épée *m*.

sycamore *n* sycomore *m*.

sycophant *n* sycophante *mf*.

syllabic *adj* syllabique.

syllable *n* syllabe *f*.

syllabus *n* programme *m* (d'un cours).

syllogism *n* syllogisme *m*.

sylph *n* sylphe *m*; sylphide *f*.

symbol *n* symbole *m*.

symbolic(al) *adj* symbolique.

symbolise *vt* symboliser.

symmetrical *adj* ~**ly** *adv* symétrique(ment).

symmetry *n* symétrie *f*.

sympathetic *adj* compatissant; ~**ally** *adv* avec compassion.

sympathise *vi* compatir.

sympathy *n* compassion *f*.

symphony *n* symphonie *f*.

symptom *n* symptôme *m*.

synagogue *n* synagogue *f*.

synchronism *n* synchronisme *m*.

syndicate *n* syndicat *m*.

syndrome *n* syndrome *m*.

synod *n* synode *m*.

synonym *n* synonyme *m*.

synonymous *adj* synonyme; ~**ly** *adv* de façon synonyme.

synopsis *n* synopsis *f*; résumé *m*.

synoptical *adj* synoptique.

syntax *n* syntaxe *f*.

synthesis *n* synthèse *f*.

syringe *n* seringue *f*; * *vt* seringuer.

system *n* système *m*.

systematic *adj* ~**ally** *adv* systématique(ment).

systems analyst *n* analyste de systèmes *mf*.

T

tab n patte f; étiquette f.

tabernacle n tabernacle m.

table n table f; * vt mettre en forme de tableau; ajourner; ~ **d'hôte** repas à prix fixe m.

tablecloth n nappe f.

tablespoon n grande cuiller f.

tablet n tablette f; comprimé m.

table tennis n ping-pong m.

taboo adj n tabou m; * vt proscrire.

tabular adj tabulaire.

tacit adj ~**ly** adv tacite(ment).

taciturn adj taciturne.

tack n broquette f; bordée f; * vt clouer; * vi tirer des bordées.

tackle n attirail, équipement, matériel m; plaquage m; (mar) appareil de levage m, apparaux mpl.

tactician n tacticien m.

tactics npl tactique f.

tadpole n têtard m.

taffeta n taffetas m.

tag n ferret m; étiquette f; * vt ferrer.

tail n queue f; basque f; * vt suivre, filer.

tailgate n hayon arrière m.

tailor n tailleur m.

tailoring n métier de tailleur m.

tailor-made adj fait sur mesure.

tailwind n vent arrière m.

taint vt infecter, polluer; vicier; * n tache, souillure f.

tainted adj infecté; souillé.

take vt prendre, saisir; apporter, emporter; conduire; enlever, retirer; passer; * vi prendre; ~ **away** vt enlever; emporter; ~ **back** vt reprendre; raccompagner; ~ **down** vt descendre; prendre (notes); ~ **in** vt saisir, comprendre; recevoir; ~ **off** vi décoller; vt enlever; imiter; ~ **on** vt accepter; engager; s'attaquer à; ~ **out** vt sortir; enlever; ~ **to** vt se prendre d'amitié pour; ~ **up** vt monter; occuper; se mettre à; * n prise f.

takeoff n décollage m.

takeover n prise f de contrôle.

takings npl recette f.

talent n talent m; don m.

talented adj talentueux.

talisman n talisman m.

talk vi parler, bavarder; causer; * n conversation f; discussion f; entretien m.

talkative adj loquace.

talk show n débat télévisé m.

tall adj grand, élevé; incroyable.

tally vi correspondre.

talon n serre f.

tambourine n tambourin m.

tame adj apprivoisé, domestiqué; ~**ly** adv docilement; fadement; * vt apprivoiser, domestiquer.

tameness n nature apprivoisée f; soumission f.

tamper vi tripoter.

tampon n tampon m.

tan vt vi bronzer; * n bronzage m.

tang n saveur forte f.

tangent n tangente f.

tangerine n mandarine f.

tangible adj tangible.

tangle vt enchevêtrer, embrouiller.

tank n réservoir m; citerne f.

tanker n pétrolier m; camion-citerne m.

tanned adj bronzé.

tantalising adj tentant.

tantamount adj équivalent (à).

tantrum n accès de colère m.

tap vt taper doucement; exploiter; inciser; * n petite tape f; robinet m.

tape n ruban m; * vt enregistrer.

tape measure n mètre à ruban m.

taper n cierge m.

tape recorder n magnétophone m.

tapestry n tapisserie f.

tar n goudron m.

target n cible f.

tariff n tarif m.

tarmac n piste f (d'aéroport).

tarnish vt ternir.

tarpaulin n bâche (goudronnée) f.

tarragon n (bot) estragon m.

tart adj acidulé; * n tarte, tartelette f.

tartar n tartre m.

task n tâche f.

tassel n gland m (décoration).

taste n goût m; saveur f; pincée f; penchant m; * vt sentir le goût de; goûter à; déguster; savourer; * vi avoir du goût.

tasteful adj de bon goût; ~ly adv avec goût.

tasteless adj insipide, sans goût.

tasty adj savoureux.

tattoo n tatouage m; * vt tatouer.

taunt vt railler; accabler de sarcasmes; * n raillerie f, sarcasme m.

Taurus n Taureau m (signe du zodiaque).

taut adj tendu.

tautological adj tautologique.

tautology n tautologie f.

tawdry adj tapageur, voyant, clinquant.

tax n impôt m; contribution f; * vt imposer; mettre à l'épreuve.

taxable adj imposable.

taxation n imposition f.

tax collector n percepteur m.

tax-free adj exonéré d'impôts.

taxi n taxi m; * vi rouler sur la piste.

taxi driver n chauffeur de taxi m.

taxi stand n station de taxis f.

tax payer n contribuable mf.

tax relief n dégrèvement fiscal m.

tax return n déclaration d'impôts f.

tea n thé m.

teach vt enseigner, apprendre; * vi enseigner.

teacher n professeur m; instituteur m -trice f.

teaching n enseignement m.

teacup n tasse à thé f.

teak n teck m.

team n équipe f.

teamster n (US) routier m.

teamwork n travail d'équipe m.

teapot n théière f.

tear vt déchirer; ~ **up** mettre en morceaux.

tear n larme f.

tearful adj larmoyant; ~ly adv en pleurant.

tear gas n gaz lacrymogène m.

tease vt taquiner.

tea-service, tea-set n service à thé m.

teaspoon n petite cuiller f.

teat n tétine f, mamelon m.

technical adj technique.

technicality n technicité f.

technician n technicien m -ne f.

technique n technique f.

technological adj technologique.

technology n technologie f.

teddy (bear) n ours en peluche m.

tedious adj ennuyeux, fastidieux; ~ly adv fastidieusement.

tedium n ennui, manque d'intérêt m.

teem vi grouiller (de).

teenage adj adolescent; ~r n adolescent(e) m(f).

teens npl adolescence (de 13 à 20 ans) f.

tee-shirt n T-shirt m.

teeth npl de **tooth**.

teethe vi faire ses premières dents.

teetotal adj antialcoolique, qui ne boit jamais d'alcool.

teetotaller n personne qui ne boit jamais d'alcool f.

telegram n télégramme m.

telegraph *n* télégraphe *m*.
telegraphic *adj* télégraphique.
telegraphy *n* télégraphie *f*.
telepathy *n* télépathie *f*.
telephone *n* téléphone *m*.
telephone booth *n* cabine téléphonique *f*.
telephone call *n* appel téléphonique *m*.
telephone directory *n* annuaire *m*.
telephone number *n* numéro de téléphone *m*.
telescope *n* télescope *m*.
telescopic *adj* télescopique.
televise *vt* téléviser.
television *n* télévision *f*.
television set *n* téléviseur, poste de télévision *m*.
telex *n* télex *m*; *vt* envoyer par télex.
tell *vt* dire; raconter.
teller *n* (banque) caissier *m* -ière *f*.
telling *adj* révélateur.
telltale *adj* dénonciateur.
temper *vt* tempérer, modérer; * *n* colère *f*.
temperament *n* tempérament *m*.
temperance *n* tempérance, modération *f*.
temperate *adj* tempéré, modéré, mesuré.
temperature *n* température *f*.
tempest *n* tempête *f*.
tempestuous *adj* de tempête.
template *n* gabarit *m*.
temple *n* temple *m*; tempe *f*.
temporarily *adv* temporairement.
temporary *adj* temporaire.
tempt *vt* tenter.
temptation *n* tentation *f*.
tempting *adj* tentant.
ten *adj n* dix *m*.
tenable *adj* défendable.
tenacious *adj* tenace, ~ly *adv* avec ténacité.
tenacity *n* ténacité *f*.
tenancy *n* location *f*.

tenant *n* locataire *mf*.
tend *vt* garder, surveiller; * *vi* avoir tendance (à).
tendency *n* tendance *f*.
tender *adj* tendre, délicat; sensible; ~ly *adv* tendrement; * *n* offre *f*; * *vt* offrir.
tenderness *n* tendresse *f*.
tendon *n* tendon *m*.
tenement *n* appartement *m*.
tenet *n* doctrine *f*; principe *m*.
tennis court *n* court *ou* terrain de tennis *m*.
tennis player *n* joueur(-euse) de tennis *m(f)*.
tennis racket *n* raquette de tennis *f*.
tennis shoes *npl* chaussures de tennis *fpl*.
tenor *n* (*mus*) ténor *m*; sens *m*; substance *f*.
tense *adj* tendu; * *n* (*gr*) temps *m*.
tension *n* tension *f*.
tent *n* tente *f*.
tentacle *n* tentacule *m*.
tentative *adj* timide, hésitant; ~ly *adv* à titre d'essai.
tenth *adj n* dixième *mf*.
tenuous *adj* ténu.
tenure *n* titularisation *f*.
tepid *adj* tiède.
term *n* terme *m*; trimestre *m*; mot *m*; condition, clause *f*; * *vt* appeler, nommer.
terminal *adj* terminal; * *n* aérogare *f*; terminal *m*.
terminate *vt* terminer.
termination *n* fin, conclusion *f*.
terrace *n* terrace *f*.
terrain *n* (*mil*) terrain *m*.
terrestrial *adj* terrestre.
terrible *adj* terrible.
terribly *adv* terriblement.
terrier *n* terrier *m* (chien).
terrific *adj* terrifiant; fantastique.
terrify *vt* terrifier, épouvanter.
territorial *adj* territorial.
territory *n* territoire *m*.
terror *n* terreur *f*.

terrorise *vt* terroriser.

terrorism *n* terrorisme *m*.

terrorist *n* terroriste *mf*.

terse *adj* concis, net.

test *n* essai *m*; épreuve *f*; * *vt* essayer; examiner.

testament *n* testament *m*.

tester *n* contrôleur *m* -euse *f*.

testicles *npl* testicules *mpl*.

testify *vt* témoigner, déclarer sous serment.

testimonial *n* certificat *m*.

testimony *n* témoignage *m*.

test pilot *n* pilote d'essai *m*.

test tube *n* éprouvette *f*.

testy *adj* irritable.

tetanus *n* tétanos *m*.

tether *vt* attacher.

text *n* texte *m*.

textbook *n* manuel *m*.

textiles *npl* textile *m*.

textual *adj* textuel.

texture *n* texture *f*; (*med*) tissu *m*.

than *adv* que; de.

thank *vt* remercier, dire merci à.

thankful *adj* reconnaissant; **~ly** *adv* avec reconnaissance.

thankfulness *n* reconnaissance *f*.

thankless *adj* ingrat.

thanks *npl* remerciement(s) *m(pl)*.

thanksgiving *n* action de grâce *f*.

that *pn* cela, ça, ce; qui, que; celui-là; * *conj* que; afin que; **so ~** pour que.

thatch *n* chaume *m*; * *vt* couvrir de chaume.

thaw *n* dégel *m*; * *vi* fondre, dégeler.

the *art* le, la, l', les.

theatre *n* théâtre *m*.

theatre-goer *n* habitué(e) du théâtre *m(f)*.

theatrical *adj* théâtral.

theft *n* vol *m*.

their *pn* leur(s); **~s** le leur; la leur; les leurs; à elles; à eux.

them *pn* les; leur.

theme *n* thème *m*.

themselves *pn pl* eux-mêmes *mpl*, elles-mêmes *fpl*; se.

then *adv* alors, à cette époque-là; ensuite; en ce cas; * *conj* donc; en ce cas; * *adj* d'alors; **now and ~** de temps en temps.

theological *adj* théologique.

theologian *n* théologien *m* -ne *f*.

theology *n* théologie *f*.

theorem *n* théorème *m*.

theoretical *adj* **~ly** *adv* théorique(ment).

theorise *vt* théoriser.

theorist *n* théoricien *m* -ne *f*.

theory *n* théorie *f*.

therapeutics *n* thérapeutique *f*.

therapist *n* thérapeute *mf*.

therapy *n* thérapie *f*.

there *adv* y, là.

thereabout(s) *adv* par là, près de là.

thereafter *adv* par la suite; après.

thereby *adv* de cette façon.

therefore *adv* donc, par conséquent.

thermal *adj* thermal.

thermal printer *n* imprimante thermique *f*.

thermometer *n* thermomètre *m*.

thermostat *n* thermostat *m*.

thesaurus *n* trésor *m*; dictionnaire de synonymes *m*.

these *pn pl* ceux-ci, celles-ci.

thesis *n* thèse *f*.

they *pn pl* ils, elles.

thick *adj* épais, gros; dense; obtus.

thicken *vi* (s')épaissir, grossir.

thicket *n* fourré *m*.

thickness *n* épaisseur *f*.

thickset *adj* trapu; râblé.

thick-skinned *adj* endurci, blindé.

thief *n* voleur *m* -euse *f*.

thigh *n* cuisse *f*.

thimble *n* dé (à coudre) *m*.

thin *adj* mince, fin, maigre; clair; * *vt* amincir; délayer; éclaircir.

thing *n* chose *f*; objet *m*; truc *m*.

think vi penser, réfléchir, imaginer; * vt penser, croire, juger; ~ **over** vt réfléchir à; ~ **up** vt imaginer.

thinker n penseur m -euse f.

thinking n pensée f; réflexion f; opinion f.

third adj troisième; * n troisième mf; tiers m; ~**ly** adv troisièmement.

third rate adj médiocre, de mauvaise qualité.

thirst n soif f.

thirsty adj assoiffé.

thirteen adj n treize m.

thirteenth adj n treizième mf.

thirtieth adj n trentième mf.

thirty adj n trente m.

this adj ce, cet, cette, ces; * pn ceci, ce.

thistle n chardon m.

thorn n épine f; aubépine f.

thorny adj épineux.

thorough adj consciencieux, approfondi; ~**ly** adv minutieusement, à fond.

thoroughbred adj pur-sang, de race.

thoroughfare n rue, artère f.

those pn pl ceux-là, celles-la; * adj ces, ces... là.

though conj bien que, malgré le fait que; * adv pourtant.

thought n pensée, réflexion f; opinion f; intention f.

thoughtful adj pensif.

thoughtless adj étourdi; irréfléchi; ~**ly** adv étourdiment, à la légère.

thousand adj n mille m.

thousandth adj n millième mf.

thrash vt battre; rouer de coups.

thread n fil m; filetage m; * vt enfiler.

threadbare adj râpé, élimé.

threat n menace f.

threaten vt menacer.

three adj n trois m.

three-dimensional adj à trois dimensions, tridimensionnel.

three-ply adj à trois fils ou épaisseurs.

threshold n seuil m.

thrifty adj économe.

thrill vt faire frissonner; * n frisson m.

thriller n film ou roman à suspense m.

thrive vi prospérer; bien se développer.

throat n gorge f.

throb vi palpiter; vibrer; lanciner.

throne n trône m.

throng n foule f; * vi affluer.

throttle n accélérateur m; * vt étrangler.

through prep à travers; pendant; par, grâce à; * adj direct; * adv complètement.

throughout prep partout dans; * adv partout.

throw vt jeter, lancer, projeter; * n jet m; lancement m; ~ **away** vt jeter; ~ **off** vt rejeter; ~ **out** vt jeter dehors; ~ **up** vt vi vomir.

throwaway adj jetable.

thru (US) = **through.**

thrush n grive f.

thrust vt pousser violemment; enfoncer; * n poussée f.

thud n bruit sourd m.

thug n voyou m.

thumb n pouce m.

thumbtack n punaise f.

thump n coup de poing m; * vi frapper, cogner; * vt cogner à.

thunder n tonnerre m; * vi tonner.

thunderbolt n foudre f.

thunderclap n coup de tonnerre m.

thunderstorm n orage m.

thundery adj orageux.

Thursday n jeudi m.

thus adv ainsi, de cette manière.

thwart vt contrecarrer.

thyme n (bot) thym m.

thyroid n thyroïde f.

tiara n tiare f.

tic n tic m.

tick *n* tic-tac *m*; instant *m*; * *vt* cocher; ~ **over** *vi* tourner au ralenti; aller doucement.

ticket *n* billet, ticket *m*; étiquette *f*; carte *f*.

ticket collector *n* (*rail*) contrôleur *m* -euse *f*.

ticket office *n* guichet *m*.

tickle *vt* chatouiller.

ticklish *adj* chatouilleux.

tidal *adj* (*mar*) de la marée.

tidal wave *n* raz-de-marée *m*.

tide *n* marée *f*; (*fig*) afflux *m*, cours *m*.

tidy *adj* rangé, en ordre; ordonné; soigné.

tie *vt* attacher, nouer; * *vi* se nouer; ~ **up** *vt* ficeler; attacher; amarrer; conclure; * *n* attache *f*; lacet *m*; égalité *f*.

tier *n* gradin *m*; étage *m*.

tiger *n* tigre *m*.

tight *adj* raide, tendu; serré; hermétique; * *adv* très fort.

tighten *vt* (re)serrer, tendre.

tightfisted *adj* avare.

tightly *adv* très fort.

tightrope *n* corde raide *f*.

tigress *n* tigresse *f*.

tile *n* tuile *f*; carreau *m*; * *vt* couvrir de tuiles.

tiled *adj* en tuiles, carrelé.

till *n* caisse *f*; * *vt* labourer, cultiver.

tiller *n* barre du gouvernail *f*.

tilt *vt* pencher; * *vi* s'incliner.

timber *n* bois de construction *m*; arbres *mpl*.

time *n* temps *m*; période *f*; heure *f*; moment *m*; (*mus*) mesure *f*; **in** ~ à temps; **from** ~ **to** ~ de temps en temps; * *vt* fixer; chronométrer.

time bomb *n* bombe à retardement *f*.

time lag *n* décalage *m*.

timeless *adj* éternel.

timely *adj* opportun.

time off *n* temps libre *m*.

timer *n* sablier *m*; minuteur *m*.

time scale *n* durée *f*.

time zone *n* fuseau horaire *m*.

timid *adj* timide, timoré; ~**ly** *adv* timidement.

timidity *n* timidité *f*.

timing *n* chronométrage *m*.

tin *n* étain *m*; boîte (de conserve) *f*.

tinfoil *n* papier d'aluminium *m*.

tinge *n* teinte *f*.

tingle *vi* picoter; vibrer, frissonner.

tingling *n* picotement *m*; frisson *m*.

tinker *n* rétameur *m*.

tinkle *vi* tinter.

tinplate *n* fer-blanc *m*.

tinsel *n* guirlande *f*.

tint *n* teinte *f*; * *vt* teinter.

tinted *adj* teinté; fumé.

tiny *adj* minuscule, tout petit.

tip *n* pointe *f*, bout *m*; pourboire *m*; conseil, tuyau *m*; * *vt* donner un pourboire à; pencher; effleurer.

tip-off *n* avertissement *m*.

tipsy *adj* gai, éméché.

tiptop *adj* excellent, de premier ordre.

tirade *n* diatribe *f*.

tire *n* (US) pneu *m*; * *vt* fatiguer; * *vi* se fatiguer; se lasser.

tireless *adj* infatigable.

tire pressure *n* (US) pression *f* des pneux.

tiresome *adj* ennuyeux, fatigant.

tiring *adj* fatigant.

tissue *n* (US) tissu *m* (*bot*); mouchoir *m* en papier.

tissue paper *n* papier *m* de soie.

titbit *n* friandise *f*; bon morceau *m*.

titillate *vt* titiller.

title *n* titre *m*.

title deed *n* titre de propriété *m*.

title page *n* page de titre *f*.

titter *vi* rire sottement; * *n* petit rire sot *m*.

titular *adj* titulaire.

to *prep* à; vers; en; chez; moins; de.

toad n crapaud m.

toadstool n (bot) champignon vénéneux m.

toast vt (faire) griller; porter un toast à la santé de; * n toast m.

toaster n grille-pain m invar.

tobacco n tabac m.

tobacconist n marchand(e) de tabac m(f).

tobacco pouch n blague à tabac f.

tobacco shop n bureau de tabac m.

toboggan n toboggan m, luge f.

today adv aujourd'hui.

toddler n enfant qui commence à marcher m.

toddy n grog m.

toe n orteil m; pointe f.

together adv ensemble; en même temps.

toil vi travailler dur, peiner; se donner du mal; * n dur travail m; labeur m; peine f.

toilet n toilette f; toilettes fpl; * adj de toilette.

toilet bag n trousse de toilette f.

toilet bowl n cuvette des toilettes f.

toilet paper n papier hygiénique m.

toiletries npl articles de toilette mpl.

token n signe m; marque f; souvenir m; bon m; jeton m.

tolerable adj tolérable; passable.

tolerance n tolérance f.

tolerant adj tolérant.

tolerate vt tolérer.

toll n péage m; nombre de victimes m; * vi sonner le glas.

tomato n tomate f.

tomb n tombeau m; tombe f.

tomboy n garçon manqué m.

tombstone n pierre tombale f.

tomcat n matou m.

tomorrow adv, n demain m.

ton n tonne f.

tone n ton m; tonalité f; * vi s'harmoniser; ~ **down** vt adoucir.

tone-deaf adj qui n'a pas l'oreille musicale.

tongs npl pinces fpl.

tongue n langue f.

tongue-tied adj muet.

tongue-twister n phrase difficile à prononcer f.

tonic n (med) tonique m.

tonight adv, n ce soir (m).

tonnage n tonnage m.

tonsil n amygdale f.

tonsure n tonsure f.

too adv aussi; trop.

tool n outil m; ustensile m.

tool box n caisse à outils f.

toot vi klaxonner.

tooth n dent f.

toothache n rage de dents f.

toothbrush n brosse à dents f.

toothless adj édenté.

toothpaste n dentifrice m.

toothpick n cure-dent m.

top n sommet m, cime f; haut m; tête f; dessus m; couvercle m; étage supérieur m; * adj du haut; premier; * vt dépasser; être au sommet de; ~ **off** couronner.

topaz n topaze f.

top floor n dernier étage m.

top-heavy adj instable, déséquilibré.

topic n sujet m; ~**al** adj d'actualité.

topless adj torse nu, aux seins nus.

top-level adj au plus haut niveau.

topmost adj le plus haut.

topographic(al) adj topographique.

topography n topographie f.

topple vt renverser; * vi basculer.

top-secret adj ultra-secret.

topsy-turvy adv sens dessus dessous.

torch n torche f.

torment vt tourmenter; * n tourment m.

tornado n tornade f.

torrent n torrent m.

torrid *adj* torride.

tortoise *n* tortue *f*.

tortoiseshell *adj* en écaille de tortue.

tortuous *adj* tortueux, sinueux.

torture *n* torture *f*; * *vt* torturer.

toss *vt* lancer, jeter; agiter, secouer.

total *adj* total, global; **~ly** *adv* totalement.

totalitarian *adj* totalitaire.

totality *n* totalité *f*.

totter *vi* chanceler.

touch *vt* toucher; **~ on** effleurer; **~ up** retoucher; * *n* toucher *m*; contact *m*; touche *f*.

touch-and-go *adj* incertain, précaire.

touchdown *n* atterrissage *m*; but *m*.

touched *adj* touché; timbré.

touching *adj* touchant, attendrissant.

touchstone *n* pierre de touche *f*.

touchwood *n* amadou *m*.

touchy *adj* susceptible.

tough *adj* dur; pénible; résistant; fort; * *n* dur *m*.

toughen *vt* durcir.

toupee *n* postiche *m*.

tour *n* voyage *m*; visite *f*; * *vt* visiter.

touring *n* tourisme *m*.

tourism *n* tourisme *m*.

tourist *n* touriste *mf*.

tourist office *n* office de tourisme *m*.

tournament *n* tournoi *m*.

tow *n* remorquage *m*; * *vt* remorquer.

toward(s) *prep* vers, dans la direction de; envers, à l'égard de.

towel *n* serviette *f*.

towelling *n* tissu éponge *m*.

towel rack *n* porte-serviette *m* *invar*.

tower *n* tour *f*.

towering *adj* imposant.

town *n* ville *f*.

town clerk *n* secrétaire de mairie *mf*.

town hall *n* mairie *f*.

towrope *n* câble de remorquage *m*.

toy *n* jouet *m*.

toyshop *n* magasin de jouets *m*.

trace *n* trace, piste *f*; * *vt* tracer, esquisser; retrouver.

track *n* trace *f*; empreinte *f*; chemin *m*; voie *f*; piste *f*; * *vt* suivre à la trace.

tracksuit *n* survêtement *m*.

tract *n* étendue *f*, région *f*; brochure *f*.

traction *n* traction *f*.

trade *n* commerce *m*, affaires *fpl*; échange *m*; métier *m*; * *vi* faire le commerce (de), commercer.

trade fair *n* foire commerciale *f*.

trademark *n* marque de fabrique *f*.

trade name *n* raison commerciale *f*.

trader *n* négociant *m* -e *f*.

tradesman *n* fournisseur, commerçant *m*.

trade(s) union *n* syndicat *m*.

trade unionist *n* syndicaliste *mf*.

trading *n* commerce *m*; * *adj* commercial.

tradition *n* tradition *f*

traditional *adj* traditionnel.

traffic *n* circulation *f*; négoce *m*; * *vi* faire le commerce (de).

traffic circle *n* (US) rond-point *m*.

traffic jam *n* embouteillage *m*.

trafficker *n* trafiquant *m* -e *f*.

traffic lights *npl* feux de signalisation *mpl*.

tragedy *n* tragédie *f*.

tragic *adj* **~ally** *adv* tragique(ment).

tragicomedy *n* tragi-comédie *f*.

trail *vt* suivre la piste de; traîner; *vi* traîner; * *n* traînée *f*; trace *f*; queue *f*.

trailer *n* remorque *f*; caravane *f*; bande-annonce *f*.

train vt entraîner; former; * n train m; traîne f; file f.

trained adj qualifié; diplômé.

trainee n stagiaire mf.

trainer n entraîneur m.

training n formation f; entraînement m.

trait n trait m.

traitor n traître m.

tramp n clochard m -e f; (sl) putain f; * vi marcher d'un pas lourd; * vt piétiner.

trample vt piétiner.

trampoline n trampoline m.

trance n transe f; extase f.

tranquil adj tranquille.

tranquillise vt tranquilliser.

tranquilliser n tranquillisant m.

transact vt traiter.

transaction n transaction f; opération f.

transatlantic adj transatlantique.

transcend vt transcender, dépasser; surpasser.

transcription n transcription f; copie f.

transfer vt transférer, déplacer; * n transfert m; mutation f; décalcomanie f.

transform vt transformer.

transformation n transformation f.

transfusion n transfusion f.

transient adj transitoire, passager.

transit n transit m.

transition n transition f; passage m.

transitional adj de transition.

transitive adj transitif.

translate vt traduire.

translation n traduction f.

translator n traducteur m -trice f.

transmission n transmision f.

transmit vt transmettre.

transmitter n transmetteur m; émetteur m.

transparency n transparence f; diapositive f.

transparent adj transparent.

transpire vi transpirer; arriver.

transplant vt transplanter; * n transplantation f.

transport vt transporter; * n transport m.

transportation n moyen de transport m.

trap n piège m; * vt prendre au piège; bloquer.

trap door n trappe f.

trapeze n trapèze m.

trappings npl ornements mpl.

trash n camelote f; inepties fpl.

trash can n poubelle f.

trashy adj sans valeur, de mauvaise qualité.

travel vi voyager; * vt parcourir; * n voyage m.

travel agency n agence de voyages f.

travel agent n agent de voyages m.

traveller n voyageur m -euse f.

traveller's cheque n chèque de voyage m.

travelling n voyages mpl.

travel sickness n mal de mer/de l'air m.

travesty n parodie f.

trawler n chalutier m.

tray n plateau m; tiroir m.

treacherous adj traître, perfide.

treachery n traîtrise f.

tread vi marcher; écraser; * n pas m; bruit de pas m; bande de roulement f.

treason n trahison f; **high ~** haute trahison f.

treasure n trésor m; * vt conserver précieusement.

treasurer n trésorier m -ière f.

treat vt traiter; offrir; * n cadeau m; plaisir m.

treatise n traité m.

treatment n traitement m.

treaty n traité m.

treble adj triple; * vt vi tripler; * n (mus) soprano m.

treble clef n clef de sol f.

tree n arbre m.

trek n randonnée f.

trellis n treillis m.

tremble vi trembler.

trembling n tremblement m; frisson m.

tremendous adj terrible; énorme; formidable.

tremor n tremblement m.

trench n fossé m; (mil) tranchée f.

trend n tendance f; direction f; mode f.

trendy adj dernier cri.

trepidation n vive inquiétude f.

trespass vt transgresser, violer.

tress n boucle de cheveu f; **~es** chevelure f.

trestle n tréteau, chevalet m.

trial n procès m; épreuve f; essai m; peine f.

triangle n triangle m.

triangular adj triangulaire.

tribal adj tribal.

tribe n tribu f.

tribulation n tribulation f.

tribunal n tribunal m.

tributary adj n tributaire m.

tribute n tribut m.

trice n instant m.

trick n ruse, astuce f; tour m; blague f; pli m; * vt attraper.

trickery n supercherie f.

trickle vi couler goutte à goutte; * n filet m.

tricky adj délicat; difficile.

tricycle n tricycle m.

trifle n bagatelle, vétille f; * vi jouer; badiner.

trifling adj futile, insignifiant.

trigger n gâchette f; **~ off** vt déclencher.

trigonometry n trigonométrie f.

trill n trille f; * vi triller.

trim adj net, soigné; bien tenu; en parfait état; * vt arranger; tailler; orner.

trimmings npl ornements mpl.

Trinity n Trinité f.

trinket n bibelot m, babiole f; colifichet m.

trio n (mus) trio m.

trip vt faire trébucher; * vi trébucher; faire un faux pas; **~ up** vi trébucher; vt faire trébucher; * n faux pas m; voyage m.

tripe n tripes fpl; bêtises fpl.

triple adj triple; * vt vi tripler.

triplets npl triplés mpl.

triplicate n copie en trois exemplaires f.

tripod n trépied m.

trite adj banal; usé.

triumph n triomphe m; * vi triompher.

triumphal adj triomphal.

triumphant adj triomphant; victorieux; **~ly** adv triomphalement.

trivia npl futilités fpl.

trivial adj insignifiant, sans importance; **~ly** adv banalement.

triviality n banalité f.

trolley n chariot m.

trombone n trombone m.

troop n bande f; **~s** npl troupes fpl.

trooper n soldat de cavalerie m.

trophy n trophée m.

tropical adj tropical.

trot n trot m; * vi trotter.

trouble vt affliger; tourmenter; * n problème m; ennui m; difficulté f; affliction, peine f.

troubled adj inquiet; agité.

troublemaker n agitateur m -trice f.

troubleshooter n médiateur m.

troublesome adj pénible.

trough n abreuvoir m; auge f.

troupe n troupe f.

trousers npl pantalon m.

trout n truite f.

trowel n truelle f.

truce n trêve f.

truck n camion m; wagon m.

truck driver n routier m.

truck farm n jardin maraîcher m.

truculent adj brutal, agressif.

trudge vi marcher lourdement.

true adj vrai, véritable; sincère; exact.

truelove n bien-aimé m -e f.

truffle n truffe f.

truly adv vraiment; sincèrement.

trump n atout m.

trumpet n trompette f.

trunk n malle f, coffre m; trompe f.

truss n botte f; * vt botteler; trousser.

trust n confiance f; trust m; fidéicommis m; * vt avoir confiance en; confier à.

trusted adj de confiance.

trustee n fidéicommissaire m, curateur m -trice f.

trustful adj confiant.

trustily adj fidèlement.

trusting adj confiant.

trustworthy adj digne de confiance.

trusty adj fidèle, loyal; sûr.

truth n vérité f; in ~ en vérité.

truthful adj véridique; qui dit la vérité.

truthfulness n véracité f.

try vt essayer, tâcher, chercher à; expérimenter; mettre à l'épreuve; tenter; juger; * vi essayer; ~ on vt essayer; ~ out vt essayer; * n tentative f; essai m.

trying adj pénible; fatigant.

tub n cuve f, bac m; baignoire f.

tuba n tuba m.

tube n tube m; métro m.

tuberculosis n tuberculose f.

tubing n tuyaux mpl.

tuck n pli m; * vt mettre.

tucker vt (US) fatiguer.

Tuesday n mardi m.

tuft n touffe f; houppe f.

tug vt remorquer; * n remorqueur m.

tuition n cours, enseignement m.

tulip n tulipe f.

tumble vi tomber, faire une chute; se jeter; * vt renverser; culbuter; * n chute f; culbute f.

tumbledown adj délabré.

tumbler n verre m.

tummy n ventre m.

tumour n tumeur f.

tumultuous adj tumultueux.

tuna n thon m.

tune n air m; accord m; harmonie f; * vt accorder; syntoniser.

tuneful adj mélodieux, harmonieux.

tuner n syntoniseur m.

tunic n tunique f.

tuning fork n (mus) diapason m.

tunnel n tunnel m; * vt creuser un tunnel dans.

turban n turban m.

turbine n turbine f.

turbulence n turbulence, agitation f.

turbulent adj turbulent, agité.

tureen n soupière f.

turf n gazon m; * vt gazonner.

turgid adj gonflé.

turkey n dinde f.

turmoil n agitation f; trouble m.

turn vi (se) tourner; devenir; changer; se retourner; se changer, se transformer; ~ around se retourner; tourner; ~ back revenir; ~ down vt rejeter; rabattre; ~ in aller se coucher; ~ off vi tourner; vt éteindre; fermer; ~ on vt allumer; ouvrir; ~ out s'avérer; ~ over vi se retourner; vt tourner; ~ up vi arriver; se présenter; vt monter; * n tour m; tournure f; virage m; tendance f.

turncoat n renégat m.

turning n embranchement m.

turnip n navet m.

turn-off n sortie (d'autoroute) f; embranchement m.

turnout n production f.

turnover n chiffre d'affaires m.

turnpike n barrière f de péage.

turnstile n tourniquet m.

turntable n platine f.

turpentine n (essence de) térébenthine f.

turquoise n turquoise f.

turret n tourelle f.

turtle n tortue marine f.

turtledove n tourterelle f.

tusk n défense f.

tussle n lutte f.

tutor n professeur particulier m; directeur d'études m; * vt enseigner, donner des cours particuliers à.

tuxedo n smoking m.

twang n vibration f; ton nasillard m.

tweezers npl pince à épiler f.

twelfth adj n douzième mf.

twelve adj n douze m.

twentieth adj n vingtième mf.

twenty adj n vingt m.

twice adv deux fois.

twig n brindille f; * vi piger.

twilight n crépuscule m.

twin n jumeau m -elle f.

twine vi s'enrouler; serpenter; * n ficelle f.

twinge vt élancer; * n élancement m; remords m.

twinkle vi scintiller; clignoter.

twirl vt faire tournoyer; * vi tournoyer; * n tournoiement m.

twist vt tordre, tortiller; entortiller; * vi serpenter; * n torsion f; tournant m; rouleau m.

twit n (sl) crétin m -e f.

twitch vi avoir un mouvement nerveux; * n tic m.

twitter vi gazouiller; * n gazouillis m.

two adj n deux m.

two-door adj à deux portes.

two-faced adj hypocrite.

twofold adj double; * adv au double.

two-seater n voiture/avion à deux places f/m.

twosome n paire f; couple m.

tycoon n magnat m.

type n type m; caractère m; exemple m; * vi taper à la machine.

typecast adj enfermé dans un rôle.

typeface n police f de caractère.

typescript n texte dactylographié m.

typewriter n machine à écrire f.

typewritten adj dactylographié.

typical adj typique.

tyrannical adj tyrannique.

tyranny n tyrannie f.

tyrant n tyran m.

tyre n pneu m.

U

ubiquitous adj doué d'ubiquité.

udder n pis m.

ugh excl pouah!, berk!

ugliness n laideur f.

ugly adj laid; inquiétant.

ulcer n ulcère m.

ulterior adj ultérieur.

ultimate adj final; ~ly adv finalement; à la fin.

ultimatum n ultimatum m.

ultramarine n, adj outremer m.

ultrasound n ultrason m.

umbilical cord n cordon ombilical m.

umbrella n parapluie m.

umpire n arbitre m.

umpteen adj un très grand nombre de, beaucoup de.

unable adj incapable.

unaccompanied adj non accompagné, seul.

unaccomplished adj inaccompli, inachevé.

unaccountable adj inexplicable.

unaccountably   adv inexplicablement.

unaccustomed adj inaccoutumé, inhabituel.

unacknowledged adj non reconnu; (resté) sans réponse.

unacquainted *adj* qui ignore, qui n'a pas connaissance de.

unadorned *adj* sans ornement.

unadulterated *adj* pur; sans mélange.

unaffected *adj* sincère; non affecté.

unaided *adj* sans aide.

unaltered *adj* inchangé.

unambitious *adj* sans ambition.

unanimity *n* unanimité *f*.

unanimous *adj* ~**ly** *adv* unanime(ment).

unanswerable *adj* incontestable.

unanswered *adj* sans réponse.

unapproachable *adj* inaccessible.

unarmed *adj* non armé, désarmé.

unassuming *adj* sans prétention, modeste.

unattached *adj* indépendant; libre.

unattainable *adj* inaccessible.

unattended *adj* sans surveillance.

unauthorised *adj* sans autorisation.

unavoidable *adj* inévitable.

unavoidably *adv* inévitablement.

unaware *adj* ignorant; inconscient.

unawares *adv* à l'improviste; par mégarde.

unbalanced *adj* déséquilibré; non soldé.

unbearable *adj* insupportable.

unbecoming *adj* malséant, déplacé, peu seyant.

unbelievable *adj* incroyable.

unbend *vi* se détendre; * *vt* redresser.

unbiased *adj* impartial.

unblemished *adj* sans tache, sans défaut.

unborn *adj* à naître, pas encore né.

unbreakable *adj* incassable.

unbroken *adj* non brisé; intact; ininterrompu; indompté.

unbutton *vt* déboutonner.

uncalled-for *adj* injustifié.

uncanny *adj* mystérieux.

unceasing *adj* incessant, continu.

unceremonious *adj* brusque.

uncertain *adj* incertain, douteux.

uncertainty *n* incertitude *f*.

unchangeable *adj* immuable.

unchanged *adj* inchangé.

unchanging *adj* invariable, immuable.

uncharitable *adj* peu charitable.

unchecked *adj* non maîtrisé.

unchristian *adj* peu chrétien.

uncivil *adj* impoli, grossier.

uncivilised *adj* barbare, non civilisé.

uncle *n* oncle *m*.

uncomfortable *adj* inconfortable; incommode; désagréable.

uncomfortably *adv* inconfortablement; mal; désagréablement.

uncommon *adj* rare, extraordinaire.

uncompromising *adj* intransigeant.

unconcerned *adj* indifférent.

unconditional *adj* inconditionnel, absolu.

unconfined *adj* illimité, sans bornes.

unconfirmed *adj* non confirmé.

unconnected *adj* sans rapport.

unconquerable *adj* invincible, insurmontable.

unconscious *adj* inconscient; ~**ly** *adv* inconsciemment, sans s'en rendre compte.

unconstrained *adj* non contraint, libre.

uncontrollable *adj* irrésistible; qui ne peut être maîtrisé.

unconventional *adj* peu conventionnel.

unconvincing *adj* peu convaincant.

uncork *vt* déboucher.

uncorrected *adj* non corrigé.

uncouth *adj* grossier.

uncover *vt* découvrir.

uncultivated *adj* inculte.

uncut *adj* non taillé, intégral.

undamaged *adj* non endommagé, indemne.

undaunted *adj* intrépide.

undecided *adj* indécis.

undefiled *adj* pur, immaculé.

undeniable *adj* indéniable, incontestable; **~bly** *adv* incontestablement.

under *prep* sous; dessous; moins de; selon; * *adv* au-dessous, en dessous.

under-age *adj* mineur.

undercharge *vt* ne pas faire payer assez.

underclothing *n* sous-vêtements *mpl*.

undercoat *n* première couche *f*.

undercover *adj* secret, clandestin.

undercurrent *n* courant sous-marin *m*.

undercut *vt* vendre moins cher que.

underdeveloped *adj* sous-développé, insuffisamment développé.

underdog *n* opprimé *m* -e *f*.

underdone *adj* pas assez cuit.

underestimate *vt* sous-estimer.

undergo *vt* subir; supporter.

undergraduate *n* étudiant(e) en licence *m(f)*.

underground *n* mouvement clandestin *m*.

undergrowth *n* broussailles *fpl*, sous-bois *m*.

underhand *adv* en cachette; * *adj* secret, clandestin.

underlie *vi* être à la base de.

underline *vt* souligner.

undermine *vt* saper.

underneath *adv* (en) dessous; * *prep* sous, au-dessous de.

underpaid *adj* sous-payé.

underprivileged *adj* défavorisé.

underrate *vt* sous-estimer.

undersecretary *n* sous-secrétaire *mf*.

undershirt *n* (US) maillot de corps *m*.

undershorts *npl* (US) caleçon *m*.

underside *n* dessous *m*.

understand *vt* comprendre.

understandable *adj* compréhensible.

understanding *n* compréhension *f*; intelligence *f*; entendement *m*; accord *m*; * *adj* compréhensif.

understatement *n* affirmation en dessous de la vérité *f*.

undertake *vt* entreprendre.

undertaking *n* entreprise *f*; engagement *m*.

undervalue *vt* sous-estimer.

underwater *adj* sous-marin; * *adv* sous l'eau.

underwear *n* sous-vêtements *mpl*, dessous *mpl*.

underworld *n* pègre *f*.

underwrite *vt* souscrire à; assurer contre.

underwriter *n* assureur *m*.

undeserved *adj* immérité; **~ly** *adv* à tort, indûment.

undeserving *adj* peu méritant.

undesirable *adj* peu souhaitable.

undetermined *adj* indéterminé; indécis.

undigested *adj* non digéré.

undiminished *adj* non diminué.

undisciplined *adj* indiscipliné.

undisguised *adj* non déguisé.

undismayed *adj* non découragé.

undisputed *adj* incontesté.

undisturbed *adj* non dérangé, paisible.

undivided *adj* indivisé, entier.

undo *vt* défaire; détruire.

undoing *n* ruine *f*.

undoubted *adj* **~ly** *adv* indubitable(ment).

undress *vi* se déshabiller.

undue *adj* excessif; injuste.

undulating *adj* ondulant.

unduly *adv* trop, excessivement.

undying *adj* éternel.

unearth *vt* déterrer.

unearthly *adj* surnaturel.

uneasy *adj* inquiet; troublé, gêné.

uneducated *adj* sans instruction.

unemployed *adj* au chômage.
unemployment *n* chômage *m*.
unending *adj* interminable.
unenlightened *adj* peu éclairé.
unenviable *adj* peu enviable.
unequal *adj* ~**ly** *adv* iné-gal(ement).
unequalled *adj* inégalé.
unerring *adj* ~**ly** *adv* infailli-ble(ment).
uneven *adj* inégal; impair; ~**ly** *adv* inégalement.
unexpected *adj* inattendu; ino-piné; ~**ly** *adv* de manière inat-tendue; inopinément.
unexplored *adj* inexploré.
unfailing *adj* infaillible, certain.
unfair *adj* injuste; inéquitable; ~**ly** *adv* injustement.
unfaithful *adj* infidèle.
unfaithfulness *n* infidélité *f*.
unfaltering *adj* ferme, assuré.
unfamiliar *adj* peu familier, peu connu.
unfashionable *adj* démodé; ~**bly** *adv* sans se préoccuper de la mode.
unfasten *vt* détacher, défaire.
unfathomable *adj* insondable, impénétrable.
unfavourable *adj* défavorable.
unfeeling *adj* insensible, impi-toyable.
unfinished *adj* inachevé, incom-plet.
unfit *adj* inapte; impropre.
unfold *vt* déplier; révéler; * *vi* s'ouvrir.
unforeseen *adj* imprévu.
unforgettable *adj* inoubliable.
unforgivable *adj* impardonnable.
unforgiving *adj* implacable.
unfortunate *adj* malheureux, malchanceux; ~**ly** *adv* malheu-reusement, par malheur.
unfounded *adj* sans fondement.
unfriendly *adj* inamical.
unfruitful *adj* stérile; infruc-tueux.
unfurnished *adj* non meublé.

ungainly *adj* gauche.
ungentlemanly *adj* peu galant.
ungovernable *adj* ingouverna-ble, indomptable.
ungrateful *adj* ingrat; peu recon-naissant; ~**ly** *adv* avec ingrati-tude.
ungrounded *adj* infondé.
unhappily *adv* malheureusemnt.
unhappiness *n* tristesse *f*.
unhappy *adj* malheureux.
unharmed *adj* indemne, sain et sauf.
unhealthy *adj* malsain; maladif.
unheard-of *adj* inédit, sans pré-cédent.
unheeding *adj* insouciant; dis-trait.
unhook *vt* décrocher; dégrafer.
unhoped(-for) *adj* inespéré.
unhurt *adj* indemne.
unicorn *n* licorne *f*.
uniform *adj* uniforme; ~**ly** *adv* uniformément; * *n* uniforme *m*.
uniformity *adj* uniformité *f*.
unify *vt* unifier.
unimaginable *adj* inimaginable.
unimpaired *adj* non diminué, intact.
unimportant *adj* sans impor-tance.
uninformed *adj* mal informé.
uninhabitable *adj* inhabitable.
uninhabited *adj* inhabité, dé-sert.
uninjured *adj* indemne, sain et sauf.
unintelligible *adj* inintelligible.
unintelligibly *adj* inintelligiblement.
unintentional *adj* involontaire.
uninterested *adj* indifférent.
uninteresting *adj* inintéressant.
uninterrupted *adj* ininter-rompu, continu.
uninvited *adj* sans être invité.
union *n* union *f*; syndicat *m*.
unionist *n* syndicaliste *mf*.
unique *adj* unique, exceptionnel.
unison *n* unisson *m*.

unit *n* unité *f.*

unitarian *n* unitarien *m* -ne *f.*

unite *vt* unir; * *vi* s'unir.

unitedly *adv* conjointement, ensemble.

United States (of America) *npl* États-Unis *mpl.*

unity *n* unité, harmonie *f*, accord *m.*

universal *adj* ~ly *adv* universel(lement).

universe *n* univers *m.*

university *n* université *f.*

unjust *adj* ~ly *adv* injuste(ment).

unkempt *adj* négligé; débraillé.

unkind *adj* peu aimable; méchant.

unknowingly *adv* inconsciemment.

unknown *adj* inconnu.

unlawful *adj* illégal, illicite; ~ly *adv* illégalement.

unlawfulness *n* illégalité *f.*

unleash *vt* lâcher, déchaîner.

unless *conj* à moins que/de, sauf.

unlicensed *adj* illicite.

unlike *adj* différent, dissemblable.

unlikelihood *n* improbabilité *f.*

unlikely *adj* improbable; invraisemblable; *adv* improbablement.

unlimited *adj* illimité.

unlisted *adj* ne figurant pas sur une liste/sur l'annuaire.

unload *vt* décharger.

unlock *vt* ouvrir, déverrouiller.

unluckily *adv* malheureusement.

unlucky *adj* malchanceux.

unmanageable *adj* difficile, peu maniable, impossible.

unmannered *adj* mal élevé, impoli.

unmannerly *adj* rustre.

unmarried *adj* célibataire, qui n'est pas marié.

unmask *vt* démasquer.

unmentionable *adj* qu'il ne faut pas mentionner.

unmerited *adj* immérité.

unmindful *adj* oublieux, indifférent.

unmistakable *adj* indubitable; ~ly *adv* sans aucun doute.

unmitigated *adj* absolu.

unmoved *adj* insensible, impassible.

unnatural *adj* non naturel; pervers; affecté.

unnecessary *adj* inutile, superflu.

unneighbourly *adj* peu aimable avec ses voisins, peu sociable.

unnoticed *adj* inaperçu.

unnumbered *adj* innombrable.

unobserved *adj* inaperçu.

unobtainable *adj* impossible à obtenir; introuvable.

unobtrusive *adj* discret.

unoccupied *adj* inoccupé.

unoffending *adj* inoffensif, innocent.

unofficial *adj* non officiel.

unorthodox *adj* hétérodoxe; peu orthodoxe.

unpack *vt* défaire; déballer.

unpaid *adj* non payé.

unpalatable *adj* désagréable au goût.

unparalleled *adj* incomparable; sans pareil.

unpleasant *adj* ~ly *adv* désagréable(ment).

unpleasantness *n* caractère désagréable *m.*

unplug *vt* débrancher.

unpolished *adj* non ciré; fruste, rude.

unpopular *adj* impopulaire.

unpractised *adj* inexpérimenté, inexercé.

unprecedented *adj* sans précédent.

unpredictable *adj* imprévisible.

unprejudiced *adj* impartial.

unprepared *adj* qui n'est pas préparé.

unprofitable *adj* inutile; peu rentable.

unprotected *adj* sans protection; exposé.

unpublished *adj* inédit.

unpunished *adj* impuni.

unqualified *adj* non qualifié; inconditionnel.

unquestionable *adj* incontestable, indiscutable; ~**ly** *adv* indiscutablement, sans conteste.

unquestioned *adj* incontesté, indiscuté.

unravel *vt* débrouiller.

unread *adj* qui n'a pas été lu; inculte.

unreal *adj* irréel.

unrealistic *adj* irréaliste.

unreasonable *adv* déraisonnable.

unreasonably *adj* déraisonnablement.

unregarded *adj* négligé; dont on fait peu de cas.

unrelated *adj* sans rapport; sans lien de parenté.

unrelenting *adj* implacable.

unreliable *adj* peu fiable.

unremitting *adj* inlassable, constant.

unrepentant *adj* impénitent.

unreserved *adj* sans réserve; franc; ~**ly** *adv* sans réserve.

unrest *n* agitation *f*; troubles *mpl*.

unrestrained *adj* non contenu; non réprimé.

unripe *adj* vert, pas mûr.

unrivalled *adj* sans égal, sans pareil.

unroll *vt* dérouler.

unruliness *n* indiscipline *f*; turbulence *f*.

unruly *adj* indiscipliné.

unsafe *adj* dangereux, peu sûr.

unsatisfactory *adj* peu satisfaisant.

unsavoury *adj* désagréable, insipide.

unscathed *adj* indemne.

unscrew *vt* dévisser.

unscrupulous *adj* sans scrupules.

unseasonable *adj* hors de saison, inopportun.

unseemly *adj* inconvenant.

unseen *adj* invisible; inaperçu.

unselfish *adj* généreux.

unsettle *vt* perturber.

unsettled *adj* perturbé; instable; variable.

unshaken *adj* inébranlable, ferme.

unshaven *adj* non rasé.

unsightly *adj* disgracieux, laid.

unskilled *adj* inexpérimenté.

unskilful *adj* maladroit, malhabile.

unsociable *adj* insociable, sauvage.

unspeakable *adj* ineffable, indicible.

unstable *adj* instable.

unsteadily *adv* d'un pas chancelant; d'une manière mal assurée.

unsteady *adj* instable.

unstudied *adj* naturel; spontané.

unsuccessful *adj* infructueux, vain; ~**ly** *adv* sans succès.

unsuitable *adj* peu approprié; inopportun.

unsure *adj* peu sûr.

unsympathetic *adj* peu compatissant.

untamed *adj* sauvage.

untapped *adj* non exploité.

untenable *adj* insoutenable.

unthinkable *adj* inconcevable.

unthinking *adj* irréfléchi, étourdi.

untidiness *n* désordre *m*.

untidy *adj* en désordre; peu soigné.

untie *vt* dénouer, défaire.

until *prep* jusqu'à; * *conj* jusqu'à ce que.

untimely *adj* intempestif.

untiring *adj* infatigable.

untold *adj* jamais révélé; indicible; incalculable.

untouched *adj* intact.

untoward *adj* fâcheux; inconvenant.

untried *adj* qui n'a pas été essayé *ou* mis à l'épreuve.

untroubled *adj* tranquille, paisible.

untrue *adj* faux.

untrustworthy *adj* indigne de confiance.

untruth *n* mensonge *m*, fausseté *f*.

unused *adj* neuf, inutilisé.

unusual *adj* inhabituel, exceptionnel; **~ly** *adv* exceptionnellement, rarement.

unveil *vt* dévoiler.

unwavering *adj* inébranlable.

unwelcome *adj* importun.

unwell *adj* indisposé, souffrant.

unwieldy *adj* peu maniable.

unwilling *adj* peu disposé; **~ly** *adv* de mauvaise grâce.

unwillingness *n* mauvaise grâce, mauvaise volonté *f*.

unwind *vt* dérouler; * *vi* se détendre.

unwise *adj* imprudent.

unwitting *adj* involontaire.

unworkable *adj* impraticable.

unworthy *adj* indigne.

unwrap *vt* défaire.

unwritten *adj* non écrit.

up *adv* en haut, en l'air; levé; * *prep* au haut de; plus loin.

upbringing *n* éducation *f*.

update *vt* mettre à jour.

upheaval *n* bouleversement *m*.

uphill *adj* difficile, pénible; * *adv* en montant.

uphold *vt* soutenir.

upholstery *n* tapisserie *f*.

upkeep *n* entretien *m*.

uplift *vt* élever.

upon *prep* sur.

upper *adj* supérieur; (plus) élevé.

upper-class *adj* aristocratique.

upper-hand *n* (*fig*) dessus *m*.

uppermost *adj* le plus haut, le plus élevé; **to be ~** prédominer.

upright *adj* droit, vertical; droit, honnête.

uprising *n* soulèvement *m*.

uproar *n* tumulte, vacarme *m*.

uproot *vt* déraciner.

upset *vt* renverser; déranger, bouleverser; * *n* désordre *m*; bouleversement *m*; * *adj* vexé; bouleversé.

upshot *n* résultat *m*; aboutissement *m*; conclusion *f*.

upside-down *adv* sens dessus dessous.

upstairs *adv* en haut (d'un escalier).

upstart *n* parvenu *m* -e *f*.

uptight *adj* très tendu.

up-to-date *adj* à jour.

upturn *n* amélioration *f*.

upward *adj* ascendant; **~s** *adv* vers le haut; en montant.

urban *adj* urbain.

urbane *adj* courtois.

urchin *n* gamin *m*; **sea ~** oursin *m*.

urge *vt* pousser; * *n* impulsion *f*; désir ardent *m*.

urgency *n* urgence *f*.

urgent *adj* urgent.

urinal *n* urinoir *m*.

urinate *vi* uriner.

urine *n* urine *f*.

urn *n* urne *f*.

us *pn* nous.

usage *n* utilisation *f*; usage *m*.

use *n* usage *m*; utilisation *f*, emploi *m*; * *vt* se servir de, utiliser.

used *adj* usagé.

useful *adj* **~ly** *adv* utile(ment).

usefulness *n* utilité *f*.

useless *adj* **~ly** *adv* inutile(ment).

uselessness *n* inutilité *f*.

user-friendly *adj* facile à utiliser.

usher *n* huissier *m*; placeur *m*.

usherette *n* ouvreuse *f*.

usual *adj* habituel, courant; **~ly** *adv* habituellement.

usurer *n* usurier *m* -ière *f*.

usurp *vt* usurper.

usury *n* usure *f*.

utensil *n* ustensile *m*.

uterus *n* utérus *m*.

utilise *vt* utiliser.

utility *n* utilité *f*.

utmost *adj* extrême, le plus grand; dernier.

utter *adj* complet; absolu; total;
  * *vt* prononcer; proférer; émettre.

utterance *n* expression *f*.
utterly *adv* complètement, tout à
  fait.

V

vacancy *n* chambre libre *f*.
vacant *adj* vacant; inoccupé; libre.
vacant lot *n* (US) terrain vague
  m.
vacate *vt* quitter; démissionner.
vacation *n* vacances *fpl*.
vacationer *n* vacancier *m* -ière
  f.
vaccinate *vt* vacciner.
vaccination *n* vaccination *f*.
vaccine *n* vaccin *f*.
vacuous *adj* vide.
vacuum *n* vide *m*.
vacuum bottle *n* thermos *m*.
vagina *n* vagin *m*.
vagrant *n* vagabond *m* -e *f*.
vague *adj* ~**ly** *adv* vague(ment).
vain *adj* vain, inutile; vaniteux.
valet *n* valet de chambre *m*.
valiant *adj* courageux, brave.
valid *adj* valide, valable.
valley *n* vallée *f*.
valour *n* courage *m*, bravoure *f*.
valuable *adj* précieux, de valeur;
  ~**s** *npl* objets de valeur *mpl*.
valuation *n* évaluation, estimation *f*.
value *n* valeur *f*; * *vt* évaluer; tenir à, apprécier.
valued *adj* précieux, estimé.
valve *n* soupape *f*.
vampire *n* vampire *m*.
van *n* camionnette *f*.
vandal *n* vandale *mf*.
vandalise *vt* saccager.
vandalism *n* vandalisme *m*.
vanguard *n* avant-garde *f*.
vanilla *n* vanille *f*.
vanish *vi* disparaître, se dissiper.
vanity *n* vanité *f*.

vanity case *n* vanity-case *m*.
vanquish *vt* vaincre.
vantage point *n* position avan-
  tageuse *f*.
vapour *n* vapeur *f*.
variable *adj* variable; changeant.
variance *n* désaccord, différend
  m.
variation *n* variation *f*.
varicose vein *n* varice *f*.
varied *adj* varié.
variety *n* variété *f*.
variety show *n* spectacle de va-
  riétés *m*.
various *adj* divers, différent.
varnish *n* vernis *m*; * *vt* vernir.
vary *vt vi* varier; *vi* changer.
vase *n* vase *m*.
vast *adj* vaste; immense.
vat *n* cuve *f*.
vault *n* voûte *f*; cave *f*, caveau *m*;
  saut *m*; * *vi* sauter.
veal *n* veau *m*.
veer *vi* (*mar*) virer.
vegetable *adj* végétal; * *n* végétal *m*; ~**s** *pl* légumes *mpl*.
vegetable garden *n* (jardin) potager *m*.
vegetarian *n* végétarien *m* -ne *f*.
vegetate *vi* végéter.
vegetation *n* végétation *f*.
vehemence *n* véhémence, fougue
  f.
vehement *adj* véhément, violent;
  ~**ly** *adv* avec véhémence.
vehicle *n* véhicule *m*.
veil *n* voile *m*; * *vt* voiler, dissimuler.
vein *n* veine *f*; nervure *f*; disposition *f*.
velocity *n* vitesse *f*.

velvet *n* velours *m*.

vending machine *n* distributeur automatique *m*.

vendor *n* vendeur *m*.

veneer *n* placage *m*; vernis *m*.

venerable *adj* vénérable.

venerate *vt* vénérer.

veneration *n* vénération *f*.

venereal *adj* vénérien.

vengeance *n* vengeance *f*.

venial *adj* véniel.

venison *n* venaison *f*.

venom *n* venin *m*.

venomous *adj* vénéneux; **~ly** *adv* avec animosité.

vent *n* orifice *m*; conduit *m*; * *vt* (*fig*) décharger.

ventilate *vt* aérer.

ventilation *n* ventilation, aération *f*.

ventilator *n* ventilateur *m*.

ventriloquist *n* ventriloque *mf*.

venture *n* entreprise *f*; * *vi* s'aventurer; * *vt* risquer, hasarder.

venue *n* lieu *m* (de réunion).

veranda(h) *n* véranda *f*.

verb *n* (*gr*) verbe *m*.

verbal *adj* verbal, oral; **~ly** *adv* verbalement.

verbatim *adv* textuellement, mot pour mot.

verbose *adj* verbeux.

verdant *adj* verdoyant.

verdict *n* (*law*) verdict *m*; jugement *m*.

verification *n* vérification *f*.

verify *vt* vérifier.

veritable *adj* véritable.

vermin *n* vermine *f*.

vermouth *n* vermout(h) *m*.

versatile *adj* doué de talents multiples; versatile.

verse *n* vers *m*; verset *m*.

versed *adj* versé.

version *n* version *f*.

versus *prep* contre.

vertebra *n* vertèbre *f*.

vertebral *adj* vertébral.

vertebrate *adj n* vertébré *m*.

vertex *n* sommet *m*.

vertical *adj* **~ly** *adv* vertical(ement).

vertigo *n* vertige *m*.

verve *n* verve *f*, brio *m*.

very *adj* vrai, véritable; exactement, même; * *adv* très, fort, bien.

vessel *n* récipient *m*; vase *m*; navire *m*.

vest *n* gilet *m*.

vestibule *n* vestibule *m*.

vestige *n* vestige *m*.

vestment *n* vêtement de cérémonie *m*; chasuble *f*.

vestry *n* sacristie *f*.

veteran *adj n* vétéran *m*.

veterinarian *n* vétérinaire *mf*.

veterinary *adj* vétérinaire.

veto *n* véto *m*; * *vt* opposer son véto à.

vex *vt* contrarier.

vexed *adj* contrarié.

via *prep* via, par.

viaduct *n* viaduc *m*.

vial *n* fiole, ampoule *f*.

vibrate *vi* vibrer.

vibration *n* vibration *f*.

vicarious *adj* par personne interposée.

vice *n* vice *m*; défaut *m*; étau *m*.

vice-chairman *n* vice-président *m*.

vice versa *adv* vice versa.

vicinity *n* voisinage *m*, proximité *f*.

vicious *adj* méchant; **~ly** *adv* méchamment.

victim *n* victime *f*.

victimise *vt* prendre pour victime.

victor *n* vainqueur *m*.

victorious *adj* victorieux.

victory *n* victoire *f*.

video *n* vidéo *f*; vidéocassette *f*; magnétoscope *m*.

video tape *n* bande vidéo *f*.

viewer *n* téléspectateur *m* -trice *f*.

vie *vi* rivaliser.

view *n* vue *f*; perspective *f*; opi-

nion *f*; panorama *m*; * *vt* voir;
examiner.

viewfinder *n* viseur *m*.

viewpoint *n* point de vue *m*.

vigil *n* veille *f*; vigile *f*.

vigilance *n* vigilance *f*.

vigilant *adj* vigilant, attentif.

vigorous *adj* vigoureux; ~ly *adv*
vigoureusement.

vigour *n* vigueur *f*; énergie *f*.

vile *adj* vil, infâme; exécrable.

vilify *vt* diffamer.

villa *n* pavillon *m*; maison de campagne *f*.

village *n* village *m*.

villager *n* villageois *m* -e *f*.

villain *n* scélérat *m*.

vindicate *vt* venger, défendre.

vindication *n* défense *f*; justification *f*.

vindictive *adj* vindicatif.

vine *n* vigne *f*.

vinegar *n* vinaigre *m*.

vineyard *n* vignoble *m*.

vintage *n* millésime *m*; époque
f.

vinyl *n* vinyle *m*.

viola *n* (*mus*) viole *f*.

violate *vt* violer.

violation *n* violation *f*.

violence *n* violence *f*.

violent *adj* violent; ~ly *adv* violemment.

violet *n* (*bot*) violette *f*.

violin *n* (*mus*) violon *m*.

violinist *n* violiniste *mf*.

violoncello *n* (*mus*) violoncelle
m.

viper *n* vipère *f*.

virgin *n*, *adj* vierge *f*.

virginity *n* virginité *f*.

Virgo *n* Vierge *f* (signe du zodiaque).

virile *adj* viril.

virility *n* virilité *f*.

virtual *adj* virtuel; quasiment;
~ly *adv* de fait, pratiquement.

virtue *n* vertu *f*.

virtuous *adj* virtueux.

virulent *adj* virulent.

virus *n* virus *m*.

vis-à-vis *prep* vis-à-vis.

viscous *adj* visqueux, gluant.

visibility *n* visibilité *f*.

visible *adj* visible.

visibly *adv* visiblement.

vision *n* vision *f*; vue *f*.

visit *vt* visiter; * *n* visite *f*.

visitation *n* visite *f*.

visiting hours *npl* heures *fpl* de
visite.

visitor *n* visiteur *m* -euse *f*; touriste *mf*.

visor *n* visière *f*.

vista *n* vue, perspective *f*.

visual *adj* visuel.

visual aid *n* support visuel *m*.

visualise *vt* s'imaginer.

vital *adj* vital; essentiel; indispensable; ~ly *adv* vitalement; ~s
npl organes vitaux *mpl*.

vitality *n* vitalité *f*.

vital statistics *npl* statistiques
démographiques *fpl*.

vitamin *n* vitamine *f*.

vitiate *vt* vicier.

vivacious *adj* vif.

vivid *adj* vif; vivant; frappant; ~ly
adv de façon éclatante; de façon
frappante.

vivisection *n* vivisection *f*.

vocabulary *n* vocabulaire *m*.

vocal *adj* vocal.

vocation *n* vocation *f*; profession
f, métier *m*; ~al *adj* professionnel.

vocative *n* vocatif *m*.

vociferous *adj* bruyant.

vogue *n* vogue *f*; mode *f*.

voice *n* voix *f*; * *vt* exprimer.

void *adj* vide; * *n* vide *m*.

volatile *adj* volatile; versatile.

volcanic *adj* volcanique.

volcano *n* volcan *m*.

volition *n* volonté *f*.

volley *n* volée *f*; salve *f*; grêle *f*.

volleyball *n* volley-ball *m*.

voltage *n* voltage *m*.

voluble *adj* volubile, loquace.

volume *n* volume *m*.

voluntarily *adv* volontairement.

voluntary *adj* volontaire.

volunteer *n* volontaire *mf*; * *vi* se porter volontaire.

voluptuous *adj* voluptueux.

vomit *vt vi* vomir; * *n* vomissement *m*.

voracious *adj* ~**ly** *adv* vorace(ment).

vortex *n* tourbillon *m*.

vote *n* vote, suffrage *m*; voix *f*; * *vt* voter.

voter *n* électeur *m* -trice *f*.

voting *n* vote *m*.

voucher *n* bon *m*.

vow *n* vœu *m*; * *vt* jurer.

vowel *n* voyelle *f*.

voyage *n* voyage par mer *m*; traversée *f*.

vulgar *adj* vulgaire; grossier.

vulgarity *n* grossièreté *f*; vulgarité *m*.

vulnerable *adj* vulnérable.

vulture *n* vautour *m*.

W

wad *n* tampon *m*; bouchon *m*, liasse *f*.

waddle *vi* se dandiner.

wade *vi* patauger.

wading pool *n* petit bassin (pour enfants) *m*.

wafer *n* gaufrette *f*; plaque *f*.

waffle *n* gaufre *f*.

waft *vt* porter, apporter; * *vi* flotter.

wag *vt vi* remuer.

wage *n* salaire *m*.

wage earner *n* salarié *m* -e *f*.

wager *n* pari *m*; * *vt* parier.

wages *npl* salaire *m*.

waggle *vt* remuer.

waggon *n* chariot *m*; (*rail*) wagon *m*.

wail *n* gémissement *m*, plainte *f*; * *vi* gémir.

waist *n* taille *f*.

waistline *n* taille *f*.

wait *vi* attendre; * *n* attente *f*; arrêt *m*.

waiter *n* serveur *m*.

waiting list *n* liste d'attente *f*.

waiting room *n* salle d'attente *f*.

waive *vt* renoncer à.

wake *vi* se réveiller; * *vt* réveiller; * *n* veillée *f*; (*mar*) sillage *m*.

waken *vt* réveiller; * *vi* se réveiller.

walk *vi* marcher, aller à pied; * *vt* parcourir; * *n* promenade *f*; marche *f*.

walker *n* marcheur *m* -euse *f*.

walkie-talkie *n* talkie-walkie *m*.

walking *n* marche à pied *f*.

walking stick *n* canne *f*.

walkout *n* grève *f* surprise.

walkover *n* (*sl*) victoire facile *f*, gâteau *m*.

walkway *n* passage pour piétons *m*.

wall *n* mur *m*; muraille *f*; paroi *f*.

walled *adj* muré.

wallet *n* portefeuille *m*.

wallflower *n* (*bot*) giroflée *f*.

wallow *vi* se vautrer.

wallpaper *n* papier peint *m*.

walnut *n* noix *f*; noyer *m*.

walrus *n* morse *m*.

waltz *n* valse *f*.

wan *adj* pâle.

wand *n* baguette (magique) *f*.

wander *vi* errer; aller sans but.

wane *vi* décroître.

want *vt* vouloir; demander; * *vi* manquer; * *n* besoin *m*; manque *m*.

wanting *adj* manquant, qui manque, qui fait défaut.

wanton *adj* lascif; capricieux.

war *n* guerre *f*.

ward *n* salle *f*; pupille *mf*.

wardrobe *n* garde-robe *f*, penderie *f*.

warehouse *n* entrepôt *m*.

warfare *n* guerre *f*.

warhead *n* ogive *f*.

warily *adv* avec circonspection.

wariness *n* circonspection, prudence *f*.

warm *adj* chaud; chaleureux; * *vt* réchauffer; ~ **up** *vi* se réchauffer; s'échauffer; s'animer; *vt* réchauffer.

warm-hearted *adj* affectueux.

warmly *adv* chaudement, chaleureusement.

warmth *n* chaleur *f*.

warn *vt* prévenir; avertir.

warning *n* avertissement *m*.

warning light *n* voyant lumineux *m*.

warp *vi* se voiler; * *vt* voiler; fausser.

warrant *n* garantie *f*; mandat *m*.

warranty *n* garantie *f*.

warren *n* terrier *m*.

warrior *n* guerrier *m* -ière *f*.

warship *n* navire de guerre *m*.

wart *n* verrue *f*.

wary *adj* prudent, circonspect.

wash *vt* laver; * *vi* se laver; * *n* lavage *m*; lessive *f*.

washable *adj* lavable.

washbowl *n* lavabo *m*.

washcloth *n* gant de toilette *m*.

washer *n* rondelle *f*.

washing *n* linge à laver *m*; lessive *f*.

washing machine *n* machine à laver *f*.

washing-up *n* vaisselle *f*.

wash-out *n* (*sl*) fiasco *m*.

washroom *n* toilettes *fpl*.

wasp *n* guêpe *f*.

wastage *n* gaspillage *m*; perte *f*.

waste *vt* gaspiller; dévaster, saccager; perdre; * *vi* se perdre; * *n* gaspillage *m*; détérioration *f*; terre inculte *f*; déchets *mpl*.

wasteful *adj* gaspilleur; prodigue; ~**ly** *adv* avec prodigalité.

waste paper *n* vieux papiers *mpl*.

waste pipe *n* tuyau d'échappement *m*.

watch *n* montre *f*; surveillance *f*; garde *f*; * *vt* regarder; observer; surveiller; faire attention à; * *vi* regarder; monter la garde.

watchdog *n* chien de garde *m*.

watchful *adj* vigilant; ~**ly** *adv* avec vigilance.

watchmaker *n* horloger *m*.

watchman *n* veilleur de nuit *m*; gardien *m*.

watchtower *n* tour de guet *f*.

watchword *n* mot de passe *m*; mot d'ordre *m*.

water *n* eau *f*; * *vt* arroser, mouiller; * *vi* pleurer, larmoyer.

water closet *n* W.C. *mpl*.

watercolour *n* aquarelle *f*.

waterfall *n* cascade *f*.

water heater *n* chauffe-eau *m invar*.

watering-can *n* arrosoir *m*.

water level *n* niveau de l'eau *m*.

waterlily *n* nénuphar *m*.

water line *n* ligne de flottaison *f*.

waterlogged *adj* imprégné d'eau.

water main *n* conduite principale d'eau *f*.

watermark *n* filigrane *m*.

watermelon *n* pastèque *f*.

watershed *n* (*fig*) moment *m* critique.

watertight *adj* étanche.

waterworks *npl* usine hydraulique *f*.

watery *adj* aqueux; détrempé; délavé.

wave *n* vague *f*; lame *f*; onde *f*; * *vi* faire signe de la main; onduler; * *vt* agiter.

wavelength *n* longueur d'ondes *f*.

waver *vi* vaciller, osciller.

wavering *adj* hésitant.

wavy *adj* ondulé.

wax *n* cire *f*; * *vt* cirer; * *vi* croître.

wax paper *n* papier paraffiné *m*.

waxworks *n* musée de cire *m*.

way *n* chemin *m*; voie *f*; route *f*; manière *f*; direction *f*; **to give ~** céder.

waylay *vt* attaquer, arrêter au passage.

wayward *adj* capricieux.

we *pn* nous.

weak *adj* ~**ly** *adv* faible(ment).

weaken *vt* affaiblir.

weakling *n* personne faible *f*.

weakness *n* faiblesse *f*; point faible *m*.

wealth *n* richesse *f*; abondance *f*.

wealthy *adj* riche.

wean *vt* sevrer.

weapon *n* arme *f*.

wear *vt* porter; user; * *vi* s'user; ~ **away** *vt* user; *vi* s'user; ~ **down** *vt* user; épuiser; ~ **off** *vi* s'effacer; ~ **out** *vi* s'user; s'épuiser; *vt* user; * *n* usage *m*; usure *f*.

weariness *n* lassitude *f*; fatigue *f*; ennui *m*.

wearisome *adj* fatigant.

weary *adj* las, fatigué; ennuyeux.

weasel *n* belette *f*.

weather *n* temps *m*; * *vt* surmonter.

weather-beaten *adj* ayant souffert des intempéries.

weathercock *n* girouette *f*.

weather forecast *n* prévisions météorologiques *fpl*.

weave *vt* tisser; entrelacer.

weaving *n* tissage *m*.

web *n* tissu *m*; toile *f* d'araignée; palmure *f*.

wed *vt* épouser; * *vi* se marier.

wedding *n* mariage *m*; noces *fpl*.

wedding day *n* jour du mariage *m*.

wedding dress *n* robe de mariée *f*.

wedding present *n* cadeau de mariage *m*.

wedding ring *n* alliance *f*.

wedge *n* cale *f*; * *vt* caler; enfoncer.

wedlock *n* mariage *m*.

Wednesday *n* mercredi *m*.

wee *adj* petit.

weed *n* mauvaise herbe *f*; * *vt* désherber.

weedkiller *n* désherbant *m*.

weedy *adj* envahi par les mauvaises herbes.

week *n* semaine *f*; **tomorrow ~** demain en huit; **yesterday ~** il y a eu une semaine hier.

weekday *n* jour de semaine, jour ouvrable *m*.

weekend *n* week-end *m*, fin de semaine *f*.

weekly *adj* de la semaine, hebdomadaire; * *adv* chaque semaine, par semaine.

weep *vt vi* pleurer.

weeping willow *n* saule pleureur *m*.

weigh *vt vi* peser.

weight *n* poids *m*.

weightily *adv* pesamment.

weightlifter *n* haltérophile *m*.

weighty *adj* lourd; important.

welcome *adj* opportun; ~! bienvenue !; * *n* accueil *m*; * *vt* accueillir.

weld *vt* souder; * *n* soudure *f*.

welfare *n* bien-être *m*; assistance sociale *f*.

welfare state *n* État-providence *m*.

well *n* source *f*; fontaine *f*; puits *m*; * *adj* bien, bon; * *adv* bien; **as ~ as** aussi bien que, en plus de, comme.

well-behaved *adj* bien élevé, sage.

well-being *n* bien-être *m*.

well-bred *adj* bien élevé.

well-built *adj* bien bâti, solide.

well-deserved *adj* bien mérité.

well-dressed *adj* bien habillé.

well-known *adj* connu, célèbre.

well-mannered *adj* poli, bien élevé.

well-meaning *adj* bien intentionné.

well-off *adj* aisé, dans l'aisance.

well-to-do *adj* aisé, riche.

well-wisher *n* admirateur *m* -trice *f*.

wench *n* jeune fille, jeune femme *f*.

west *n* ouest, Occident *m*; * *adj* ouest, de/à l'ouest; * *adv* vers/à l'ouest.

westerly, western *adj* (d')ouest.

westward *adv* vers l'ouest.

wet *adj* mouillé, humide; * *n* humidité *f*; * *vt* mouiller.

wetnurse *n* nourrice *f*.

wet suit *n* combinaison de plongée *f*.

whack *vt* donner un grand coup à; * *n* grand coup *m*.

whale *n* baleine *f*.

wharf *n* quai *m*.

what *pn* qu'est-ce qui,(qu'est-ce) que, quoi; que, qui; ce que; quel(le), que; * *adj* quel(s), quelle(s); * *excl* quoi! comment!.

whatever *pn* quoi que; tout; n'importe quoi.

wheat *n* blé *m*.

wheedle *vt* cajoler, câliner.

wheel *n* roue *f*; volant *m*; gouvernail *m*; * *vt* tourner; pousser; rouler; * *vi* tourner en rond, tournoyer.

wheelbarrow *n* brouette *f*.

wheelchair *n* fauteuil roulant *m*.

wheelclamp *n* sabot *m*.

wheeze *vi* respirer bruyamment.

when *adv, conj* quand.

whenever *adv* quand; chaque fois que.

where *adv* où; * *conj* où; any~ n'importe où; **every~** partout.

whereabout(s) *adv* où.

whereas *conj* tandis que; attendu que.

whereby *pn* par lequel (laquelle), au moyen duquel (de laquelle).

wherever *adv* où que.

whereupon *conj* sur quoi; après quoi.

wherewithal *npl* ressources *fpl*.

whet *vt* aiguiser.

whether *conj* si.

which *pn* lequel, laquelle; celui/celle(s)/ceux que, celui/celle(s)/ceux qui; ce qui, ce que; quoi, ce dont * *adj* quel(s), quelle(s).

whiff *n* bouffée, odeur *f*.

while *n* moment *m*; **a** ~ quelque temps; * *conj* pendant que; alors que; quoique.

whim *n* caprice *m*.

whimper *vi* gémir, pleurnicher.

whimsical *adj* capricieux, fantasque.

whine *vi* gémir, se plaindre; * *n* gémissement *m*, plainte *f*.

whinny *vi* hennir.

whip *n* fouet *m*; cravache *f*; * *vt* fouetter; battre.

whipped cream *n* crème fouettée *f*.

whirl *vi* tourbillonner, tournoyer; aller à toute allure; * *vt* faire tourbillonner, faire tournoyer.

whirlpool *n* tourbillon *m*.

whirlwind *n* tornade *f*.

whisper *vi* chuchoter; murmurer.

whispering *n* chuchotement *m*; murmure *m*.

whistle *vi* siffler; * *n* sifflement *m*.

white *adj* blanc; pâle; * *n* blanc *m*; blanc d'œuf *m*.

white elephant *n* bibelot *m*.

white-hot *adj* chauffé à blanc.

white lie *n* petit mensonge, mensonge innocent *m*.

whiten *vt vi* blanchir.

whiteness *n* blancheur *f*; pâleur *f*.

whitewash *n* blanc de chaux *m*; * *vt* blanchir à la chaux; disculper.

whiting *n* merlan *m*.

whitish *adj* blanchâtre.

who *pn* qui.

whoever *pn* quiconque, qui que ce soit, quel(le) que soit.

whole *adj* tout, entier; intact, complet; sain; * *n* tout *m*; ensemble *m*.

wholehearted *adj* sincère.

wholemeal *adj* complet.

wholesale *n* vente en gros *f*.

wholesome *adj* sain, salubre.

wholewheat *adj* complet.

wholly *adv* complètement.

whom *pn* qui; que.

whooping cough *n* coqueluche *f*.

whore *n* putain *f*.

why *n* pourquoi *m*; * *conj* pourquoi; * *excl* eh bien!, tiens!

wick *n* mèche *f*.

wicked *adj* méchant, mauvais; ~**ly** *adv* méchamment.

wickedness *n* méchanceté, perversité *f*.

wicker *n* osier *m*; * *adj* en osier.

wide *adj* large, ample; grand; ~**ly** *adv* partout; **far and** ~ de tous côtés.

wide-awake *adj* bien réveillé.

widen *vt* élargir, agrandir.

wide open *adj* grand ouvert.

widespread *adj* très répandu.

widow *n* veuve *f*.

widower *n* veuf *m*.

width *n* largeur *f*.

wield *vt* manier, brandir.

wife *n* femme *f*; épouse *f*.

wig *n* perruque *f*.

wiggle *vt* agiter; * *vi* s'agiter.

wild *adj* sauvage, féroce; désert; fou; furieux.

wilderness *n* étendue déserte *f*.

wild life *n* faune *f*.

wildly *adv* violemment; furieusement; follement.

wilful *adj* délibéré; entêté.

wilfulness *n* obstination *f*.

wiliness *n* ruse, astuce *f*.

will *n* volonté *f*; testament *m*; * *vt* vouloir.

willing *adj* prêt, disposé; ~**ly** *adv* volontiers, de bon cœur.

willingness *n* bonne volonté *f*, empressement *m*.

willow *n* saule *m*.

willpower *n* volonté *f*.

wilt *vi* se fâner.

wily *adj* astucieux.

win *vt* gagner, conquérir; remporter.

wince *vi* tressaillir.

winch *n* treuil *m*.

wind *n* vent *m*; souffle *m*; gaz *mpl*.

wind *vt* enrouler; envelopper; donner un tour de; * *vi* serpenter.

windfall *n* fruit abattu par le vent *m*; (*fig*) aubaine *f*.

winding *adj* tortueux.

windmill *n* moulin à vent *m*.

window *n* fenêtre *f*.

window box *n* jardinière *f*.

window cleaner *n* laveur(-euse) *m(f)* de carreaux.

window ledge *n* appui *m* de fenêtre.

window pane *n* carreau *m*.

window sill *n* rebord *m* de fenêtre.

windpipe *n* trachée *f* artère.

windscreen *n* pare-brise *m invar*.

windscreen washer *n* lave-glace *m invar*.

windscreen wiper *n* essuie-glace *m invar*.

windy *adj* venteux.

wine *n* vin *m*.

wine cellar *n* cave (à vin) *f*.

wine glass *n* verre à vin *m*.

wine list *n* carte des vins *f*.

wine merchant *n* négociant en vins *m*.

wine tasting *n* dégustation de vins *f*.

wing *n* aile *f*.

winged *adj* ailé.

winger *n* ailier *m*.

wink *vi* faire un clin d'œil; * *n* clin d'œil *m*; clignement *m*.

winner *n* gagnant *m* -e *f*; vainqueur *m*.

winning post *n* poteau d'arrivée *m*.

winter *n* hiver *m*; * *vi* hiverner.

winter sports *npl* sports d'hiver *mpl*.

wintry *adj* d'hiver, hivernal.

wipe *vt* essuyer; effacer.

wire *n* fil *m*; télégramme *m*; * *vt* installer des fils électriques à; télégraphier.

wiring *n* installation électrique *f*.

wiry *adj* effilé et nerveux.

wisdom *n* sagesse, prudence *f*.

wisdom teeth *npl* dents de sagesse *fpl*.

wise *adj* sage, avisé, judicieux, prudent.

wisecrack *n* bon mot *m*, plaisanterie *f*.

wish *vt* souhaiter, désirer; * *n* souhait, désir *m*.

wishful *adj* désireux.

wisp *n* brin *m*; mince volute *f*.

wistful *adj* nostalgique, rêveur.

wit *n* esprit *m*, intelligence *f*.

witch *n* sorcière *f*.

witchcraft *n* sorcellerie *f*.

with *prep* avec; à; de; contre.

withdraw *vt* retirer; rappeler; annuler; * *vi* se retirer.

withdrawal *n* retrait *m*.

withdrawn *adj* réservé.

wither *vi* se flétrir, se faner.

withhold *vt* détenir, retenir, empêcher.

within *prep* à l'intérieur de; * *adv* dedans; à l'intérieur.

without *prep* sans.

withstand *vt* résister à.

witless *adj* sot, stupide.

witness *n* témoin *m*; témoignage *m*; * *vt* être témoin de; attester.

witness stand *n* barre des témoins *f*.

witticism *n* mot d'esprit *m*.

wittily *adv* spirituellement.

wittingly *adv* sciemment, à dessein.

witty *adj* spirituel, plein d'esprit.

wizard *n* sorcier, magicien *m*.

wobble *vi* trembler.

woe *n* malheur *m*; affliction *f*.

woeful *adj* triste, malheureux; ~**ly** *adv* tristement.

wolf *n* loup *m*; **she** ~ louve *f*.

woman *n* femme *f*.

womanish *adj* de femme.

womanly *adj* féminin, de femme.

womb *n* utérus *m*.

women's lib *n* mouvement de libération de la femme *m*.

wonder *n* merveille *f*; miracle *m*; émerveillement *m*; * *vi* s'émerveiller.

wonderful *adj* merveilleux; ~**ly** *adv* merveilleusement.

wondrous *adj* merveilleux.

won't *abrev* de **will not**.

wont *n* coutume *f*.

woo *vt* faire la cour à.

wood *n* bois *m*.

wood alcohol *n* alcool méthylique *m*.

wood carving *n* sculpture sur bois *f*.

woodcut *n* gravure sur bois *f*.

woodcutter *n* bûcheron *m*.

wooded *adj* boisé.

wooden *adj* de bois, en bois.

woodland *n* région boisée *f*.

woodlouse *n* cloporte *m*.

woodman *n* forestier *m*; garde-forestier *m*.

woodpecker *n* pic *m*.

woodwind *n* (*mus*) bois *mpl*.

woodwork *n* menuiserie *f*.

woodworm *n* ver du bois *m*.

wool *n* laine *f*.

woollen *adj* de laine.

woollens *npl* lainages *mpl*.

woolly *adj* laineux, de laine.

word *n* mot *m*; parole *f*; * *vt* exprimer; rédiger.

wordiness *n* verbosité *f*.

wording *n* formulation *f*.

word processing *n* traitement *m* de texte.

word processor *n* machine *f* à traitement de texte.

wordy *adj* verbeux.

work *vi* travailler; opérer; fonctionner; fermenter; * *vt* (faire) travailler, faire fonctionner; façonner; * ~ **out** *vi* marcher; * *vt* résoudre; * *n* travail *m*; œuvre *f*; ouvrage *m*; emploi *m*.

workable *adj* exploitable.

workaholic *n* drogué du travail *m*.

worker *n* travailleur *m* -euse *f*; ouvrier *m* -ère *f*.

workforce *n* main-d'œuvre *f*.

working-class *adj* ouvrier.

workman *n* ouvrier, artisan *m*.

workmanship *n* exécution *f*; qualité du travail *f*.

workmate *n* camarade de travail *mf*.

workshop *n* atelier *m*.

world *n* monde *m*; * *adj* du monde; mondial.

worldliness *n* mondanité *f*; attachement aux choses matrielles *m*.

worldly *adj* mondain; terrestre.

worldwide *adj* mondial.

worm *n* ver *m*.

worn-out *adj* épuisé; usé.

worried *adj* inquiet.

worry *vt* inquiéter; *n* souci *m*.

worrying *adj* inquiétant.

worse *adj adv* pire; * *n* le pire.

worship *n* culte *m*; adoration *f*; **your ~** Monsieur le Maire, Monsieur le Juge; * *vt* adorer, vénérer.

worst *adj* le pire; * *adv* le plus mal; * *n* le pire *m*.

worth *n* valeur *f*, prix *m*; mérite *m*.

worthily *adv* dignement, à juste titre.

worthless *adj* sans valeur; inutile.

worthwhile *adj* qui vaut la peine; louable.

worthy *adj* digne; louable.

would-be *adj* soi-disant.

wound *n* blessure *f*; * *vt* blesser.

wrangle *vi* se disputer; * *n* dispute *f*.

wrap *vt* envelopper.

wrath *n* colère *f*.

wreath *n* couronne, guirlande *f*.

wreck *n* naufrage *m*; ruines *fpl*; destruction *f*; épave *f*; * *vt* causer le naufrage de; démolir.

wreckage *n* naufrage *m*; épave *f*, débris *mpl*.

wren *n* roitelet *m*.

wrench *vt* tordre; forcer; tourner violemment; * *n* clé *f*; torsion violente *f*.

wrest *vt* arracher.

wrestle *vi* lutter.

wrestling *n* lutte *f*.

wretched *adj* malheureux, misérable.

wriggle *vi* remuer, se tortiller.

wring *vt* tordre; essorer; arracher.

wrinkle *n* ride *f*; * *vt* rider; * *vi* se rider.

wrist *n* poignet *m*.

wristband *n* manchette de chemise *f*.

wristwatch *n* montre-bracelet *f*.

writ *n* écriture *f*; assignation *f*; acte judiciaire *m*.

write *vt* écrire; composer; **~ down** consigner par écrit; **~ off** annuler; réduire; **~ up** rédiger.

write-off *n* perte *f*.

writer *n* écrivain *m*; auteur *m*.

writhe *vi* se tordre.

writing *n* écriture *f*; œuvres *fpl*; écrit *m*.

writing desk *n* bureau *m*.

writing paper *n* papier à lettres *m*.

wrong *n* mal *m*; injustice *f*; tort *m*; injure *f*; * *adj* mauvais, mal; injuste; inopportun; faux, erroné; * *adv* mal, inexactement; * *vt* faire du tort à, léser.

wrongful *adj* injuste.

wrongly *adv* injustement.

wry *adj* ironique, narquois.

X

xenon *n* xénon *m*.
xenophobe *n* xénophobe *mf*.
xenophobia *n* xénophobie *f*.
xenophobic *adj* xénophobique.

Xmas *abbr* Noël *m*.
X-ray *n* rayon X *m*.
xylophone *n* xylophone *m*.

Y

yacht *n* yacht *m*.
yachting *n* navigation de plaisance *f*.
Yankee *n* yankee *m*.
yard *n* yard (0,914 m) *m*; cour *f*.
yardstick *n* critère d'évaluation *m*.
yarn *n* longue histoire *f*; fil *m*.
yawn *vi* bâiller; * *n* bâillement *m*.
yawning *adj* béant.
yeah *adv* oui, ouais (*fam*).
year *n* année *f*.
yearbook *n* annuaire *m*.
yearling *n* animal âgé d'un an *m*.
yearly *adj adv* annuel(lement).
yearn *vi* languir.
yearning *n* désir ardent *m*.
yeast *n* levure *f*.
yell *vi* hurler; * *n* hurlement *m*.
yellow *adj n* jaune *m*.
yellowish *adj* jaunâtre.
yelp *vi* japper, glapir; * *n* jappement *m*.
yes *adv, n* oui *m*.
yesterday *adv, n* hier (*m*).
yet *conj* pourtant; cependant; * *adv* encore.
yew *n* if *m*.

yield *vt* donner, produire; rapporter; * *vi* se rendre; céder; * *n* production *f*; récolte *f*; rendement *m*.
yoga *n* yoga *m*.
yog(h)urt *n* yaourt *m*.
yoke *n* joug *m*.
yolk *n* jaune d'œuf *m*.
yonder *adv* là-bas.
you *pn* vous; tu; te; toi.
young *adj* jeune; **~er** *adj* plus jeune.
youngster *n* jeune *mf*.
your(s) *pn* ton, ta, tes; votre, vos; le tien, la tienne, les tiens; tes tiennes; le/la vôtre, les vôtres; **sincerely ~s** je vous prie d'agréer, Monsieur/Madame, l'expression de mes sentiments les meilleurs.
yourself *pn* toi-même; vous-même(s).
youth *n* jeunesse, adolescence *f*; jeune homme *m*.
youthful *adj* jeune.
youthfulness *n* jeunesse *f*.
yuppie (*adj*) *n* (de) jeune cadre dynamique *m*.

Z

zany *adj* farfelu.
zap *vt* flinguer.
zeal *n* zèle *m*; ardeur *f*.
zealous *adj* zélé.

zebra *n* zèbre *m*.
zenith *n* zénith *m*.
zero *n* zéro *m*.
zest *n* enthousiasme *m*.

zigzag *n* zigzag *m*.
zinc *n* zinc *m*.
zip, zipper *n* fermeture éclair *f*.
zip code *n* code postal *m*.
zodiac *n* zodiaque *m*.
zone *n* zone *f*; secteur *m*.

zoo *n* zoo *m*.
zoological *adj* zoologique.
zoologist *n* zoologiste *mf*.
zoology *n* zoologie *f*.
zoom *vi* vrombir.
zoom lens *n* zoom *m*.

Verbes Irréguliers en Anglais

	Prétérit	Participe passé		Prétérit	Participe passé
arise	arose	arisen	dream	dreamed, dreamt	dreamed, dreamt
awake	awoke	awaked, awoke	drink	drank	drunk
be [I am, you/we/they are, he/she/it is, *gérondif* being]			drive	drove	driven
			dwell	dwelt, dwelled	dwelt, dwelled
	was, were	been	eat	ate	eaten
bear	bore	borne	fall	fell	fallen
beat	beat	beaten	feed	fed	fed
become	became	become	feel	felt	felt
begin	began	begun	fight	fought	fought
behold	beheld	beheld	find	found	found
bend	bent	bent	flee	fled	fled
beseech	besought, beseeched	besought, beseeched	fling	flung	flung
beset	beset	beset	fly [he/she/it flies]		
bet	bet, betted	bet, betted		flew	flown
bid	bade, bid	bid, bidden	forbid	forbade	forbidden
bite	bit	bitten	forecast	forecast	forecast
bleed	bled	bled	forget	forgot	forgotten
bless	blessed, blest	blessed, blest	forgive	forgave	forgiven
			forsake	forsook	forsaken
blow	blew	blown	forsee	foresaw	foreseen
break	broke	broken	freeze	froze	frozen
breed	bred	bred	get	got	got, (US)gotten
bring	brought	brought			
build	built	built	give	gave	given
burn	burnt, burned	burnt, burned	go [he/she/it goes]		
				went	gone
burst	burst	burst	grind	ground	ground
buy	bought	bought	grow	grew	grown
can	could	(been able)	hang	hung, hanged	hung, hanged
cast	cast	cast			
catch	caught	caught	have [I/you/we/they have, he/she/it has, *gérondif* having]		
choose	chose	chosen			
cling	clung	clung		had	had
come	came	come	hear	heard	heard
cost	cost	cost	hide	hid	hidden
creep	crept	crept	hit	hit	hit
cut	cut	cut	hold	held	held
deal	dealt	dealt	hurt	hurt	hurt
dig	dug	dug	keep	kept	kept
do [he/she/it does]			kneel	knelt	knelt
	did	done	know	knew	known
draw	drew	drawn	lay	laid	laid

435

	Prétérit	Participe passé		Prétérit	Participe passé
lead	led	led	shed	shed	shed
lean	leant, leaned	leant, leaned	shine	shone	shone
			shoot	shot	shot
leap	leapt, leaped	leapt, leaped	show	showd	shown, showed
learn	learnt, learned	learnt, learned	shrink	shrank	shrunk
leave	left	left	shut	shut	shut
lend	lent	lent	sing	sang	sung
let	let	let	sink	sank	sunk
lie [gérondif lying]			sit	sat	sat
	lay	lain	slay	slew	slain
light	lighted, lit	lighted, lit	sleep	slept	slept
			slide	slid	slid
lose	lost	lost	sling	slung	slung
make	made	made	smell	smelt, smelled	smelt, smelled
may	might	-			
mean	meant	meant	sow	sowed	sown, sowed
meet	met	met	speak	spoke	spoken
mistake	mistook	mistaken	speed	sped, speeded	sped, speeded
mow	mowed	mowed, mown			
			spell	spelt, spelled	spelt, spelled
must	(had to)	(had to)			
overcome	overcame	overcome	spend	spent	spent
pay	paid	paid	spill	spilt, spilled	spilt, spilled
put	put	put			
quit	quit, quitted	quit, quitted	spin	spun	spun
			spit	spat	spat
read	read	read	split	split	split
rid	rid	rid	spoil	spoilt	spoilt
ride	rode	ridden	spread	spread	spread
ring	rang	rung	spring	sprang	sprung
rise	rose	risen	stand	stood	stood
run	ran	run	steal	stole	stolen
saw	sawed	sawn, sawed	stick	stuck	stuck
			sting	stung	stung
say	said	said	stink	stank	stunk
see	saw	seen	stride	strode	stridden
seek	sought	sought	strike	struck	struck
sell	sold	sold	strive	strove	striven
send	sent	sent	swear	swore	sworn
set	set	set	sweep	swept	swept
sew	sewed	sewn, sewed	swell	swelled	swelled, swollen
shake	shook	shaken	swim	swam	swum
shall	should	-	swing	swung	swung
shear	sheared	sheared, shorn	take	took	taken
			teach	taught	taught

	Prétérit	Participe passé		Prétérit	Participe passé
tear	tore	torn	weave	wove,	wove, woven
tell	told	told	wed	wedded	wed,
think	thought	thought			wedded
throw	threw	thrown	weep	wept	wept
thrust	thrust	thrust	win	won	won
tread	trod	trodden,	wind	wound	wound
		trod	withdraw	withdrew	withdrawn
understand	understood	understood	withhold	withheld	withheld
upset	upset	upset	withstand	withstood	withstood
wake	woke	woken	wring	wrung	wrung
wear	wore	worn	write	wrote	written

French Verbs

Regular

infinitive	donner	finir	vendre
	to give	*to finish*	*to sell*
present participle	donnant	finissant	vendant
past participle	donné	fini	vendu
present	je donne	je finis	je vends
	tu donnes	tu finis	tu vends
	il donne	il finit	il vend
	nous donnons	nous finissons	nous vendons
	vous donnez	vous finissez	vous vendez
	ils donnent	ils finissent	ils vendent
imperfect	donnais	finissais	vendais
	donnais	finissais	vendais
	donnait	finissait	vendait
	donnions	finissions	vendions
	donniez	finissiez	vendiez
	donnaient	finissaient	vendaient
future	donnerai	finirai	vendrai
	donneras	finiras	vendras
	donnera	finira	vendra
	donnerons	finirons	vendrons
	donnerez	finirez	vendrez
	donneront	finiront	vendront
conditional	donnerais	finirais	vendrais
	donnerais	finirais	vendrais
	donnerait	finirait	vendrait
	donnerions	finirions	vendrions
	donneriez	finiriez	vendriez
	donneraient	finiraient	vendraient
past historic	donnai	finis	vendis
	donnas	finis	vendis
	donna	finit	vendit
	donnâmes	finîmes	vendîmes
	donnâtes	finîtes	vendîtes
	donnèrent	finirent	vendirent
present	donne	finisse	vende
subjunctive	donnes	finisses	vendes

	donne	finisse	vende
	donnions	finissions	vendions
	donniez	finissiez	vendiez
	donnent	finissent	vendent
imperfect	donnasse	finisse	vendisse
subjunctive	donnasses	finisses	vendisses
	donnât	finît	vendît
	donnassions	finissions	vendissions
	donnassiez	finissiez	vendissiez
	donnassent	finissent	vendissent

Auxiliary verbs

infinitive		*conditional*	
être	**avoir**	serais	aurais
to be	*to have*	serais	aurais
present participle		serait	aurait
étant	ayant	serions	aurions
past participle		seriez	auriez
été	eu	seraient	auraient
present		*past historic*	
je suis	j'ai	fus	eus
tu es	tu as	fus	eus
il est	il a	fut	eut
nous sommes	nous avons	fûmes	eûmes
vous êtes	vous avez	fûtes	eûtes
ils sont	ils ont	furent	eurent
imperfect		*present subjunctive*	
étais	avais	sois	aie
étais	avais	sois	aies
était	avait	soit	ait
étions	avions	soyons	ayons
étiez	aviez	soyez	ayez
étaient	avaient	soient	aient
future		*imperfect subjunctive*	
serai	aurai	fusse	eusse
seras	auras	fusses	eusses
sera	aura	fût	eût
serons	aurons	fussions	eussions
serez	aurez	fussiez	eussiez
seront	auront	fussent	eussent

Irregular Verbs

acheter	**acquérir**	**aller**	**appeler**
to buy	*to acquire*	*to go*	*to call*
present			
achète	acquiers	vais	appelle
achètes	acquiers	vas	appelles
achète	acquiert	va	appelle
achetons	acquérons	allons	appelons
achetez	acquérez	allez	appelez
achètent	acquièrent	vont	appellent
imperfect			
achetais	acquérais	allais	appelais
achetais	acquérais	allais	appelais
achetait	acquérait	allait	appelait
achetions	acquérions	allions	appelions

438

achetiez	acquériez	alliez	appeliez
achetaient	acquéraient	allaient	appelaient

future

achèterai	acquerrai	irai	appellerai
achèteras	acquerras	iras	appelleras
achètera	acquerra	ira	appellera
achèterons	acquerrons	irons	appellerons
achèterez	acquerrez	irez	appellerez
achèteront	acquerront	iront	appelleront

conditional

achèterais	acquerrais	irais	appellerais
achèterais	acquerrais	irais	appellerais
achèterait	acquerrait	irait	appellerait
achèterions	acquerrions	irions	appellerions
achèteriez	acquerriez	iriez	appelleriez
achèteraient	acquerraient	iraient	appelleraient

past historic

achetai	acquis	allai	appelai
achetas	acquis	allas	appelas
acheta	acquit	alla	appela
achetâmes	acquîmes	allâmes	appelâmes
achetâtes	acquîtes	allâtes	appelâtes
achetèrent	acquirent	allèrent	appelèrent

present subjunctive

achète	acquière	aille	appelle
achètes	acquières	ailles	appelles
achète	acquière	aille	appelle
achetions	acquérions	allions	appelions
achetiez	acquériez	alliez	appeliez
achètent	acquièrent	aillent	appellent

imperfect subjunctive

achetasse	acquisse	allasse	appelasse
achetasses	acquisses	allasses	appelasses
achetât	acquît	allât	appelât
achetassions	acquissions	allassions	appelassions
achetassiez	acquissiez	allassiez	appelassiez
achetassent	acquissent	allassent	appelassent

appuyer	**s'asseoir**	**battre**	**boire**
to lean	*to sit down*	*to hit*	*to drink*

present

appuie	m'assieds	bats	bois
appuies	t'assieds	bats	bois
appuie	s'assied	bat	boit
appuyons	nous asseyons	battons	buvons
appuyez	vous asseyez	battez	buvez
appuient	s'asseyent	battent	boivent

imperfect

appuyais	m'asseyais	battais	buvais
appuyais	t'asseyais	battais	buvais
appuyait	s'asseyait	battait	buvait
appuyions	nous asseyions	battions	buvions
appuyiez	vous asseyiez	battiez	buviez
appuyient	s'asseyaient	battaient	buvaient

future

appuierai	m'assiérai	battrai	boirai

appuieras	t'assiéras	battras	boiras
appuiera	s'assiéra	battra	boira
appuierons	nous assiérons	battrons	boirons
appuierez	vous assiérez	battrez	boirez
appuieront	s'assiéront	battront	boiront

conditional

appuierais	m'assiérais	battrais	boirais
appuierais	t'assiérais	battrais	boirais
appuierait	s'assiérait	battrait	boirait
appuierions	nous assiérions	battrions	boirions
appuieriez	vous assiériez	battriez	boiriez
appuieraient	s'assiéraient	battraient	boiraient

past historic

appuyai	m'assis	battis	bus
appuyas	t'assis	battis	bus
appuya	s'assit	battit	but
appuyâmes	nous assîmes	battîmes	bûmes
appuyâtes	vous assîtes	battîtes	bûtes
appuyèrent	s'assirent	battirent	burent

present subjunctive

appuie	m'asseye	batte	boive
appuies	t'asseyes	battes	boives
appuie	s'asseye	batte	boive
appuyions	nous asseyions	battions	buvions
appuyiez	vous asseyiez	battiez	buviez
appuient	s'asseyent	battent	boivent

imperfect subjunctive

appuyasse	m'assisse	battisse	busse
appuyasses	t'assisses	battisses	busses
appuyât	s'assît	battît	bût
appuyassions	nous assissions	battissions	bussions
appuyassiez	vous assissiez	battissiez	bussiez
appuyassent	s'assissent	battissent	bussent

| **commencer** | **conduire** | **connaître** | **courir** |
| *to begin* | *to drive* | *to know* | *to run* |

present

commence	conduis	connais	cours
commences	conduis	connais	cours
commence	conduit	connaît	court
commençons	conduisons	connaissons	courons
commencez	conduisez	connaissez	courez
commencent	conduisent	connaissent	courent

imperfect

commençais	conduisais	connaissais	courais
commençais	conduisais	connaissais	courais
commençait	conduisait	connaissait	courait
commencions	conduisions	connaissions	courions
commenciez	conduisiez	connaissiez	couriez
commençaient	conduisaient	connaissaient	couraient

future

commencerai	conduirai	connaîtrai	courrai
commenceras	conduiras	connaîtras	courras
commencera	conduira	connaîtra	courra
commencerons	conduirons	connaîtrons	courrons
commencerez	conduirez	connaîtrez	courrez

commenceront	conduiront	connaîtront	courront
conditional			
commencerais	conduirais	connaîtrais	courrais
commencerais	conduirais	connaîtrais	courrais
commencerait	conduirait	connaîtrait	courrait
commencerions	conduirions	connaîtrions	courrions
commenceriez	conduiriez	connaîtriez	courriez
commenceraient	conduiraient	connaîtraient	courraient
past historic			
commençai	conduisis	connus	courus
commenças	conduisis	connus	courus
commença	conduisit	connut	courut
commençâmes	conduisîmes	connûmes	courûmes
commençâtes	conduisîtes	connûtes	courûtes
commencèrent	conduisirent	connurent	coururent
present subjunctive			
commence	conduise	connaisse	coure
commences	conduises	connaisses	coures
commence	conduise	connaisse	coure
commencions	conduisions	connaissions	courions
commenciez	conduisiez	connaissiez	couriez
commencent	conduisent	connaissent	courent
imperfect subjunctive			
commençasse	conduisisse	connusse	courusse
commençasses	conduisisses	connusses	courusses
commençât	conduisît	connût	courût
commençassions	conduisissions	connussions	courussions
commençassiez	conduisissiez	connussiez	courussiez
commençassent	conduisissent	connussent	courussent

couvrir	**craindre**	**croire**	**devoir**
to cover	*to fear*	*to believe*	*to owe, to have to*
present			
couvre	crains	crois	dois
couvres	crains	crois	dois
couvre	craint	croit	doit
couvrons	craignons	croyons	devons
couvrez	craignez	croyez	devez
couvrent	craignent	croient	doivent
imperfect			
couvrais	craignais	croyais	devais
couvrais	craignais	croyais	devais
couvrait	craignait	croyait	devait
couvrions	craignions	croyions	devions
couvriez	craigniez	croyiez	deviez
couvraient	craignaient	croyaient	devaient
future			
couvrirai	craindrai	croirai	devrai
couvriras	craindras	croiras	devras
couvrira	craindra	croira	devra
couvrirons	craindrons	croirons	devrons
couvrirez	craindrez	croirez	devrez
couvriront	craindront	croiront	devront
conditional			
couvrirais	craindrais	croirais	devrais
couvrirais	craindrais	croirais	devrais

couvrirait	craindrait	croirait	devrait
couvririons	craindrions	croirions	devrions
couvririez	craindriez	croiriez	devriez
couvriraient	craindraient	croiraient	devraient

past historic

couvris	craignis	crus	dus
couvris	craignis	crus	dus
couvrit	craignit	crut	dut
couvrîmes	craignîmes	crûmes	dûmes
couvrîtes	craignîtes	crûtes	dûtes
couvrirent	craignirent	crurent	durent

present subjunctive

couvre	craigne	croie	doive
couvres	craignes	croies	doives
couvre	craigne	croie	doive
couvrions	craignions	croyions	devions
couvriez	craigniez	croyiez	deviez
couvrent	craignent	croient	doivent

imperfect subjunctive

couvrisse	craignisse	crusse	dusse
couvrisses	craignisses	crusses	dusses
couvrît	craignît	crût	dût
couvrissions	craignissions	crussions	dussions
couvrissiez	craignissiez	crussiez	dussiez
couvrissent	craignissent	crussent	dussent

| **dire** | **écrire** | **envoyer** | **faire** |
| *to say* | *to write* | *to send* | *to do; to make* |

present

dis	écris	envoie	fais
dis	écris	envoies	fais
dit	écrit	envoie	fait
disons	écrivons	envoyons	faisons
dites	écrivez	envoyez	faites
disent	écrivent	envoient	font

imperfect

disais	écrivais	envoyais	faisais
disais	écrivais	envoyais	faisais
disait	écrivait	envoyait	faisait
disions	écrivions	envoyions	faisions
disiez	écriviez	envoyiez	faisiez
disaient	écrivaient	envoyaient	faisaient

future

dirai	écrirai	enverrai	ferai
diras	écriras	enverras	feras
dira	écrira	enverra	fera
dirons	écrirons	enverrons	ferons
direz	écrirez	enverrez	ferez
diront	écriront	enverront	feront

conditional

dirais	écrirais	enverrais	ferais
dirais	écrirais	enverrais	ferais
dirait	écrirait	enverrait	ferait
dirions	écririons	enverrions	ferions
diriez	écririez	enverriez	feriez
diraient	écriraient	enverraient	feraient

dis	écrivis	envoyai	fis
dis	écrivis	envoyas	fis
dit	écrivit	envoya	fit
dîmes	écrivîmes	envoyâmes	fîmes
dîtes	écrivîtes	envoyâtes	fîtes
dirent	écrivirent	envoyèrent	firent

present subjunctive

dise	écrive	envoie	fasse
dises	écrives	envoies	fasses
dise	écrive	envoie	fasse
disions	écrivions	envoyions	fassions
disiez	écriviez	envoyiez	fassiez
disent	écrivent	envoient	fassent

imperfect subjunctive

disse	écrivisse	envoyasse	fisse
disses	écrivisses	envoyasses	fisses
dît	écrivît	envoyât	fît
dissions	écrivissions	envoyassions	fissions
dissiez	écrivissiez	envoyassiez	fissiez
dissent	écrivissent	envoyassent	fissent

fuir	**haïr**	**jeter**	**lire**
to flee	*to hate*	*to throw*	*to read*

present

fuis	hais	jette	lis
fuis	hais	jettes	lis
fuit	hait	jette	lit
fuyons	haïssons	jetons	lisons
fuyez	haïssez	jetez	lisez
fuient	haïssent	jettent	lisent

imperfect

fuyais	haïssais	jetais	lisais
fuyais	haïssais	jetais	lisais
fuyait	haïssait	jetait	lisait
fuyions	haïssions	jetions	lisions
fuyiez	haïssiez	jetiez	lisiez
fuiront	haïssaient	jetaient	lisaient

future

fuirai	haïrai	jetterai	lirai
fuiras	haïras	jetteras	liras
fuira	haïra	jettera	lira
fuirons	haïrons	jetterons	lirons
fuirez	haïrez	jetterez	lirez
fuiront	haïront	jetteront	liront

conditional

fuirais	haïrais	jetterais	lirais
fuirais	haïrais	jetterais	lirais
fuirait	haïrait	jetterait	lirait
fuirions	haïrions	jetterions	lirions
fuiriez	haïriez	jetteriez	liriez
fuiraient	haïraient	jetteraient	liraient

past historic

fuis	haïs	jetai	lus
fuis	haïs	jetas	lus
fuit	haït	jeta	lut

fuîmes	haïmes	jetâmes	lûmes
fuîtes	haïtes	jetâtes	lûtes
fuirent	haïrent	jetèrent	lurent

present subjunctive

fuie	haïsse	jette	lise
fuies	haïsses	jettes	lises
fuie	haïsse	jette	lise
fuyions	haïssions	jetions	lisions
fuyiez	haïssiez	jetiez	lisiez
fuient	haïssent	jettent	lisent

imperfect subjunctive

fuisse	haïsse	jetasse	lusse
fuisses	haïsses	jetasses	lusses
fuît	haït	jetât	lût
fuissions	haïssions	jetassions	lussions
fuissiez	haïssiez	jetassiez	lussiez
fuissent	haïssent	jetassent	lussent

manger	**mettre**	**mourir**	**mouvoir**
to eat	*to put*	*to die*	*to drive, to move*

present

mange	mets	meurs	meus
manges	mets	meurs	meus
mange	met	meurt	meut
mangeons	mettons	mourons	mouvons
mangez	mettez	mourez	mouvez
mangent	mettent	meurent	meuvent

imperfect

mangeais	mettais	mourais	mouvais
mangeais	mettais	mourais	mouvais
mangeait	mettait	mourait	mouvait
mangions	mettions	mourions	mouvions
mangiez	mettiez	mouriez	mouviez
mangeaient	mettaient	mouraient	mouvaient

future

mangerai	mettrai	mourrai	mouvrai
mangeras	mettras	mourras	mouvras
mangera	mettra	mourra	mouvra
mangerons	mettrons	mourrons	mouvrons
mangerez	mettrez	mourrez	mouvrez
mangeront	mettront	mourront	mouvront

conditional

mangerais	mettrais	mourrais	mouvrais
mangerais	mettrais	mourrais	mouvrais
mangerait	mettrait	mourrait	mouvrait
mangerions	mettrions	mourrions	mouvrions
mangeriez	mettriez	mourriez	mouvriez
mangeraient	mettraient	mourraient	mouvraient

past historic

mangeai	mis	mourus	mus
mangeas	mis	mourus	mus
mangea	mit	mourut	mut
mangeâmes	mîmes	mourûmes	mûmes
mangeâtes	mîtes	mourûtes	mûtes
mangèrent	mirent	moururent	murent

mange	mette	meure	meuve
manges	mettes	meures	meuves
mange	mette	meure	meuve
mangions	mettions	mourions	mouvions
mangiez	mettiez	mouriez	mouviez
mangent	mettent	meurent	meuvent

imperfect subjunctive

mangeasse	misse	mourusse	musse
mangeasses	misses	mourusses	musses
mangeât	mît	mourût	mût
mangeassions	missions	mourussions	mussions
mangeassiez	missiez	mourussiez	mussiez
mangeassent	missent	mourussent	mussent

naître	**partir**	**plaire**	**pouvoir**
to be born	*to leave*	*to please*	*to be able; can*

present

nais	pars	plais	peux
nais	pars	plais	peux
naît	part	plaît	peut
naissons	partons	plaisons	pouvons
naissez	partez	plaisez	pouvez
naissent	partent	plaisent	peuvent

imperfect

naissais	partais	plaisais	pouvais
naissais	partais	plaisais	pouvais
naissait	partait	plaisait	pouvait
naissions	partions	plaisions	pouvions
naissiez	partiez	plaisiez	pouviez
naissaient	partaient	plaisaient	pouvaient

future

naîtrai	partirai	plairai	pourrai
naîtras	partiras	plairas	pourras
naîtra	partira	plaira	pourra
naîtrons	partirons	plairons	pourrons
naîtrez	partirez	plairez	pourrez
naîtront	partiront	plairont	pourront

conditional

naîtrais	partirais	plairais	pourrais
naîtrais	partirais	plairais	pourrais
naîtrait	partirait	plairait	pourrait
naîtrions	partirions	plairions	pourrions
naîtriez	partiriez	plairiez	pourriez
naîtraient	partiraient	plairaient	pourraient

past historic

naquis	partis	plus	pus
naquis	partis	plus	pus
naquit	partit	plut	put
naquîmes	partîmes	plûmes	pûmes
naquîtes	partîtes	plûtes	pûtes
naquirent	partirent	plurent	purent

present subjunctive

naisse	parte	plaise	puisse
naisses	partes	plaises	puisses

naisse	parte	plaise	puisse
naissions	partions	plaisions	puissions
naissiez	partiez	plaisiez	puissiez
naissent	partent	plaisent	puissent

imperfect subjunctive

naquisse	partisse	plusse	pusse
naquisses	partisses	plusses	pusses
naquît	partît	plût	pût
naquissions	partissions	plussions	pussions
naquissiez	partissiez	plussiez	pussiez
naquissent	partissent	plussent	pussent

préférer	**prendre**	**recevoir**	**rire**
to prefer	*to take*	*to receive*	*to laugh*

present

préfère	prends	reçois	ris
préfères	prends	reçois	ris
préfère	prend	reçoit	rit
préférons	prenons	recevons	rions
préférez	prenez	recevez	riez
préfèrent	prennent	reçoivent	rient

imperfect

préférais	prenais	recevais	riais
préférais	prenais	recevais	riais
préférait	prenait	recevait	riait
préférions	prenions	recevions	riions
préfériez	preniez	receviez	riiez
préféraient	prenaient	recevaient	riaient

future

préférerai	prendrai	recevrai	rirai
préféreras	prendras	recevras	riras
préférera	prendra	recevra	rira
préférerons	prendrons	recevrons	rirons
préférerez	prendrez	recevrez	rirez
préféreront	prendront	recevront	riront

conditional

préférerais	prendrais	recevrais	rirais
préférerais	prendrais	recevrais	rirais
préférerait	prendrait	recevrait	rirait
préférerions	prendrions	recevrions	ririons
préféreriez	prendriez	recevriez	ririez
préféreraient	prendraient	recevraient	riraient

past historic

préférai	pris	reçus	ris
préféras	pris	reçus	ris
préféra	prit	reçut	rit
préférâmes	prîmes	reçûmes	rîmes
préférâtes	prîtes	reçûtes	rîtes
préférèrent	prirent	reçurent	rirent

present subjunctive

préfère	prenne	reçoive	rie
préfères	prennes	reçoives	ries
préfère	prenne	reçoive	rie
préférions	prenions	recevions	riions
préfériez	preniez	receviez	riiez
préfèrent	prennent	reçoivent	rient

imperfect subjunctive

préférasse	prisse	reçusse	risse
préférasses	prisses	reçusses	risses
préférât	prît	reçût	rît
préférassions	prissions	reçussions	rissions
préférassiez	prissiez	reçussiez	rissiez
préférassent	prissent	reçussent	rissent

savoir	**suffire**	**suivre**	**tenir**
to know	*to be enough*	*to follow*	*to hold*

present

sais	suffis	suis	tiens
sais	suffis	suis	tiens
sait	suffit	suit	tient
savons	suffisons	suivons	tenons
savez	suffisez	suivez	tenez
savent	suffisent	suivent	tiennent

imperfect

savais	suffisais	suivais	tenais
savais	suffisais	suivais	tenais
savait	suffisait	suivait	tenait
savions	suffisions	suivions	tenions
saviez	suffisiez	suiviez	teniez
savaient	suffisaient	suivaient	tenaient

future

saurai	suffirai	suivrai	tiendrai
sauras	suffiras	suivras	tiendras
saura	suffira	suivra	tiendra
saurons	suffirons	suivrons	tiendrons
saurez	suffirez	suivrez	tiendrez
sauront	suffiront	suivront	tiendront

conditional

saurais	suffirais	suivrais	tiendrais
saurais	suffirais	suivrais	tiendrais
saurait	suffirait	suivrait	tiendrait
saurions	suffirions	suivrions	tiendrions
sauriez	suffiriez	suivriez	tiendriez
sauraient	suffiraient	suivraient	tiendraient

past historic

sus	suffis	suivis	tins
sus	suffis	suivis	tins
sut	suffit	suivit	tint
sûmes	suffîmes	suivîmes	tînmes
sûtes	suffîtes	suivîtes	tîntes
surent	suffirent	suivirent	tinrent

present subjunctive

sache	suffise	suive	tienne
saches	suffises	suives	tiennes
sache	suffise	suive	tienne
sachions	suffisions	suivions	tenions
sachiez	suffisiez	suiviez	teniez
sachent	suffisent	suivent	tiennent

imperfect subjunctive

susse	suffisse	suivisse	tinsse
susses	suffisses	suivisse	tinsses
sût	suffît	suivît	tînt

447

sussions	suffissions	suivissions	tinssions
sussiez	suffissiez	suivissiez	tinssiez
sussent	suffissent	suivissent	tinssent

valoir	**venir**	**vivre**	**voir**
to be worth	*to come*	*to live*	*to see*
present			
vaux	viens	vis	vois
vaux	viens	vis	vois
vaut	vient	vit	voit
valons	venons	vivons	voyons
valez	venez	vivez	voyez
valent	viennent	vivent	voient
imperfect			
valais	venais	vivais	voyais
valais	venais	vivais	voyais
valait	venait	vivait	voyait
valions	venions	vivions	voyions
valiez	veniez	viviez	voyiez
valaient	venaient	vivaient	voyaient
future			
vaudrai	viendrai	vivrai	verrai
vaudras	viendras	vivras	verras
vaudra	viendra	vivra	verra
vaudrons	viendrons	vivrons	verrons
vaudrez	viendrez	vivrez	verrez
vaudront	viendront	vivront	verront
conditional			
vaudrais	viendrais	vivrais	verrais
vaudrais	viendrais	vivrais	verrais
vaudrait	viendrait	vivrait	verrait
vaudrions	viendrions	vivrions	verrions
vaudriez	viendriez	vivriez	verriez
vaudraient	viendraient	vivraient	verraient
past historic			
valus	vins	vécus	vis
valus	vins	vécus	vis
valut	vint	vécut	vit
valûmes	vînmes	vécûmes	vîmes
valûtes	vîntes	vécûtes	vîtes
valurent	vinrent	vécurent	virent
present subjunctive			
vaille	vienne	vive	voie
vailles	viennes	vives	voies
vaille	vienne	vive	voie
valions	venions	vivions	voyions
valiez	veniez	viviez	voyiez
vaillent	viennent	vivent	voient
imperfect subjunctive			
valusse	vinsse	vécusse	visse
valusses	vinsses	vécusses	visses
valût	vînt	vécût	vît
valussions	vinssions	vécussions	vissions
valussiez	vinssiez	vécussiez	vissiez
valussent	vinssent	vécussent	vissent

IMPRIMÉ EN UNION EUROPÉENNE
le 06-06-1996
P/048/95 – Dépôt légal, juin 1995